Praag

Arthur Phillips

Praag

Uit het Engels vertaald door Anneke Goddijn-Bok

UITGEVERIJ DE GEUS

De vertaalster ontving voor deze vertaling een werkbeurs van de
Stichting Fonds voor de Letteren

Oorspronkelijke titel *Prague. A Novel*, verschenen bij
Random House, New York
Oorspronkelijke tekst © Arthur Phillips, 2002
Nederlandse vertaling © Anneke Goddijn-Bok en
Uitgeverij De Geus bv, Breda 2003
Omslagontwerp Uitgeverij De Geus bv
Omslagillustratie © Fergus O'Brien/Getty Images
Foto auteur © Peter Turnley
Druk De Boekentuin, Zwolle
ISBN 90 445 0319 7
NUR 302

Verspreiding in België via Libridis nv,
Industriepark-Noord 5a, 9100 Sint-Niklaas

Voor Jan, natuurlijk

Het tijdperk van wapens en heldendichten is voorbij... Je zult zien dat ons een praktische tijd staat te wachten: geld, verstand, zaken-doen, handel drijven, voorspoed... Eeuwigdurende vrede behoort eindelijk tot de mogelijkheden. Een heel verfrissend idee – daar is helemaal niets op tegen.

— Thomas Mann, *Lotte in Weimar: De terugkeer van de geliefde*

Dankwoord

Praag zou beduidend minder coherent zijn (en had wellicht de persen niet eens gehaald) zonder het goede werk of de goede werken van superster-redacteur Lee Boudreaux, Tony Denninger, Phebe Hanson, Erwin Keelen, Peter Magyar, Mike Mattison, ASP, DSP, FMP, MMP, de onvergelijkbare agente Marly Rusoff, Toby Tompkins, *Budapest 1900* van John Lukacs en, natuurlijk, Jan.

Inhoud

Deel 1
De eerste indrukken 9

Deel 2
De Horváth Kiadó 159

Deel 3
Tijdelijke indigestie 229

Deel 4
Praag 335

Deel 1

De eerste indrukken

I

De bedrieglijk eenvoudige regels van het spel Eerlijkheid zoals dat werd gespeeld aan het eind van een vrijdagmiddag in mei 1990 op het terras van café Gerbeaud in Boedapest:

1. De spelers (in dit geval vijf) nemen plaats aan een cafétafeltje en wachten ongeduldig op hun bestelling, die in willekeurige volgorde is opgenomen door een chagrijnige, afwezige serveerster met grappige laarsjes: popperige kopjes espresso, compacte hompen cake, geglaceerd met art-nouveaukrulletjes van doorschijnende karamel, petieterige sandwiches, die oranje-rood zijn bestoven met de nationale specerij, glazen vingerhoedjes met zoete, bittere of rokerige likeur en grote glazen bruisend mineraalwater dat naar verluidt wordt opgespoord in en bemachtigd uit maagdelijke bronnen hoog in de Karpaten.

2. Om de beurt doen de spelers een schijnbaar oprechte uitspraak, één uitspraak per beurt. Verifieerbare feitelijke uitspraken zijn niet toegestaan. Op deze wijze wordt het spel vier ronden lang gespeeld. In dit geval zou het spel dus bestaan uit twintig schijnbaar oprechte uitspraken. Medespelers onderbreken met wijdlopige of storende conversatie of bijkomende leugens is toegestaan en wordt toegejuicht.

3. Van de vier uitspraken die een speler in de loop van het spel doet, mag er maar één 'waar' of 'oprecht' zijn. De andere drie zijn 'leugens'. De spelers bewaken zorgvuldig de identiteit van hun ware uitspraak; het vermogen om schaamte, verwarring, woede, schrik of verdriet voor te wenden wordt hoog gewaardeerd.

4. De spelers proberen vast te stellen welke uitspraken van hun tegenstanders waar waren. Speler A gist welke uitspraken van de spelers B, C, D en E waar waren. Speler B doet vervolgens hetzelfde bij de spelers A, C, D en E, et cetera. De score wordt op een bekruimeld servetje bijgehouden met een van een monogram (CMG) voorziene vulpen.

5. De spelers onthullen wat hun ware uitspraak was. Een speler krijgt een punt voor elk van zijn of haar leugens die door een tegenstander voor waar werden gehouden, en een punt voor het aanwijzen van de ware uitspraak van een tegenstander. Bij het spel met vijf mensen zoals vandaag zou de optimale score acht punten zijn: vier voor het om de tuin

leiden van die arme sukkels en nog vier voor het doorzien van hun zwakke, transparante pogingen tot bedrog.

II

Eerlijkheid – de hoofdschotel in bepaalde kringen van jonge buitenlanders die zich meteen na het sissend, flapperend leeglopen van het communisme in 1989-'90 in Boedapest hebben gevestigd – is toevalligerwijs het alom bewonderde bedenksel van een van de vijf spelers die bij dit spelletje, op deze middag in mei aanwezig zijn. Charles Gábor, die onder mensen van zijn eigen leeftijd altijd de gastheer lijkt te zijn, en aan dit cafétafeltje op dit zonnige terras heerst hij vredig en vol zelfvertrouwen. Hij vertoont gelijkenis met een art-decoschilderij van een dandy uit de jaren twintig: lange vingers, beheerste bewegingen, gladde, glanzende vlakken zwart haar, een gewaagde, studentikoze stropdas, een sportpantalon met een scherpe vouw van zijn favoriete katoenen keperstof, een grappige puntneus, een ironisch lachje, één wenkbrauw opgetrokken voor de expressiviteit.

Onder de groene, dooreengevlochten bomen om het terras, die een baldakijn vormen boven de hoofden van toeristen, buitenlanders die zich in de stad hebben gevestigd en een enkele Hongaar, zit Charles Gábor met vier andere westerlingen, een onwaarschijnlijk groepje mensen, dat in de afgelopen paar weken is ontstaan door feestjes en aanbevelingen van familie, de toevallige komst van een vriend van een vriend van een vriend en (in één geval iemand die net wordt voorgesteld) pure, nauwelijks acceptabele opdringerigheid – vijf mensen die er thuis, in hun normale leven, alle vrede mee zouden hebben gehad als ze elkaar nooit hadden gekend.

Vijf jonge expats zitten op een kluitje om een te klein cafétafeltje: een volkomen onbeduidend moment, en niet zonder de sterke zweem van een cliché.

Tenzij je een van hen was. Dan kan dit nietszeggende, uitvergrote moment (toen of later) op de een of andere manier de optelsom lijken van zowel een tijdperk als je jeugd, de middag die ontegenzeggelijk bepalend

voor je was (hoewel je dat nauwelijks hardop kunt zeggen zonder er een
grapje van te maken). Dan wordt dit ene spelletje Eerlijkheid de gedistil-
leerde herinnering aan een veel langere reeks gebeurtenissen. Hij komt
steeds weer in je herinnering boven – die middag dat je op een persoon,
een plek of een stemming verliefd werd, toen je genoot van de macht
dat je iedereen voor de gek kon houden, toen je een grote waarheid over
de wereld ontdekte, toen er (als een pulletje dat voor het eerst het waggelende achterste van zijn kwakende moeder ziet) een onuitwisbaar merk-
teken in je hart werd gebrand, een hart dat natuurlijk een eindige ruimte
is met beperkte plaats voor brandmerken.

In weerwil van zijn onbeduidendheid bestond dit moment, deze paar
uurtjes, deze voorjaarsmiddag, die geleidelijk in de avond overging, op
een caféterrasje in een Centraal-Europese hoofdstad in de eerste weken
van zijn postcommunistische tijdperk. De glaasjes likeur. De diamantvor-
mige dotten licht, als optische illusies, tussen ovale, bladvormige schaduwen. Het boogvormige raster van het gietijzeren hek dat het terras
scheidde van het omringende stadsplein. De ongemakkelijke stoel. Op
een dag zal ook dit het symbool zijn van iemands langzaam verdwijnende, navrant onbereikbare glansjaren.

Rechts van Charles Gábor zit Mark Payton, die op den duur uitgerekend dit moment zal gaan beschouwen als een van de gloedvolle, onge-
evenaarde triomfen van zijn leven. Door het terugblikken worden alle
ruwe kantjes van deze ambigue, gecompliceerde middag weggepoetst
tot Mark de kristalheldere kern ervan bijna kan zien, de zichtbare zaad-
doos van toekomstige gebeurtenissen, de (uiterst onwaarschijnlijke) re-
fractie van zichzelf als een jonge, gelukkige man die liefde en verwelko-
ming opsnuift in de lentelucht.

Hij zit op zijn gemak, een toestand die hij de laatste tijd steeds moeilijker kan bereiken. Toen deze vijf elkaar die middag in Gerbeaud troffen,
was Mark, nog voordat Charles een stoel voor Emily Oliver achteruit
trok, al onopvallend bezig de stoel te bemachtigen die hij op het oog
had, zoals hij gewoon is in het handjevol cafés waarop hij gesteld is geraakt in de twee maanden dat hij in Boedapest is. Hij weet dat zijn uitzicht, en daarmee zijn middag of misschien zelfs wel een paar dagen,
zou zijn bedorven als zijn geheime wens werd gedwarsboomd door zelfs
maar vijfenveertig graden verkeerd te zitten.

Veilig gepositioneerd kan hij zijn hoofd naar links draaien en zijn blik

op café Gerbeaud vestigen, op zijn ouderwetse interieur, op het hele verleden: gebaksvitrines, wanden met spiegels en donkere lambrisering,
roodfluwelen kussentjes op goudkleurig geschilderde stoelen. Bij daglicht zijn de kussens sleets en bladdert de verf af, maar dat stoort Mark
Payton niet. Een stoffeerder zou ze in ruil voor zijn werk van iets karakte-
ristieks ontdoen. Een sfeer van verval en vergane glorie stelt Mark gerust,
bewijst iets. Een groot deel van Boedapest – niet geschilderd, schoongemaakt of hersteld in vijfenveertig jaar communistische heerschappij die
onmiddellijk op een beestachtige oorlog volgde – verschaft hem soortgelijke genoegens. Voorlopig.

Als hij recht voor zich uit langs zijn vrienden kijkt, wordt Marks
Noord-Amerikaanse oog onthaald op de grootse, bewust imponerende
Europese architectuur van de negentiende eeuw (hoewel die allang het
vermogen heeft verloren om het eigen publiek te imponeren). Mark heeft
er jaren naar verlangd om deze architectuur te bekijken, op te snuiven
of op een andere manier in zich op te nemen. Jammer genoeg kan hij niet
uit zijn hoofd zetten dat iets verder naar links in de Harmincad utca een
Kempinski Hotel is voorbestemd zijn doelmatige, uit glas en staal bestaande zakelijke moderniteit op te dringen aan de merkwaardige, verwaarloosde asymmetrie van het naburige Deákplein. Maar in elk geval
kan hij van waar hij zit niet de onbeschrijflijke striae en littekens van de
bouwplaats zien.

Iets rechts van de piepkleine (nauwelijks op een plattegrond te zetten)
Harmincad utca staat een kantoorgebouw in zijn favoriete, typisch negentiende-eeuwse Haussmann-stijl, zo'n kolossale schoonheid met een
mansardedak zoals je er overal in Pest en Parijs, Madrid en Milaan wel
een paar aantreft. Dat er op de benedenverdieping met haar glazen pui
de oninteressante en slechts zelden geopende vestiging van een tweede-
rangsluchtvaartmaatschappij is gevestigd stoort Marks gevoel voor esthe-
tiek niet, omdat de inrichting van het kantoor, duidelijk zichtbaar vanaf
zijn stoel, zo absurd jaren zestig Oostblok is, zo onbedoeld en toch bitter-
zoet lachwekkend, dat die geheel eigen glansjaren oproept: van een zon-
verbleekt tijdperk van apparatsjiks in vierkante pakken en in zwart-wit geklede Ivy League-diplomaten met ronde stalen brillen, van stewardessen
met dophoedjes, van Bulgaarse huurmoordenaars en Oxbridge-ver-
raders, van deze lachwekkend buitenlandse, onbeduidende luchtvaartmaatschappij, die zo'n toplocatie eerder door zijn ideologische verenig-

baarheid had verworven dan door vrijemarktmiddelen.

Dat kantoorgebouw is karakterbepalend voor het merendeel van de oostkant, en Gerbeaud voor de gehele noordkant van het Vörösmarty-plein, het toeristische (zo niet geografische) centrum van Boedapest: her en der kunstenaars en schildersezels rond het hoog oprijzende bronzen beeld van Vörösmarty, een dichter die Mark nog eens wil gaan bestude-ren, mits hij vertalingen kan vinden. En de zuidkant van het plein: negen-tiende-eeuwse gebouwen die uiteenwijken voor een doorkijkje op Váci utca, een winkelstraat voor voetgangers, die met een bocht uit het zicht verdwijnt. Uit die mond weergalmen de anachronistische klanken van een groepje muzikanten uit de Andes, dat fluitend en trommelend lief-desliedjes uit de Boliviaanse hooglanden ten gehore brengt. De muzikan-ten staan er voor Mark als geroepen: de trommelende, in poncho gehulde romantici schermen de afschuwelijke aanblik af van een lange rij Honga-ren, die zich over een halve straat uitstrekt; sommige mensen zijn voor de gelegenheid op hun paasbest gekleed en verlangen er hevig naar om Hongarijes eerste McDonald's te keuren.

Natuurlijk blijft de rest van het gezelschap de westkant van het plein, waartegen Mark zich heeft ingedekt, niet bespaard. Maar zelfs met zijn rug ernaartoe gekeerd voelt hij dat het gebouw de spot met hem drijft, met zijn betonplaten en zijn afzichtelijke gevelranden uit de jaren zeven-tig (te oud om nieuw te zijn, te jong om de esthetische privileges van oud-heid te kunnen opeisen), pijnlijk zichtbaar vanuit Gerbeaud, tenzij je een vooruitziende blik hebt en beslag legt op de meest westelijke stoel onder de lieflijke groene takken naast het sierlijke smeedwerk, met uit-zicht op het donkere interieur van het café, op het sprankelende verleden.

Mark Payton, die in rap tempo zijn rode haar verliest en die in rap tem-po dikker wordt, en een gezicht met uitzakkende hangwangen heeft dat er altijd wat uitgeput uitziet, zelfs wanneer hij hyperactief doorratelt over zaken als geschiedenis en cultuur, is afkomstig uit Canada, waar het er (op een paar quasi-Franse enclaves na) niet zo uitziet als hier. Hij heeft net bijna tweeëntwintig jaar opleiding achter de rug. Hij is een paar maanden geleden gepromoveerd in cultuurgeschiedenis en is nu in zijn derde week van een voorgenomen reis van elf maanden door Europa om onderzoek te doen voor het boek dat een gepopulariseerde uitbrei-ding van zijn proefschrift moet worden: de geschiedenis van de nostalgie.

Naast hem zit Emily Oliver, uit Nebraska, hoewel ze haar eerste, gro-

tendeels vergeten, vijf jaar in Washington doorbracht. Ook zij is pas gearriveerd, in maart hier beland om in dienst te treden als de nieuwe buitengewoon attachee van de ambassadeur van de Verenigde Staten, een post
die ze op eigen merites had verworven, maar ook dankzij curieuze fami-
lierelaties. Als antwoord op de opvallend gretige vragen van de nieuwkomer aan het tafeltje heeft ze haar baan net beschreven als 'leuk' maar ook
als 'het heeft niet zoveel om het lijf, weet je, hoewel ik me daarover niet
wil beklagen', want je beklagen was een vergrijp dat door haar vader, die
weduwnaar was, werd bestraft met kietelen (tot Emily zeven was), krachtige aforismen (van haar zevende tot haar twaalfde) en daarna met grimmige beschrijvingen van écht lijden waarvan hij getuige was geweest, in
Vietnam, bij een plaatselijk ongeval met een dorsmachine of tijdens haar
moeders laatste weken. Afgelopen was het zelfbeklag.

Emily ziet er heel Amerikaans uit, dat zeggen zelfs Amerikanen. 'Ze
ruikt naar maïs op de kolf', zal Charles Gábor huiverend zeggen als hem
later op de avond discreet wordt gevraagd of ze nog onbezet is. Ze draagt
haar lichtbruine haar in een paardenstaart, zodat je vol zicht hebt op wat
in de betere kringen van Nebraska beleefd een vierkante kin werd genoemd, maar wat eigenlijk dichter in de buurt komt van een brede gelijk-
benige driehoek die aan haar oren hangt, parallel met de grond. Hoe im-
posant die kin ook is, ze heeft altijd lachend de goedbedoelende
kamergenoten en kappers afgewimpeld die manieren bedenken om haar
trekken te 'verzachten' of 'haar ogen te accentueren'.

Ze belichaamt en steekt in het openbaar de loftrompet over oprechtheid, een eigenschap die haar door de geschiedenis gehavende Hongaarse
kennissen tegelijkertijd innemend en ietwat onbegrijpelijk vinden, zo'n
platteaardebenadering van de wereld. Ouderen op de ambassade en hun
echtgenotes noemen haar vermogen tot luisteren, haar zekere, betrouwbare uitstraling, haar gelijkenis met hun jongere zelf, en daar kan ze niets
aan afdoen, maar ze zou er geen bezwaar tegen hebben die laatste vergelijking wat minder vaak te horen. Kamergenoten zeggen steevast dat ze gewoon de liefste, betrouwbaarste vrouw ter wereld is, en niet het saaie
meisje dat je verwacht als je haar voor het eerst ontmoet.

Vanmiddag, hier in Gerbeaud, heeft ze een kakikleurige rok aan, een
witte overhemdblouse en een blauwe blazer, de standaardkleding voor
jonge werknemers van de Amerikaanse ambassade die niet tot de diplomatieke staf behoren, maar tevens de onmiskenbare groepsdracht van sta-

giaires en eerstejaarsassistenten over de hele wereld. Het lijkt erop dat Emily, ondanks haar optimisme, ook tot dat legioen behoort, iemand die binnenkort zal worden geconfronteerd met de teleurstelling van een saaie
baan met een aanlokkelijke benaming, en die al snel haar toevlucht zal nemen tot de warme omhelzing van een andere academische studierichting
met een betere marktwaarde en iets meer tijd om na te denken.

Rechts van haar zit een jongeman die onlangs kwart serieus verkon-
digde dat hij alleen teruggaat naar de schoolbanken 'als er een studierichting "Leven voor het nu" van start gaat'. Deze uitspraak van Scott Price
getuigt van een dieet van zelfhulpboeken, korte, gepassioneerde liefdes-
affaires met oosterse filosofieën en de gewoonte om zich als draaideur-
patiënt in te laten met allerlei vormen van psychotherapie, erkend of an-
derszins. Maar Scotts steeds scherpere, herhaalde verzoek of Charles aan
de ongrijpbare serveerster wil vragen of er natrium in het Karpaatse
bronwater zit, en zijn zichtbare frustratie over Charles' onwil om daar gevolg aan te geven of de vraag zelfs maar serieus te nemen, zijn in tegenspraak met wat Scott laatst in het openbaar beweerde, namelijk 'dat hij
een nieuwe, betere relatie met woede had'.

Zeven maanden geleden had Scott zich in een nachtclub in Seattle
voorovergebogen tot heel dicht bij een bulderende podiumversterker, en
toen zwolg hij in een honingzoete, onverwachte revelatie die veel te laat
was gekomen. 'Look at Me, I'm Above It All' – een oude hit uit de tijd
dat Seattle werd overheerst door Amerikaanse popmuziek – dreunde over
en door hem heen, en ook al wist hij dat de titel van de song ironisch
was bedoeld, koos hij ervoor om hem niet zo op te vatten; vanaf dit moment zou hij boven ruzie verheven zijn, losstaan van de zoveelste onlangs
verprutste relatie, de zoveelste vervelende werksituatie en vooral van de
beperkingen, onhartelijkheden en wreedheden van zijn ver weg wo-
nende familie. Hij besefte dat hij de volgende dag niet zou teruggaan naar
de kleine, atletische vrouw die zijn mislukte, zes weken durende poging
had aangestuurd om alle verdrongen herinneringen aan zijn ouders, die
nog iets boosaardigers deden dan hij uit eigen beweging kon bovenhalen,
met wortel en tak uit te roeien en te verbranden. Toen hij tussen de ver-
sterker en de mensenmenigte stond, pelde het geluid jaren van verontwaardiging van hem af, verontwaardiging die hij nooit meer nodig zou
hebben, wist hij.

Een week later verliet hij de vs zonder zijn familie in Los Angeles daarvan op de hoogte te stellen, en hij onderstreepte daarmee dat het contact met zijn ouders en zijn broer bijna twee jaar lang toch al sporadisch was geweest. Hij dook opgelucht ademend in Boedapest op. Daar benutte hij zijn academische opleiding door als assistent-hoofd van het studieprogramma te gaan werken bij het Instituut ter Bestudering van Vreemde Talen, een keten van particuliere scholen – eerst in Praag, toen in Boedapest, Warschau en Sofia, met plannen in voorbereiding voor Boekarest, Moskou en Tirana – waar hij Engels aan de man bracht, dat uiterst waardevolle handelsartikel.

Scotts asblonde haar, bijna Scandinavische trekken, slanke gespierdheid (mouwloos T-shirt) en in het oog springende Californische gezondheid vallen niet alleen op die school of aan dit tafeltje op. Overal in Boedapest ziet hij er uitgesproken exotisch uit, overduidelijk een buitenlander, zelfs voordat hij vol zelfvertrouwen een van zijn weinige woordjes Hongaars verhaspelt of in een staatsrestaurant, dat het door varkensvlees overheerste menuaanbod sinds de geboorte van Stalin niet meer heeft veranderd, in langzaam, pedagogisch Engels tegen onderbetaalde kelners aan zeurt of ze iets vegetarisch voor hem willen klaarmaken. Het verschilt eigenlijk niet zoveel van zijn jeugd in L.A., die hij doorbracht tussen drie buitenlanders die beweerden zijn ouders en jongere broer te zijn, zei Scott een keer als grapje. (Hoewel Scott er vergeet bij te vertellen dat hij toen de ongelooflijk – cartoonachtige – dikke blonde jood was in een gezin van traditionelere uitvoeringen: klein, slank, krullend haar, olijfkleurige huid).

Na vier maanden in Hongarije maakte Scott de vergissing toe te geven aan een voorspelbaar, maar toch altijd weer verrassend moment van sentimentele zwakte. Toen hij er laat op de avond over inzat dat zijn moeder misschien meer last van wroeging had dan hij haar toewenste, stuurde hij een ansicht naar Californië met een afbeelding van de Burchtheuvel in Boeda, met de tekst *Geef hier een poos les. Hoop dat het jullie allemaal goed gaat. S.* Toen de ansicht het rode brievenbusje in zoefde had hij er meteen spijt van, maar hij troostte zich ermee dat hij geen adres had vermeld en dat zelfs zíj tussen de regels door konden lezen. Zijn zorgvuldig opgebouwde wereld was nog steeds veilig.

Behalve dat er twee maanden later rechts van Scott de vijfde deelnemer van vandaag zit, zijn pas gearriveerde en buitenproportioneel verafschuwde jongere broer John.

III

De eerste ronde

'Nou, laten we maar eens zien hoe de vlag erbij hangt', zei de bedenker en onbetwiste meester van Eerlijkheid. John Price zag dat Charles zijn armen achter de rugleuning van zijn stoel strekte, zijn vingers verstrengelde en iets achteroverleunde, zodat de laagstaande zon zijn gezicht kon beschijnen. Een symbolische opening van het spel, merkte John op, alsof Gábor zichzelf tegen het licht hield, een toonbeeld van openheid. En toch was het een opzéttelijke symbolische handeling. John meende zelfs te zien dat Charles genoot van het idee dat zijn tegenstanders/vrienden de symboliek zouden opmerken, maar dan slim genoeg zouden zijn om die te verwerpen als niet slechts een symbool, maar ook als niet-doeltreffend, een stille truc, want hij dacht dat het vast geen blijk gaf van enige échte openheid als hij zijn gezicht naar de zon toe keerde. En, dacht John verder, misschien was dit ook een complimentje, omdat Charles erop vertrouwde dat je slim genoeg was het gebaar niet kritiekloos te interpreteren, maar te weten dat de handeling om zich opzettelijk bloot te geven was bedoeld om aan te geven dat hij zich juist níét blootgaf. Maar misschien had Charles zich ook gewoon uitgerekt.

Charles veranderde van houding, boog zich naar het overvolle tafeltje en zette een elleboog op het marmer. Hij keek zijdelings naar Mark, en zijn bruine ogen ontspanden zich en kregen een wazig-warme blik. 'Als ik heel eerlijk ben, Mark,' zei Charles, 'ben ik soms jaloers op de passie die jij voor je onderzoek hebt.' Zijn blik bleef nog een paar seconden op Payton rusten; het verlangen om meer te zeggen leverde strijd met spijt over het feit dat hij al zo veel had gezegd. Eén kant van zijn welgevormde mond werd omhooggetrokken door een weemoedig lachje. Zijn wenkbrauwen klommen een zorgvuldig bemeten stapje op in de richting van de spierwitte scheiding in zijn pikzwarte haar. 'Jouw beurt, Mark.'

John was pas twee dagen in Boedapest; hij sliep bij zijn broer op de grond, doolde in zijn eentje door de stad met een nieuwe en toch al verouderde plattegrond en werd soms halfslachtig aan Scotts vrienden voorgesteld. John kende dit groepje mensen nog maar net, maar zelfs hij vermoedde dat Charles niet jaloers was op Marks onderzoek. Gábor had de Canadees zelfs onlangs verteld dat hij geen enkele interesse voor diens levenswerk had en had zich net de luxe veroorloofd om te zeggen wat duidelijk was: voor iemand die bij een participatiemaatschappij werkte was Marks wetenschappelijke, sentimentele obsessie met het verleden lachwekkend. En Mark had er zelfs om moeten lachen.

Mark werd afgeleid door een serveerster die vlak langs hun tafeltje kwam. Scott hielp hem herinneren: 'Het is jouw beurt. We gaan tegen de klok in.' En Mark maakte een gebaartje om aan te geven dat zijn aandacht ongewild weer op het spel werd gevestigd, een klein vertoon van openheid, dat op John amateuristisch overkwam in vergelijking met de opening van de maestro.

'Weet je, ik begin die laarzen eigenlijk wel leuk te vinden' zei Mark met een Canadees accent op zangerige toon, kennelijk enigszins verbaasd dat hij dit toegaf. Hij doelde op de kniehoge gogo-veterlaarzen van wit vinyl met open neus, die de voeten van alle serveersters van Gerbeaud sierden, vrouwen tussen de achttien en de vijfenzestig, die er ook toe veroordeeld waren om een geel minirokje en een wit kanten schortje te dragen. Het ging het verstand van alle vijf westerlingen te boven dat mensen na een paar maanden postcommunisme zich niet ontdeden van hun verplichte gogo-laarzen met dezelfde bevrijdende hartstocht die ze aan de dag hadden gelegd toen ze het juk van hun tirannieke regering hadden afgeworpen. Hoe dan ook, zelfs de saaiste beginneling bij dit spel zou zich hebben gerealiseerd dat een man die een populaire geschiedenis van de nostalgie aan het schrijven was en die zijn hele leven cheerleaders en van elke stijl gespeende Canadezen precies eendere laarzen had zien dragen, het modeverschijnsel in deze context waarschijnlijk 'niet leuk begon te vinden'.

En toch zat Emily Oliver haar hoofd te schudden terwijl ze probeerde uit te maken of ze hem moest geloven. Ze klemde haar onderlip tussen haar tanden en nam Mark met zichtbare geestesenergie op en zei zelfs: 'Mmm.' Ten slotte leek ze zich (heel doorzichtig) te realiseren dat ze heel doorzichtig was en deed ze nogal wat moeite om haar gezicht onder controle te krijgen. Iedereen sloeg deze verandering gade, en ze glimlachten allemaal met haar mee in hun gemeenschappelijke worsteling om niet te gaan lachen.

'Meid, je bent een meester in bedrog.'

'Hou toch op, jij! Jij hebt dit idiote spel bedacht, maar neem het mij niet kwalijk als ik wat oefening nodig heb. Normale mensen is bijgebracht de waarheid te vertellen, weet je.' Ze klemde haar kaken op elkaar, haalde adem en bereidde zich voor op een leugen.

En John Price werd verliefd, om kwart over vijf op een vrijdagmiddag in mei 1990.

In een ongewilde parodie op samenzwering trok Emily een wenk-brauw op en bekende: 'Ik kamp voortdurend met een ernstige depressie. Ik bedoel met heel donkere periodes waarin ik me volslagen hopeloos voel.'

Na een korte stilte barstten Mark en Scott los in openlijke hilariteit. Zelfs Charles zat breed te glimlachen, ondanks dat hij meer respect voor het spel probeerde te tonen. Emily zelf keek noodgedwongen naar haar schoot. 'Ik krijg het wel onder de knie', zei ze. 'Let maar op.'

John lachte echter niet. Hij zag dat zijn leven zich eindelijk begon te ontvouwen. Hij keek naar een vrouw die niet in staat was te liegen en hij hield zich voor dat dit een van de zeldzame schatten van het leven was. Hij zag dat Emily – zoals haar leugen aan het licht bracht – nog nooit een neurotische depressie had gehad, daarom dicht aan het oppervlak van het bestaan leefde en het een simpele opgaaf vond zich van de druk-kende, zich voortdurend vermeerderende lagen van zelfbewustzijn en identiteit te ontdoen. Hij voelde dat de spieren rond zijn ogen zich vreemd samentrokken en hij schraapte met zijn ondertanden langs zijn bovenlip.

John genoot niet lang van het moment omdat de innemend lachende Scott aan de beurt was: 'Ik ben echt blij dat John me hier in Boedapest heeft weten te vinden.' Emily knikte verheugd over dit warme, broeder-lijke gevoel. Mark en Charles keken naar hun handen. 'Echt. Alsof mijn droom is uitgekomen.'

Een mistroostig kijkende serveerster liep verleidelijk dicht langs het tafeltje; John zwaaide hoopvol en probeerde haar vluchtige aandacht te trekken, maar hij sprak geen woord Hongaars. Scott, die vijfenhalve maand bezig was geweest Engelse les te geven, beheerste de taal bijna even slecht. Mark had zich een maand aan privé-lessen Hongaars onder-worpen, maar zonder succes. Emily gaf toe dat ze dankzij haar dagelijkse les op de ambassade alleen geschreven woorden kon uitspreken en marte-lend eenvoudige gesprekjes kon voeren, zodat John hulp zocht bij Charles

Gábor, de tweetalige zoon van Hongaren die in 1956 naar de VS waren gevlucht.

'*Ő kér egy rumkólát*', zei Gábor tegen de norse serveerster. Ze liep zonder
enige reactie weg.

'Jezus. Wat heb je tegen haar gezegd?'

'Niets.' Gábor haalde zijn schouders op. 'Ik zei dat je nog een rum-cola
wilde.'

'Nou, ze kijkt woest', zei John met een zucht. 'Vermoedelijk omdat ik
zo overduidelijk een jood ben.'

Hoewel zijn lichamelijke zelfbeoordeling ontegenzeggelijk waar was,
sloeg de stemming aan tafel dood door zijn harde oordeel over antisemi-
tisme onder Hongaarse serveersters. Zijn blonde broer met de blauwe
ogen en mopsneus troostte hem schoorvoetend. 'Nee, kelners en serveersters zijn hier allemaal zo. Mij overkomt het ook.'

'Nou, hoe dan ook, dat was mijn beurt', zei John, en Gábor liet een
zachte, neerbuigende fluittoon horen om blijk te geven van zijn waardering over uitstekend spel, voor een beginner.

Eerlijkheid leek kant-en-klaar in het hoofd van Charles Gábor te zijn
opgekomen, en onder de jonge Amerikanen, Canadezen en Engelsen
die in 1989-'90 eerst druppelsgewijs en toen in stromen naar Boedapest
waren gekomen was de populariteit van het spel een van de weinige gemeenschappelijke interesses in een voor het overige onwaarschijnlijke gemeenschap. In oktober '89 had Charles de regels uitgelegd, op dezelfde
avond dat hij was aangekomen in de stad die, hadden zijn ouders hem altijd verteld, zijn echte thuishaven was. Laat op de avond had hij het met
een jetlag gespeeld met een groep Amerikanen in een bar in de buurt
van de Universiteit van Boedapest, en het spel had zich, in Scotts woorden, onder Engelstaligen verspreid 'als een onschuldige maar ongeneeslijke maatschappelijke ziekte'. Het virus verliet het plakkerige tafeltje en
werd overgebracht op docenten van de Engels-als-tweede-taal-school, leden van jazz- en folkbandjes en de jongste partners van advocatenkanto-
ren. Het werd lacherig uitgelegd en dagelijks gespeeld door stagiaires
van ambassades, rugzaktoeristen, kunstenaars, dichters en scenarioschrij-
vers en andere nieuwe (en vaak heel bemiddelde) bohémiens, en door
de jonge Hongaren die bevriend raakten met deze indringers, voyeurs,
naïevelingen en maatschappelijke vluchtelingen. Eerlijkheid greep met
de dag om zich heen toen Boedapest steeds meer uitpuilde van de nieuwe

mensen die dolgraag Geschiedenis wilden zien ontstaan, munt wilden slaan uit een tumultueuze markt, artistieke inspiratie wilden opdoen bij de onaangesproken bron van een door de Koude Oorlog verscheurde stad, of alleen maar wilden genieten van een zeldzame, kortstondige samenstand van plaats en tijd, waarin een Amerikaan, een Engelsman of een Canadees zijn exotisch kon zijn, ook al was voelbaar dat er al te snel een eind aan zo'n vrijbrief zou komen.

De tweede ronde

Charles keek John streng aan met een gezicht dat zoiets moest uitdrukken als 'je zult dit niet leuk vinden, maar ik moet de waarheid spreken' en zei: 'Als deze eerste postcommunistische jubelstemming begint af te nemen, zal er een moment komen waarop de Hongaren gaan inzien dat je ook te veel democratie kunt hebben. Ze zullen beseffen dat ze een iets krachtiger hand aan het roer nodig hebben en zullen de juiste keus maken: een sterk Hongarije met een echte nationaal-corporatieve filosofie.' Hij zweeg, keek John en Scott indringend aan en zei tot slot: 'Zoals ze begin jaren veertig hadden.'

Mark: 'Zoals mijn vader altijd zei, je moet je ellende altijd in het juiste perspectief zien. Er is altijd wel iemand slechter af dan jij. Dat is een blijvende troost.'

Emily: 'Er zijn meer aardige dan gemene mensen op de wereld. Dat geloof ik echt.' John kon zien dat ze het zonder meer geloofde en hij besefte dat dit fundamentele geloof, dat zo zeldzaam en buitengewoon is, precies was wat hij ontbeerde en nodig had om een rijk en belangwekkend leven te leiden. Hij vond het ook leuk dat de druk om meteen in het begin twee leugens te vertellen Emily te veel was geweest, maar nu stond ze voor het angstaanjagende vooruitzicht aan het eind met twee leugens achter elkaar te moeten komen.

Scott, voor wie het spel op het hoogste niveau eigenlijk te hoog gegrepen was, benutte een flauwe mogelijkheid: 'Ik hou meer van Pest dan van Boeda.' Hij woonde en werkte aan de overkant van de Donau in de heuvels van Boeda, tegenover de vlakke stedelijke ring- en rasterbebouwing van Pest.

'Saai', mompelde Gábor. 'Beneden de waardigheid van het spel. Je bakt er niks van.'

'Zeik niet zo, zeikerd', reageerde de leraar Engels vinnig.

John (zijn rum-cola was inmiddels gebracht, maar was door een even norse, maar heel andere serveerster zonder duidelijke reden voor Mark neergezet): 'Over vijftien jaar zullen de mensen het hebben over al die verbazingwekkende Amerikaanse kunstenaars en denkers die in de jaren negentig in Praag woonden. Daar speelt het echte leven zich op dit moment af, niet hier.' Hij reikte met zijn hand over tafel naar zijn drankje, maar gooide daarbij Gábors likeur om over de schoot van Scott. Scott sprong overeind, nam een servetje aan dat Emily hem haastig aanbood, en goot bruisend Karpaats bronwater met een hoog natriumgehalte over de bruine kleverige substantie die zich over het kruis van zijn hardloopshort verspreidde.

'Deppen, niet vegen', adviseerde Emily met oprechte bezorgdheid.

De derde ronde

'Ik moet toegeven', zei Gábor langzaam toen Scott weer was gaan zitten, 'dat ik daarnet even jaloers was toen Emily zoveel belangstelling voor je toonde, Scott.' Charles sloeg zijn blik naar haar op, keek toen weg en blies briesend zijn adem uit voordat hij eraan toevoegde: 'En vanwege het deppen van je short', alsof die obscene slotfrase de gênante onderliggende waarheid kon verhullen.

Johns ademhaling stokte; hij was verbijsterd over de onverwachte obstakels voor het levensplan dat hij het afgelopen halfuur had zitten formuleren. Omdat hij niet kon ontkennen dat er aan het tafeltje sprake was van een persoonlijke voorgeschiedenis waar hij niets vanaf wist, troostte hij zich ten slotte met de waarschijnlijkheid (75%) dat Charles had gelogen. Maar hij herinnerde zich ook dat Charles, toen hij de regels had uitgelegd, had gezegd: 'Een van de mooiste aspecten van het spel: deelnemers weten soms zelf niet precies in hoeverre ze de waarheid vertellen.'

'Jij deugt niet, hè Charles?' Emily zwaaide met haar wijsvinger naar hem.

Charles keek weg in de hoop iets te verhullen van wat hij had prijsgegeven of om iets prijs te geven waarvan hij het alleen wilde doen voorkomen dat hij het verhulde, en daarom lokte hij een andere serveerster naar hun tafeltje; voordat ze kon doorhebben dat ze in de val was gelokt, was ze bestellingen voor nieuwe drankjes en hapjes aan het opnemen. 'Het arme mens', zei hij terwijl ze zich stuurs een weg baande door het café. 'Ze zal de nieuwe economie niet overleven. Dit hele land moet een schop onder zijn kont hebben.'

'Je mag niet twee keer achter elkaar, Charles.'

'Nee, ik weet het. Dat was gewoon mijn mening.'

Mark zat te knikken. 'Ik verzeker je dat er nooit chagrijnige bediening was toen dit café werd gesticht. Jij bent aan de beurt, Em.'

'O jee. Moeten we hier echt mee doorgaan? Dit is niet de manier waarop normale mensen hun tijd zouden moeten doorbrengen. Oké, oké, geef me één tel… Ik denk dat ik voorgoed in Hongarije zou kunnen wonen. Ik wil nooit meer terug naar de States.'

John glimlachte bij het idee dat dit door en door Amerikaanse meisje het kalmer aan zou gaan doen, zich voorgoed in Centraal-Europa zou vestigen en haar Hongaarse kinderen zou opvoeden tot de eerste opgewekte niet-rokers in de geschiedenis van het land, die ook nog goed van vertrouwen zouden zijn.

Scotts bod in de derde ronde: 'Engels is moeilijker dan Hongaars.'

En dat van John: 'Scott is het lievelingetje van onze ouders.'

Omstreeks de vierde ronde werd het spelletje Eerlijkheid altijd bekropen door hetzelfde gevoel van malaise, een vreemd onbehagen net buiten het bereik van het bewustzijn, een golf van slaperigheid of suffigheid. De conversatie buiten het spel om bloeide op, maar kreeg ook iets geïrriteerds omdat de spelers zich meestal veel inspanning moesten getroosten om te onthouden wat ze al hadden gezegd en wat daarvan zogenaamd waar was. Die avond in mei leek het erop dat alleen Charles Gábor en misschien Emily nog niet uitgeblust waren. Toen het tegen zes uur liep had iedereen behalve Scott, een verwoed voedingsdeskundige, te veel suiker, cafeïne of alcohol tot zich genomen. Scott leunde achterover op zijn smeedijzeren stoel en keek naar de zachter wordende lucht die door de overhangende takken schemerde. John voelde de doffe teleurstelling en het zware gevoel in zijn benen, die je krijgt als je op een roltrap stapt die het niet doet. Mark was aangeschoten van de Unicum, de wrange kruidenlikeur waar het Hongaarse volk verzot op was, en omdat hij onder invloed overdreven sentimenteel werd, streek hij over een rode lok haar en staarde met weemoedig samengeperste lippen en trieste, schuin opgetrokken wenkbrauwen naar het stoffige kantoor van de luchtvaartmaatschappij.

De vierde ronde

Charles draaide tussen duim en middelvinger een espresso rond en tuurde ter inspiratie naar de bruine kringen die hij op de binnenkant van het witte kopje maakte. 'Volgens mij is het opvoeden van kinderen waarschijnlijk de enige investering met een hoog rendement die er bestaat om de winst van zelfbewustzijn en zelfexpressie binnen te halen die de essentie van het bestaan vormen.'

'Ik neem aan dat het niet volledig uitgesloten is dat er MBA's zijn die dat geloven', zei Mark. Een beurt verspillend, maar met enorm plezier liet hij erop volgen: 'Banen in de financiële sector zijn uiterst creatief en van levensbelang voor het welbevinden van de cultuur en het menselijk geluk. Vooral als het om risicodragend kapitaal gaat.'

Emily: 'Oneerlijk zijn gaat me zo gemakkelijk af dat ik me er soms zorgen over maak.'

Scott Price: 'Ik ben geadopteerd. Of John.'

'Dat is beter, Scottie', zei Charles. 'Hoewel het technisch gezien een te verifiëren feitelijke uitspraak is. Maar ter vermaak laten we hem staan.'

John kwam met: 'Ik begrijp heel goed waarom iedereen hier zulke goede vrienden zijn.'

'Zulke goede vrienden ís', verbeterde de leraar Engels die met gesloten ogen achteroverleunde, waarbij zijn twee in de lucht hangende stoelpoten een verleidelijk doelwit vormden.

Bij een rondje Unicum onthulden de spelers wat hun ware uitspraken waren en telden de punten die ze hadden gescoord. Charles Gábor scoorde een heel mooie zeven van de acht, hoewel hij zichtbaar baalde van zijn povere vertoning. Zijn eerste drie uitspraken waren door steeds een van de deelnemers als waar aangemerkt: Emily geloofde dat hij jaloers was op Marks onderzoek, Mark geloofde dat hij jaloers was op Emily's aandacht voor Scott, en John geloofde (en niet zonder scherpe klank in zijn stem) dat hij een vernieuwd fascistisch Hongarije goedkeurde. Maar hij kondigde aan dat zijn vierde uitspraak – de geneugten van kinderopvoeding vervat in financiële terminologie – waar was. Scott, die had vermoed dat Charles in elk geval zou bewéren dat die waar was, scoorde een treffer.

Charles kreeg ook vier punten voor de juiste vaststelling van de waarheid bij de anderen. Mark was ervan overtuigd dat chagrijnige bediening een uitvinding van het eind van de twintigste eeuw was. Emily geloofde echt dat de aardige mensen op deze wereld talrijker zijn dan de vervelende. Charles wist dat Scott, hoewel hij geen Hongaars had geleerd, niet vond dat het even moeilijk was als zijn moedertaal. En John had in zijn twee dagen Boedapest al vastgesteld dat de stad van minder historische betekenis en culturele belofte getuigde dan Praag, waar hij op weg naar deze stad zestien informatieve uren had doorgebracht.

Scott wist een zes te scoren. Hij kreeg Emily's stem voor de uitspraak dat hij blij was John in Boedapest te hebben, een stem waarmee John zo ingenomen was dat hij niet al te lang stilstond bij de implicaties van de oorspronkelijke leugen. Scott had ook twee stemmen verworven met zijn provocerende adoptiezet. Ja, twee: zelfs John vond dat het klopte met te veel waarneembare feiten om niet waar te zijn, en dat het misschien verklaarde waarom hij niet in staat was een duurzame volwassen relatie met zijn oudere broer een zetje in de goede richting te geven. Scott had ook met gemak Johns jaloezie op Praag eruit gepikt en Emily's montere wereldbeeld, maar was in de fout gegaan met Mark, omdat hij zijn gezemel over je ellende in het juiste perspectief plaatsen had geloofd.

Mark eindigde als derde, met een respectabele vier punten: hij had Emily's ware uitspraak herkend en had drie punten vergaard met zijn zelfhulptheorie over ellende. 'Mijn vader is net zo', had Emily als troost gezegd. 'Nou, nee', bekende Mark. 'Mijn vader is in 1973 begonnen met klagen over zijn leven en is er nog steeds niet mee opgehouden.' Maar Mark had een stem uitgebracht op Johns truc met de antisemitische serveerster en op Scotts adoptie.

Daardoor scoorde John drie punten. Emily zei dat hij het zich niet moest aantrekken en dat het ook moeilijk is het lievelingetje van je ouders te zijn en soms zelfs moeilijker. ('Eerlijk gezegd,' had John geantwoord, 'is ons gezin wetenschappelijk gezien uniek in de zin dat geen van de kinderen het lievelingetje is'). Op zijn beurt had hij Emily's geloof in de mensheid herkend, niet zonder zacht zijn adem in te zuigen en opgewekte waardering te voelen voor het draaiende rad van fortuin.

Buitengewoon attachee Emily Oliver, die blijk gaf van een aangeboren onvermogen om te liegen of oneerlijkheid aan te voelen, scoorde daardoor nul punten. Ze nam een slokje van haar tweede Unicum en trok er zoals steeds onbewust een vies gezicht bij. Haar wangen kregen een blos van de koele avondlucht en van het warme prikkelende gevoel van de kruidenlikeur. 'Dit is een misselijk spelletje, Charlie.'

Het spel heeft natuurlijk een fundamentele zwakte. Je weet nooit precies of de spelers aan het eind de waarheid vertellen en of ze zelf de waarheid wel kennen ('een van de mooiste aspecten van het spel').

IV

Het besluit van John Price om van Los Angeles naar Hongarije te verhuizen had acht minuten in beslag genomen. Hij herlas de ansicht van zijn grote broer en voelde dat hun tijd eindelijk was gekomen. Hij herinnerde zich een artikel waarin het beginnend 'potentieel' van Hongarije werd geprezen. Hij genoot bij voorbaat van zijn ontslag bij het comité om de Olympische Spelen van 2008 naar L.A. te brengen, waarvoor hij met tikfouten persberichten had uitgetypt en fotokopieën van zijn kont had gemaakt.

Hij gaf toe dat Scott op zijn minst ambivalent tegenover hun hereniging zou staan. Hij had Scott al eens eerder opgespoord om een noodzakelijke broederband te smeden en was twee keer hoopvol en verlangend bij zijn studentenhuis opgedoken. En bij Scotts eerste piepkleine flat in San Francisco. Op de vissersboot vlak voordat Scott naar Alaska vertrok. Nog eens in Portland. En in Seattle. En elke keer had Scott hem ironisch en zelfs geamuseerd afgescheept en laten vallen (Scotts lichaamsgewicht was toen trouwens al aardig aan het dalen).

Tot Johns herhaalde verbazing had Scott hardnekkig volgehouden dat hun clichématig onaangename jeugd belangrijk was geweest, en dat op de een of andere manier nog steeds was, en vooral – nooit uitgesproken maar heel duidelijk – dat John zelf geen slachtoffer van hun gezin was (zoals Scott wel was), maar deel uitmaakte van de tiranniek heersende junta, een overtuiging die John niet begreep, maar waar hij hem niet van af kon brengen. Na elke verslagen, woedende terugkeer naar L.A. moesten er een paar maanden verstrijken voordat John zich er opnieuw van kon overtuigen dat het dit keer anders zou zijn, dat de tijd voldoende wonden had kunnen helen om een broederlijke toekomst mogelijk te maken.

En nu Boedapest. Na zo vaak een valse start te hebben gemaakt zouden de twee broers alles wat oud en lelijk was afwerpen en elkaar in een glanzend licht stellen. In die onvoorstelbare stad zouden ze ver van al het vertrouwde tot voorbij het verleden graven en doorstoten naar het essentiële iets wat John heel en sterk zou maken, ongrijpbaar en wijs. Oude barrières zouden worden geslecht en zicht bieden op prachtig onderhouden tuinen.

Aangezien John hem een beetje wilde waarschuwen voor zijn komst – maar niet te veel – had hij gepland ongeveer een week na een welsprekende en genuanceerd verklarende brief in Boedapest te verschijnen. Hij had echter de postcommunistische toewijding van het postsysteem overschat. Met het broze optimisme van iemand die vaak werd teleurgesteld, had hij op een woensdagavond op Scotts deur in Boeda aangeklopt en werd hij geconfronteerd met verrassing en woede, die zorgwekkend om de overhand streden. 'Hè?' wist Scott uit te brengen, met een blik op de koffer en de bijpassende schoudertas die in het maanlicht van de meiavond over zijn schouder hing. 'En waar logeer je?' Het gesprek verliep die avond haperend en moeizaam, omdat niemand in de stemming was om de noodzakelijke verzoenende grapjes te maken. Scott liet John nog eens vertellen hoe hij achter zijn adres was gekomen.

En nu, acht dagen later, nu hij de zoveelste middag aan zijn lot was overgelaten stond John op de heuveltop van zijn broer, keek naar de mist die Pest vervormde en keerde toen naar huis terug om weer op de vloer van Scotts zoveelste onbestemde, nauwelijks gemeubileerde flat te gaan liggen. Hij overwoog de aftocht te blazen en om zijn oude baantje te gaan bedelen; er waren nog achttien jaar te gaan voor die Olympische Spelen. Maar hij dacht ook aan de lach van Emily Oliver, en hoewel hij besefte dat hij haar amper kende, voelde hij bewondering voor het feit dat zij (in tegenstelling tot zijn hopeloze broer) net als hij niets verborg, alles moedig onder ogen zag en de wereld tegemoet trad als een oord dat wemelt van de mogelijkheden. Zij was reden genoeg om hier te zijn. En toen gleed Scotts post door de deur en plofte op de grond. John opende zijn eigen brief uit L.A., las zijn goede bedoelingen en gênante, subtiel verwoorde hoop. Hij stopte hem weg in zijn koffer.

De telefoon ging; de stem vroeg naar John en stelde zich toen voor als Zsolt, 'van Johns klasse'.

'Dat is een dubbelzinnige bewering.'

'Excuseer me wat?'

Zsolt had nieuws dat hij vertelde terwijl hij af en toe werd begeleid door een ritselend woordenboek: een vriend van het vriendje van zijn moeder kende een oude man met een kamer in Pest, in Andrássy út. John raadpleegde haastig zijn geplastificeerde plattegrond en ging met zijn vinger langs een van de brede boulevards naar het centrum van de stad. 'Scott vraagt ons van zijn klasse ons oor open te houden voor je, want hij wil dat je erg snel als mogelijk een eigen plek hebt, hij zeg vele keren: "Zoek een huis voor mijn broer! In Pest!" zeg hij, dus ik ben blij dat ik deze woning voor je gevonden ben. De man is een oud en wil zijn bij zijn zoon en zijn schonedochter op de platteland.' Hij gaf John een telefoon-nummer, spelde twee keer haperend de naam Szabó Dezső en legde voor de buitenlander uit dat de Hongaarse achternaam eerst komt, betekenis-loze trivia voor de goulash van onwelluidende medeklinkers, die met grote letters in Johns aantekenboekje stond. 'Maar je moet niet tegen de gemeenteraad zeggen wat hij dit doet, anders zij nemen het huis uit van hem.'

'Wil hij een gemeentewoning onderverhuren of zoiets?'

'Excuseer me wat?'

John belde Charles Gábor op kantoor om zijn hulp te vragen, en vroeg in de avond – nadat hij de plattegrond had gevolgd naar Andrássy, voor-heen Népköztársaság, voorheen Sztálin, voorheen Andrássy – zaten ze sa-men op de slaapbank in de kamer van een stokoude man en dronken pe-renbrandewijn uit een kartonnen bekertje. John mopperde dat Charles' kostuum de vraagprijs van de oude man zou opdrijven. Charles, die in het bezit was van een weelderige villa, voor hem gekocht door zijn parti-cipatiemaatschappij, zei dat hij niet zo moest zeuren.

Dezső Szabó had een mouwloos T-shirt aan, een zakkige geruite broek en plastic slippers die rijkelijk waren bedrukt met het logo van een Duits bedrijf in sportartikelen. Hij was ongewoon mager, zijn ledematen kwa-men bij elkaar en staken uit als de laatste paar rietjes in de pot op een hot-dogstalletje. Zijn grijze haar stond overeind en viel dan in een scheiding, een korenveld dat voor inspectie uiteen wijkt. Hij kende twee woorden Engels (*New, York*) en een mondje Duits.

Terwijl de regen de lucht met statische ruis vulde, zaten de drie mannen zwijgend bijeen. Door de openslaande deuren naar het balkon kon John boven de poel van wit licht van Andrássy's straatlantaarns donkere takken heen en weer zien wuiven. Het meubilair bestond uit de gele stoel onder Szabó, een houten kledingkast, een nachttafeltje met een groen lampje en een goedkoop metalen roltafeltje dat bijna bezweek onder een nieuwe, reusachtige televisie met een ingewikkelde kabelaansluiting.

Szabó likte brandewijn van zijn perkamentachtige lippen en stootte een paar woorden uit met de sonore monotonie die Hongaarse mannen eigen was. Er volgden veel lipbewegingen met een gesloten mond – het herschikken van zijn kunstgebit en het genieten van de perenbrandewijn – die John onprettig vond om te zien en te horen. Charles reageerde bondig op dezelfde diepe toon. Het Hongaars zette zich voort, korte uitbarstingen aan beide kanten. John verwachtte een vertaling, maar die bleef uit. Zijn ogen hielden geen gelijke tred met de woorden en gingen heen en weer tussen de twee onverstaanbare mannen: Gábor nog steeds strak van linnen, kreukel, plooi en haargel, Szabó een lubberige, stakerige zak gerimpelde huid, met stramme vingers die in zijn droge, harige neus knepen en eraan krabden.

'Igen... igen... igen... jó.' Charles zat te knikken en herhaalde ritmisch 'ja' en 'goed' toen Szabó alleensprakig de leiding nam. 'Igen. Igen. Jó. Jó. Igen.' Charles hield zijn blik op Szabó gevestigd, maar boog zich naar John toe alsof hij elk moment kon gaan vertalen. Hij hief een vinger op naar Szabó terwijl hij snel knikkend een pauze vroeg, maar de oude man kon of wilde niet stoppen met praten (deed het in elk geval niet). 'Igen.' Charles bleef het proberen. 'Hij zegt dat hij hier achtendertig jaar heeft gewoond... igen... jó. Hij zegt... igen... nem... igen.' En ten slotte ging Charles weer rechtop zitten en ratelde de oude man onafgebroken door.

Na enige tijd trok John de conclusie dat wat er besproken werd geen verband met hem hield. Achter hem zeurden de klanken eindeloos door, en hij opende de deuren naar het balkon, drie verdiepingen boven Andrássy út. De regen overstemde de eenzijdige conversatie.

Het balkon was een stenen vierkant, groot genoeg voor twee of drie staande mensen, en zelfs in de regen bood het een fantastisch uitzicht: Andrássy strekte zich uit van het Deákplein links tot het Heldenplein, onzichtbaar rechts in de verte. De vloer van het balkon was gebarsten tot een landkaart met slingerende rivieren, begrensde ijsschotsen en stukken beton die zo los lagen dat je ze kon optillen. Het leek zonneklaar dat het balkon op den duur zou bezwijken onder zijn eigen gewicht of dat van iemand anders. De buitenkant van het gebouw vertoonde tientallen jaren

oude littekens en kogelgaten. Op het gebouw aan de overkant van de
straat glansde het nieuwe ANDRÁSSY ÚT-naambord zilverachtig wit boven het verbleekte, door vuil en regen streperig geworden naambordje
met NÉPKÖZTÁRSASÁG, dat nog steeds leesbaar was ondanks de felrode
X van verf die het van hoek tot hoek bedekte.

John stelde zich voor dat hij op dit balkon achterover zou leunen in een
stoel, zijn benen over elkaar geslagen en rustend op de roestige rondingen
van de ijzeren balustrade, terwijl de ondergaande zon de meest kosmopolitische boulevard van de stad in een gouden licht zette. Hij zag een prachtig leven beginnen op dit balkon. Hij zag zichzelf genieten van de scherpe
Hongaarse sigaretten, zijn eerste knagende vermoeden dat hij zou gaan
roken. Hij hield zich bezig met een professionele prestatie – waarvan de
aard niet helemaal duidelijk was – waardoor hij naar behoren met roem
zou worden overladen. In zijn nieuwe huis, het centrum van concentrische, elektriserende sociale kringen, zou hij op geestige en intrigerende
wijze kunstenaars ontvangen, societyfiguren, spionnen, toneelspelers,
staatslieden, de losbandige telgen van oude of frauduleuze adellijke families, en Emily Oliver. Zij zou blijven als de andere gasten waren vertrokken. 'Kom op het balkon staan', zou hij zeggen. 'Kom van dat balkon',
zou zij zeggen.

'Hij wil weten of je in dollars gaat betalen of in pengő.' Charles leunde
net binnen de openslaande deuren tegen de muur.

'Pengő?' John stapte naar binnen. 'Dat is…?'

'De Hongaarse munteenheid vóór de forint, tot ongeveer 1945, meen
ik.' Charles glimlachte alsof het om een doodgewone vraag ging, een lo-
gisch onderwerp bij onderhandelingen over een huurwoning.

'En waarom zou ik pengő hebben?'

'Wat een goede opmerking. Je bent kennelijk een zakentalent.' Charles
hief zijn gebloemde bekertje naar de oude man en schonk hun toen alle
drie gul nog eens in. Hij wendde zich tot John. 'Goed, eerst het slechte
nieuws. Meneer Szabó verheugt zich erop met me mee te gaan naar het
platteland. Hij heeft me gemist. Hij heeft niet veel mensen meer om
mee te praten. Ook is hij heel blij dat jij en het leger eindelijk zijn gearriveerd. Hij heeft altijd geweten dat de Amerikanen de Russen zouden komen doden en hij is je er dankbaar voor. Daarmee zitten we ongeveer in
1956, zou ik zeggen, toen de Amerikanen beslist niet kwamen opdagen.
Eens kijken, wat verder nog…' Charles trok zijn manchetten recht. 'O

ja, hij wás lid van de Communistische Partij, maar hij wil dat je beseft dat iedereen dat was, en nu de wapens zijn neergelegd, verheugt hij zich erop dat de Amerikanen een democratische regering gaan installeren. En hij wil zo veel mogelijk zijn medewerking verlenen. Omdat jij daar een grote rol bij zult spelen.'

'Vanuit dit eenkamerappartement.'

'Precies. Het goede nieuws is dat de tv op de kabel is aangesloten, hoewel met voornamelijk Duitse zenders en twee versies van CNN. Hij zegt ook dat de woning goede waterleidingen heeft en dat de slaapbank vrij nieuw is.'

Szabó onderbrak hem met nog een krakende alleenspraak. Charles vertaalde: 'En nog meer goed nieuws. Hij heeft er helemaal geen moeite mee dat hier joden wonen.'

'Dat is een hele opluchting', zei John. 'Kun je hem nog even laten nadenken over de huur in een geldige geldeenheid?'

Na slechts nog een minuut buitenlandse dialoog stond Szabó op, drukte John de hand en omhelsde Charles hartelijk, waarbij hij hem een aantal keren op de wangen kuste. 'Heel goed nieuws, John. Je huisbaas biedt fantastische huurvoorwaarden waarmee je zojuist akkoord bent gegaan nadat je maar heel even hebt gepingeld.' Hij noemde een bedrag in forinten.

'Per week?'

'Natuurlijk niet. Per maand.'

'Dat is belachelijk. Dat is niets. Bied hem meer.'

Szabó schonk de kartonnen bekertjes nog eens vol om het contract te bezegelen, maar Charles' gelaatsuitdrukking vloeide over naar afkeer. 'Meer bieden? Ach, jezus. Doe alsjeblieft niet zo idioot. Het is het dubbele van wat hij de gemeente betaalt om hier te wonen. Hij is zichtbaar blij met de overeenkomst. Je moet niet neerbui…'

'Blij met de overeenkomst? Hij denkt dat ik Eisenhowers adjudant ben.'

'Dat voordeel heb je op je concurrenten', legde Charles uit in een vermoeide poging om geduldig te blijven. 'Dat is niet iets wat je zomaar weggooit.'

'Ik vind niet dat het neerbui…'

De oude man zei iets en keek bezorgd. Hij keek Charles aan, maar wees op John.

'*Nem, nem. Nagyon jól van. Nagyon*', zei Charles om hem gerust te stellen. 'Kijk eens opgewekt, John. Hij is bang dat hij je heeft beledigd.'

Omdat hij niet onbeleefd wilde zijn, glimlachte John plichtmatig. Ze toastten met de kartonnen bekertjes en dronken.

Szabó pakte de lege bekertjes en zette ze in de gootsteen, liet er voor zijn nieuwe huurder wat water over lopen en zette de brandewijn weer onder op het roltafeltje van de tv. Hij wreef in zijn handen en begon op zakelijke toon te praten. Charles' simultaanvertaling was er een stuk op vooruit gegaan: John mocht er de volgende dag intrekken, zo werkte de verwarming, zo betaalde je de gasrekening en zou het Amerikaanse leger mensen tegen de muur gaan zetten? Ze spraken een huurperiode van twee jaar af, de huur moest elke drie maanden worden voldaan aan een vriend van Szabó, die twee huizen verderop woonde, zo werkte de tv, zo werd de bad/doucheruimte verwarmd, en als Szabó informatie over Russische of Hongaarse gevangenen kon verschaffen, zou hij John met alle plezier van dienst zijn. Hij had nooit belangstelling voor de communistische partij gekoesterd, maar als arbeider had hij echt geen keus gehad. Dit was een goede woning en hij was blij dat hij haar had gekregen. Dankzij de Partij waren hij en zijn vrouw van het platteland naar de stad overgebracht, hadden ze een fabrieksbaan en deze woning gekregen en hadden ze hun zoon hier kunnen grootbrengen. Die woonde nu met zijn vrouw en dochter in Pécs. Het was een goed leven geweest in Pest. Andrássy is een goede straat, dit is een goede buurt. Zo steek je het fornuis aan. De Partij lijkt zich goed van haar taak te kwijten. Je kunt er moeilijk aan voorbijgaan dat het beter gaat nu zij het voor het zeggen hebben. Szabó en zijn vrouw zijn hier vorig jaar pas komen wonen en ze hopen gauw een kind te krijgen; Szabó wil een meisje, maar Magda wil een jongetje. Toen ze gingen trouwen, is de Partij een hele steun geweest. Dit is de sleutel van de voordeur van het gebouw, dit is de sleutel van de huisdeur, zo krijg je een buitenlijn op de telefoon, dit is een foto van Magda, mijn vrouw, ze is overleden in 1988. Dit is het telefoonnummer van mijn zoon op het platteland. Veel succes met alles. Bedankt voor uw komst. Tot morgen om drie uur.

'*Viszontlátásra*', zei de oude man.

'*Viszontlátásra*', zei Charles.

John knikte, glimlachte hem zwijgend het allerbeste toe, en toen gingen de Amerikanen op zoek naar avondeten.

V

De volgende dag om drie uur was Charles op zijn werk, zodat het betrekken van de woning voornamelijk een kwestie van gebarentaal was. John zag er echter niet tegen op om alleen te zijn met de oude man die trots joden verwelkomde: Gábor had de avond ervoor toegegeven dat hij die opmerking had verzonnen omdat de onderhandelingen saai waren geworden. Szabó had zich in werkelijkheid verwonderd over de mogelijkheden in Amerika, gezien het feit dat een man van Johns leeftijd zoveel macht had verworven.

John trof er de bijna vijftigjarige zoon van de oude man aan, die hielp inpakken voor de verhuizing naar het platteland. Hij sprak een paar woorden Engels, en tot Johns opluchting leek hij ingenomen met de overeenkomst die zijn geestelijk onbekwame vader had gesloten. 'Goede zaak oké', was zijn herhaalde oordeel over het contract. 'Goede zaak oké.' Hij liet erop volgen: 'Dezső de naam mij.'

'John. Juan. Jan. Johann. Jean.' John zei zijn naam steeds sneller in alle talen die hij kon bedenken.

'János.' Dezső junior kwam met het Hongaars. 'János de naam jou', zei hij terwijl hij twee keer tegen Johns borstbeen tikte.

'Precies. Dank je. János de naam mij.'

Johns bagage (afstuderen) was snel geïnstalleerd. Met gebaren bood hij aan later terug te komen, als ze de steeds talrijker, verspreide bezittingen van de oude man bij elkaar hadden, maar dat wees de zoon van de hand. 'Huis van jou', zei hij. Hij pakte John bij de arm en bracht hem naar de gele stoel. 'Huis van jou. Rust.' Vijfentwintig minuten lang zat John schrijlings op de priemende veren van de stoel terwijl hij toekeek hoe de zoon koffers en kartonnen dozen inpakte, die vervolgens naar beneden sjouwde, waar een auto stond te wachten, en telkens Johns zwijgende aanbod om te helpen afsloeg.

En ten slotte was de woning ontdaan van spullen – doods, alleen nog gemeubileerd. Toen de zoon voor de laatste keer naar beneden ging, stond de vader naar zijn volkomen lege kledingkast te staren. Zijn hoofd rolde langzaam naar zijn schouder, toen liet hij zich langzaam op de vloer zakken en kwam terecht in kleermakerszit. Ook John voelde de onmiskenbare kracht van de gapende, lege kast, zijn deuren wijdopen in een melodramatische smeekbede. De leegte ervan gaf de kamer een ander licht, zelfs een andere geur. Met zijn rug naar John toe staarde Szabó naar de open kledingkast; de scheur in het hout liep als een bliksemschicht langs het achterpaneel, de stang voor de hangertjes boog door onder niet meer dan de herinnering aan overhemden, jassen en jurken.

De oude man stond op en draaide zich om. Er groeide haar uit zijn oren en hij had zich die dag niet geschoren; er zaten bakkebaarden in diepe, diagonale voren. Hij knikte en bewoog zijn lippen op de manier die gisteren zo onaangenaam had geleken, maar die nu op de een of andere manier anders was; John voelde geen afkeer meer als hij het deed. Het leek nu een uiting van iets anders dan de noodzaak om zijn gebit goed te doen of om brandewijn te proeven. John stelde zich voor dat er woorden achter de lippen gevangen zaten; hij was ervan overtuigd dat Szabó iets probeerde of hoopte te zeggen. Hij keek met een uitdrukking die John voor verlangen hield, maar even later ging de oude man gewoon op zijn buik op de slaapbank liggen met zijn arm over zijn hoofd, afgewend van de kamer.

De zoon trof de nieuwe onderhuurder op het balkon aan, tegen de balustrade geleund, met zijn gezicht naar de woning, waar hij keek naar de oude man die leek te slapen. 'Oké, János! Goed', deelde de jonge Dezső mee. Hij gaf John een hand, ging toen weer naar binnen en gaf zijn vader een por tussen zijn ribben. De oude man mompelde iets in het Hongaars en ging traag rechtop zitten, maar hij ging niet staan. De zoon sprak kortaf, gebaarde naar John en de deur, het was duidelijk tijd om te gaan. De vader reageerde boos; hij keek naar de vloer, maar schreeuwde nu zijn antwoorden. De toon sloeg snel om in ruzie, die in zo'n hoog tempo aanzwol en vertroebelde tot een stormfront dat het John verbaasde. Hij bleef zich achteroverbuigen boven het verkeer, zo ver mogelijk van de uitbarsting verwijderd zonder de woning te verlaten. Hij overwoog wel om weg te gaan, maar dan moest hij vlak langs de bulderende Magyaren, en dat zou zijn vertrek iets demonstratiefs geven tijdens hun geruzie, wat door hen kon worden opgevat als een poging hun een rotgevoel te bezorgen, omdat ze beslag legden op de tijd van de 'rijke' Amerikaan. Hij bleef dus waar hij was, leunde tegen de balustrade en keek vol verwonderde gêne naar de mannen.

De zoon hief geërgerd zijn armen en maakte het geluid van lucht die uit een band wordt vrijgelaten. Hij draaide zich half om naar het balkon en riep: 'Oké. Dag, János. Bel als nodig', en wierp John de sleutels toe: een huissleuteltje en een loper van wel een kilo voor de omgebouwde koetsdeurcn van het gebouw. De oude man verroerde zich niet toen zijn zoon vertrok. John hoorde de enorme voordeur van het gebouw beneden hem opengaan. Over de balustrade zag hij de man met grote stappen naar zijn groene Trabant lopen, waar hij tegen de motorkap leunde en een sigaret opstak.

Achter John was de oude man opgestaan van de slaapbank; hij pakte iets van de bovenste plank van de kledingkast. Hij riep: *'Amerikai, für Sie',* en toen icts in het Hongaars. John stond op de drempel van de openslaande deuren en haalde verontschuldigend zijn schouders op, iets wat hij zich had aangeleerd te doen als iemand per se Hongaars tegen hem wilde spreken. De man had twee ingelijste foto's in zijn hand. Na zorgvuldige overweging zette hij er een op het kastje van de kabelaansluiting en de ander op het nachttafeltje naast de lamp. Hij strekte zijn armen uit naar de twee foto's, met zijn vingers wijd uitgespreid en met zijn handpalmen naar de lijstjes, duidelijk om tc zeggen: laat ze zo staan. *'Igen? Igen? Ja? Ja?'*
'Ja. Igen.'

Zonder John aan te kijken gaf hij hem een hand en vertrok. John liep van de dichtslaande deur terug naar de balustradc en voelde zich in de lege woning nog onbehaaglijker dan tijdens het inpakken of het geruzie. De oude man schuifelde over het trottoir en wurmde zich op de stoel naast zijn zoon. De Trabant boerde en sputterde en voegde zich langzaam tussen het verkeer op de boulevard. Vanaf de stoeprand totdat hij uit het oog verdween werd zijn weg gemarkeerd door tekenfilmachtige wolken zwarte rook.

John bekeek de decoraties die hij had beloofd te houden. Op het kabelkastje stond een zwartwitfoto van een formaat dat hij nog niet eerder had gezien: een baby, niet ouder dan een week of twee, drie in een bundeltje dekens, van bovenaf gefotografeerd, huilend, met stijf dichtgeknepen ogen en slaande vuistjes. Een verguld houten lijstje naast de slaapbank omvatte een jonge vrouw in een witte jurk; ook deze foto was van een vreemd formaat en in zwart-wit. Geen grote schoonheid, geen betoverende of romantische uitstraling. Gewoon een jonge vrouw die voor een boom stond, met haar handen op haar rug, haar jurk waarschijnlijk niet modieus, ongeacht in welke periode of in welk land.

VI

Het feestje was begonnen bij Gerbeaud en had zich toen verplaatst naar
een restaurant waarvan de Hongaarse naam hem nu steeds ontglipte en
zich gehaaid schuilhield onder het oppervlak van Johns geheugen terwijl
hij op de nog ingeschoven slaapbank lag.

Emily had ingeklemd gezeten tussen twee van Scotts studenten, aan de
splinterige overkant van de lange houten tafel. Er kwamen telkens Hongaarse volksmuzikanten vlakbij staan spelen, zodat John haar amper kon
verstaan, maar een visionaire regisseur had haar omlijst met Hongaarse
dinergasten, kelners die heen en weer liepen, affiches met ruiters in een
cape, guirlandes van rook en met het gedruis van buitenlandse gesprekken en buitenlandse muziek, en telkens wanneer hij zijn ogen opsloeg,
had ze net een nooit-eerder-gezien en hartbrekend charmant gebaar of
charmante gelaatsuitdrukking ontdekt. Ze leunde lachend achterover,
zag dat hij naar haar keek en zwaaide, de eerste van vele keren.

'En hoe was onze Scott als jongetje?' vroeg een student aan John.

'Ik woog driehonderd kilo', zei Scott voordat hetzelfde antwoord in
ernst kon worden gegeven, en de mensen lachten om die onmogelijkheid. John zou hem in bescherming hebben genomen en ergerde zich
aan deze onnodige manoeuvre.

'Voor mij was hij als een god', zei John terwijl hij naar Emily keek.
'Maar jammer genoeg als een god van de oorlog.'

'Meteen nadat ik was geboren, heb ik er bij mijn moeder op aangedrongen dat ze haar eileiders zou laten afbinden, maar vergeefs.'

Charles legde aan de Hongaren van Scott uit waarom hun land tot eeuwige armoede, verovering en verraad was gedoemd, en de studenten
knikten, drukten hun sigaret uit, rolden een nieuwe, waren het volkomen met hem eens en voelden sympathie voor Charles, omdat hij begreep hoe de dingen echt in elkaar zaten, ook al was hij dan een Amerikaan. 'Ach, kom nou, néé', hield Emily vol, en Johns hart tolde om zijn
as. 'Naar dat soort praat moeten jullie niet luisteren.' Hongarije had een
kans als nooit tevoren, een volkomen nieuw en uniek moment in de
menselijke geschiedenis. John viel haar bij, blij samen met haar de laatdunkendheid van Charles en de Hongaren te delen.

Er was een merkwaardige salade geweest, sla die door elkaar was gehusseld met een mengeling van onwaarschijnlijke of onherkenbare ingrediënten, gevolgd door de alomtegenwoordige paprikás en wijngaarden vol Hongaarse wijn. Gábor bleef gewoon maar bijbestellen. De wijn was niet slecht en kostte maar 118 forint per fles, ergens beneden de twee dollar, een prijs die John naarmate de avond vorderde steeds geestiger vond. Hij hield een verhandeling over de griezelige symboliek van Amerikanen die misbruik maken van de postcommunistische wisselkoers om te veel Hongaarse wijn te drinken. De belangrijke details van die symboliek, die voor zijn drinkende publiek geestig waren en van inzicht getuigden, kregen vervolgens vleugels, ontsnapten en konden niet meer worden achterhaald. Later, in A Házam, een nachtclub, had Mark John een genie genoemd, maar het was niet duidelijk waarom.

Nu hij in zijn nieuwe woning voor het eerst op de slaapbank van de oude man lag, en de lucht drie verdiepingen lager vibreerde van de claxons en motoren, kon John zich niets meer herinneren van de nachtclub en wist hij alleen nog dat Emily er een poos bij was geweest en toen niet meer. Hij had vaag het idee dat Mark met hem mee naar huis was gelopen, hem twee aspirines had laten innemen en in één keer een heel glas water had laten drinken. John had onrustig geslapen en had een paar revoluties verzonnen bij het wakker worden en weer in slaap vallen, zoals hij nu deed.

Hij droomde over de vrouw op zijn nachttafeltje. Ze stond voor haar boom, en in de verte waren op een open veld Hongaarse volksmuzikanten te zien. Ze wiegde een bundel dekens in haar armen en glimlachte met oneindige tederheid en liefde naar John. Hij wist dat alles goed was in zijn leven, wist dat zijn leven voorgoed gelukkig en bevredigend zou zijn nu het eindelijk was begonnen, en hij liep naar haar toe – elke stap markeerde een onherroepelijke toewijding en een begin. 'Amerikai. Für Sie', zei ze. 'Igen', zei John. 'Ja.' Ze overhandigde hem de bundel. Hij nam hem voorzichtig in zijn armen en sloeg de dekentjes bij het hoofd open en zag dat hij alleen maar de foto van de huilende baby vasthield. Hij was verbaasd dat hij niet stomverbaasd was. Hij kietelde de kin van het kind op de foto en wiegde het bundeltje liefdevol heen en weer, hoewel hij zich afvroeg of de vrouw minder of meer van hem zou gaan houden door wat hij deed. Hij was er huiverig voor haar aan te kijken voor het geval hij zou ontdekken dat alles niet meer goed was in zijn leven, maar

op het laatst kon hij het moment niet meer uitstellen. Hij keek op en
wilde haar kussen, maar ze was weggegaan.

VII

Welke voorzorgsmaatregelen Mark Payton als promovendus ook had genomen tijdens zijn klinische onderzoek naar de gifstoffen van de nostalgie, ze waren ontoereikend geweest.

'Uitzonderlijke creativiteit in onderzoeksmethodologie', was het oordeel van een hoogleraar over Paytons proefschrift. De licht ontvlambare
hoogleraar doelde daarbij op Marks wetenschappelijke bezoekjes aan ca-
deauwinkels van musea, aan filmhuizen en bioscopen waar oude films
werden vertoond, aan reisbureaus, aan fabrikanten van ansichtkaarten
en posters, aan de benauwde en deprimerende bijeenkomsten van verza-
melaars van allerlei waardevolle en waardeloze curiosa en aan antiekhan-
dels, om maar eens wat verkooppunten van nostalgische artikelen te noemen. Er was geen antiekzaak in Toronto of Montreal die niet de
merkwaardige brief had gekregen waarin zeer specifieke informatie werd
gevraagd: '...gecategoriseerde bestanden van oude bestellingen en verkoop, gerangschikt per jaar... verschuivingen in populariteit van bepaalde voorwerpen/tijdperken als hieronder vermeld... plotselinge pieken in de vraag naar bepaalde stijlen... schilderijen liever gerangschikt
naar onderwerp dan naar kunstenaar... de bijgaande controlelijst waarop
de verkoop van genoemde voorwerpen met een interval van tien jaar
wordt vergeleken...' De brief werd gevolgd door bezoekjes van een bleke, te dikke, zenuwslopend geestdriftige, roodharige student met een
lichte tic aan zijn linkerooglid.

Door dit veldwerk was Mark vertrouwd geraakt met alle belangrijke
Canadese types antiquair: onbeschofte pandjesbazen die amper konden
lezen en schrijven, die een hekel aan hun afnemers, hun aanbieders en
hun werk leken te hebben, maar die een ouderwetse zonneklep en een
vest droegen, die op zich tekenen van nostalgie waren; reflexief en doel-
bewust oneerlijke juweliers met rimpels om slechts één oog, een beroeps-
risico dat je loopt door uren, weken en jaren met één samengeknepen

oog door een loep te turen; mensen die meubels opnieuw politoerden, net zo amicaal als tweedehandsautoverkopers, die met een zwaar accent spraken over het 'Sekont Empier' en 'Loewie Kens'; matrones die tweehonderd jaar luisterrijke en fantasievolle porseleinmotieven in hun geheugen hadden opgeslagen, waardoor de namen van hun eigen man, kinderen en kleinkinderen waren verdreven; weelderige gescheiden vrouwen van middelbare leeftijd, die hun spaargeld en alimentatie in een lang gekoesterde droom, maar een slecht idee, hadden geïnvesteerd en daarom uiteindelijk een onbehaaglijk schone maar bizar bevoorrade winkel dreven met namen als Bergplaats der Antiquiteiten, Oud Chinees Geheim, Antikwitijden of Bij Moeder op Zolder; stoffige boekverkopers met een huid als perkament en ogen die de droogte van hun winkel compenseerden met overmatige vochtigheid; beeldenkenners, ronde mannetjes die alleen door hun vest en het vermogen om te lopen en te spreken te onderscheiden waren van de gipsen cupido's waaruit hun voorraad bestond.

De vragen die Mark aan deze dwarsdoorsnede van handelaren in geschiedenis stelde, leverden hem een overstelpende hoeveelheid gegevens op, die schriften en diskettes met okshoofd, peck en avoirdupoisons vulden.

Nostalgie te kunnen kwantificeren en door middel van grafieken te traceren tot het wazige, welriekende verleden, de oorzaken, uitingen en kosten ervan vast te stellen, de aard te bepalen van de kringen en persoonlijkheden die het meeste last hadden van deze stoornis – dat waren de obsessies van Mark Payton, en met hun bladeren vlocht hij een academische lauwerkrans. Hij trachtte wetmatigheden vast te stellen die even meetbaar en onweerlegbaar waren als natuurkundige of meteorologische wetten. Hij probeerde bijvoorbeeld vast te stellen of er binnen een bepaalde populatie een verhouding p/c was, die de relatie kon voorspellen tussen individuen met een 'sterke' of 'zeer sterke' neiging tot Persoonlijke Nostalgie (dat wil zeggen nostalgie met betrekking tot gebeurtenissen uit het eigen leven) en individuen met een vergelijkbare neiging tot Collectieve Nostalgie (dat wil zeggen: nostalgie met betrekking tot tijdperken, stijlen of plaatsen die buiten de eigen ervaring liggen). Met andere woorden: als het aannemelijk was dat je goede herinneringen bewaarde aan de zure kersensoep van je Hongaarse grootmoeder, die werd opgedaan in de Herend-soepkom met onderop het lieveheersbeestje, was de kans dan groter of kleiner dat je zou houden van films die op een tedere, bijna geërotiseerd liefdevolle manier een beeld schetsten van het leven van Engelse aristocraten in hun landhuis in de periode voor de Eerste Wereldoorlog? Payton was ervan overtuigd dat hij tot een voorspelbare verhouding p/g kon komen, de relatie tussen een sterke neiging tot Persoonlijke Nostalgie en het beschikken over een objectief goed Geheugen. Beide hypothesen (dat er een directe relatie bestond of het tegenovergestelde) leken hem aannemelijk. Ten slotte was de verhouding c/h, de relatie van de individuele neiging tot Collectieve Nostalgie en zijn of haar feitelijke Historische Kennis van plaats of tijdperk waarvoor hij of zij deze nostalgie voelde, theoretisch vast te stellen, en hierbij vermoedde de wetenschapper sterk dat die omgekeerd evenredig was: hoe minder je af wist van het leven in die landhuizen, hoe meer je wilde dat je er had gewoond.

Zijn onderzoek leverde meer vragen dan antwoorden op, maar de pietluttige academische wereld had hem ertoe gedwongen zijn luidruchtige, opdringerige nieuwsgierigheid omwille van zijn promotie in te tomen; zijn dissertatie had zich noodzakelijkerwijs beperkt tot kwesties van methodologie en kwantificeerbare metingen in *Schommelingen in collectieve, populaire, retrospectieve neigingen in stedelijk Engelstalig Canada, 1980-1988.* Maar nu stond het hem vrij alles te beantwoorden. Het werk dat hem naar Europa had gebracht zou de hunkerende waarom-vraag stillen die achter zijn concrete bevindingen op de loer lag.

Waarom nam minstens 48% van de vrouwelijke eerstejaarsstudenten aan McGill University, volgens een van Marks onderzoeken, van huis een ingelijst exemplaar mee van Robert Doisneaus foto 'De kus bij het Hôtel de Ville', een afbeelding van Parijs tussen de twee wereldoorlogen (gecatalogiseerd als Nostalgipatisch plaats-tijd #163). Nog eens 29% van de meisjes kocht de poster binnen een halfjaar na het begin van hun studie.

Waarom overtrof de verkoop van die zo populaire poster, volgens de voor iedereen te raadplegen verkoopgegevens van de uitgevers, Alfred Eisenstadts thematisch niet te onderscheiden 'Kus op de dag van de overwinning van Japan, Times Square', zelfs in Parijs, waar een belangrijke mate van interculturele afgunst de Amerikaan een zetje voorbij Doisneau had moeten geven? Of, als je daar niet in geloofde, het omgekeerde: waarom hadden vertrouwdheid en etnische trots de verkoopcijfers van Eisenstadt niet opgedreven tot boven die van de Fransman in New York?

- De affaire
  Santa Montefiore

- Het eiland onder de zee
  Isabel Allende

- Wrede schoonheid
  Mieke de Loof.

- wandelen in Nederland
  Capitool

- Naar buiten
  25 wandelweekenden

- Sporen in het zand
  Andrea Camilleri.

Toevluchtsoord & spreuken
Lydia Verbeeck Jong

Waarom was er tussen 1984 en 1986 een plotselinge piek van bestellingen voor Victoriaanse sofa's bij gespecialiseerde meubelfabrikanten in Ontario, een populariteit die veel te groot was om alleen te kunnen worden toegeschreven aan de kostuumfilms die tussen 1982 en 1985 tijdens een opleving van kreukelige crinolines verschenen?

Waarom was er in de jaren meteen na de Eerste Wereldoorlog in Toronto een terugloop in de verkoop van allerlei soorten antiek, met uitzondering van militaire uitrustingen en schilderijen?

Waarom werd de videoband van de film *Casablanca* in videotheken in Quebec drie keer zo vaak verhuurd als in videotheken in Ontario, zelfs nadat er statistische correcties waren aangebracht voor bevolkingsgroepen met een VCR en het aantal beschikbare gedubde kopieën?

Waarom deed het verleden (en in het geval van Canada vaker wel dan niet het verleden van iemand anders) dit met ons?

Als een stervende man die fulmineert tegen een onrechtvaardige god bleef Mark vragen: *'Waarom?'* En elke academische vraag was slechts een herformulering van een dringender persoonlijke vraag, die hij zich al bijna zo lang stelde als hij zich herinnerde dat hij kon denken, een vraag die hij gênant vond om te stellen, ook al bleef hij hem desondanks stellen, een vraag die hij alleen met een vriend kon delen als hij dronken was of erbij lachte: waarom ben ik ongelukkig in de tijd en op de plaats die me is toebedeeld?

Charles hoefde Mark niet zo lang te kennen voordat hij hem typeerde als 'triest, niet meer te redden, zelfs niet geschikt voor de goederenhandel'. Scott had op zijn beurt vastgesteld dat de Canadees 'voortijdig bejaard' was.

VIII

Mark had de vage verwachting gehad een gehongariseerde versie van een van zijn vertrouwde Canadese antiquairs aan te treffen op de ochtend dat hij tussen twee eendere kanonnen doorliep die de ingang van de Gellért Hill-winkel bewaakten. Aangezien hij tot dusver zijn Europese onderzoekstijd in bibliotheken had doorgebracht, was dit zijn terugkeer naar het veldwerk, en hij was erop ingesteld in deze stad van omgedoopte en nog eens omgedoopte straten de zoveelste merkwaardige ziel te ont- moeten, die een armzalige tot redelijke boterham met de verkoop van an- dermans geschiedenis verdiende.

De deur sloot zich achter hem met het voorspelbare gerinkel van een bel, waarvan hij zonder te kijken de vorm en de plek wist. Na het felle zonlicht bleef hij even verblind staan en gunde zijn ogen de tijd zich aan te passen aan het opzettelijk schemerig gehouden licht in de winkel en, wist hij, om de nog onzichtbare eigenaar de tijd te gunnen hem op te ne- men en in te schatten hoe waarschijnlijk het was dat hij iets zou kopen.

'Amerikaan? *Deutsch? Français?*'

De stem had de Hongaarse mannelijke dreuntoon, en Mark ant- woordde voordat hij de eigenaar ervan kon lokaliseren. '*Kanadai. Beszél an- golul?*' Onbesuisd verschoot hij in één keer de drie woorden Hongaars die hij kende.

'Ja, ja, natuurlijk. Maar je spreekt heel goed Hongaars. Laten we dat spreken.' En de stem achter een bureau, achter een goudkleurige staande lamp, had een gezicht: dik zwart haar, een dikke zwarte hangsnor, bleek, wallen onder de ogen, het hoofd iets achterovergebogen, een polohemd en een gouden schakelarmband.

'O nee, nee', zei Mark beleefd, nog bij de deur, terwijl het gerinkel net wegstierf. '*Nem,* bedoel ik', zei hij, en nu had hij echt zijn Magyaarse woor- denschat uitgeput. 'Ik weet alleen hoe ik *Beszél angolul* moet vragen.'

'Uit Canada, zei je? Je mamma en pappa zijn natuurlijk Hongaars.'

'Nou, nee. Iers. En Engels. Een beetje Frans en Duits. Cherokee, be- weert een grootmoeder. Ik ben een mengelmoes.'

'Hoe kun je dan zo aardig Hongaars praten? Je hebt Hongaars vriendin- netje, denk ik.'

'Nou, eh, nee. Ik ben hier pas een maand.'

'Tijd genoeg.'

'Ja, maar nou, nee.'

'Maar je vindt ze aantrekkelijk, ja? Onze Hongaarse meisjes? De mooiste van waar dan ook? Als Franse meisjes?'

'Ja, zeker. Heel mooi.'

'Nou, je weet wat waar is. De beste plek om een taal te leren is in het bed.'

'Ja, dat heb ik horen zeggen.' De Hongaar wierp een blik op papieren

op zijn bureau en Mark keek weg, klaar voor de onvermijdelijke scheer-
kommetjes, de incomplete zilveren bestekken en de rotzooi van de
schoorsteenmantels van dode mensen.

In plaats daarvan werd zijn blik gevangen door een foto op het bureau
van de man, een ingelijst fotootje van een groep soldaten, uit de tijd van
de Tweede Wereldoorlog. Payton kon de uniformen niet thuisbrengen,
maar hij herkende wel bijna meteen de bleke soldaat die gehurkt op de
eerste rij zat, de tweede van rechts, die met slaperige ogen en een zwarte
hangsnor naar de camera keek. 'Bent u soldaat geweest?' Mark had het
nog niet gezegd of hij besefte dat het een domme vraag was; deze man
moest nog een kind zijn geweest.

'Ja, hoe weet je dat van mij? O, ik begrijp het. Nee, dat is mijn vader.
Velen zeggen dat we op elkaar lijken. Het was met vrienden die tegelijk
in dienst gingen, deze foto. Helemaal in het begin. Kort hierna moest
hij zijn snor afscheren. Dit was een afscheid-van-snorren-foto.' Mark pakte de foto op en keek naar de absolute dubbelganger van de antiquair (afgezien van het uniform), de soldaat die het hoofd achterover hield, zodat
hij met ironisch krijgshaftige moed over zijn neus kon kijken. 'Kom hier
te kijken.' Hij nam Payton mee naar een hoek van de winkel waar olie-
verfschilderijen in vergulde lijsten aan de wand hingen en tegen elkaar
aan op de vloer stonden. 'Mijn grootvader.'

Hoog aan de gele wand hing weer het gezicht van dezelfde man. Hier
was zijn snor iets langer en zijn haar droeg hij achterover. Hij had een
blauw cavalerie-uniform aan met gouden tressen op de schouders, en hij
keek in driekwartsaanzicht vanuit de donkere achtergrondtinten. De
hautaine officiersogen volgden Mark met militaire vrijmoedigheid vanuit het iets achterover gehouden hoofd terwijl de wetenschapper voor
het schilderij heen en weer liep.

'Hij draagt het uniform van de keizerlijke garde. We hebben het nog,
daar.' De man gebaarde naar de andere kant van de winkel, waar een paspop zonder hoofd stond in een blauw jasje met tressen, een bijpassende
strak sluitende broek en zwarte leren laarzen met sporen. 'Die verkoop
ik natuurlijk niet. Voorlopig.' De winkelier liep terug naar het bureau en
liep nog een paar schilderijen na, die tegen de achterwand stonden. 'Hier
vinden we het', riep hij uit en draaide zich om naar Mark met nog een
vergulde lijst, kleiner dan de andere. Twee Hongaarse jachthonden, *viz-
slas*, lagen wakker op een vloer van zwart-witte schaakbordtegels. Naast

hen knielde een jongetje met zijn handen op de kop van beide honden.
Hij droeg een korte broek en een fluwelen blouse met een kanten kraag.
Een vrouw, vermoedelijk zijn moeder, droeg haar donkere haar los, en
het viel over haar schouders en haar bloedrode jurk. Ze vertoonde een
klein lachje vanuit de omhelzing van de grote barokke stoel. Ze had een
baby in haar armen in golvende doopkleding. Naast haar met zijn hand
op haar schouder stond – alweer tot Marks genoegen – een man met
het gezicht van de winkelier, voor half openstaande deuren waardoor je
een groen park kon zien. Hij had nu een uitdrukking van vredige, vaderlijke trots, zijn hoofd weer iets achterover. Zijn uniform bestond uit een
jasje met lange panden met daaronder een strakke witte pantalon. Eén
wenkbrauw was iets opgetrokken. Hij had geen snor en zijn lange zwarte
haar zat in een korte paardenstaart, maar de gelijkenis was verder treffend.

'Dit', zei de eigenaar terwijl hij zijn vinger boven de baby in doopkleding hield, 'is mijn overgrootvader, de vader van hem.' Hij wees op de
hoofdloze paspop. 'Deze jongen' – hij wees op het oudere kind met de
honden – 'stierf kort hierna. Dit is goed, denk ik. Voor mijn lijn. Het
schilderij werd in 1822 gemaakt. De jongen met de honden, die dood is,
is hier vijf. Zijn vader, mijn betovergrootvader, is, meen ik, geboren in
1794. Hij was van adel, dat kun je zien.'

'Hebben alle mannen in uw familie in het leger gediend?' De antiek-
handelaar klakte met de hakken van zijn mocassins met kwastjes, en Mark
vroeg of er een foto bestond van de man zelf in uniform.

'Natuurlijk, natuurlijk', antwoordde hij, en zijn Engels verslechterde
op een vreemde manier. 'Maar het is niet van trots. Alleen, je moet weten,
traditie aan één kant en verlangen aan andere.' Mark knikte bemoedi-
gend. 'Ik heb een foto, maar ik vind hem heel weinig.' Hij haalde een plastic fotoalbumpje tevoorschijn, sloeg een paar pagina's om en wees op
een zwart-wit kiekje dat onder een vel cellofaan was geplakt. 'Dit is toen
ik twintig ben. Ik ben in een basis bij Győr en we oefenen tegen Oostenrijkse invasie. Een belachelijk idee, weet je, te denken dat we in 1970 tegen
Oostenrijkers vechten.'

De foto liet een jonge soldaat met stekeltjeshaar en een groen tenue
zien, die in de camera keek en zijn slappe pet in de hand hield. Zijn hoofd
was iets naar voren gebogen en daardoor leek zijn brede lach bijna verlegen. Hij had zijn ogen stijf samengeknepen alsof hij tegen de felle zon
in keek. Zijn gezicht was gebruind en gladgeschoren. 'Bent u dit?'

'Ja, ja, natuurlijk. Maar hij is niet als mijn vader of grootvader, hè?' De man doelde niet op enig gebrek aan fysieke gelijkenis. 'Ik ben hier niet een vrij man die vecht voor zijn volk, wel? Nee. Ik ben hier een jongen die geen keuzes heeft. Te vechten in dat Hongaarse leger was als een slaaf voor Rusland te zijn. Het was als het Hongaarse Legioen van het Russische Sovjet Imperialistische Leger. Mijn vader vocht voor Hongarije. Mijn grootvader vocht voor zijn keizer. Mijn overgrootvader en zijn vader – deze waren trotse mannen. En zij droegen wapens voor hun volk en hun families en hun land, voor Magyarország, voor Hongarije. En ik?' Hij keek Mark doordringend aan, waardoor zijn gelijkenis met zijn geschilderde voorouders groter werd. 'In 1970 ik moet in bezettingsleger gaan. Ik zou officier moeten zijn, een officier van de cavalerie om te bevelen, maar in plaats daarvan ik ben een slaaf of een trofee, net als toen het land van mijn familie een collectieve boerderij werd. En ik kan nooit een hoge officier zijn omdat mijn familiegeschiedenis me een klassemisdadiger maakt, begrijp je? Wat moet ik doen? Hè? Wat?'

'Ik weet het niet.'

'Een soldaat vecht, maar een Hongaar kan die leugen van een groot rijk niet accepteren, die Russische flauwekul. Wat moet ik doen? Vecht ik als een dappere man of zeg ik nee als een dappere man?'

'Ik weet het niet.'

'Ik doe wat mijn grootvader zou doen. Ik oefen en werk met een geweer en rennen en graven. Als een vijand Hongarije aanvallen, zou ik vechten. Maar ze vallen niet aan. Weet je waarom?'

'Ik weet het niet.'

'Want de vijand al hier. Zij nooit weggaan na de Tweede Wereldoorlog. Daarom ik ben slechte soldaat. Ik maak fouten. Ik raak uitrusting kwijt. Ik neem mijn peloton mee het bos in en we eten, drinken wijn en we praten de hele dag in plaats van te doen wat de communistische idioten zeggen te doen. Ik eervol door de vijand te bestrijden door niet te strijden. Maar ik heb geen eer zoals zij hadden.' Hij gebaart naar zijn voorouders aan de wanden, naar de hoofdloze paspop. 'Geen eer als een echte, openlijke verdediger van het vaderland.'

Vol afkeer over de schending van de traditie door een corrupte ideologie zocht Mark naar woorden om uiting te geven aan zijn afkeurend gegromde empathie (en lichte afgunst), niet beseffend dat hij domweg was gevallen voor een verkooptrucje dat hij in Canada nooit was tegengekomen, en dat hij nu even naïef leek als een Amerikaanse toerist die bereid was om een scheerkom ter herinnering aan het jubileum van Elizabeth II te kopen. 'En waar ben je vandaag naar op zoek? Zal ik misschien mooie sieraad voor uw vriendin laten zien?'

IX

Tot op de dag van zijn vertrek, pasgetrouwd en op weg verder naar het oosten, leek Scott Price nooit helemaal op zijn plaats te zijn in Boedapest, en dat beviel hem wel. Om te beginnen was hij van nature gebruind en helblond. Hij glimlachte vaak en moeiteloos, en in de ogen van de gemiddelde Hongaar overmatig. Hij praatte graag over voeding en spijsvertering en de politiek-economische implicaties van beide. Hij trotseerde elke dag de giftige dampen van Trabanten, Dacia's, Skoda's, Wartburgs en af en toe een krankzinnig op hol gejaagde Mercedes om te gaan joggen over de bruggen uit de toeristengidsen en over de borstweringen en paden langs de Blauwe Donau, die vanochtend, zoals altijd, het diepe azuur-Matisse-blauw van karamel of mahoniehout vertoonde.

Met zijn universiteitsshort, hardloopschoenen, mouwloze T-shirt, en een bandana om zijn goudblonde bos haar uit zijn gezicht te houden, wekte hij ergernis op bij de Hongaarse voetgangers die hem, vaker wel dan niet rokend, aanstaarden als hij zwetend voorbij stampte. Het was één ding om allemaal in hetzelfde trainingspak hard te lopen met je atletische ploeggenoten, of op het platteland als onderdeel van een militaire training, maar door zwetend en vrijwel ongekleed op en neer te rennen over de Corsó werd je als opzichtig buitenlands aangemerkt. Meer dan één oude vrouw, op haar eigen manier geconditioneerd, voer tegen Scott uit als hij voorbijkwam. 'Niet vlak bij mensen hardlopen!' tierde ze tegen hem, niet in staat de woorden te vinden om uitdrukking te geven aan haar verontwaardiging. Niet dat het iets uitmaakte, want Scott kende net genoeg Hongaars om te lachen en hijgend te zeggen: *'Kezét csókolom'*, de beleefde standaardbegroeting van mannen tegen vrouwen. 'Je zult nog iemand ombrengen!' sisten ze. 'Ik kus uw hand!' zei hij. 'Niet hardlopen! Niet hardlopen!' 'Ik kus uw hand!' Scott zei tegen zijn leerlingen dat hij hun bejaarde landgenoten ontwapenend spraakzaam en verrukkelijk aanmoedigend vond tegen jonge mannen die probeerden in goede cardiovasculaire conditie te blijven.

Scott Price, die het gelukkigst was wanneer hij ergens aankwam of wegging (in en uit steden, groepen en relaties), ontdekte een heel verrassende, blijvende vreugde door als een volmaakte vreemdeling in één stad te wonen, taalloos en buitentaals. Voor de leraar Engels was elke dag in een Hongaarse wereld een aankomst, en een verfrissend vertrek viel makkelijk te regelen. Dit was verklaarbaar: Scott wist dat vijandigheid een virus was dat voortsproot uit taal. Als maar een paar mensen je taal konden spreken, dan werd de overgrote meerderheid van die gifstoffen de toegang tot jouw systeem ontzegd. Hier te wonen en alleen Engels, slecht Spaans en een paar zinnetjes welluidend bijbels Hebreeuws te kennen, was alsof je bijna volledig was ingeënt. Als je vervolgens een paar Engelstalige vrienden en een leuke baan had, een gestage stroom mooie meisjes die er dolgraag geld voor wilden neertellen om een paar woorden van je kostbare taal te leren (en, zoals hij vaak had horen zeggen, de beste plaats om een nieuwe taal te leren in bed was), nou, dan moest je vandaag wel gelukkig zijn, en morgen zou het waarschijnlijk niet veel anders zijn, en alles wat onaangenaam was lag nu helemaal aan de andere kant van een werelddeel, een oceaan en nog een werelddeel. Vegetarisch eten was natuurlijk moeilijk te verkrijgen en de kwaliteit van de lucht liet veel te wensen over, maar de stad was mooi en je kon prima ademhalen als je in vorm bleef, vijandigheid en vet meed, elke ochtend drie tenen knoflook at, veel antioxidanten tot je nam, drie uur voor een geplande stoelgang geen gistbrood at, hoog in de heuvels van Boeda woonde en starheid van geesteshouding meed.

Aan de overkant van de rivier, door de ochtendnevel heen, glansde de Burchtheuvel; zijn koepel en spits zweefden hoog boven hun kabbelende evenbeeld op het oppervlak van de Donau, zweefden net iets boven de plek waar Charles, John en Mark een zeer buitenlands uitziende bal heen en weer gooiden, lachend over het welsprekende nationalisme en de onbedoelde ironie van de eigenaar van de antiekwinkel praatten, en gezaghebbend de toekomst van de Europese politiek en economie bepaalden. Scott keerde de rivier de rug toe en sloeg de nauwe straatjes in tussen en achter de drie hotels die langs de Donau stonden, langs het Hyatt en het Forum, langs John Bull, de Engelse pub, en het Interconti-

nental, langs het kruidenierswinkeltje waar het fruit twee keer zo veel
kostte als ergens anders, maar waar je Amerikaanse tandpasta's kon kopen in plaats van de plaatselijke merken (of de West-Duitse tandpasta
met de verontrustende afbeelding van ronddartelende duivels en boe-
mannen met gele tanden, die dansten om een maagd met ultrawitte tanden, die was vastgebonden aan een boom). Scott besefte dat hij te laat
voor de voetbalwedstrijd zou komen als hij niet terugging in de richting
waaruit hij was gekomen. Hij maakte halverwege Váci utca rechtsom-
keert, liep gehaast om de fluwelen koorden heen die de rij mensen afba-
kenden die wachtten tot ze bij McDonald's werden toegelaten, rende
om de soortgelijke rij heen bij de winkel die één westers merk sportschoenen verkocht, en de raadselachtig uitgestorven en rijloze winkel
die een ander westers merk sportschoenen verkocht. Het zweet droop
van zijn gezicht en uit zijn haar toen hij langs de banketbakkers rende,
die een dagelijkse verleiding vormden voor zijn vroeger zo zwaarlijvige
zelf, langs oude boerenvrouwen, die op het trottoir zaten en stonden
en voor de toeristen sjaaltjes en dekens uitstalden, langs jonge Syrische
mannen, die forinten te koop aanboden tegen harde valuta voor een magische som die hoger was dan de bankkoers, langs 'folklorewinkels'
(waar zich geen rij mensen voor de ingang verdrong), waar je klederdracht van het Hongaarse platteland kon kopen, traditionele poppen,
porselein, kristal en paprika. Duitse zakenlieden, met hun eeuwige witte
sokken die oplichtten onder de omslag van hun glanzende pak, betraden
harde valutabanken en harde valutawinkels, die verboden terrein waren
voor de inwoners met hun viskeuze valuta. Scott passeerde een jonge
Amerikaan in een duur pak, die tegen zijn jongere, kale collega zei:
'…kantoren met full service. Allemaal van topklasse. Ik ken mensen in
de gemeenteraad, die zo corrupt zijn…' Hongaarse tieners in leren jacks
rookten shagjes en stonden erbij als James Dean. De muziekgroep uit
de Andes zong over de Paraguayaanse hooglanden, een verloren liefde
onder de sterrennacht en de vleugels van de condor boven de hut
waar… enzovoort, net als de muziekgroepen uit de Andes die hij in Palo
Alto, Portland, Praag, Harvard Square, Halifax en Den Haag had gehoord. Maar dit keer zou het anders zijn, nam Scott zich voor; hij was
in Boedapest om er te blijven. Hij zou een beetje geduld moeten hebben
voordat John het opgaf en terugging, maar het zou nu wel niet lang
meer duren, en als hij er eindelijk de brui aan gaf, zou hij zijn aansteke-

lijke rusteloosheid, ontevredenheid en schuldgevoel, zijn gebaartjes, zin-
nen en zienswijzen, die riekten naar hun ouders en het verleden, met
zich meenemen, en kon Scott zich weer ontspannen en voor zichzelf
aantonen dat hij met dat alles had afgedaan, dat hij er ver bovenuit was
gestegen.

Scott kwam aan op het speelveld op het Margaretha-eiland, de reusachtige groene troffel die op zijn kop in de met wolken bevlekte rivier lag.
Zijn broer en zijn vrienden waren er al, en terwijl hij Johns niet-ironische
ontzag voor Scotts opmerkelijke lichamelijke conditie als ironisch afdeed,
sloot hij zich opgewekt bij de tegenstanders aan en wilde alleen dat het
tackle was, geen touchfootball.

X

Een ingelijste plattegrond van Boedapest en een landkaart van het platteland, foto's van de hoofdredacteur die de hand van vermoedelijk beroemde mensen schudde (stuk voor stuk met die uitstraling van be-
roemdheid, hoewel geen van de gezichten John bekend voorkwam), een
oude reclameaffiche voor een Hongaarse likeur met een man op een scha-
vot, een strop om zijn nek, die zijn glimlachende lippen aflikte als appre-
ciatie van de hartversterking die zijn laatste wens was geweest, een gema-
nipuleerde foto van kangoeroes en koala's die op het podium van de
opera in Sydney ronddartelden, de eerste editie (18-2-'89) van *BudapesToday* achter glas, duinen en steile rotswanden van papier die overal lagen
te eroderen: op het bureau, op stoelen, op kasten, op vloeren, sidderend
alsof geluid ze zou kunnen doen omvallen, vergeeld tot ouderdom terwijl John op de aandacht van de man wachtte die hem intimiderend werd
onthouden.

'Godallemachtig, deze woorden zijn hier niet willekeurig geplaatst.'
De hoofdredacteur liet eindelijk Australisch gemompel horen, hoewel
hij niet opkeek van de pagina's die hij zo meedogenloos zat te corrigeren.
'Nee meneer, een denkend wezen, een bijna menselijk denkend wezen,
heeft deze woorden in deze volgorde geplaatst om een bepaalde betekenis
over te brengen.' Hij nam John op. 'Maar verdomme, ik moet zeggen

dat het me volkomen ontgaat wat voor betekenis.'

'Lijkt het nergens op?' vroeg John, maar de hoofdredacteur zat in een van zijn bureauladen te graaien.

'Godverdomme, waar heb ik dat kutding gelaten, *Mistah Proyce*?' vroeg hij voorovergebogen, onzichtbaar achter bergen papier.

'Welk kutding, meneer?'

'Noem me geen meneer, Proyce. Ik ben pas dertig. Je zegt chef tegen me. Ha! Daar hebben we het kutding!' De hoofdredacteur, met in zijn hand een stempel van minstens zeven centimeter breed, dook weer op vanachter de omkrullende baren. Hij beukte de stempel in de vochtige rode omhelzing van een open stempeldoos en liet hem met een klap twee keer neerkomen op wat hij had gelezen. 'Dát is het kutding dat ik zocht, John boy!' Hij hield het papier omhoog dat twee keer was bestempeld met de woorden VERSPILLING VAN MIJN INKT & MIJN TIJD. 'En, olé, dát is het kutding, hè Proyce?'

'Ja, chef. Dat is duidelijk het kutding.'

Met bijna voldoende kracht om hem helemaal uit het bureau te trekken rukte de hoofdredacteur nog een la open. 'Moet je deze zien. Net gekregen. Mensen faxen me tegenwoordig aan de lopende band nietszeggende tinnef, Johnno, dus kijk ernaar.' Nog een stempel. De hoofdredacteur drukte op een knop van zijn faxapparaat, waardoor er een brede tong wit papier tussen zijn lippen vandaan kwam. 'Goed, goed, stel dat dit ongevraagde tinnef is die de een of andere idioot me heeft gefaxt, oké? Oké. Nou, daar komt het: tinnef, tinnef, tinnef.' Hij scheurde het papier uit de bek van het apparaat en gaf het zwarte ding een dankbaar klopje op de bovenkant. 'Goed dan, ik lees het en het is van, laten we zeggen, een jonge leidinggevende bij een plaatselijke vestiging van een investeringsbank, die liever journalist wil zijn, dus hij probeert een voet aan de grond te krijgen door iets in mijn blad te publiceren, ja? Ja, Proyce?'

'Ja, chef.'

'Fout, stomme sukkel. Vergeet het maar. Ik lees het, het beste wat die rukker kan presteren' – de hoofdredacteur doet alsof hij het blanco vel faxpapier leest – 'en er staat "blablablablabla" en fantástisch, gewoon gewéldig, het blijkt dat hij zijn wijsheden heeft gestuurd over – wat een verrassing – Amerikaanse investeringsbankiers en Hongaarse meisjes, en hij deelt ons zelfs mee dat de beste plek om Hongaars te leren in bed is – is het geen groot genie – en zijn stuk is natuurlijk klote, jongen, zoals jullie Amerikanen geloof ik zeggen. Het is klote, of niet soms, Proyce, of niet soms?'

'Het is klote, chef.'

'En wat doe ik dan, John? Ik pak deze' – de nieuwe stempel – 'en whammo!' – in de inkt – 'en blammo!' – op de stuntelige eerste poging tot proza van de zielige investeringsbankier – 'en voilà, John boy, voi-kut-te-là.' De hoofdredacteur hield het faxpapier omhoog, dat blanco was afgezien van de felrode woorden JE VERSPILT MIJN TONER. VERGOEDEN S.V.P.

De hoofdredacteur keek John aan en haalde drie of vier keer heel diep adem. 'Goed dan, Mistah Proyce. Beste man, jij gaat niet mijn tijd, mijn inkt of mijn toner verdoen, of wel?'

'Nee, chef.'

'Kut, waar heb ik dat cv van jou gelaten, John-o?' Hij begon weer te graven in de schuivende tektonische platen van zijn bureau. 'Voilà, mijn jongen. Hier hebben we je leven.' Terwijl John wachtte, begon de hoofdredacteur met verwoed bewegende lippen te lezen, maar zonder kennelijk verband met de tekst. Hij liet het cv op het bureau vallen, vanwaar het op de grond gleed. 'Even recht voor zijn raap, John. Wat zou je echt graag willen doen?'

'Doen? In deze baan? Ik ben al aangenomen. Daarom ben ik hier.' Pauze voor begrijpende reactie. 'In dit land.'

'Ja, Proyce, ik weet het. Geef antwoord. Wat zou je écht graag willen doen?'

'Ik neem aan wat er, je weet wel, gedaan moet worden.'

'Nee, naai je grootje, John. Zeg op! Ben je een dichter? Schrijf je een filmscript over een journalist bij een Engelstalige krant in een niet nader te noemen Centraal-Europese hoofdstad? Bereid je een hippe documentaire voor over de krankzinnige manieren waarop Amerikaanse kinderen in Hongarije seksueel aan hun trekken komen? Heb je een geheim zakelijk opzetje? Wat ben je van plan, kiddo?'

John vroeg zich af of het juiste antwoord bestond uit het ontkennen van enige interesse buiten de krant of het opbiechten van een diepzinnig maar onhaalbaar doel. Het laatste. 'Ja, ik ben beeldhouw...'

'Mooi. Dan ligt dat tenminste op tafel. Daar steekt geen kwaad in. Ik wens je het allerbeste. Hemingway vestigt zich in het buitenland, vermoeid en cynisch maar ambitieus, schrijft verslagen en in zijn vrije tijd uit de losse pols *En de zon gaat op*. Prachtig. Geweldige loopbaan. Ik hoop dat het allemaal goed uitpakt voor jou en de rest van je verloren generatie hier in het Parijs aan de Donau. Had je die al eens gehoord, Johnno? Dat BP het Parijs aan de Donau is? De herbeleving van het Parijs in de jaren twintig, dat gezeik?'

'Nee, chef.'

'Mooi. Hou de vinger aan de pols. Dat mag ik wel bij een aankomend journalist. Hoor eens, vriend, je spreekt zeker geen Hongaars?'

'Nee, ik heb in mijn brief ook niet beweerd dat...'

'John, alsjeblieft. Hou je mond. Ik bevestig de situatie alleen. Je hebt geen Hongaars nodig voor de klus die ik voor je in gedachten heb. Je zult het een prachtbaan vinden. Maak je geen zorgen, vriend, voor je het weet kak je het ene toneelstuk na het andere uit.'

'Fantastisch. Dat klinkt goed.'

'*BudapesToday* is mijn kindje, en hoewel ik moet toegeven dat het niet de *Prague Post* is, laat ik je toch met haar spelen. Jij schrijft twee keer per week een column voor me over zo'n beetje alles waar je zin in hebt, als het maar over Boedapest gaat. Ga Hongaars leren – dat kan geen kwaad – hoewel er over vijf jaar geen levende ziel buiten het afgelegen kloterige Hongaarse achterland is die het als enige taal zal spreken. Zoals ze in het Latijn zeggen: Engels wordt het Frans in deze regio, en wij worden de Franstalige krant, snappie?' De hoofdredacteur was achter zijn bureau vandaan gekomen, liep rondjes om John heen en doorspekte zijn goed geoefende praatjes met geblaf als 'of niet soms?' en 'snap je?' en kneep af en toe hard in Johns schouders. 'Weet je, vriend, als je klaar bent met het schrijven van die poëzie van je, waar je geen ruk mee verdient, zou je willen dat je voor mij harder had gewerkt zodat je met mij je slag kon slaan om ergens op een van die Griekse kuteilanden te gaan wonen in plaats van in deze godvergeten, met paprika besmeurde Oostenrijkse testmarkt. Snap je? Ik wil lezen over expats en couleur locale. Maak het pittig, sarcastisch, modern. Als je dat lang genoeg en goed genoeg doet, zoeken we andere klussen die je kunt doen en dan word je samen met mij rijk, begrepen?'

John vroeg naar reportages, had gedacht dat hij was aangenomen als verslaggever.

'Mistah Proyce, ik beschik over tweetalige Hongaren. Ik heb een telex.

Niks rondhangen bij de werkkamer van de minister-president op jacht naar een primeur. Geef mijn krant gewoon een beetje stijl, dan ben ik tevreden.' Hij ging weer zitten en speelde met zijn stempels – er drong rode inkt in de kloofjes van zijn vingers. 'Eén ding nog. Schrijf geen toneelstukken in dit gebouw of in mijn tijd of op mijn tekstverwerker. Jaag onze adverteerders niet tegen ons in het harnas. Schrijf geen leugens – niet dat iemand ons zou aanklagen en niet dat dit land zelfs maar wetten tegen smaad heeft voorzover mijn advocaat heeft kunnen uitspitten. Vergeet niet dat je geen Hongaars spreekt en dat je waarschijnlijk nergens anders een baan kan krijgen waar je zelfs maar het schijntje verdient dat je van mij krijgt. Vergeet niet dat als je je thuis in de echte journalistiek zou begeven, het misschien dertig jaar zou duren voordat je zo'n goede kans kreeg. Je moet nooit vergeten dat de Hemingways en Fitzgeralds in spe per luchtbrug in C-141-transportvliegtuigen in dit land worden aangevoerd en 's nachts per parachute met verloren-generatieladingen tegelijk in alle goede cafés aankomen. Dus.' De zittende hoofdredacteur stak John zijn rood bevlekte hand toe. 'Verkloot het niet, jongen. Je bent zeer vervangbaar. De eerste column voor donderdag graag. Doei.'

En John was terug in de 'redactiekamer', een kantoortje vol met schrijf- en ontwerpapparatuur die zestig jaar fabricage omspande, met tien werknemers van drie verschillende nationaliteiten, ieder met een bureau, en in de helft van de onderste bureauladen lag een onvoltooid toneelstuk over het leven bij een Engelstalige krant in een naamloze Centraal-Europese hoofdstad onder het bewind van een kleurrijke Australische hoofdredacteur-eigenaar.

XI

Toen de maandagzon zijn eerste dooiergele stralenboog over een oostelijke heuvel van Boeda wierp, wachtte Emily Oliver al op hem op het brede balkon van de pasgebouwde bungalow die ze deelde met twee andere 'ambassababes' (zoals een van de marinierswachten Emily, Julie en Julie had genoemd). Ze was bezig met het derde deel van een uit vijf delen bestaande high-impact aerobicstraining die ze elke ochtend had gedaan

sinds haar eerste dag op de universiteit van Nebraska. Ongeacht hoe laat
het de avond ervoor was geworden, ongeacht de hoogte- of breedte-
graad, ongeacht of het wintertijd was en ongeacht het seizoen, ze begon
haar workout voor zonsopkomst en bij de eerste glimp van de zon zei
ze: 'Boe!', net als haar vader elke ochtend in Nebraska had gedaan met de
kleine Emily op zijn schoot op een schommelbank op de veranda of aan
de keukentafel. 'Nu stil zijn, Emmy. Dit keer gaan we hem verrassen en
wegjagen, dan gaat hij weer onder en kunnen we allemaal weer naar
bed en doorslapen tot morgen, wanneer hij zal proberen stiekem in het
westen op te gaan.'

'Boe!' zei ze nog steeds elke ochtend, bij wijze van geschenk aan haar
vader. 'Boe!' zei ze deze maandagochtend terwijl de Julies nog lagen te slapen. Emily had de afgelopen nacht ongeveer vijf uur slaap gehad, maar
ze hield voor ogen dat ze hard werkte in haar nieuwe baan en dat ze nog
steeds moest wennen aan nieuw voedsel, nieuwe lucht, nieuwe woorden
en nieuwe mensen, en geen verontschuldigingen moest aanvoeren. Ze
hoopte dat dit alles een verklaring vormde voor de overdreven behoefte
aan rust van haar lichaam en voor andere zwakheden die niets voor haar
waren. Het was vast maar tijdelijk.

Op de dag dat ze haar middelbareschooldiploma haalde, had een vriendin Emily ernstig gewaarschuwd voor de 'zeven eerstejaarskilo's', de onvermijdelijke gewichtstoename van alle jonge vrouwen tijdens hun eerste
studiejaar. Emily had die uitdrukking nog niet eerder gehoord en besefte
dat ze er nooit op voorbereid zou zijn geweest als haar vriendin er niet
een terloopse opmerking over had gemaakt. Ze was woedend op zichzelf
dat ze onkundig was van zo'n bekend en te vermijden gevaar.

Emily kwam drie kilo aan tijdens haar eerste studiejaar in Nebraska,
drie kilo spierweefsel, die ze tot op de dag van vandaag had behouden,
deze maandagochtend waarop ze weer een vruchteloze poging deed om
de zon onder de aarde te jagen, niet omdat ze weer naar bed wilde, maar
omdat ze er vrij zeker van was dat haar vader, die ze op het moment vreselijk miste, de rust wel kon gebruiken, en zeven tijdzones ten oosten
van hem was ze zijn eerste verdedigingslinie.

'*Kezét csókolom, kisasszony.*' De oude Hongaarse bewaker bij de voordeur van de ambassade begroette Emily altijd met dezelfde woorden:
'Ik kus uw hand, juffrouw.' Daarbij lachte hij zo breed mogelijk zonder
zijn gebit te laten zien, het gebit waarvan hij nooit had geweten dat het

slecht was tot hij voor de Amerikanen ging werken.

'Dan zal ik hem nooit meer wassen, Péter', zei Emily dan, en zonder haar precies te hebben begrepen boog hij kortademig, terwijl ze met grote stappen door de beveiligingspoort de hal inliep, die werd bemand door twee Amerikaanse mariniers in een kogelvrije loge. 'Goedemorgen, mariniers.'

'Goedemorgen, mevrouw Oliver', antwoordden de twee stekelhoofden als uit één mond.

'Todd', zei ze deze maandag terwijl ze wees op het insigne op de mouw van de zwarte soldaat. 'Wanneer heb je die tweede gekregen?'

'Ik hoorde het vrijdag en heb het er zaterdag opgenaaid. Fijn dat u het opmerkt, mevrouw Oliver.'

'Gefeliciteerd, marinier. Ga je nu de baas spelen over Danny?' vroeg ze, doelend op de blanke korporaal in de loge.

'Hij kan wel wat discipline gebruiken, mevrouw Oliver.' Hij lachte naar haar, zoals mensen waar dan ook geneigd waren te doen.

Ze drukte de nieuw bevorderde op het hart om streng maar rechtvaardig te zijn en zorgde ervoor hem aan te spreken met sergeant. Ze liep door de metaaldetector, kreeg aan de andere kant haar kleingeld en sleutels van de mariniers terug, waar haar glimlach hun nog meer lachjes ontlokte. Ze liep door glazen schuifdeuren naar de delen van de ambassade die waren voorzien van met lood beklede muren, microfoondetectors en communicatievervormende systemen, de beveiligde omgeving waar ze koffie zou zetten voor de ambassadeur, zou glimlachen naar de Hongaarse minister van Financiën, de overhemden van de ambassadeur zou ophalen en aan tafel zou lunchen met de vrouwen (en één verlegen echtgenoot die hoogleraar was) van Franse diplomaten, terwijl de ambassadeur, een weduwnaar, in een apart vertrek een ontmoeting had met de diplomaten zelf.

Ze werkte hard. Ze waardeerde de kans en het belang van haar werk. Ze had bewondering voor haar baas en haar collega's; ze waren ongeveer wat ze had verwacht. Ze was uitzonderlijk goed voorbereid op deze ervaring, bracht ze zichzelf in herinnering. Alles ging prima. Haar vader had haar verteld hoe geknipt ze hiervoor was. Hij was reuze trots op haar. Ze deed hem aan haar moeder denken, had hij haar op de luchthaven verteld, en aan een Zuid-Vietnamese collega van hem, die in 1971 vlak voor Kerstmis in de Laotiaanse hooglanden om het leven was gekomen. Dat waren zijn twee grootste complimenten. Alles ging prima en precies zoals ze had verwacht.

Maar toch, hoe moest ze bepaalde gedragsafwijkingen verklaren?

Gisteren, zondag, had ze op het Margaretha-eiland onder een boom liggen lezen. Klokken sloegen elf uur, ze las en keek naar een groepje Amerikaanse en Canadese mannen die een armzalig soort touch football aan het spelen waren. Geen van hen was goed genoeg voor zelfs de meest vriendschappelijke wedstrijd in Nebraska, afgezien van Todd en Danny natuurlijk. En toen ze haar ogen opendeed, stond de zon helemaal achter haar; ze keek tegen de onderkant van de boomtop, en de spelers waren allemaal al weg, op één na, die zat naast haar, leunde tegen de boom en las haar boek. 'Goedemiddag, slaapkop.'

'Hoe laat is het?'

'Halfvijf.' Ze liet het hem herhalen, want ze dacht dat hij haar voor de gek hield. Ze was nog steeds slaperig en viel zelfs nog een paar minuten in slaap. Een dutje van vijfenhalf uur in het openbaar.

En toch bleef ze onder de boom, voelde zelfs niet de noodzaak of de behoefte om te gaan staan. Ze lag met haar handen achter haar hoofd, met haar rugzak als kussen, en ze praatte met John omdat ze niet kon bedenken wat ze anders kon doen of waar ze anders zou moeten zijn, een raar gevoel. Ze vertelde over haar familie, gewoon omdat hij ernaar vroeg. Ze vertelde meer over haar familie dan ze ooit had gedaan, toonde vrijwel geen intuïtieve discretie of loyaliteit, omdat die niet van toepassing leken op deze situatie waarop ze zich onvoorbereid voelde, maar zonder de adrenalinestroom en zorgvuldige analyse die onvoorbereid zijn meestal bij haar opwekte.

'Vertel eens over je vader', had hij gevraagd, omdat hij op de een of andere manier meteen had aangevoeld wat het kernthema was.

Waar moest ze beginnen? Een boer, een weduwnaar... nee, ze besloot te beginnen met de kringen. Ken Oliver had zijn kinderen doordrongen van de waarde van kringen. We leven in het midden van vijf concentrische kringen – wij allemaal – en deze kringen bepalen onze plaats in de wereld, beschermen ons tegen gevaar en vergroten tevens onze eigen kracht, als golven die we uitzenden. In het midden bevindt zich het individu met zijn of haar individuele, door God geschonken talenten, vervolgens de kring van onderwijs, die de mogelijkheid biedt om deze talenten te ontwikkelen, daarna de kring van familie, dan de kring van de samenleving, dan van het land en dan van God. Plicht stroomt vanuit het midden naar buiten; kracht stroomt naar binnen, naar het centrum.

'Tjonge. Geloof je dat?'

Natuurlijk. Maar niemand had het haar ooit op die toon gevraagd. Meestal praatte ze er niet over met mensen die er nog niet vanaf wisten. Beth, haar oudere zus, getrouwd en met twee kinderen op een andere boerderij zo'n zestig kilometer dichter bij Lincoln, had wel een keer gezegd dat je misschien toch niet zoveel aan die kringen had, vooral vader niet. (Beth herinnerde zich hun moeder het duidelijkst en zei dat haar dood hun vader in die zin had aangegrepen 'dat hij nog meer werd wie hij al was'). Emily had Beths afdwaling van de leer verteld aan Robert, haar jongere broer, die nu marinier was in Twentynine Palms. Robert was het niet met haar eens en zei dat Beth er gewoon nog niet goed genoeg over had nagedacht. Niemand kon het uiteraard aan haar oudere broer Ken jr. vragen, want hij was op een dag gewoon opgestapt, en ze hadden Ken jr. nooit meer gezien. 'Drugs', legde haar vader uit en sprak nooit meer over hem, maar hij deed wel wat vrijwilligerswerk bij een plaatselijke kerkgroep die afgekickte verslaafden steunde.

'Je komt dus min of meer uit een gebied met gearrangeerde huwelijken?' zei John.

'O, beslist. Ik ben beloofd aan een boer die zeven districten verderop woont en ik breng drie mooie koeien in, maar ik moet wel een maagdelijkheidsonderzoek laten doen als ik terugkom uit Hongarije.'

Ze vertelde John niet alles, maar ze vertelde hem wel zo veel dat ze zich later afvroeg wat er met haar gebeurde in dit land.

Van 1961 tot 1967 werd Ken Oliver vrij sporadisch en vrij kortdurend naar Vietnam en de omliggende landen uitgezonden. Na Tet restte hem echter geen andere keus dan zijn vrouw en vier kinderen in Georgetown achter te laten en ruim drie jaar zonder verlof in Saigon door te brengen, van waaruit hij regelmatig tochten naar het noorden en naar Laos maakte. De laatste van deze expedities vond plaats vlak na Kerstmis 1971, en daarbij was hij getuige van de dood van 'de edelmoedigste man die ik ooit heb gekend, Emmy'. Bij de gratie gods wist hij terug te keren naar Saigon, waar hij het bericht kreeg dat zijn vrouw, Martha, heel plotseling ziek was geworden en hij kreeg onmiddellijk verlof om terug te gaan naar Georgetown om haar te bezoeken. Hij keerde niet meer terug naar Vietnam, maar nam na het snelle overlijden van Martha ontslag uit het leger en nam de kinderen mee naar Nebraska, waar zijn ouders in een uitgestrekt landbouwgebied woonden, dat beter geschikt was om kinderen groot te brengen dan de diplomatenfeesten en de kankerafdelingen in George-town.

Ze realiseerde zich dat John een paar uur moest hebben zitten kijken hoe ze sliep, zelfs nadat zijn vrienden en zijn broer het eiland hadden ver-laten. Overal rond de ambassade wemelde het van mannen die dachten en spraken als een mindere uitvoering van haar vader, maar niet van mensen als John. Hij was zo stuurloos. Hij genoot van dit soort stuurloos gepraat en leek er geen behoefte aan te hebben om druk bezig te zijn. Hij was niet als de Julies, die gewoon feestbeesten waren, volslagen onse-rieus, die alleen de tijd zoet brachten tot ze een man hadden gevonden. Hij leek ook niet op Charles, die nog het meest deed denken aan som-mige op geld (en op Emily) beluste studenten die landbouwindustrie als hoofdvak hadden. Scott was kwaad, als een betweterige tiener… Maar John… en Mark was ook een nieuw type. Er kwam een heel rare gedachte bij haar op toen ze omhoogkeek naar de vogels op de laagste takken, en John vertelde over wat zich liet aanhoren als een ellendige jeugd, ook al lachte hij erom: er waren waarschijnlijk talloze mensen die ze in deze wereld nooit was tegengekomen en op wie ze niet was voorbereid.

Hij vroeg naar haar moeder en daar gaf ze gewoon antwoord op. 'Ik was pas vijf. Ik herinner me dat mijn vader huilde bij de begrafenis. Maar daarna nooit meer, zegt Beth. Ik denk dat het moeilijk voor hem was. Ik heb haar ontzettend lang gemist, maar dat was eigenlijk niet iets waarover je kon praten. Het was tegenover hem niet eerlijk om haar ter sprake te brengen of hem te laten denken dat hij niet genoeg voor ons was. Maar ik beklaag me er niet over, hoor.'

'Jezus, Buitengewoon Attachee. Ik denk dat je je daarover best mag be-klagen. Je had twee geweldige ouders en je hebt er een verloren. Waarover mag je je dan wel beklagen?'

Ze lag op haar rug in de stilte en keek naar de takken en een heel zacht-blauwe lucht. Ja, waarover wél? Daar was een antwoord op. Het borrelde zomaar op in haar geheugen, iets over – en ze herkende de blik in Johns ogen, ze had die blik eerder op het gezicht van jongens zien verschijnen, vlak voordat ze zich vooroverbogen om haar te kussen. 'Zelfbeklag', ci-teerde ze met een glimlach terwijl ze haar boek in haar rugzak schoof, opstond en de aarde van haar benen veegde, 'is voor mensen die niet weten hoe ze iets moeten verbeteren.'

Maandag op de ambassade bekeek ze haar lijstje met dingen die ze moest doen en las de maandagmemo's. Vanavond zou ze de ambassadeur naar een ontvangst op de Saoedische ambassade vergezellen. Ze had ook een briefje van haar supervisor waarin hij een ogenblik van haar tijd vroeg, een ogenblik dat hij gebruikte om haar te berispen over een relatief kleine beoordelingsfout, waarvan hij de afgelopen week getuige was geweest – geen belangrijk voorval, maar als ze wilde leren dan moest het onder haar aandacht worden gebracht. 'Dank u', zei ze. 'Het zal niet meer gebeuren.'

'Hoe gaat het met je beroemde vader?' vroeg hij.

Zelfbeklag kwam zeker niet te pas als je op je werk terecht werd gecorrigeerd, hield ze voor ogen toen ze naar beneden ging om met de chauffeur van de ambassadeur het dagschema te fiatteren. En toch verafschuwde ze de belerende, boze berisping over zoiets onbenulligs, en toen schaamde ze zich, niet alleen omdat ze niet goed tegen een terechtwijzing kon (want daar hoorde je je voor te schamen), maar over haar oorspronkelijke oprechte vergissing, waarvoor je je nooit moest schamen. En dat – je schamen voor een oprechte vergissing – bracht niets mooiers aan het licht dan verachtelijke trots, wat natuurlijk beschamend was.

XII

Op slechts vier straten afstand van de indrukwekkende façade van de Amerikaanse ambassade stond een nog veel imposantere villa, die voor een termijn van negenennegentig jaar werd gehuurd door de werkgevers van Charles Gábor, een New Yorkse participatiemaatschappij met een honderddertig jaar oude naam die, een aantal maanden na de gebeurtenissen die hier worden beschreven, in Wall Street letterlijk van zijn toppositie zou tuimelen om met een klap op het wegdek te belanden, slechts enkele dagen voordat de Raad van Bestuur – met veel poeha en ontkenning – door vergelijkbare structurele fouten zelf uit elkaar zou vallen in veroordeelden, voorwaardelijk vrijgelatenen, getuigen à charge, memoiresschrijvers en consultants.

In 1990 echter, in een topografisch symbolische situatie, die was voorbestemd om zijn weg te vinden naar een van de columns van John Price, werkte Charles Gábor, een participatiebankier die net een jaar de economische faculteit vaarwel had gezegd, in een kantoor aan de rivier, dat groter en luxueuzer was dan het kantoor van de ambassadeur van de Verenigde Staten, en waar hij bovendien een mooier uitzicht had.

Charles Gábor was een kleinkind van ' 56, een van die Amerikanen en Canadezen van wie de ouders Hongarije waren ontvlucht na de mislukte anticommunistische opstand in dat jaar. In Toronto, Cleveland en New York had deze jongere generatie aan hun vriendjes op de lagere school proberen uit te leggen dat de S in Sándor als Sj werd uitgesproken, voordat ze zich gewonnen gaven aan de meerderheid en daarna luisterden naar Sandy of Alexander of simpelweg Alex. Daarna zouden ze aan hun vrienden op de middenschool geduldig uitleggen dat, ongeacht wat president Carter zei, de communisten slecht waren: ze hebben mijn land afgepakt, totdat ze in de vierde klas met tegenzin het idee accepteerden van Russen die bedreigd en verkeerd begrepen waren, en het idee van de Koude Oorlog als onverklaarbare wederzijdse agressie, waar schuld genoeg lag voor iedereen. Later, op de middelbare school, zouden ze tegen hun geschiedenisleraar zeggen dat het verdrag van Versailles eigenlijk Trianon heette en een wraakzuchtige, misplaatste daad was waardoor op hardvochtige en onverstandige wijze land was afgenomen van verslagen regeringen die zich inzetten voor de wederopbouw, waardoor onschuldige families ontheemd raakten, waardoor tot meer oorlogsgeweld was aangezet en er een generaties durende tirannie ontstond... totdat ze eindelijk ophielden met hun hoofd tegen de lesstof te beuken en toegaven dat ja, de overwinnaars hadden gedaan wat ze moesten doen. In Versailles.

Degenen die naar de universiteit gingen, studeerden af in Oost-Aziatische studies, communicatiewetenschap en het geldwezen.

Tijdens de zomervakantie was je misschien wel thuis en luisterde met verbazing naar je vader, die voor het eerst sinds je je kon heugen een beetje aangeschoten was en zich liet ontvallen dat hij in 1956 niet alleen was gevlucht maar ook had gevochten – tegen de achterkant van een tank was opgeklommen, een molotovcocktail in het luik had laten vallen en de paniekerige Russische jongen met zijn blonde stekelhaar met een stokoude revolver door het oog had geschoten, hem had geraakt vlak onder een moedervlek waaruit twee haren ontsproten, en vervolgens was weggerend terwijl het lichaam terugzakte in de tank en de enige uitgang blokkeerde voor zijn stikkende, brandende kameraden.

De ouders van Charles Gábor hadden elkaar in Cleveland ontmoet, hoewel ze tegelijkertijd uit Hongarije waren gevlucht. Er waren familielegendes ontstaan over de verbazingwekkende toevalligheden van hun liefde: ze waren bij dezelfde demonstraties geweest, vervolgens bij dezelfde straatgevechten tijdens de opstand, hadden het land een dag na elkaar verlaten, hadden op een kilometer afstand van elkaar tijd doorgebracht in Oostenrijkse gebieden waar vluchtelingen werden opgenomen, waren nog geen maand na elkaar in Cleveland aangekomen, maar ontmoetten elkaar toch pas twee jaar later, toen Charles' vader tijdens een feest op oudejaarsavond van 1959 met gesloten ogen een ander meisje aan het zoenen was ('Als ik me haar naam herinner, zal dat een wonder zijn – Jane, Judy, Jennifer, Julie, iets heel Amerikaans'), zijn ene hand om een met een angoratrui bedekte borst lag terwijl de andere haar in een Schotse rok gehulde achterste streelde, en hij zijn toekomstige vrouw tegen iemand hoorde uitroepen: 'Gelukkig nieuwjaar terwijl zij met hun dikke, stomme Russische koppen nog in mijn Gerbeaud zitten? Terwijl die Russische beesten in mijn straten kakken? Het is niet gelukkig. Helemaal niet gelukkig.' Charles' vader vertelde zijn zoon vaak dat hij al verliefd was geworden op haar stem, op haar mening en op haar onwillige Engels terwijl hij nog met zijn tong in de mond van het andere meisje zat.

Charles, die Károly was gedoopt, was geen kind van ouders die stonden te popelen om de wonderen van de Amerikaanse assimilatie te ervaren, en zijn eerste taal was Hongaars.

'In je thuishaven heb je een eiland in de rivier, waar je kunt voetballen en daarna een ijsje kunt eten, een bad nemen en je kunt laten masseren.'

'Ik ben te klein voor voetbal.'

'Onzin! Je zou een uitstekende keeper kunnen zijn. Je wordt later lang genoeg. Ik zou je de beginselen moeten bij brengen, waar je moet kijken als hun aanval door jouw verdedigers breekt, hoe je je knieën moet buigen zodat je beide kanten op kunt springen.'

'Bij voetbal hebben ze geen keeper, vader.'

'Wat zeg je nou? Ildikó, wat zegt hij nou? Wat doen ze toch met hem op die school?'

'Je vader heeft gelijk, Károly. Je zou een uitstekende keeper zijn. Dat ijs', ze gaf zijn vaders hand een kneepje. 'Mijn God. Zure kersen.'

'Maar dit ijs is toch ook lekker?'

'Ja, best wel, maar het ijs van dat eiland is niet te vergelijken met wat ze in Cleveland maken.'

'Volgens mij heb ik gelijk over dat voetbal.'

Zijn ouders probeerden voor elkaar vaak het bestaan dat ze parallel aan elkaar hadden geleefd te reconstrueren, en hun herinneringen werden vaak opgewekt door hoe oud Charles op dat moment was, zoals: 'Ik probeerde naar de overkant van het Balatonmeer te lopen toen ik een klein meisje was, niet veel ouder dan hij.' Ze gebaarde naar haar zoon. 'Ik dacht dat ik lang genoeg was.'

'Dan was dat de leeftijd waarop ik voor het eerst een meisje kuste. Dohány utca. Ik kuste haar op de wang.' Met de rug van zijn hand streelde hij de wang van zijn vrouw. 'Ze was joods, en ook al wist ik toen nog niet wat die term betekende, ik wist wel dat het iets gevaarlijks had en ik vond dat ik erg dapper was, want mijn vader zou het heel alarmerend hebben gevonden.'

'Ik werd voor het eerst gekust vlak naast het Vajdahunyad. Ik mis dat stomme kasteel.'

'Telkens wanneer ik aan het Corvin denk, kan ik niet geloven dat jij er was en dat je gewond had kunnen raken en dat we elkaar dan nooit zouden hebben ontmoet. Er werd een compleet gevecht geleverd in die bioscoop, Károly. Niet een film over een gevecht, maar een gevecht in de filmzaal! Heb je ooit zoiets gehoord?'

Zijn ouders spraken vaak over onroerend goed dat in mysterieuze handen was gevallen, en deden hun best om voor elkaar (en voor hun erfgenaam) de huizen die ze hadden gekend te herscheppen.

'In het vijfde district van je thuishaven heb je een woning, Károly, kleiner dan dit huis, maar veel mooier. Die is van jou, en op een dag zul je die kunnen terugvorderen en er gaan wonen.'

'Je hebt nóg een woning in het eerste district, mijn jongen. Ook erg mooi!'

'Heb ik twee woningen én dit huis? Hoe weet ik dan waar ik moet wonen?'

'Dit huis is niets bijzonders. Het zijn díé woningen die je zullen bevallen.'

'Ik hou van dit huis. Clark woont hiernaast. En Chad woont op de hoek. Ik wil niet ergens anders wonen.'

'Doe niet zo raar. Je hoeft van niemand weg te gaan uit dit huis, maar op een dag zul je dat wel willen, omdat ze je je woningen zullen teruggeven en je zult heel trots zijn om ginds zulke mooie woningen te hebben.'

Terwijl het kleine jongetje op de grond met zijn speelgoedsoldaatjes zat te spelen en bang was dat hij uit zijn huis zou worden gezet, beschreven zijn ouders zijn twee woningen, en al doende liepen ze weg van de plekjes waar ze hadden gestaan (bij de haard, bij het dranktafeltje), liepen door de kamer op elkaar af en gingen op de bank liggen, zijn vaders arm om de nek van zijn moeder. Ze staarden naar het plafond en fluisterden elkaar steeds zachter bijzonderheden van hun woningen toe totdat Charles hen helemaal niet meer kon horen, en hij voelde zich opgelucht dat ze hem met rust lieten zodat hij op de vloer van zijn huis kon spelen, in gezelschap van zijn vriend de kat, Imre Nagy (Grote Jim, als hij hem aan vriendjes voorstelde). De kat had langer dan Charles zelf in dat huis gewoond en besprong elke avond een van Charles' soldaatjes en tikte hem van pootje naar pootje, een glanzende, zilverkleurige ridder met een zwaard. De kat werd aangetrokken door de glans ervan, en ook al liet hij de rest van de piepkleine militaire troepen met rust, die ridder was altijd de klos.

'Vier trappen, vierenzestig treden van boven naar beneden, en op de binnenplaats een iep. De jongen zou er tegenwoordig in kunnen klimmen. Hoor je dat, Károly? Een boom op je... ach, laat maar, hij gaat helemaal op in zijn soldaatjes...'

'De tegels moesten op een Byzantijns mozaïek lijken... Vast stukgeslagen door de een of andere rode hufter...'

Maar toen hij opgroeide, kon geen van de voorschriften of gebruiken van zijn ouders hem behoeden voor de vloed van Engelse woorden en Amerikaanse gebruiken. Vrienden, films, school, boeken en televisie: Cleveland en Hollywood besloegen een veel groter deel van de hem bekende wereld dan de onbekende stad die zo ver weg lag en dan de zwart-wit verhalen van langgeleden, de verwarrende, hardnekkige en kortzichtige politieke opvattingen, en de taal die geen van zijn vrienden kon spreken, maar die door een aantal van hen werd vergeleken met het gemurmel van een slijmerig buitenaards wezen in *Star Wars*.

De jongen sprak de ban uit drie jaar voordat hij ten uitvoer werd gebracht: toen hij negen jaar was deelde hij zijn ouders mee dat hij het zat was dat mensen hem Ca-ro-lie noemden in plaats van KAR-oy en dat

hij daarom voortaan Charles zou heten, een verordening die monter werd
aanvaard door iedereen die hij kende, behalve door zijn ouders, maar hij
was twaalf toen Hongaarse woorden uiteindelijk minder vertrouwd werden dan Engelse. In zijn middelbareschooltijd, en tijdens zijn propedeuse
en zijn studie economie leidde de twaalfjarige Károly de Hongaar een
sluimerend bestaan in Charles uit Ohio: overbodig, onopgemerkt, on-
welkom.

Toen hij twaalf was, ontwikkelde zijn Hongaars zich niet meer, maar
bleef aan hem bungelen als een rudimentair aanhangsel. Hij sprak alleen
Hongaars in sporadische privé-gesprekken met zijn ouders als er
buitenstaanders bij waren. En deze linguïstische scheiding ging onaf-
wendbaar vergezeld van een culturele. Vooral zijn vader begon Charles
te beschouwen als een buitenlander die scholing nodig had om tot zijn
erfgoed te kunnen terugkeren.

'Admiraal Horthy werd verkeerd begrepen', onderhield zijn vader hem,
nadat hij vol afkeer Charles' geschiedenisboek van de vijfde klas middelbare school terzijde had geworpen met daarin die ene vermelding over
het optreden van Hongarije tijdens de Tweede Wereldoorlog, opgenomen
in een apart kader over 'Overige fascistische landen'. 'Amerikanen willen
alles alleen maar zwart-wit zien. Er waren niet alleen maar slechte mensen en goede mensen. Het was geen cowboys-en-indianenfilm van John
Wayne, begrijp je dat? Zeg dat maar tegen je bespottelijke leraar. Horthy
heeft de nazi's zo lang mogelijk buiten de deur gehouden én heeft tegen
de Russen gevochten. Wie anders zou dat volgens dat schooltje van jou
hebben gekund? Churchill? Trouwens, je zou die leraar van wat in dit
land voor geschiedenis doorgaat kunnen vertellen dat de juiste benaming
van die verkrachting op pagina 465 Trianon is.'

Nadat hij zijn tijd had afgewacht, ontwaakte Károly de Hongaar op een
dag. De omwentelingen in Centraal-Europa in 1989 en Charles' alomtegenwoordige overtuiging dat hij was voorbestemd tot iets beters dan zijn
medestudenten, brachten hem ertoe tegen de personeelswerver te zeggen:
'Ja, ik spreek vloeiend Hongaars en zou de uitdaging verwelkomen om
de firma te helpen bij het opzetten van een vestiging in Boedapest.' Ineens
was Károly weer een gewaardeerd en welkom lid van Charles' psychische
cast en crew. Jammer genoeg was Károly nog steeds twaalf. Het gevolg
hiervan was dat de investeringsdeskundige, die, na een buitengewoon in-
fantiliserende opleiding in New York van drie maanden, in oktober 1989

in Boedapest arriveerde een eigenwijze, zelfverzekerde, jonge participatiebankier met stijl, intelligentie en zakeninstinct was die, zonder dat zijn werkgevers dat beseften, als hij Hongaars sprak tegen de managers van potentiële investeringsprojecten, heel erg klonk als een twaalfjarig jongetje in een goedgekleed mannenlichaam.

Op een ochtend zat John op de bank in Charles' kantoor en fotografeerde hem terwijl hij gewichtig achter zijn bureau zat; het panoramavenster achter hem omvatte voor een derde deel Donau, een derde deel Burchtheuvel en een derde deel de met vederwolken bezaaide hemel. Op de foto, die Charles naar zijn ouders opstuurde, zag je vijf stapels dossiers voor hem liggen. De stapels verschilden allemaal van hoogte, en Charles legde aan een half geïnteresseerde John uit wat hij de hele dag, bijna alle dagen van de week, deed.

Elke ochtend schoof Zsuzsa, de Hongaarse bureauchef van de firma, nieuwe dossiers in lederen omslagen die met het bedrijfslogo waren gebosseleerd (een ridder die een zwaard hoog in de lucht houdt en voor zich uitkijkt in de duisternis, terwijl hij bescherming biedt aan een ontredderde, bijna naakte maagd die zich achter hem bevindt). De berg dossiers links – Charles tikte op de stapel mappen – waren de IV's, Inkomende Verzoeken: brieven en materiaal waarin kansloos de zaak van oude communistische staatsondernemingen werd bepleit die particuliere investeerders zochten, uitvinders die op zoek waren naar een startkapitaal, groepen jonge ondernemers die een casino willen beginnen, et cetera.

Elke middag verwijderde Zsuzsa de stapel helemaal rechts, die bijna een even wankele hoogte had bereikt: BA's – Bondige Afwijzingen. Hier lagen de bedrijven die tot voor kort in handen van de staat waren geweest, te inefficiënt om in aanmerking te komen voor reanimatie en zelfs met onvoldoende schrootwaarde, uitvinders die te ongeloofwaardig waren om zelfs maar voor een gesprek te worden uitgenodigd, en jonge managers die zo onervaren waren dat Charles er verbaasd zijn hoofd over schudde. Hij was al snel tot de slotsom gekomen dat vrijwel de gehele bestuursklasse van het land ofwel geen ervaring had, of gebukt ging onder jarenlange verkeerde ervaring dankzij de ondoelmatigheid, irrelevantie en immoraliteit van het communisme.

Tussen de zuil van Hongaarse hoop en de vrijwel even hoge zuil van wanhoop lagen drie beduidend kleinere stapels. De eerste – Verzoeken tot Research – bestond uit de voorstellen die interessant genoeg waren om nadere gesprekken, bezoeken ter plaatse, verzoeken om financiële gegevens en dergelijke te rechtvaardigen. Charles gaf die stapels, voorzien van een strikt gehanteerde vierregelige samenvatting van zijn bevindingen, door aan de hoofdvennoot van het kantoor, een vierenveertigjarige vp uit New York, die geen enkel woord Hongaars in zijn bagage had, maar wel negentien jaar ervaring in Wall Street. Dit hoofd steunde buitensporig op Zsuzsa en de tweetalige jongere leden van het team, maar omdat hij een hekel had aan zijn plotselinge afhankelijkheid, las hij hun vaak en met een snijdend machismo de les over 'hoe het in de vs werd aangepakt'.

Met enig enthousiasme volgde Charles aanvankelijk de paar gevallen die van de vp het akkoord voor nader onderzoek kregen – In Behandeling. Maar deze langverwachte actie liep meestal op een teleurstelling uit. Charles werkte zich lachend door gesprekken heen met getalenteerde jonge ondernemers, die te weinig zeggenschap of hypothetische winst uit handen wilden geven in ruil voor de beoogde Amerikaanse dollars, door zenuwslopende demonstraties van prototypes van uitvindingen die niet in staat bleken hun hypothetische taak te vervullen, terwijl de wanhopige uitvinders eerst praatziek werden en vervolgens in tranen raakten, en door rondleidingen in staatsfabrieken die even lachwekkend waren als de door hun Amerikaanse pr-bureaus opgestelde beschrijvingen verlokkend waren geweest.

'Gewoonlijk', zei Charles zuchtend.

Maar van elke vijf procent Verzoeken tot Research, die de vp had goedgekeurd en tot In Behandeling bevorderd, doorstond misschien vijf procent nauwkeurig onderzoek. Die vormden het piepkleine stapeltje GK – Goede Kanshebbers. Deze dossiers gingen vervolgens terug naar de vp met Charles' tweede verslag, dat hij nu tot vijf regels kon opblazen, omdat er één regel Aanbeveling Analist bij mocht. Nu Charles het werk bijna zeven maanden deed, had hij welgeteld niet een van zijn GK's zien terugkomen. Sommige waren meteen al afgewezen door de vp, die met een deskundig oog een minuscuul gebrek ontdekte in het materiaal dat Gábor onnozel had vergaard. Andere konden de goedkeuring van de vp wegdragen, maar kregen een veto van het kantoor in New York omdat het te weinig opvallend of te weinig potentieel lucratief was om de eerste Hongaarse onderneming van het bedrijf te worden.

'De eerste?' zei John met een zelfgenoegzaam lachje.

'Onze eerste,' herhaalde Charles vol afkeer, 'terwijl ze Praag met geld overladen.' Acht maanden na Charles' komst, negen tot elf maanden nadat in lovende artikelen in *The Wall Street Journal, The Economist* en de Hongaarse pers een dappere nieuwe wereld was uitgeroepen, acht maanden na historische ontmoetingen met de minister van Financiën en ontvangsten met de premier, acht maanden nadat de huurovereenkomst voor negenennegentig jaar was ondertekend, waarbij het vroegere hoofdkwartier van een duistere en uitzonderlijk smerige afdeling van de geheime politie werd overgedragen, zeven maanden nadat Charles zijn eerste nerveuze en slecht geformuleerde verzoek om geld had gelezen, was er niets bereikt. 'En het kan geen mens iets schelen', zei Charles terwijl hij onderuitzakte op zijn stoel. De overheadkosten van het kantoor waren peanuts voor het bedrijf; ze konden het zich veroorloven om het rustig aan te doen en hun PR helemaal goed voor elkaar te hebben.

Gábor zou niet eeuwig juniorlid van het team blijven en zelfs niet heel lang. Ten slotte zou de Verschrikkelijk Pathetische, de Vice-President, het beu worden om in wezen ongeletterd te zijn, zijn verlangen naar de goeie ouwe lunches in Box Three en de Quiltes Giraffe zouden de overhand krijgen en hij zou op zijn dooie akkertje naar New York terugkeren met verhalen over die eigenaardige Hongaren (van wie de man er, volgens Charles, misschien twee kende, onder wie zijn bureauchef). Tegen die tijd zou Charles' betekenis voor het bedrijf zo overduidelijk zijn dat zijn promotie tot hoofd van het kantoor, of op zijn minst tot een functie waar beslissingen werden genomen, zeker zou zijn.

Anderzijds, vertelde hij John, zoals het er nu in Boedapest voorstond, zou het hem geen moeite kosten om zelf investeerders te vinden, als het moest vandaag nog. Geld bijeenbrengen in Hongarije was van een schone eenvoud, legde hij uit. Het bulkte ervan in hotellobby's. Je had alleen een kostuum en een emmer nodig. Verveelde rijke mannen en de gretige, kraalogige vertegenwoordigers van verveelde rijke mannen hadden vrijwel alle kamers in de grote hotels in beslag genomen en voerden doortastend 'onderzoek uit om feitenmateriaal te verzamelen' en brachten elkaar trots in herinnering dat 'voor een democratie nu eenmaal een vrije markt vereist was, zodat een investering met een hoog rendement de vrijheid een stap vooruithielp'. 'Je zou die kerels fantastisch vinden, John. In de lobby van het Forum kun je je kont niet keren zonder dat je ze omgooit en het geld uit hun zakken ziet rollen.' Charles had een paar van deze kapita-

listische pelgrims ontmoet op zijn kantoor, bij feesten van de ambassade
en in de lobby's. Zijn voorzichtige raming was dat hij over een halfjaar,
of eerder, alle ruggensteun kon krijgen die hij nodig had om een fortuin
aan de Goede Kanshebber van zijn keuze te verdienen.

XIII

Wie heeft de Koude Oorlog gewonnen? Wij. Onze generatie. Onze opofferingen
hebben de communistische kolos op de knieën gedwongen. Ja, oké, toegegeven: onze
ouders hebben de tijd van de flakkerende zwart-witbeelden van de Cubaanse Varkens-
baaicrisis en Vietnam doorstaan. Maar degenen van ons die onder Johnson, Nixon
en Ford werden geboren — wij zijn de triomferende generatie. Wij hebben vanaf onze
geboorte het armageddon onder ogen gezien; wij hebben nooit een andere manier ge-
kend dan wederzijds toegezegde vernietiging, en daar hebben we nooit onze ogen voor
gesloten. We zijn volwassen geworden door Brezjnev, Andropov, Tsjernenko en Usti-
nov net zo lang aan te staren tot zij de blik als eerste neersloegen. We waren immuun
voor hun ijzige stiltes, gerimpelde gezichten en korte heerschappij. Als Gorbatsjov
vanuit zijn Kremlinbunker naar buiten gluurde, wat zag hij dan? Hij zag ons naar
de universiteit gaan, bereid om van een iets kleinere studentenlening rond te komen
om Star Wars te financieren en datgene te doen wat gedaan moest worden: op Reagan
stemmen.

Ruslandkunde was ons hoofdvak; we bekeken elk boek dat we lazen op commu-
nisme en we twijfelden nooit aan de waardeloosheid van die treurigstemmende doctri-
ne. In onze gelederen geen spionnenkliek zoals in Cambridge, geen roze sympathi-
santen. Degenen die het land gingen bewerken voor de Sandinisten werden
uitgelachen, en ze kwamen gelouterd terug. We lazen de technothrillers van de CIA
— allemaal. We lieten ons lachend registreren voor een theoretische oproep van het le-
ger, en wel in zulken getale dat het Kremlin sidderde. En je moet nooit vergeten dat
wij de generatie vormden die MTV en CNN inspireerde; geen Berlijnse Muur kon
hen buiten houden en geen levenskrachtige Oost-Duitser kon de keus tussen Madon-
na en Erich Honecker, Miami Vice of de Stasi overwegen zonder te denken dat
het tijd voor verandering was.

Mijn god, dat was me nog eens een tijd, dat was nog eens een gevoel. Je wist waar je
stond. Je liep arm in arm met je vrienden, tijdens zomerse stages in Washington

D.C. of als rugzaktoerist in Frankrijk, redetwistend met snotneuzige Deense jonge-
ren, die ervan overtuigd waren dat de Koude Oorlog niets anders was dan Ameri-
kaans-imperialistische koppigheid.

'Waar was u toen ze de satellietstaten loslieten, opa? Waar was u op de dag die tot
Victorie op de Koude Oorlog-dag werd uitgeroepen?' Dat zijn de vragen die onze
kleinkinderen ons zullen stellen, en ik zal in elk geval trots kunnen antwoorden:
'Mijn vrienden en ik waren erbij, Timmy – de hele tijd. We zaten op onze studenten-
kamer en hebben alles gezien, op een scherm zo groot en met zulke krachtige Surround
Sound-speakers dat je de mokers die tegen de steen beukten bijna kon voelen. Dat
was vrijheid, Timmy. Dat hebben we voor jou gedaan.'

Wie hebben de Berlijnse Muur neergehaald? Jij en ik, Jack, jij en ik.

Maar toch, maar toch, tegen welke prijs? Wie van ons kan zeggen dat we er zonder
kleerscheuren van af zijn gekomen? Wie van ons kijkt niet terug op een jeugd die
ons grotendeels is afgepakt? Zonnige dagen, maar niet voor ons aan het front. Ja, we
hebben vriendschappen gesmeed die de vuurproef hebben doorstaan. En we zijn
man geworden, hoewel misschien te vroeg. Onze ziel heeft in de peilloze diepte ge-
schouwd. Een zegen? Een vloek? Het is gewoon een feit, vrienden.

En nu zijn we het vriendschappelijke bezettingsleger, en bieden we onze verslagen
vroegere vijand een open hand en een frisse start: slimme investeringsmogelijkheden,
eersteklas taalonderwijs en een hele generatie neo-retrohippies, slechte kunstenaars
en nachtclubjongeren. Net als MacArthur in Japan.

Een frisse start voor hen, maar voor ons? Het antwoord op die vraag boezemt me
angst in. We moeten simpelweg onze wonden likken en hopen dat onze kinderen en
de kinderen van onze kinderen en de kinderen van onze vroegere vijanden en de kin-
deren van de kinderen van onze vroegere vijanden tot volle bloei zullen komen in dit
nieuwe Arcadië, dat wij met onze offers hebben bekostigd. We moeten onze tuin goed
onderhouden.

Tot vrijdag bij A Házam!

Scott legde de krant op zijn bureau en moest toegeven dat John op zijn
minst geestig was, zo niet heel geestig, en keek naar zijn klas. 'Goed. Eerst
de vragen over het vocabulaire. Ja, Zsolt?'

'*Arcadië?*' vroeg de jonge ingenieur.

'Arcadië. Paradijs. Eden. Een mythologische verwijzing naar een groen
oord, vrij van zorgen. Kati?'

De vrouw van het reisbureau bewoog haar lippen voor een stille zin
voordat ze zich de klank herinnerde: '*Snotneus?*'

'*Snotneuzige.* Dat is gemeenzame taal. Letterlijk betekent het dat ze een

natte, lopende neus hadden. Snot is een plat woord voor neusvocht. Fi-
guurlijk betekent de term onvolwassen en arrogant tegelijk, kinderlijk
in de negatieve betekenis.'

'En dit woord, dit *snotneus…*'

'Snotneu*zige*', benadrukte Scott. 'Het wordt bijvoeglijk gebruikt.' In de
afgelopen drie kwartier was Scotts handschrift in verschillende kleuren
op het witte bord verschenen: *Hij slaat zijn vrouw niet omdat hij van haar
houdt. De vrachtwagens kantelen/ De kantelen van een kasteel. Lijden. Bijzonder.
Heerlijk. Bijou. Leiden. Y-chromosoom. (Bijt daar je tanden maar op stuk, Magyaren!)* En nu voegde hij eraan toe: *snotneuzige.*

'Ja, goed, dit snotneuzigeh, is dat alleen voor de Denen?'

'Of alleen de Denen snotneuzig zijn? Nee, maar een goede vraag. De
schrijver doelt hier inderdaad op Denen, maar misschien niet letterlijk.
Misschien doelt hij op een generiek type halverwege de jaren tachtig,
die vanzelfsprekend linkse West-Europese jeugd. Ik denk dat de schrijver
even gemakkelijk *Noors* had kunnen gebruiken. Volgens mij is dit een
mooi voorbeeld van synechdoche, dat we gisteren hebben besproken.'

'Wie is de schrijver?' vroeg Ferenc, een jurist die voor een van de grote
nieuwe westerse bedrijven werkte.

Scott antwoordde dat het stuk afkomstig was uit de *BudapesToday* van
de dag ervoor en was aangekondigd als de eerste van een nieuwe reeks columns, 'Aantekeningen uit de nieuwe wereldorde'.

Ferenc vroeg: 'Is dit een mening die – ik weet het woord niet. Geloven
Amerikanen zo? Wat hij hier schrijft?'

'Of Amerikanen dit geloven? Ik weet het niet. Sommigen misschien
wel.'

'En jij?' vroeg Zsófi van de medische faculteit. Er klonk een scherpte in
haar vraag door die Scott irriteerde; vol afkeer herkende hij haar gebruikelijke ambivalentie tegenover ambiguïteit.

'En ik?' Scott liep om zijn bureau heen, ging erop zitten en liet zijn
hakken een paar keer tegen zijn gedeukte stalen voorkant bonken. 'Nou,
wat dacht je hiervan. Denk je dat de schríjver het gelooft?'

De deelnemers, in leeftijd variërend van achtentwintig tot zesenveertig, aan Scott Prices cursus Conversatie, Begrip en Analyse voor Gevor-
derden, gaven niet meteen antwoord. Het onbehagen in de groep nam
merkbaar toe – iets sterkers dan de verlegenheid van Beginners of het
zoeken naar woorden van de studenten die de Aanvullende cursus deden

– een gevoel dat Scott als een goed teken opvatte, als hard nadenken.

'Waarom schrijft hij het op de krant…'

'*In* de krant, Ildikó.'

'Ja. Waarom schrijft hij het in de krant als hij niet geloofde…'

'Denk eraan, Ildi, dat je hier de onvoltooid tegenwoordige tijd gebruikt en niet de onvoltooid verleden tijd.'

'Oké. Ja. Waarom schrijft hij het *in* de krant als hij het niet *gelooft*?' Nu Ildikó's grammatica in orde was, keek ze Scott aan alsof ze recht had op een antwoord.

'Waarom schrijft hij het in de krant als hij het niet gelooft? Ik zeg niet dat hij het niet gelooft, Ildi. Ik weet niet of hij het al dan niet gelooft. Welke aanwijzingen zijn er in de tékst? Wat gaat er achter de woorden schuil? Dat is eigenlijk het enige wat er toedoet. Ontleed de tekst. Wat kun je vinden? Dat is mijn vraag aan jullie.'

'Ik heb gedacht dat het misschien geen goede vraag is, Scott', zei Zsófi, de medisch onderzoeker.

'Ik *denk* dat het misschien geen goede vraag is', antwoordde hij. 'In de wetenschappelijke wereld heb je misschien gelijk, Zsófi. Maar wat zeg ik over het Engels? Tibor?'

Tibor sprak heel langzaam en met een spoor van het Britse accent dat hem door zijn eerste leraar Engels was ingeprent. Tijdens het spreken streek hij over zijn woeste zwarte baard. 'Engels is evenzeer een kwestie van houding als vocabulaire, zeg jij, Scott. Ik weet dat je dat zegt. Het lijkt meer waar te zijn dan voor Hongaars of Duits. Jullie *slang* verandert meer snel en jullie cultuurstijl heeft meer, mmmmph, meer verbrijzelen aangemoedigd? Verbrijzelen van de taal in groepjes sprekers?'

Er waren een paar pogingen voor nodig om de linguïstische bedrading van Tibors gedachtegang te ontwarren, maar hij en Scott slaagden er uiteindelijk in, en Tibor praatte verder terwijl Scott de nieuwe woorden op het bord schreef. 'Ja, opgesplitst in subculturen, elk met zijn eigen taal. Ja. Precies.'

Tibor had een doctoraal in Hongaarse literatuur, sprak vloeiend Duits, beheerste Grieks en Latijn, had gepubliceerd over het werk van de negentiende-eeuwse Hongaarse revolutionaire dichters Sándor Petőfi en Boldizsár Kis, en verwachtte een universitaire aanstelling voor het komende trimester. Scott sprak, zoals hij de leerlingen op de eerste dag had verteld, 'een volmaakte Engelse spreektaal, het product van ongeveer zevenentwintig jaar strikt opgelegde onderdompeling in een Engelstalige cultuur.'

Zijn leerling vervolgde: 'Het is mijn geloof dat ironie het gereedschap is van de cultuur tussen creatieve hoge tijden. Het is de noodzakelijke kunstmest van de cultuur wanneer het, hoe zeg je *mi az angolul, hogy parlagon hever?'*

Hoewel ze geen flauw idee had wat Tibor wilde zeggen was Zsófi het snelst met het *Magyar-Angol*-woordenboek. 'Braak liggen', zei ze trots.

En Scott stond alweer bij het bord en schreef met een rode uitwisbare viltstift: '*Braak liggen. Braak (bw. landb.).* Tibor bleef over de enorme bos verward zwart haar strijken die aan zijn kin hing. 'Braak. Ja,' ging hij weer verder. 'Amerikaanse cultuur ligt braak nu. Er leeft niets, alleen dingen wachten. En de aarde geeft alleen een geur af. Deze geur, niet aangenaam, is ironie. Zoals deze krantenschrijver. Heel zelfwetend.' *Zelfbewust (bw. psych.).* 'Ja. Dit is de plaats in de wereld van de zelfbewuste krantenman, heb ik gedacht. Het is de rol nu van jullie schrijvers en denkers in jullie cultuur om te absorberen wat eerder zijn geweest, om de laatste goede oogst te filteren en de, de lege huls van het koren te scheiden.' *Kaf (zelfst. nw. landb.).* 'Om het kaf te scheiden, goed graan in de shilo te doen, de slecht ruikende ironie overal te doen en wachten op nieuwe seizoenen.' Tibor streelde zijn baard. De rest van de groep keek naar Scott nu de lesstof van vandaag onverwacht diep inging op landbouwkundige vraagstukken.

'Nou. Wie is het eens met…'

'O, ook, Scott, neem me niet kwalijk.'

'Ja, Tibor?'

'Arcadië is niet een mythologisch paradijs als Eden. Het is een echt deel van de Griekland.' *Griekenland (land)* 'Een echt deel van de Griekenland. Het symboliseerde eerst, zoals jij zegt, een groen en volmaakt buitenleven, maar toen wij leren dat Arcadiërs erg slecht opgeleid en gewelddadig en wreed waren. Voor intelligente mensen daarna, is Arcadië een symbool van intellectueel verkeerde poging om geluk te zien in wilden.'

Stilte.

'Oké, geweldig. Dank je, Tibor.'

'Dit is niet goed', hield Zsófi vol. 'Het is een makkelijk vraag, ja? Denkt hij dat het waar is, hij redde ons van Russen door graag naar MTV te kijken?'

István, een jonge politicus van een van de nieuwe partijen, die zes jaar later minister van Binnenlandse Zaken zou worden, antwoordde: 'Het is Marx op zijn kop, en ja, ik denk dat hij misschien gelijk heeft. Het kapitalisme zorgde beter voor mensen dan het communisme, en met sterke tv-signalen weet iedereen het.'

'Wist. Onvoltooid verleden tijd. Weet, wist, geweten.'

'We wisten het allemaal.'

XIV

'Wil jij meegaan met mij naar huis?'

Mark, die in de vrijwel verlaten bar naar de jongeman had zitten staren, antwoordde in een opwelling ja. 'Nee', corrigeerde hij zichzelf. 'Kom jij maar mee naar mijn huis.'

En zo kwam het dat Mark Payton met zijn eerste Hongaar naar bed ging, en daarna, toen de noodzaak om een gesprek te voeren terugkeerde, bevond hij zich in de clichérol van de vermoeide avonturier die zich weer menselijk wil voelen met de vreemdeling in zijn bed.

Het maanlicht van de vroege zomer spoelde over de vensterbank aan de kant van het bed en viel op Mark en Lázsló, die allebei naakt languit lagen. Lázsló rookte een postcoïtaal shagje, een nostalgisch gebruik dat Mark charmant en sfeervol vond, en hij interpreteerde het gebaar als een teken dat deze Hongaarse vreemdeling hetzelfde tegenover de wereld stond als de Canadees. De geur van de sigaret, die opsteeg in de oude woning, bracht het gebouw tot leven, maakte Marks thuis in Boeda echter voor hem. Zulke sigaretten waren hier gedraaid en gerookt tijdens oorlogen en revoluties, onder tirannen, tijdens hoopvolle momenten en tijdens vredige perioden van eenvoudige huiselijkheid. Mark dacht aan de huizen waar hij tijdens zijn jeugd had gewoond, aan studentenhuizen en eerste flats, allemaal modern, gespeend van geschiedenis en daardoor ook van vrede. Hier was echter een brug naar het betere verleden, dat rook naar tabak uit een geplastificeerd pakje.

'Ze zeggen dat het bed de beste plaats is om een taal te leren.' Mark bracht dit belachelijke gezegde op een aanvaardbaar loochenbare toon,

maar hoopte hem toch het aanbod van intieme, collegiale privé-les te ontlokken. De Hongaar liet een zacht smalend geluid horen.

Mark deed nog een poging, draaide zich om, zette zijn vuisten op elkaar en leunde er met zijn kin op. '*Elnézést, uram, megtudná mondani mennyi
az idő*?'

Nu moest László lachen. 'Jij leren in een klas?'

'Yes. *Igen.* En in mijn eentje. Waarom moest je lachen? Heb ik het verkeerd gezegd?'

Hij blies een stroom van rook uit in een hoek die vlak langs Marks gezicht liep. 'Spreek je iets anders dan Engels of jij als alle Amerikanen?'

'Oké, ten eerste: *Kanadai* is iets anders dan *amerikai.* Ten tweede: ja. Ik
kan klassiek Latijn en kerklatijn en OudGrieks lezen. Ik spreek tamelijk
goed Quebecois. Mijn Cornish kan er redelijk mee door en ik kan Manx
spreken.'

'Niet kwaad worden met mij', zei László, die zijn as in een waterglas
naast het bed tikte. 'Ik alleen wil zeggen dat in die talen…'

'Ik ben niet kwaad.'

'Goed, oké, jij niet kwaad. Maar kijk. In het Engels zeg je: "*Hé joh, hoe
laat is het?*" Toch? Maar waar heb je geleerd *Megtudná mondani mennyi az
idő*?'

Mark was verrast door zijn minachting. Hij had het uit een Hongaars
cursusboek. Betekende het niet *Hoe laat is het?*

'Nee. Het betekent: "Neem me niet kwalijk dat ik u lastigval, heel hoge
meneer, ik ben niets, u bent een groot, belangrijk persoon, we komen
uit verschillende klassen, ik ben als een dier. Ik ben schuldig u lastig te vallen en u bent schaamvol met mij te praten, maar ik ben te arm om een
horloge te bezitten en te bang om winkel in te gaan en op een klok te kijken, ik ben een stuk vuil, maar wilt u alstublieft, alstublieft zo goed zijn
me te zeggen hoe laat het is en dan misschien op me te spugen als u wilt
omdat ik in uw oog maar een arme flikker ben?"' László nam een laatste
trekje, liet de peuk toen in het waterglas vallen, waar hij het geluid van
vervliegende hoop maakte.

'Heb ik dat echt allemaal gezegd? Hongaars is een erg efficiënte taal.'

'Joh, hoe laat is het? *Mennyi az idő*? Meer niet. Simpel.'

Mark kwam uit bed en liep naar de boekenplank om zijn cursusboek
en zijn aantekeningen te zoeken. 'Maar hoe zit het dan met beleefdheid?'

De naakte Hongaar lag op zijn rug naar het plafond te kijken. 'Wat ik zeg was beleefd. Maar van jou, van jou was Britse shit. Wij zijn geen Britten, man. Wij hebben kans om nieuw te zijn, nu de communistische shit afgelopen zijn. Wat zal ons nu zijn? We beginnen vanaf niets, dus waarom Brits zijn? Dit zeldzame kans nu, weet je?'

De intellectuele kwestie – het idee een nieuwe cultuur gebaseerd op vrije verkiezingen te ontwikkelen – leek in Marks ogen lachwekkend ahistorisch, maar in elk geval opgelucht dat de naakte man in zulke onderwerpen geïnteresseerd was, greep hij de kans aan om contact te maken. 'Je kunt geen nieuwe mensen maken, Lázsló. Je spreekt nog steeds dezelfde taal. Het was trouwens alleen de regering. Je houdt altijd nog je cultuur en het land en de gebouwen en de gewoonten van mensen.' Mark verdween naar de keuken en streek een lucifer af om een gaspit aan te steken, een noodzaak uit de Oude Wereld, die hij mooi en troostrijk vond. Hij zette water op en vroeg luid aan Lázsló in de andere kamer of hij thee wilde.

Lázsló zat met gekruiste benen op het bed, draaide nog een shagje, trok toen zijn onderbroek aan en stond op om Marks boekenplanken te bekijken. Hij hield zijn hoofd schuin om de ruggen te kunnen lezen. De auteurs hadden bijna allemaal Ph.D. of M.Phil. achter hun naam staan. De omslagen waren kleurloos en de titels werden door dubbele punten in tweeën gedeeld: *De duivel die je kent: staat, samenleving en levensangst in Berlijn, 1899-1901. Zonder kaart, zonder vleugel, zonder geluk: vroege populaire voorstellingen van de aviatiek. Verkeerd gedacht: een compendium van ontzenuwde wetenschap. Je had er bij moeten zijn: benaderingswijzen van humor, 1415-1914. Gepikeerd in Darien: uitingen van emotie in* WASP-*cultuur, 1973-1979,* door Lisa R. Pruth, M.Phil.

Mark kwam met twee bekers thee zijn slaapkamer weer binnen. Hij zag dat Lázsló ondergoed had aangetrokken. Er brandden nu twee lampen, en de buitenlander was de volgorde van Marks boeken door elkaar aan het gooien. De gordijnen waren nog open, en Mark wist even niet wat hij het eerst zou doen. Zijn ondergoed aantrekken? De gordijnen dichtdoen? Zijn spullen beschermen? Hij merkte ineens dat hij zweette en hij had pijn in zijn borst en buik. Morsend zette hij de thee op de tv-tafel, graaide zijn ondergoed en spijkerbroek bij elkaar, trok ze gehaast aan en ging in de enige stoel zitten die de woning rijk was.

'Hé, kalm aan, jongen', zei Lázsló zonder op te kijken van de titelpagina van *Je had erbij moeten zijn.* 'Lees je al die boeken?' Mark vond dat er enige minachting of twijfel uit de stem van de vreemdeling sprak. Pas later zou hij zich afvragen of het gewoon de onvertaalbare intonatie van een buitenlander was geweest, de onvermijdelijke transculturele misverstanden die schuilen in intonaties, blikken en veronderstellingen.

'Alles van het merendeel, het merendeel van de rest.' Marks standaard antwoord rolde als één nors, toonloos woord uit zijn mond – *allesvanhetmerendeelhetmerendeelvanderest* – en hij zag het in de taalkundige kloof tussen hen verdwijnen. Een lettergreep of twee splitsten zich af en nestelden zich in het oor van de Hongaar. Mark zag hem met de woorden worstelen en was blij dat hij deze arrogante buitenlander in verwarring had gebracht, hem had gedwongen onder ogen te zien dat hij tekortschoot in wat hij waarschijnlijk het hoogst schatte: vloeiend Engels spreken en verstaan.

'Alles of merendeel van de rest?'

'Ja, precies', antwoordde Mark. 'Voornamelijk alles van de rest of niet daarbinnen.'

De Hongaar knikte en richtte zijn blik weer op het boek dat hij geopend op zijn hand liet balanceren. Hij nam een slok thee. 'Wat jij nog meer geleerd uit je boek met Hongaars?'

En even snel als zijn ergernis was opgekomen, was ze weer verdwenen. Mark draaide bij en zei met een trotse glimlach: '*Legyen szíves, uram, kérek szépen egy kávét.*'

'Man, daar doe jij het weer, fuck jezus. Als je koffie wilt, vraag het gewoon. Jij eerst vijftien keer sorry zegt zal de ober slapen. *Kávét kérek.* Klaar, man.' Hij bekeek de biografie van de schrijver op de binnenflap van *Gepikeerd in Darien.*

'Ja, maar waarom zou ik jou vertrouwen, Lázsló? Stel dat iedereen in Hongarije jou de onbeschoftste vent van het land vindt en ik leer van jou Hongaars spreken, dan word ik de op één na onbeschoftste vent van het land, zelfs al was ik thuis eigenlijk beleefd, zelfs voor een Canadees. Ineens wordt de beleefde Mark een onbeschofte Mark en ik zou het niet eens weten.'

'Ach, dat gelul. Wat maakte het uit?'

'Waarom zou je het uitmaken? Ik zeg alleen…'

'Het maakte niemand iets uit.'

'Oké, voor sommige mensen is het een reden om het uit te maken, maar wat dan nog?'

'Mij best. Een man maakte het iets uit, maar doe gewoon nieuw en anders. Wees onbeschoft, man, als dat is hoe het leven en Hongarije je maken.'

'Jij bent Hongarije niet, Lázsló. Jij bent gewoon jij. Jij bent gewoon…'

'Ja, knap werken. Jij betrapt mij. Ik bedrieg je. De geheime politie betaalt me om buitenlandse mannen onbeschoft te laten doen. Je bent een genie door al je boeken lezen.' Hij gooide het boek op het bed en schopte zijn spijkerbroek van de grond in zijn handen.

Mark zag in het pakken van de spijkerbroek duidelijk de eerste stap naar de deur. Amper nadenkend stond hij op, zette zijn thee op de tafel, trok zijn spijkerbroek uit en ging weer op de slaapbank liggen. 'Hé, niet weggaan. Vertel me over het nieuwe, hoe de nieuwe Hongaren zullen zijn. Vertel me daar wat over.' De woorden verdrongen zich uit Marks mond, maar Lázsló ging door met zich aankleden.

De Hongaar trok zijn Rolling Stones Tournee-T-shirt aan en zakte onderuit in de stoel om zijn sokken en zijn Nikes aan te trekken. 'Ach, barst! Wat is dat… een vraag uit een studieboek? Ik zeg alleen dat wij geen Britten of Duitsers of oude communisten zijn. Wij nu gewoon mensen. Jij hebt niet begrijp wat ik bedoel, maar' – hij stond op en trok zijn studentenjack met tekst op de rug aan terwijl Mark zijn heupen optilde en zijn boxershort uittrok – 'maar dat is jouw zaak, denk ik. Ciao.'

'Ciao', zei Mark zacht en naakt. Lázsló draaide zich om: 1972 BEVRIJD MIJN WAARDETIJGERS stond er in het Engels achterop zijn jack met de vlotte, opgenaaide letters van een Amerikaans sportteam op een middelbare school.

Mark Payton lag op zijn rug, en hoewel hij huilde tot het kussen aan weerskanten van zijn hoofd twee natte plekken vertoonde, moest hij ook toegeven dat hij het hele gedoe heel erg geestig vond. Hij deed zijn best om zich te herinneren wat precies de woorden op dat belachelijke jack waren; dat was cruciaal bij het navertellen.

XV

Eind juni, toen de voornaamste beweegreden voor zijn verhuizing naar Boedapest steeds onhaalbaarder en in zijn eigen ogen trouwens ook steeds belachelijker werd, had John Price als gewoonte aangenomen om voor het naar bed gaan zijn vrouw en kind welterusten te zeggen. Nuchter of dronken nam hij de tijd voor een bezoekje aan hen, op hun vaste plek boven op het kabelkastje en op het bedtafeltje. Dan kuste hij zijn vingers en drukte die op hun lippen of voorhoofd. Wanneer hij nuchter was, was het hele ritueel natuurlijk een komedie. 'Slaap lekker en droom van me, popje', zei hij tegen de vrouw in de jurk. 'Morgen is er weer een dag, tijger', zei hij tegen de ongeneeslijk ongelukkige baby.

Wanneer hij echter dronken was, was het ritueel gecompliceerder. Voor een toeschouwer (die er niet was) zou het niet helemaal duidelijk zijn geweest of John begreep dat deze foto's niet echt van zijn gezin waren. Er lag geen ironie in zijn stem als hij aan de zwartwitfoto van de vrouw voor de boom verslag uitbracht over zijn dag. Dan zat hij in de stoel tegenover haar en boog hij zich met gespreide benen voorover in een poging wakker te blijven. Soms doezelde hij wel eens een minuutje weg en deed zijn ogen dan met een gemompelde verontschuldiging weer halfopen. Hij vertelde soms dat hij een vergissing had gemaakt door naar deze vreemde stad te verhuizen – in Californië had het een goed idee geleken, maar waar kon hij nu naartoe? Hij vertelde akelig gedetailleerd dat Scott een groot deel van zijn jeugd een onverdraaglijke en onverdraagzame figuur was geweest, dat Scott hem nu elke dag teleurstelde en daar plezier in leek te hebben, en dan lachte hij snel en gaf imitaties van zijn hoofdredacteur of andere mensen van de krant ten beste om haar aan het lachen te maken, en hoewel hij wist dat het maar een foto was, sprak hij toch tegen haar alsof er een relatie bestond, of misschien oefende hij alleen voor Emily. Er konden uren verstrijken dat hij in de stoel zat te slapen, maar dan werd hij wakker, een graadje nuchterder, en als zijn ogen langzaam en moeizaam opengingen, zag hij haar foto, beschenen door de schemerlamp en op slechts een meter afstand van hem, als het eind van een lange reis dat nu net in zicht kwam, slechts iets verderop, en dan lachte hij. 'Ben je nog wakker?' kon hij vragen op die vertrouwelijke fluistertoon van geliefden die om drie uur 's nachts warm en tevreden half overeind komen en ontdekken dat ze al die verloren uren slaap in gezelschap van iemand hebben verkeerd. En dan strompelde hij naar de nog ingeschoven slaapbank.

De ochtenden daarna was hem niets meer van dit alles bijgebleven, geen herinnering, geen idee, geen woede ten opzichte van Scott, geen warmte van een nacht in iemands gezelschap te hebben doorgebracht, alleen de vermoeide pijn en een maag die van streek was, droog tandvlees, droge ogen en verfrommelde zakdoekjes, het lauwe en verdachte bronwater in plastic flessen, het gebarsten porselein van de oude wasbak, het vruchteloze zoeken naar een interessante zender op de kabel, de eerste sigaret op het balkon en de bijbehorende eerste gedachte aan Emily.

John Price hing geen enkele religieuze overtuiging aan, was niet iemand die zijn homoseksualiteit nauwlettend verborg en hij kon zich niet laten voorstaan op bepaalde lichamelijke onvolkomenheden. John Price was intelligent genoeg, geïnteresseerd in de wereld om zich heen, niet opgevoed onder een uitgesproken antiseksueel regime, niet gespitst op een huwelijk, voelde zich aangetrokken tot vrouwen in het algemeen en bepaalde vrouwen in het bijzonder, en hij was maagd.

Een gezonde Amerikaanse man, geboren in 1966, die zich door zijn puberteit en een gemengde universiteit heen had geslagen en op vierentwintigjarige leeftijd als maagd 1 juli 1990 had bereikt.

Al ruim voor zijn puberteit, al ruim voordat hij de eerste keer de aparte vorm en geur van een meisje had opgemerkt, al ruim voordat hij op de speelplaats zijn ontstellend ondeugdelijke informatie over de relevante technische kant kreeg, al ruim voor zijn eerste bonkende, genadeloze erectie, die het bloed aan zijn hersenen dreigde te onttrekken tot hij flauwviel, had John Price van lezen gehouden.

Net als zijn oudere broer een even gretige als vroegrijpe lezer, ontleende hij kernachtige levenslessen aan boeken, die hij noteerde in een aantekenboekje met op de omslag een foto van Willie Stargell, de charismatische aanvoerder en eerste honkman van de Pittsburgh Pirates. Hij was ermee begonnen in het slordige handschrift van een achtjarige, ontwikkelde toen het voorzichtige schuinschrift van een tienjarige en cultiveerde vervolgens de nonchalante halen van een twaalfjarige die het handschrift van zijn vader imiteert en kwam toen tot de slordige blokletters van een eerstejaars student. John noteerde lessen als:

8 jaar: vermijd zeereizen (*Schateiland*)

9 jaar: als je ouder wordt, is het moeilijker om lol te hebben (*Het betoverde land achter de kleerkast*)

9 jaar: ga niet op zoek naar moeilijkheden (*De Hobbit*)

10 jaar: je hebt veel geld nodig om uit de problemen te komen (*De graaf van Monte Cristo*)

11 jaar: soms kun je dingen maar beter met rust laten (*Dr. Jekyll en Mr. Hyde*)

12 jaar: als je niet heel erg goed uitkijkt, word je een verbitterd mens (*Moby Dick*)

13 jaar: weet altijd welke vluchtroutes er zijn en wat je als wapen kunt gebruiken als zich narigheid voordoet (*Hart der duisternis*)

13 jaar: niet te veel lezen (*Don Quichot*)

15 jaar: het is beter te sterven, zelfs langzaam te sterven, dan te trouwen (*Oorlog en vrede*)

15 jaar: veel mensen voelen hetzelfde als ik, maar ze hebben geleerd het te verbergen (*De vreemdeling*), omdat ze onoprecht zijn (*De vanger in het graan*)

16 jaar: ik wil in een stralende kring van liefde en romantiek leven (*titel nooit vermeld; aantekening kort nadat hij was geschreven met zwarte inkt verwoed doorgekrast*)

17 jaar: als het voorbij is, zet het uit je hoofd; het helpt niet erover na te denken (*De grote Gatsby*)

19 jaar: *laatste aantekening, eerste jaar universiteit:* Het kan geen mens iets schelen. En waarom ook? (*Met gesloten deuren, Walging*)

Sommige van deze lessen was hij vergeten of stilletjes ontgroeid, had hij bewust verworpen of aangepast voor later gebruik. Maar andere niet. In zijn voddige aantekenboekje, tussen ruim tweehonderd notities, behield er één vele jaren een hechte greep op Johns gedrag.

Hij was opgeschreven op zijn elfde jaar, ongeveer in dezelfde tijd dat hij genoodzaakt werd een bed te delen met Scott, omdat hun vader, op weg om het huis te verlaten, de eerste van vele keren naar Johns bed was verbannen: 'Seks drijft mannen ertoe zich te gedragen zoals seks dat wil, niet hoe zij dat willen. Seks verandert mannen in idioten en dient te worden vermeden, al schijnt dit moeilijk te zijn.' (De ondersteunende voorbeelden waren in de loop van vele jaren neergepend, in al die verschillende handschriften: *Mike Steele en de schoonste moordenaar, De drie musketiers, Sherlock Holmes' Een schandaal in Bohemië, Ivanhoe,* Genesis, *Lolita, Exodus, Tess van de d'Urbervilles,* Deuteronomium, *De kant van Swann,* enzovoort, tot aan zijn eerste studiejaar.)

Er was iets met die griezelige Mike Steele-thriller, iets met het verraad, het gestuntel en de onzekerheden van d'Artagnan en Athos een jaar later, iets met Sherlock (die vertrouwde, degelijke Sherlock!) die achter die belachelijke Irene Adler aanzat, om maar te zwijgen over Mister Price. Op de een of andere manier was John Price, met enige oprechte trots en hele- maal in zijn eentje, op zijn elfde op het spoor gekomen van wat hij be- schouwde als de eerste door hem opgemerkte wet van de menselijke na- tuur. In boek na boek, verhaal na verhaal, was seks er de oorzaak van dat principes werden gecorrumpeerd, dat carrières ontspoorden, dat er een inbreuk op vrede werd gemaakt, en dat helden in de verleiding kwamen om zich aan ledigheid en dwaasheid over te geven. Een poos vond hij le- zen letterlijk misselijkmakend, omdat de ene na de andere held in een hansworst veranderde en vrijwel elk boek hetzelfde tragische terrein in kaart bracht. De elfjarige jongen besefte dat hij wilskracht zou moeten aanwenden en offers zou moeten brengen, maar hij wist wat hij wilde: hij wilde niets met seks te maken hebben.

Tegen de tijd dat hij veertien was had hij een zeer uitgebreid plan opge- steld: ondanks talloze pogingen om zichzelf te beschermen met kleine stelsels van 'zedenleer' en 'richtlijnen', bleven mensen (niet in de laatste plaats zijn ouders en sinds kort de reusachtige Scott) zich aanstellen als idioten; daarom bestond het enige gegarandeerd waardige seksuele ge- drag, het enige moréle gedrag – als je dat woord per se wilde gebruiken – uit volstrekt, standvastig, levenslang helemaal-geen-seks.

John koos voor deze opvatting als een uiting van zijn meest oprechte zelf. Hij maakte er een samenhangend, publiekelijk uitgedragen principe van dat hij, zelfs tot op de middelbare school, uitdroeg aan vrienden en te- genover hen verdedigde, waarbij hij hen in het begin met zijn extreme en impopulaire stellingname verbijsterde, daarna irriteerde en vervolgens alleen imponeerde en angst aanjoeg. Toen hij naar de universiteit ging, was hij het uiteraard beu om de enige verdediger van de menselijke waar- digheid te zijn. De overgang van een middelbare school in Zuid-Califor- nië naar een universiteit in Noord-Californië leek de gunstigste tijd voor een persoonlijkheidsrevisie, en John besloot bewust om zijn stellingname nooit meer te bespreken. Maar ook al bedwong hij zijn evangelische nei- gingen, zijn stille hoofdschuddende verwondering over het gedrag van andere mensen bleef; de collectie halfbakken gedragsnormen verbaasde hem nog steeds in deze nieuwe wereld, waar stapelbedden en dunne wan- den seks tot een hoorbare en alomtegenwoordige werkelijkheid maakten. Mensen spraken nog steeds luidkeels en veelvuldig over hun idealen, hun filosofieën, (tot later die avond) hun keiharde scheidslijnen tussen goed en fout. Ook al verwierpen ze de seksuele regels van hun ouders als de naïeve voortbrengselen van de onwerkelijke jaren vijftig, ze wilden wel graag hun eigen regels verkondigen, en John wist dat alleen hij kalm en gelukkig was terwijl iedereen om hem heen gek werd van wellust, liefde of eenzaamheid.

Op deze ene eigenaardigheid na leidde John een normaal leven op school. Hij dronk wel meer dan zijn vrienden, maar dat werd nauwelijks met afkeuring bekeken. Hij kwam in beslotenheid tot seksuele ontlading op de aloude manier die zijn filosofie schoorvoetend tolereerde en besloot die beoefening vaak met de half serieuze, gemompelde woorden: 'Zo. Daar moet die lul het maar weer een poosje mee doen.' Hij ging naar feestjes, danste en maakte zelfs wel eens afspraakjes. En natuurlijk dacht hij steeds minder vaak aan zijn theorieën. Anders dan op de middelbare school gingen er weken voorbij zonder ook maar één gedachte aan het vermijden van seks, en als hij op een feest een beetje aangeschoten werd, stond hij zelfs wel eens te zoenen met een meisje met wie hij net had gedanst. Maar jaren van theoretiseren hadden het er bij hem ingeslepen: zonder ook maar één gedachte aan menselijke waardigheid of heldhaftigheden, en ondanks het feit dat hij zich tot het meisje voelde aangetrokken, knipperde hij met zijn ogen alsof hij uit een trance kwam en fluisterde de woorden die iedere vrouw graag hoort: 'Ik moest maar eens gaan.' Zonder dat hij er ooit over hoefde na te denken waren zijn principes paraat. Door alcohol werkte het mechanisme nog soepeler: dan werd hij warm, verhit en onvast ter been (een veelvoorkomend neveneffect van de combinatie van alcohol en het speeksel van iemand anders) en kreeg hij subiet behoefte aan frisse lucht en alleen zijn. Een koele, nuchtere kus buiten zou fataal zijn geweest, maar om een of andere reden was John nooit aan die variant blootgesteld.

XVI

De hemelsblauwe wanden en het plafond van de nachtclub waren bedekt met een muurschildering. Die was gemaakt door twee studenten van de Hongaarse Nationale Academie voor Schone Kunsten en vertoonde overleden jazzlegendes die in de hemel kletsten, rookten, dronken en speelden. De dode musici, gekleed zoals ze bij leven waren, droegen ook engelenvleugels in allerlei stijlen. Billie Holiday – hersteld tot de frisse schoonheid van haar jeugd, in een zilverkleurige avondjurk, met de haar kenmerkende hibiscusbloem in het haar – zong in een kristalmicrofoon boven op de kammen en golvingen van een goud-wit wolkenlandschap. Naast haar speelde Lester Young, die onder zijn platte hoed met smalle rand uit keek, met zijn tenorsax hoog opgeheven naar één kant, als de fluit van een reus. Duke Ellington zat gebogen over een doorzichtige vleugel, terwijl Billie Strayhorn met een potlood veranderingen aanbracht in de partituur die hij voor zich had. Links van hen lieten Ben Webster en Coleman Hawkins hun amberkleurige drankjes in het glas ronddraaien en lachten om twee cherubijntjes met kuiltjes in hun billen – hun gezicht een kopie van Rafaels *Sixtijnse madonna* – die geluid probeerden voort te brengen uit de saxofoon van de mannen, hoewel de toeters voor de waggelende *putti* te groot waren om vast te houden. Vlak naast het podium lag Chet Baker ruggelings op een wolk, zijn onopvallende vleugels discreet bevestigd aan een lichtgewicht blauw zeiljack dat half was dichtgeritst. Het hiernamaals was ook voor hem vriendelijk geweest, en zijn jeugd was zonder rancune teruggekeerd. De sporen van verslaving en lijden waren weggevaagd, en hij zag er weer uit zoals in de jaren vijftig, alsof hij thuishoorde in deze wolken. Hij droeg een kakibroek en witte schoenen zonder sokken; hij bespeelde zijn trompet en keek recht omhoog alsof het in de hemel best aardig kon zijn, maar er iets hoger misschien nog wel een betere plek was. Achter en naast hem zaten en stonden op een wolkenbank, die de vorm van hemelse tronen had aangenomen, de maagd Maria en een handjevol vrouwelijke heiligen (herkenbaar aan hun traditionele symbolen), in vervoering gebracht door de aanblik van Chet en de klank van zijn trompet: de heilige Elizabeth van Hongarije met haar mandje rozen op schoot, de heilige Gisella en Petronilla, die bijna zwijmelend tegen hun bezemsteel hingen, en de moederlijke heilige Anastasia – haar onderkin in haar vlezige handpalm, haar vochtige, opgezette ogen op Chet gericht, haar enorme benen, die zelfs hier zwaar waren (en een belasting vormden voor het cumulo-ottomane waarop ze rustten) – pauzeerde even aan haar weefgetouw met daarop een onvoltooid wandtapijt van (vrijwel) precies dit moment: Chet op zijn rug op een wolk, zijn onopvallende vleugels aan een lichtgewicht blauw zeiljack, maar met een trompet die ongebruikt naast hem zweefde terwijl hij hartstochtelijk een in het geheel niet moederlijke heilige Anastasia zoende.

Achter in het vertrek zaten Mingus, Monk en Parker te kletsen vlak boven het ronde tafeltje waaraan John Price en Emily Oliver naast elkaar zaten te luisteren naar een merkwaardige band die 'I Cover the Waterfront' tot een einde bracht. Uit het andere vertrek iets rechts van John klikten de biljartballen, en van de bar links van hem kwamen de liefdeskreten van glazen, flessen en bierkranen. Hij droeg zijn enige blazer, dronk Unicum uit een glas met de merknaam van een Amerikaanse rum en tikte de as van zijn Mockba Red-sigaret in een plastic asbak met daarop reclame voor westerse sigaretten, die werden geprefereerd door geobsedeerde liefhebbers en nuchtere individualisten.

Een paar dagen geleden (na nog een spelletje Eerlijkheid, waarbij Emily beroerd of betoverend had gepresteerd, al naar gelang je gezichtspunt) had John de moed opgebracht om dit afspraakje voor te stellen, dat begon bij de Tabán Haan: kip-paprikás, rijst en goedkope rode wijn. John besteedde zijn paar nieuwe woorden Hongaars aan het bestellen van de maaltijd, en een oudere kelner deed ter compensatie zijn schamele duit Engels in het zakje. Emily verontschuldigde zich ervoor dat ze niet erg kon bijspringen, maar ze legde uit dat ze bij haar cursus niet zo goed had opgelet en zich behoorlijk op de chauffeur en de kok van de ambassadeur had verlaten om haar te helpen bij het verrichten van taken die vloeiend Hongaars vereisten.

Ze lachte veel en was op de een of andere manier anders dan de vrouw die onder de boom was wakker geworden; het woord *stralender* kwam bij John op. Het gesprek dwaalde moeiteloos van de krant naar de ambassade en van het leven als expat naar de geneugten en krankzinnigheden van het leven in Boedapest. Ze hield haar wijn met beide handen vast en lachte toen John een zigeunerviolist in een met lovertjes bezet zwart vest forinten aanbood als hij verder van hun tafeltje ging staan spelen. John overdreef de complicaties van deze overeenkomst (het precieze bedrag uitgedrukt in het aantal decimeters van het tafeltje verwijderd per forint) om ervoor te zorgen dat ze bleef lachen. Ze complimenteerde hem met zijn eerste paar columns, en hij bedankte haar, heimelijk verbaasd dat ze die zelfs maar had gelezen. Ze beschreef haar dagen — boodschappen en agenda's, de gastvrouw spelen en zich verontschuldigen —

met een rustig soort eerlijkheid die John voor vertrouwelijkheid aanzag. De ambassadeur, die weduwnaar was, was een goede vent, zei ze, maar eenzaam, en voor bepaalde kwesties had hij het advies van een vrouw nodig. Verrassend genoeg had hij de neiging nogal wat sociaal-protocollaire vragen te stellen, en de laatste tijd begon hij zich ook op Emily te verlaten als het om zijn garderobe ging, 'met name de heikele mysteriën van de stropdasselectie', vertelde ze. Hij was een carrièrediplomaat en niet benoemd uit politieke motieven. Zijn naam – met de zo rijke klank van oud geld – leek haar niet zo'n betrouwbare raadgever als het ging om zijn persoonlijkheid of stijl; zijn zelfvertrouwen liet het op grappige momenten afweten en hij stotterde zelfs wanneer hij onvoorbereid was op een gesprek. Ze had een kille baas verwacht, maar ze was dol op hem en vond het prettig dat hij steeds meer op haar vertrouwde. 'Wat een bofkont, die ambassadeur', permitteerde John zich, waarop ze haar blik ten hemel sloeg en zei: 'Alsjeblieft, zeg.'

Hoe John hen na het eten ziet: ze lopen over de Kettingbrug – de superster op ansichten van de stad – naar de overkant van de Donau, waar de nieuwe jazzclub is die hij onlangs heeft ontdekt en meteen bestemde voor hun eerste afspraakje. Hij loopt een metertje voor haar achteruit en buigt zich iets naar haar toe. Zijn handen gebaren ter ondersteuning van een geestig verhaal dat hij aan het vertellen is, en zij loopt met haar handen in haar jaszakken. Ze buigt haar hoofd achterover als ze lacht, en zo herinnert John zich haar (al terwijl het zich afspeelt): dat ze eeuwig naar hem toe komt lopen, eeuwig lacht. De verlichting van de Kettingbrug verleent een zachtgele tint aan de pokdalige bakstenen en een donkergouden tint aan Emily's haar, de rivier stopt met stromen zodat John haar in zijn geheugen kan prenten en de blauwe en witte lichtjes kan tellen waar de deining van haar onbeweeglijke golven mee is besprenkeld, en de auto's die voorbijrijden doen dat stil en zonder gassen uit te stoten, zodat het enige geluid haar lach is en de enige geur haar parfum.

Ze gingen poolen en zaten toen onder Mingus, Monk en Parker, dronken Unicum en luisterden naar de muziek. Een blanke Amerikaanse vrouw van een jaar of vijfentwintig, aangekondigd als Billie Fitzgerald, had een hibiscusbloem in haar haar en zat in de spotlights met een microfoon in haar ene hand en een glas whisky in de andere. Haar band bestond uit een negentienjarige Hongaarse pianist in een T-shirt, een oud smokingjasje, een afgeknipte ribfluwelen korte broek en blauwe plastic teenslippers, bedrukt met het logo van een Duits bedrijf in sportartikelen, en vijftienjarige Russische tweelingbroers: de een bespeelde een stokoude contrabas met albinoachtige vlekken waar het vernis was afgesleten, de ander ruiste met brushes over een minimalistisch drumstel, dat was samengesteld uit diverse donorstellen: een rode snaredrum, een paar cimbalen van verschillende makelij en een blauwe, glitterende grote trom met op de voorkant in cyrillische letters de naam van een rock-'n-roll-band.

'I Cover the Waterfront' kwam tot een zacht bas-en-piano-einde. De zangeres schraapte haar keel met een versterkt gekraak en nam een slok van haar drankje. Emily keek op haar horloge en excuseerde zich om haar flatgenoten te gaan bellen. 'Ze zullen willen weten hoe laat ik thuiskom. Ben zo terug! Die groep is goed, hè?' Ze liep naar de telefoon aan de andere kant van de bar.

'Het was de laatste keer dat we dit liedje deden, ook al is het mooi', zei de zangeres met een door rook geschuurde altstem in het Engels tegen de menigte. 'Het is het zoveelste liedje dat een zielig beeld van vrouwen geeft, die altijd maar wachten tot hun man aandacht aan hen besteed. Het staat me niet aan hoe vaak die Tin Pan Alley-jongens vrouwen lieten wachten op liefde, tot hun man hen goed behandelde. Die liedjes doen we dus niet meer.' Ze nam nog een teug whisky, kauwde een ijsblokje stuk en spuugde de helft ervan terug in het glas. Het overwegend Hongaarse publiek maakte de indruk beleefd te luisteren, en John probeerde te peilen of het haar ernst was of niet, maar hij werd afgeleid doordat hij naar Emily keek die de hoorn oppakte, munten uitzocht en in de gleuf stopte, een nummer draaide en praatte. Ze had haar rug nu naar hem toe gekeerd. Haar nek boog zich uit haar kraag toen ze de telefoon tegen haar schouder klemde. Ze pakte iets uit haar handtas. John stelde zich voor dat hij van achteren naar haar toe zou lopen en zijn lippen op haar vrije oor zou drukken of op de gekromde, kloppende pezen in haar hals. 'Mensen moeten stelling nemen op hun werkplek. Dit is mijn werkplek. Hier neem ik stelling, en al mijn ondersteunende musici zijn het met me eens, anders zou ik ze niet aannemen, hè, jongens?' Haar Oost-Europese musici knikten, en zij telde af voor het volgende nummer.

Toen het gezongen refrein van 'Love for Sale' plaatsmaakte voor een pianosolo, keek John naar Emily, die nog steeds met haar rug naar hem toe aan het bellen was, op ongeveer tien meter afstand, onhoorbaar door het lawaai van de muziek en de bar, met haar gezicht naar de verouderde grijs metalen wandaansluiting. Hij liep naar haar toe en begon net heel zacht iets op te vangen van haar gesprek, nog niet de woorden, alleen heel zachte stembuigingen door de muziek heen, stembuigingen die heel vaag buitenlands aandeden. De drumsolo begon met een cimbaalslag, waardoor Emily over haar schouder keek en John zag aankomen. 'Zal ik doen', zei ze. 'De band is best leuk. Oude muziek, jazz en zo, maar het is een leuke bar. We moeten hier ook maar eens naartoe gaan. Ja, goed, doe ik. Tot straks, rare!' Ze hing op. 'De groeten van de Julies. Goed, het is een doordeweekse avond, jongen,' vervolgde ze, 'dus laten we er nog eentje nemen, maar dan moet ik naar huis.'

Toen ze bij de bar kwamen, richtte de barkeeper – die vanaf zijn plekje bij de telefoon naar de band had staan kijken – zich eerst tot Emily en zei in het Hongaars iets snels en onverstaanbaars. Ze trok een niet-begrijpend gezicht en haalde haar schouders op. '*Nem beszélek magyarul*', wist ze lachend en lachwekkend uit te brengen met haar sterke Amerikaanse accent uit het Midden-westen. De barkeeper lachte en barstte weer in snel Hongaars los. Emily haalde nogmaals haar schouders op en zei met een glimlach: 'Sorry', en liep terug naar hun tafeltje.

'Zij is toch Hongaarse?' vroeg de barkeeper in het Engels aan John, zijn gezicht een mengeling van verbazing en ongenoegen.

John keerde met drankjes naar het tafeltje terug terwijl de zangeres het applaus in ontvangst nam en haar bandleden voorstelde. 'De barkeeper schijnt te denken dat hij je kent of zoie…'

'We moeten een rondje voor de band bestellen, vind je niet? Dat is een soort traditie en het zou zo leuk zijn, hè?'

Mannen doen tijdens hun eerste afspraakje meestal wat ze gezegd wordt, en een paar minuten later accepteert Billie minzaam een glas whisky van het merk Scotch; Kálmán, de pianist, nam net als John en Emily een Unicum, en Boris en Yuri, de Russische ritmesectie, namen een cola. 'Echte Coke! Geen Pepsi, ja? Echte Coke, alsjeblieft', drong Boris aan terwijl Yuri voor een Pepsi pleitte.

Hij ging weer terug naar de bar en arrangeerde een boeket van het glaswerk voor zijn vreemde gezelschap. Zijn afspraakje werd omringd door twee aan cola verslaafde Russische kinderen, een uitzinnig geklede pianospeler en een zeer demonstratief politiek bewuste jazzzangeres, en er was wilskracht voor nodig om de glazen niet tegen de grond te smijten en te vragen waarom ze in godsjezusnaam het Mislukkelingen Symfonie-orkest zat te vermaken terwijl zij tweeën buiten in de nachtlucht konden zoenen onder de sterren, dansen aan de waterkant, een leven en een toe-komst plannen waarin ze... Maar ze zit daar gewoon te luisteren naar het gekke wijf dat het over misogyne jazz heeft. Zó zit ze tijdens het eten naar me te luisteren, en zó ben ik haar kwijt. Ze kan omschakelen alsof het niks is. En ze zit daar op haar gemak bij de bandleden. Hoe kan ik hier overheen springen, wat het ook is, om aan de overkant te belanden zodat ik naast haar kan zitten zonder een andere gedachte dan daaraan? Dit is mijn schuld. Er schort iets aan me, anders zou ik hier zijn zonder een andere gedachte, net als zij, aan de overkant van wat het dan ook is. En dan is het achter de rug, we zijn zover, ja, ook leuk jullie te hebben ont-moet, we hebben echt genoten van de muziek, ja beslist, geweldig. Zullen we? Het loopje naar de deur, een mondvol zomeravond, en bij haar aan-blik schiet er onmiddellijk een taxi uit de grond die zich opent om haar te omhelzen. Ja, ik heb het ook leuk gehad, heel fijn. Dus ik zie je op het feest van de vierde juli, ik begrijp dat je moet werken, maar we hebben vast wel de gelegenheid om een praatje te maken, prima, geen probleem, nee, alsjeblieft, ik vond het ook leuk, dus je moet mij niet bedanken, de aarzeling, en dan de wang. En afgelopen. Nog steeds aan de verkeerde kant van wat het ook is.

Voor de lawaaierige nachtclub leunde hij tegen de lantaarnpaal en stak een sigaret op, terwijl haar taxi zich voegde in de stroom van licht en uit-laatgassen richting Boeda.

Een moment dat bol stond van de clichés: een jongeman leunt tegen een lantaarnpaal en blaast sigarettenrook de nacht in. Uit de open deur van een jazzclub stroomt muziek naar buiten, er kruipt een driehoek van licht tot in de kring van geel waarin hij onder de lantaarn staat, en hij ziet de taxi wegrijden met de vrouw van wie hij helemaal bezeten is geraakt, een vrouw met een hart dat een raadsel voor hem is.

Al snel en in onverbiddelijke stadia wordt hij zich van zichzelf bewust: aanvankelijk neemt hij die clichématige pose onder het licht aan zonder erbij na te denken, de natuurlijke lichamelijke expressie van zijn pijn, hunkering en gedwarsboomde pogingen, maar hij heeft de lucifer nau-welijks afgestreken of het valt hem op wat hij aan het doen is, hoe hij er-uitziet. Als de eerste twijg van rook langs de lantaarnpaal omhoogkrin-gelt naar het licht, lijkt Johns houding precies op die van een privé-detective die het allemaal zat is, of een crooner met een gebroken hart op de hoes van 'Muziek voor eenzame nachten'. John is de ultieme, uiterst cynische, meesterlijke condensatie die een reclameman kan maken van vijftig jaar afbeeldingen van liefde, verlies, eenzaamheid en afschuw van zichzelf. Zelfs zijn gekreun van afgrijzen over deze ontdekking – hij beseft het nog voordat het geluid wegsterft – klinkt als de afkeer van een speurneus over de verraderlijkheid van vrouwen of Bogeys moeizaam verworven inzicht dat deze oorlog ons allemaal tot idioten maakt, of de verbazing van de crooner dat hij weer is gevallen voor de liefde, oh, oh, oh, hij is weer gevallen voor de liefde. En dan wordt John eindelijk gezalfd met de kalmerende balsem van ironie: als zelfs zijn spontane gekreun ongewild ongelooflijk onoprecht is, moet hij wel lachen. Alsof hij voor de driedelige spiegel van een kleermaker staat, ziet hij het belachelijke van het belachelijke ervan in, voelt de aangenaam droge, steeds geringere geamuseerdheid die hij ten koste van zichzelf kan voelen. Nu pas verliest hij haar taxi uit het oog terwijl die opgaat in het verkeer. (Een deel van hem is verbaasd dat hij erin kan opgaan, dat hij niet met iets lichtgevends is gemarkeerd)

En terwijl zij verdwijnt, sloeg de kleine weegschaal die John de afgelopen maand zonder het te weten in zijn hart had neergezet door naar de andere kant: voordat hij besefte waarom, zat hij in een taxi en gaf het adres van zijn broer op. Hij stak de brug over, zag de lichtjes van de volgende brug over de rivier, ademde de warme wind in en hij realiseerde zich dat hij Scott nu kon geven wat ze allebei nodig hadden: een zaak van groot persoonlijk belang zonder enige band met het verleden, hun onderlinge grieven, verdriet en wrokkigheden. Hij zou zijn broer in het heden ontmoeten, recht voor zich uit kijken, en nederig om hulp en oprechtheid vragen. Hij zou beschrijven wat hij in hun vriendin Emily had gevonden, zou zelfs romantische strategieën en tactieken met zijn broer bepalen, want Scott leek altijd wel vriendinnen te hebben, zelfs vroeger toen hij er grotesk en beschamend uitzag, net als de meisjes.

Scott deed de deur open op blote voeten, in een spijkerbroek en T-shirt, en hield een van margarine glanzende spatel in de lucht. 'Ha, fijn. Hoor eens, ik wil echt even met je praten over–'

'Broer!' brulde Scott. 'Kom binnen! Het genoegen je te zien verstikt me met emotie!' John volgde hem naar de keuken; alle redenen voor zijn komst werden door de geur van iets vreemds uit zijn hoofd verdreven.

Op een hoge kruk zat een prachtige jonge brunette, ook met blote voeten. Ze had een veel te groot, wit overhemd aan, dat tot ver over de grijze trainingsbroek hing waar de naam van Johns en Scotts middelbare school op prijkte (alleen de laatste lettergreep ervan was onder de panden van haar overhemd te zien). Ze had de mouwen een paar keer omgeslagen zodat haar kleine handen er uitstaken, en de pijpen van haar trainingsbroek hingen op een hoopje om haar blote enkels.

'Johnny, Mária. Mária heeft vandaag de Beginnerscursus Twee afgerond, en dat vieren we met een feestmaal.' Scott stond bij het fornuis met zijn spatel in iets te schrapen. 'Mária, dit is John, mijn bloedeigen broer.'

'Ik ben heel blij je te kennen leren.'

'En omdat het eigenlijk een besloten viering is,' zei Scott, breed glimlachend en opzettelijk snel pratend zodat zijn vriendinnetje het niet kon verstaan, 'verheug ik me er echt op om binnenkort met je bij te praten. Dat zou fantastisch zijn. Ik verheug me er echt op. Maar vergeet niet als regel eerst te bellen.' De deur sloot zich achter John, die overwoog Charles Gábor te bellen met het voorstel samen iets te gaan drinken, maar hij bedacht zich voordat hij te voet de donkere, taxiloze heuvel van de buitenwijk afdaalde naar de verre rivier.

XVII

In de afgelopen vijf à zes decennia waren de negentiende-eeuwse herenhuizen in Pest – in tegenstelling tot de stilistisch soortgelijke huizen die door de negentiende-eeuwse rijken van Parijs, Boston of Brooklyn waren gebouwd – aan hun lot overgelaten om zonder barricades van geld te eroderen onder het getij van de jaren, blootgesteld aan het geweld van de genadeloos aanstormende branding. Een wandeling door ongeacht welk van de donkere, nauwe zijstraatjes van de stad, laat op de avond van de vierde juli van 1990, zou een tentoonstelling over de daaruit resulterende groeven en aanhechtsels van een natuurhistorisch museum hebben opgeleverd.

Het barokke ijzeren siersmeedwerk voor het glas in lood van de zware,

gewelfde voordeur van nummer 4 bijvoorbeeld was slechts licht aangetast: de zwarte verf was helemaal weggeboend – er zat geen schilfertje
meer op – en op sommige plaatsen waren aangroeisels van roest ontsproten, maar de stevige ijzeren blaadjes, de sierlijke metalen klimop en zelfs
de broze metalen twijgjes waren nog intact. De ruiten van melkglas achter het smeedwerk waren echter door het ritmische gekabbel al lang in
hout en spijkers veranderd.

Rechts, op nummer 6, was binnen de niet-vergrendelde voordeur nog
steeds het oude vierkante tegelwerk van de vloer in het halletje te zien.
De tijd had de tegels overgeschilderd en had daarbij eigenzinnig vastgehouden aan twee tinten matbruin, doorschoten met grijs, in plaats van
de in vergetelheid geraakte menselijke keus voor zwart en parelgrijs, had
ze toen bijna allemaal doen barsten en had sommige in hun geheel verzwolgen, waardoor hier en daar vierkantjes zachte, grijze stof waren achtergebleven, die iets onder het vloerniveau lagen – knap gecamoufleerde
valkuilen waardoor hoge hakken en de punten van wandelstokken werden aangelokt en verslonden.

Op de hoek voor nummer 16, waar de straat uitkwam op een pleintje,
liep een lawaaierige menigte rond. De gevel van het gebouw was zodanig
aan verval onderhevig dat de stenen festoenen onder de ramen er paradoxaal genoeg zowel glad als afgebrokkeld uitzagen. De balkons waren
een uitnodiging om een gokje te wagen, net als Johns balkon in de Andrássy út. De voorkant van het gebouw was nog steeds doorzeefd met
kogelgaten die in twee porties waren toegebracht, als het werk van enorme, steen etende termieten. Zeer tot vermaak van generaties buurtkinderen doorboorde een van deze gaten het bolronde stenen achterwerk van
een zwevende cherubijn die een uiteinde van het afbrokkelende festoen
ondersteunde. Toen er was geschoten, had hij over zijn rechterschouder
gekeken en nu probeerde hij een blik op zijn wond te werpen. Het was
denkbaar dat een jonge Russische of Duitse indringer bepaalde belangrijke details had omzeild en dit incident als een zekere voltreffer had gerapporteerd, of dat in 1956 een Hongaarse opstandeling, een sluipschutter
aan de overkant van de straat, die misschien wel vanuit zijn eigen slaapkamerraam schoot, zich tijdens een windstilte in de gevechten had verveeld
en zijn kunsten had botgevierd op een veelbelovend doelwit waar hij
dag en nacht, negentien jaar lang, op had uitgekeken.

Nummer 16 was een geschenk geweest toen het in 1874 werd voltooid.

In het ornamentele metselwerk boven de voordeur was de geboortedatum uitgehakt naast een verlatiniseerde versie van de naam van de Hongaarse architect, maar in 1990 waren de gehele 7 en de rechterhelft van de 8 tot stof vervallen (één loom steengruisje per keer, als de eeuwigheidsverbeelding van een kunstminnende predikant) tot er alleen nog een raadselachtig hiëroglief restte, een datum zonder decennium en vrijwel zonder een eeuw, 1ε 4.

Maar in 1874 is het een gebouw in de allernieuwste (Franse) stijl. Het is het geschenk van een steeds minder rijk man aan zijn tweede zoon, ter gelegenheid van het huwelijk van die zoon. De zoon en zijn nieuwe bruid betrekken het huis in juni van dat jaar, een maand nadat de datum boven de deur werd aangebracht. Man en vrouw arriveren in hun rijtuig vanaf het treinstation Nyugati, meteen na een huwelijksreis die hen naar Wenen, Italië en Griekenland heeft gevoerd. De man helpt zijn vrouw bij het uitstijgen en geeft haar een arm, waarna ze de tien meter van de weg naar de treetjes bij de voordeur lopen, langs heggen, bloeiende planten en langs verwelkomend personeel (er horen een kokkin en twee dienstmeisjes bij het herenhuis). Bij de drempel lacht de echtgenoot naar zijn bruid, fluistert iets in haar oor wat haar doet blozen en kust haar hand.'Welkom in je huis, liefste', zegt hij, waarna een dienstmeisje de deur voor hen opent.

In 1990 waren de heggen en bloeiende planten verdwenen. De weg was verbreed, en de zes smalle betonnen treden naar de voordeur werden door een trottoir van amper een meter breed gescheiden van de dagelijkse stoet van dampende uitlaten en sleetse autobanden. Een zij-ingang voor huurders voerde naar de binnenplaats en vandaar waren de dichtbevolkte woningen daarboven bereikbaar. Maar naast de voordeur hing een houten bord waarop met de hand in zwarte en rode letters was geschilderd: ISTEN HOZOTT A HÁZAMBAN (Welkom in mijn huis).

Toen ze het huis hadden betrokken, de meubels een plekje hadden gegeven en zich als echtpaar in het maatschappelijke leven hadden begeven, kreeg de kersverse echtgenoot op een keer in de namiddag van zijn vader te verstaan dat er niet voldoende geld was om drie zonen zonder loopbaan te onderhouden. Het merendeel van zijn vaders kapitaal gaat natuurlijk naar de oudste zoon, en de twee jongere broers zal een kleinere som toekomen – voldoende om bepaalde noodzakelijkheden zoals bijvoorbeeld het huis van te bekostigen, maar verre van toereikend om in alles te kunnen voorzien. In een studeervertrekje, dat aan de centrale hal is gelegen, deelt de vader dit nieuws aan de jongeman mee op een toon van joviale onvermijdelijkheid, alsof de kwestie in het geheel niet verrassend is, alsof er nooit iets anders kon zijn verwacht of verondersteld. Het huis, legt zijn vader uit, was bedoeld om een fatsoenlijke start te kunnen maken en zal binnen de familie nog generaties aan dat doel moeten beantwoorden. De vader, die doet alsof hij de uitdrukking op het gezicht van zijn zoon niet opmerkt, noemt verscheidene mogelijkheden op die voor hem kunnen worden gearrangeerd, die geen van alle erg hoge eisen stellen of erg onbetamelijk zijn, goede kansen om te overdenken, er is natuurlijk geen haast mee, maar laat me wel weten waarnaar je voorkeur uitgaat: een positie op de beurs, participatie in een paar handelsondernemingen, een positie in de regering. De zoon is stil; zijn woede krijgt de overhand op zijn aanvankelijke verbijstering over dit verraad. De vader, die de blik van zijn zoon nog steeds ontwijkt, rondt zijn ingestudeerde opmerkingen af en zegt dat hij er begrip voor heeft dat de jongen wat tijd nodig heeft om erover na te denken en biedt aan zichzelf uit te laten. De eigenaar van het huis wacht tot de geluiden van zijn vaders vertrek zijn weggestorven voordat hij zijn koffiekopje tegen de muur smijt, waar het verbrijzelt met een knal die slechts wordt gedempt door de onwelvoeglijke woede-uitbarsting.

Het bord – ISTEN HOZOTT A HÁZAMBAN – werd in 1989 opgehangen door Tamás Fehér, toen de legale status van zijn nieuwe project nog steeds onduidelijk was. Het bord was een grap, een halfhartige vermomming waarvan niet werd verwacht dat iemand er zou intrappen. En zelfs toen de club een legale status had verkregen, werd het oude bord niet vervangen door iets officiëlers of door iets wat gemakkelijker in gebruik was. Geheel zonder naam werd de gelegenheid juist populairder en stond alom gewoon bekend als A Házam (Mijn huis). De indeling van het pand was in zijn 116 jaar aanzienlijk gewijzigd; in 1990 kwam het studeervertrekje (waar het eerste stuk van het huwelijksservies was gesneuveld) slechts bij benadering overeen met Achterkamer 1, waar diverse dozen drank naast het bureau van Tamás stonden opgestapeld. Het studeerkamertje, dat aan de centrale hal lag, was echter groter geweest dan Achterkamer 2, en als het porseleinen kopje was kapot gespat vlak boven de plek waar nu een ingelijste foto van een Hongaars fotomodel op Tamás bureau stond, was het zowaar gegooid vanaf een plek gelegen aan de andere kant van het gordijn dat Achterkamer 2 van de bar scheidde.

Het kabaal zal algauw zijn nieuwsgierige vrouw hierheen lokken. De gedachte dat zij hem in deze toestand zal zien, vernederd door zijn vader en zijn oudste broer, is onverdraaglijk. Hij loopt met grote passen de kamer uit, langs een angstige dienstmeid die aan komt lopen om de resten van het kopje op te ruimen, wendt zich af van de hoofdtrap en doet alsof hij niet hoort dat zijn vrouw hem roept. Aangezien hij met bepaalde delen van zijn nieuwe huis nog niet vertrouwd is, belandt hij in de keuken, loopt snel langs de verblufte (en territoriaal beledigde) kokkin, die in gesprek is met de gezichtloze tweede meid; beiden springen overeind en buigen het hoofd als hun ziedende meester voorbijloopt. Hij opent eerst een deur, waarachter het vol staat met potten en pannen, dan een tweede, en loopt de bakstenen trap af die voor hem ligt. Het is onmogelijk donker op de trap, en in razernij ontstoken loopt hij de trap weer op. 'Gyertyát!' gebiedt hij, en de meid voldoet snel aan zijn verzoek. Dit keer gewapend met een kaars sluit hij de deur achter zich en loopt weer naar beneden. Hij staat op de nieuwe bakstenen vloer van een kelder waarvan hij niet wist dat hij hem bezat, schoon en gewit, groter dan zijn kaars in één keer kan verlichten.

In 1990 werd de kelder verlicht door metalen lampen met een eenvoudige, ronde, roestvrijstalen kap, die een uitzonderlijk felle peer omsloot, bevestigd met een plastic grijper die aan verwarmings- en waterleidingen was vastgeklemd. Ze waren op de hoeken gericht, waar de smoezelige witte muren met het vlekkerige, gebarsten plafond samenkwamen. Het gereflecteerde licht was toereikend, zelfs sfeervol. Tamás was zeer ingenomen geweest toen zijn vriendin, het fotomodel, als cadeau vijftien lampen voor hem had meegebracht, en nog trotser toen ze vertelde dat ze die met één of twee tegelijk had gestolen uit de studio van een West-Duitse modefotograaf die in Boedapest was gevestigd. De raamloze, ongeventileerde kelder bood op de avond van de 4de juli 1990 plaats aan ongeveer tweehonderdvijftig mensen.

Terwijl hij bedenkt wat hij tegen zijn vrouw moet zeggen, loopt hij langs de muren van het vertrek. Hij strijkt met zijn linkerhand zacht over het witte pleisterwerk. Op brede richels die in de muur zijn uitgehakt liggen zakken aardappels, meel en andere eerste levensbehoeften. Nu hij enig idee heeft van de vorm van het vertrek, steekt hij schuin over. In het midden van deze koele rechthoek liggen in hoge houten rekken flessen Franse en tokayerwijn. De kelder moet zich tot helemaal onder de binnenplaats uitstrekken. Hij probeert zich de ligging van de verdiepingen boven hem voor de geest te halen en loopt willekeurig rond met zijn kringetje van geel licht en probeert te raden welke meubelstukken er boven zijn hoofd staan. Recht boven hem, besluit hij, staat de chaise longue naast de open haard, en daarboven staat het bed, en daarboven de waskom van de meid, dan het dak met de vogelnesten, dan de open lucht. Door al dit meubilair, gewichtloos boven zijn hoofd op onzichtbare verdiepingen, lopen het personeel en zijn vrouw rond, in lagen boven elkaar, te midden van een zwevend en zorgvuldig gearrangeerd decor. Dan komt ongevraagd de gedachte op die hem kalmeert en alles oplost: als hij de dood van zijn oudste broer zou bewerkstelligen, zou alles weer in orde zijn. Hij gaat rechtop staan, draait zich om zodat hij tegenover de muur staat, kijkt weer op en vraagt zich af hoe hij dat zou kunnen realiseren. Hij weet dat hij het nooit zal doen, ook al hoopt hij dat hij het misschien wel zal kunnen. Hij zegt hardop dat hij het nooit zal doen en staat zichzelf op die manier toe om plannen te beramen.

Tegen een korte muur had Tamás een houten podiumpje gebouwd, bijna anderhalve meter boven de vloer. Op de 4de juli van 1990 droeg het podium Cash Ass, een band die bestond uit drie mannen en een vrouw. Ze had een zwarte cocktailjurk aan en zwarte schoenen met hoge hakken. Haar platinablonde haar was in de gladde, bolle Hollywood-stijl van het eind van de jaren vijftig gekapt. Toen ze tijdens een instrumentaal gedeelte op de achtergrond stond te wachten, drukte haar gezicht een vluchtige belangstelling voor haar bandleden uit en een kalme onverschilligheid voor de honderden paren ogen die naar haar keken. De drie mannen speelden de instrumentale opening van het zesde en laatste lied in de derde set van het drie-setscontract van die avond. Ook de mannen droegen een zwarte cocktailjurk en dezelfde hooggehakte schoenen als zij, en hun platinablonde haar was zo'n perfecte imitatie van haar kapsel dat het leek of zij ook een pruik op had. Een van de musici bespeelde een hele reeks kinderinstrumenten – ukeleles, banjo's en cowboygitaren – die stuk voor stuk zwaar versterkt waren en bulderend uit de diverse grote speakers kwamen die overal in de kelder waren opgehangen. De tweede man bespeelde met ongelofelijk gemak een basgitaar en behield een funky swingend jazzritme, doorspekt met trillers van tweeëndertigste en vierenzestigste noten, machinegeweergeknetter, als patroongordels die als modeaccessoire worden gedragen. Op zijn gedreun en geknal bewogen de dansers zich met krampachtige sprongen op en neer in de klamme hitte. De derde musicus zat achter een batterij cassetterecorders die op één mengtafel waren aangesloten. Terwijl hij zijn platinablonde pony uit zijn ogen streek, voerde hij het volume van een cassette op en liet een andere wegsterven. Tijdens dit nummer orkestreerde hij:

– een huilende baby en een oudere mannenstem die troostend Hongaars probeerde te spreken.

– een redevoering in het Russisch uit het sovjettijdperk. (Alle Hongaren in het vertrek waren vroeg of laat in hun academische loopbaan genoodzaakt geweest Russisch te leren, maar het was een erekwestie om je te laten voorstaan op vergeetachtigheid, waarbij het de grootste prestatie was om geen enkel woord Russisch meer te kennen, een algemene aanspraak die werd weerlegd door het aantal dansers dat nu moest lachen en rare gezichten trok).

– de herkenningsmelodie van een Amerikaans tv-programma voor kinderen, gezongen in vrolijk majeur door een man, een vrouw en een aantal getalenteerde kinderen.

– een Hongaars stel dat zich flink uitleefde, met gekreun en een krakend bed.

– gemixt en gemonteerd Engels cricketcommentaar: 'De Zuid-Afrikanen zullen er een hele kluif aan hebben een hele kluif aan hebben er een hele kluif kluif kluif aan hebben kluif kluif aan hebben de Zuid-Afrikanen zullen er vanmiddag een hele kluif aan hebben, Trevor, Trevor, Trevor, Trevor.'

– het Hongaarse volkslied, atonaal gereciteerd door drie vrienden van de band. Ze imiteerden verwarde schoolkinderen tot de drie stemmen na ongeveer tien seconden op drie totaal verschillende plaatsen in het volkslied waren, en het applaus en gejoel van het publiek werden oorverdovend terwijl het volkslied tot iets onbegrijpelijks werd vervormd. Hij loopt langzaam naar het midden van de lege ruimte, naar het wijnrek, en zijn gedachten volgen elkaar snel op. Het is de gemakkelijkste zaak van de wereld om dit wijnrek los te zetten, bijvoorbeeld, zodat het op iemand valt die een fles van een hoge plek wil pakken. Dat zou leiden tot bloed en gebroken botten, en als het 's avonds laat zou gebeuren en het slachtoffer al erg veel had gedronken, dan zou de verklaring voor het ongeluk opgloeien in het knalrode gezicht van de overledene. Ik zal mijn vader laten weten hoe blij ik ben zijn suggestie op te volgen, wat een mooie oplossing die baan op de beurs is, en dan zal ik mijn brave broer uitnodigen voor een broederlijk etentje. Hoe laat zouden we niet kunnen eten, hoe opgewekt zou ik mijn vrouw welterusten wensen, hoe vriendelijk zou ik de bedienden kunnen wegsturen, met hoeveel plezier zou ik laat opblijven om met mijn broer te kletsen en te drinken. En dan zou ik hem mee naar beneden nemen om hem de kelder te laten zien. Wat zou ik ontsteld zijn! Overmand door verdriet! Alsof de zon uit mijn leven is verdwenen — nee, dat gaat te ver.

Halverwege het vertrek, helemaal in het midden van de mensenmenigte, stond een houten podium dat zo hoog was dat mensen eronder konden dansen. Gebogen, met zijn hoofd net onder het plafond, bediende een legervriend van Tamás het geluidspaneel. Vlak achter zijn arendsnest, naast de splinterige en met graffiti bedekte ladder, was Charles Gábor, in een kakibroek en een zwart poloshirt en worstelend tegen het gewoel van de menigte, een klein meisje aan het zoenen dat hij nooit eerder had gezien, maar dat een paar tellen geleden tegen hem was opgebotst en haar handen in zijn broek had gestoken.

Hoe moeilijk kan het zijn om een aardappel te vergiftigen, vraagt hij zich af terwijl hij voor de brede richels staat die in de achterwand zijn uitgehakt. Nee, het risico dat de verkeerde persoon hem eet, of... natuurlijk. Het is een nieuw huis. De balkons kunnen best verkeerd zijn aangebracht, er kan een balustrade loszitten, iemand zou gemakkelijk kunnen vallen. Het wijnrek lijkt het beste plan.

Achter in de zaal zaten Scott en Mária hand in hand op een brede richel in de muur dingen tegen elkaar te roepen, maar omdat ze recht onder een van de luidsprekers van de nachtclub zaten, gaven ze het al snel, schor, op en stelden zich tevreden met zoenen en naar de band kijken. Ineens

daalde het volume van de gitaar en de bas, de tape-jockey liet een krasserige opname van een funk drumritme horen, en de blonde vrouw liep
naar de microfoon. Ze sloot haar ogen, kruiste haar armen, legde haar
handen op haar borsten en zong in het Engels met een Hongaars accent
en een goedgeschoolde operastem:

> *We all live underneath the hammer*
> *Wielded by* Vogue, Mademoiselle *and* Glamour.

De menigte, die het Engels in verschillende mate beheerste, deed mee
met een herhaald scanderen van het couplet terwijl de zang van de vrouw
langzaam maar beslist weggleed van haar operascholing in een hardrock-
stem en toen in rauw geschreeuw. Ze snauwde en grauwde, steeds kwader, en het geluid van de huilende baby zwol aan, de ukelele werd door-
dringender, de swing van de bas steeds ingewikkelder en het Hongaarse
volkslied steeds verwarder. Mensen sprongen op en neer en schreeuwden
de tekst mee, er waren stelletjes aan het dansen, en jongemannen duwden
andere jongemannen die ze niet kenden weg. Hongaarse en buitenlandse
mannen stonden vooraan bij het podium te roken, probeerden er matig
geïnteresseerd uit te zien en pijnigden vrijwel zonder uitzondering hun
hersenen op zoek naar wat ze moesten doen of zeggen om zelfs maar
een piepklein kansje te maken om de zangeres het bed in te krijgen.

Zijn woede is over, en daarmee zijn ook zijn nogal barokke plannen van
de baan. Hij voltooit nog een rondgang door zijn kelder, zijn vrije hand
witbestoven omdat hij ermee langs de koele muren had gestreken. Hij
komt weer bij de trap uit en hoopt nog steeds op de dood van zijn broer,
maar nu alleen als een vergeefse poging om nog niet te hoeven denken
aan wat hij tegen zijn vrouw moet zeggen, aan datgene waar hij niet onderuit kan. Hij zal zijn broer nooit vermoorden. Er zullen veel afschuwe-
lijker oplossingen voor nodig zijn.

Aan de linkerkant van het vertrek lonkt de enige uitgang van de dancing,
een opening naar een bakstenen trap die omhoogloopt vanaf de betonnen vloer, en verlicht wordt door dezelfde klemspotlights met kap. Deze
enige slagader was volgelopen met afdalende danslustigen en omhoog-
gaande drinkers die op frisse lucht hoopten. Iedereen rookte.

Juni is maart geworden en hij zit weer op de keldertrap, met verkruimelde stukjes metselspecie tussen zijn vingers, en probeert niet naar het gegil te luisteren. In plaats daarvan probeert hij na te denken over een kleinigheid met betrekking tot zijn overheidsbaan. Hij is niet ongelukkig met zijn aanstelling. Al die ophef die hij erover had gemaakt, het kapotte kopje… Het bleek zo simpel als wat te zijn. Vrij aangenaam zelfs. Hij vertelde zijn vrouw natuurlijk nog diezelfde avond over de aankondiging van zijn vader, zei dat hij het wel had verwacht, dat hij het al maanden had geweten, maar dat hij haar op hun huwelijksreis gewoon niet met de details had willen lastigvallen, en zou ze niet trots zijn om tegen haar vriendinnen te kunnen zeggen dat haar man een positie op de beurs bekleedde en… Maar toen waren die rottranen weer gekomen, en hoewel hij probeerde op te staan en naar de andere kamer te gaan voordat ze die zag, liet hij zich in haar armen vallen toen ze aan zijn hand trok, en daar huilde hij simpelweg, beschaamd, terwijl ze over zijn hoofd streelde en het witte stof uit zijn haar veegde en hem begon te kussen.

Het gegil verstomde, maar hij weet niet wanneer, weet niet hoelang hij al zowel in stilte als in duisternis zit. Hij loopt de trap op naar de keuken. Hij luistert niet meer. Het gegil is definitief opgehouden. Ze moet beslist buiten gevaar zijn, maar hij komt niet van zijn plekje naast het koude keukenfornuis. Dan begint het gillen weer, maar nu in de vorm van het eerste protest van een baby. En nog verroert hij zich niet.

De trap voerde van de danskelder van A Házam naar de bar en de lounge op de begane grond. Achter de bar voldeden Tamás en twee andere mannen aan de vraag van het publiek. Op de wanden achter hen hingen ingelijste foto's van allerlei Sovjet- en Oostblokleiders, allemaal met een opdracht en handtekening voor Tamás, zij het in het Hongaars en met dezelfde dikke zwarte stift en in hetzelfde handschrift. 'Grote Tamás,' luidde het Hongaarse opschrift op de foto van Stalin, 'ik zal nooit de keer met die drie Poolse meisjes vergeten. Je bent een topper! Joe.' 'Tamás, jouw huis, mijn huis: er is altijd wel een partij. Rákosi.' 'Tamás, er zijn vergissingen gemaakt, excessen gepleegd, maar nooit door jou, cool baby [deze laatste woorden in het Engels]. Nikita K.' 'Kom jij maar eens naar míjn huis, T. Ik zal je laten zien wat meiden lekker vinden! VN Lenin.' 'Onze beste wensen voor onze lieve, jonge Tamás van de heer en mevrouw Ceaucescu.'

Soms denkt hij nog terug aan het beramen van de dood van zijn broer zoveel jaar geleden en, diezelfde nacht, het verwekken van het kind van
wie de verderfelijke komst tot de dood van zijn vrouw leidde, en op
zo'n moment van extreem verdriet kan hij nog steeds niet ontkennen
dat de twee gebeurtenissen met elkaar zijn verbonden en bezeert hij zich
aan een doorn van de welriekende religie die hij anders links laat liggen:
het kind werd verwekt in de schaduw van zijn zonde, en in wezen heeft
hij zijn vrouw die nacht, negen maanden voor haar dood, vermoord,
door haar te nemen terwijl er nog steeds moord in zijn hoofd rondspook-
te. En op deze momenten is het schuldgevoel over zijn misdaad fysiek
zo pijnlijk dat hij zijn ogen sluit om zich te verdedigen. Deze spiersamen-
trekking, die tien jaar later een stuk is verminderd, wordt nog steeds niet
gevolgd door opluchting, maar door het bijna even pijnlijke gevoel dat
hij een idioot is. Maar vanavond, voor een vuur dat niet echt toereikend
is om de kamer te verwarmen, heeft de jongen gezien welk gezicht zijn
vader trok, en voor het eerst raapt hij de moed bijeen om te vragen onder
welk verdriet zijn vader lijdt dat hij zo kijkt. 'Je bent bijna te groot om
op mijn schoot te zitten', antwoordt zijn vader, en hij tilt de jongen op
van zijn speelgoedsoldaatjes om bij hem op de chaise longue te komen zitten. Hij kijkt naar zijn zoon en roept een aangename gedachte op, die
hem in het verleden heel wat keren tot troost is geweest: de meeste mannen zouden de jongen als de moordenaar van zijn moeder beschouwen,
maar dat doe ik niet; in mijn ogen is hij een onschuldige. Ik zal hem nooit
laten boeten voor wat hij me heeft aangedaan.

Het meubilair in de lounge bestond uit houten kubussen, wat krukjes,
een stel allemaal verschillende, tweedehands hoekzitjes, en tal van stokoude banken, die willekeurig in het vertrek zijn neergepoot. Op elk beschikbaar oppervlak zat iemand te roken, te drinken, te kussen, te lachen
of te kijken. Het plafond werd door een reusachtige placenta van rook,
die met wel honderd rokerige navelstrengen met wel honderd rokende
foetussen was verbonden, aan het oog onttrokken.

Hij leeft slechts tot het voorjaar van zijn tweeënveertigste jaar en sterft op
een ongewoon warme avond. Zijn zoon, nu een negentienjarige soldaat
in het leger van het Keizerrijk, vindt het lichaam, maar pas de volgende
ochtend, omdat hij de nacht van huis heeft doorgebracht, eerst op pa-

trouille, later in een bordeel met twee van zijn kameraden. Zijn ooms en de juridische vertegenwoordigers krijgen het beschikkingsrecht over het huis, en dat kan hem in eerste instantie bitter weinig schelen. Er is daar nooit veel licht of vermaak, als je het hem vraagt. En met die ferme woorden keert hij zijn vaders begrafenis de rug toe en marcheert naar de kazerne, arm in arm met zijn kameraden, allemaal verlangend om 'het leven op zijn kop te houden en te schudden om te zien wat er uit zijn zakken komt rollen'.

Al in juli 1990 danste A Házam op de rand van overbevolking; iedereen had het gevoel dat hun geheim een eigen leven was gaan leiden. De allerhipste Hongaren vonden dat er te veel buitenlanders kwamen. De allerhipste buitenlanders hadden de indruk dat er te veel niet-coole buitenlanders kwamen. De rest van de buitenlanders, onwetend van het feit dat ze niet cool waren, viel het op dat er te veel overduidelijke toeristen kwamen. In september zou het een geliefde bar van vroeger worden waar je eigenlijk niet meer naartoe kon gaan zonder te hunkeren naar die goeie ouwe tijd dat hij alleen van jou was. Maar een paar weken in juli van dat jaar, voordat de bar in een budgetreisgids, die door een universiteit werd uitgegeven, werd geroemd vanwege zijn authenticiteit als stamcafé van Boedapest, was A Házam ieders eerste keus.

Tegen het soms scherpe advies van de juridische vertegenwoordigers en zijn ooms in houdt hij enkele maanden later voet bij stuk en geeft opdracht dat het huis met de gehele inboedel tegen de hoogst mogelijke prijs moet worden verkocht en dat de opbrengst op zijn rekening moet worden gestort. Dat geld en de erfenis van zijn vader verschaffen hem een aardige buffer waarmee hij zijn militaire loopbaan kan ondersteunen. Zijn verslagen ooms hebben de jongen zijn hele leven lang niet vaker dan een paar keer per jaar gezien, omdat hun broer zich in de loop van de tijd steeds meer had teruggetrokken. Ze herinneren zich een stille jongen die bereidwillig doet wat zijn vader hem opdraagt, en ze zijn enigszins verbaasd over zijn plotselinge besluitvaardigheid, en beledigd dat hun raad zo oneerbiedig en bruusk in de wind wordt geslagen. De jongste oom neemt de soldaat echter mee uit lunchen in het Casino en vindt de jongen eigenlijk best leuk, ook al gaat er niets serieuzers in hem om dan vrouwen, de nieuwe opera buffa en bevordering in het leger. Het huis wordt binnen vijf weken voor een uitstekende prijs verkocht, en de ooms vernemen niets meer van hem.

Twintig jaar later, in oktober 1915, zag degene die met hem was gaan lunchen zijn naam op de lijst van gesneuvelde helden in *Ontwakende natie.*

Bij de dubbele voordeur, waardoor de juliwarmte binnenkwam, waren zes betonnen treetjes, die omlaag voerden naar een smal trottoir en de straat. Op de vierde tree van onderen zaten Mark Payton en John Price. Tegenover hen op het pleintje leunden een paar oude vrouwen uit het raam van hun bovenetage en keken boos of nieuwsgierig naar de drom jonge mensen die beneden rondliep.

Af en toe kwam Emily Oliver bij de twee mannen zitten en dook links of rechts van Mark op, met een boog van weerkaatst licht van een lantaarnpaal over haar donkere ogen. Als ze om Johns grapjes lachte, als hij keek hoe ze luisterde naar Mark, die over zijn nieuwste onderzoek vertelde (en toen zij en John in de smoorhete kelder hadden gedanst en aan de rokerige bar wat hadden gedronken), scherpten Johns zintuigen zich, niet alleen in, bijvoorbeeld, de hoeveelheid aroma's die hij kon onderscheiden, maar ook in de betekenissen die hij daarachter kon waarnemen: de laatste keer dat ze op het trappetje had gezeten, reageerde een bestanddeel van haar parfum met de geur van de bomen in deze straat, versmolt de dieselwalm van de autotjes in de zomerlucht met de concurrerende merken sigarettenrook, tot alles geurde naar belangwekkendheid en een pril begin, naar het ware leven en momenten die je voorgoed zouden bijblijven.

'Want er is niets nieuws van enige waarde', gaf Mark haar spijtig ten antwoord. 'In de wetenschap denk ik wel, maar zelfs dat heeft eigenlijk nooit enig gevolg voor jou of mij. Jaren na dato profiteren wij pas van wetenschappelijke ontdekkingen. Je zou eigenlijk met nostalgie moeten terugdenken aan medische onderzoekers van heel lang geleden.' John schoot de peuk van zijn sigaret de straat op en boog zich opzij om een groep Amerikanen tussen hem en Emily te laten passeren. Toen hij overeind kwam in een gesprekshouding, was ze al naar boven verdwenen, omringd door een zwerm uitgelaten Julies.

En later, toen de Julies haar de trap af en de straat uit voerden, terwijl ze zonder onderscheid naar hem en Mark zwaaide, vervloekte John in een snelle opeenvolging zijn onbeholpenheid, hun inbreuk en haar ontoegankelijkheid. Dezelfde mengeling van geuren werd nu verpest door een lichte zweem van vermoedelijk blijvende wanhoop. Ze zat opgesloten achter een of andere barrière, en hij kon niet uitmaken of ze wilde dat hij erdoorheen brak of niet en, als ze dat wilde, waarom ze hem niet kon of wilde helpen. Zijn theorieën werden steeds talrijker en waren met elkaar in tegenspraak: hij was niet moeiteloos openhartig genoeg om tegen haar opgewassen te zijn, en dus kon ze alleen maar afkeuring voor hem voelen; ze beschikte over een kennis die je, net als ademhalen, niet kon worden bijgebracht, maar onbewust wachtte ze tot hij er blijk van zou geven dat hij het begreep. Misschien moest hij doortastender zijn. Of niet.

'Jij ben, echt, ben jij het?' vroeg iemand hem. Twee Hongaarse meisjes van een jaar of zeventien, achttien waren onder aan de trap blijven staan en hadden zich omgedraaid; ze keken John met gretige verbazing en aangename twijfel aan. De een fluisterde iets, ze giechelden allebei en toen duwde het dunnere meisje het dikkere naar hem toe. 'Ben je het, is niet?'

'Ik denk het wel', zei John. Soepeltjes met deze situatie omspringen zou Emily amuseren, dacht hij, voordat hij zich herinnerde dat ze er niet meer was.

'Wij zijn grote fans van je', zei het geduwde meisje.

'Elke film!' De dunste stapte naar voren omdat ze er spijt van had dat ze haar vriendin zo'n gemakkelijk gespreksvoordeel had gegund. 'We hebben alle van je films gezien!'

'Echt waar?' zei John. 'Wat is je lievelingsfilm?'

De meisjes begonnen bulderend te lachend. 'Ik weet niet de naam in het Engels', zei de een, licht hijgend. 'Hij was vertonen afgelopen maand in de Corvin. Waar je verdwalen bent in de ruimtes met de blonde meisje en de twee leuke hondjes.'

'Ach, natuurlijk, natuurlijk', zei John. 'Dat is ook mijn favoriet.'

'Ze is niet echt met jou in de echte leven, die blonde haar in de bioscoop?' vroeg het dunste meisje, zonder acht te slaan op Marks gelach.

'Zij is niet de juiste voor jou', zei het dikkere meisje ernstig, maar haar vriendin gaf haar in het Hongaars op haar kop.

'Oké, we laten je nu alleen, maar dank je. We houden van alle je films. Maar wacht, we willen dit ook zeggen', zei de dunste. Ze keek naar de grond, toen steun zoekend naar haar vriendin, vervolgens van onder een gefronst voorhoofd naar John. Ze sprak snel en ernstig. 'Wij dit in

de krant lezen. Alsjeblieft, omdat we je films houden, zeggen we dit. Blijf
af van de drugs, alsjeblieft. Jij ben zo goed bioscoopacteur en een erg
mooie jongen, zelfs in de echte leven. Alsjeblieft niet meer, de drugs.
Wij weten dat ze je doodmaken als je ze niet stopt. We weten het moeilijk.'

'Wij weten het moeilijk,' beaamde haar vriendin, 'maar ze stoppen je
weer in de gevangenissen als je niet stop. Alsjeblieft.'

John was ontroerd door hun bezorgdheid, had nooit jonge vrouwen
bijna in tranen over zijn welzijn gezien. Hij wist dat hij geen beloften
kon doen; dat zou onrealistisch zijn bij een probleem van deze omvang.
Hij bedankte hen nog eens en zei alleen dat hij zijn best zou doen. Ze bleven nog even verlegen staan, totdat een van hen vroeg of ze hem een
kus op de wang mocht geven en de andere snel om dezelfde gunst vroeg.
John hoopte dat Mark dit zonder dat hij het hoefde te vragen aan Emily
zou vertellen. Terwijl de meisjes arm in arm de donkere straat uit liepen,
zwaaide hij terug telkens wanneer ze over hun schouder keken.

Al lachend kon Mark noch John bedenken welke acteur hij was geweest, maar een paar benevelde momenten lang voelde hij zich nog blij
met de aandacht van zijn fans, totdat de volgende golf rondtrekkend
nachtclubvolk de straat op dromde en langzaam wegsmolt, en Charles
Gábor in het zicht kwam, die de kleine vrouw zoende die hem in de kelder in zijn kruis had getast. Zijn hoofd en nek bogen ver naar beneden
om bij haar omhooggeheven gezicht te komen. Ze stond op haar tenen
en bewaarde haar evenwicht door met beide handen zijn kont vast te houden. Hij was iets door zijn knieën gezakt en hielp haar het evenwicht te
bewaren door een hand tegen haar rug te drukken en met de andere haar
borsten te betasten. John en Mark keken zwijgend toe hoe hun vriend
de nek van het korte meisje likte en Hongaars met haar sprak. Opverend
van wellust sprong het meisje omhoog, sloeg haar benen om Charles'
buik en haar armen om zijn nek. Ze kusten verder, zijn hoofd nu omhoog
reikend om bij haar te kunnen komen, en zo strompelde Charles de straat
uit, blindelings, in de richting van een boulevard en een taxi.

'Vreselijk om aan te zien', zei Mark. Hij stond op en begon het plein
over te steken. 'Kom eens hier, ik wil je iets laten zien.'

Toen ze de nachtclub achter zich lieten, werd het snel stil op straat, alsof
er een deur was dichtgedaan. John volgde Mark naar een zijstraatje, waar
Hongaren zomaar uit de openstaande ramen van de begane grond stap-

ten. Onder de uitlaten van Skoda's en Trabantjes trilden plassen water, die waren bedekt met regenboogkleurige spiralen benzine, als kleine verdwaalde Plejaden.

'Weet je dat ik je columns erg goed vind?' zei Mark. 'Ze maken de indruk het onderwerp te gaan worden van een toekomstige legende over een verloren gegane, zeer aantrekkelijke tijd. "Herinner je je nog die columns uit het begin van de jaren negentig?"'

'Dank je', zei John verstrooid, die er helemaal niet voor in de stemming was. 'Wat wilde je me laten zien?'

'Een heleboel dingen. Ik wil je een heleboel dingen laten zien. Ik ben benieuwd of je... dit straatje, om te beginnen.' Mark streek met zijn vingers door het rode haar bij zijn slapen en trok eraan tot het recht opzij stak, als plukjes veren bij een ziekelijk vogeltje. 'Daardoor ben ik dit onderzoek gaan doen, nu je het vraagt. Ik geloof eigenlijk dat Emily degene was die het vroeg, maar ik ben dronken genoeg om geen onderscheid te maken. Ik ben helemaal weg van alles in dit straatje. De levens die hier zijn geleefd. Hoe mensen zich hier hebben gevoeld. Hoe het voelde om hier te staan en verliefd te zijn. Kun je je voorstellen dat je hier op deze plek staat en verliefd bent en de wereld ziet zoals hij eruitzag voordat er film bestond, voordat films je alles op een bepaalde manier lieten zien?'

Mark liep midden over straat achteruit, zijn hoofd achterover om de gebouwen waar hij langskwam te bekijken. Hij wees zijn half gewillige reisgezelschap op architecturale bijzonderheden, beschreef op even enthousiaste wijze de geplande en ongeplande karakteristieken; voor hem was geen van beide beter: verfijnde kroonlijsten en kogelgaten, uitgehouwen datums en verbrokkelend metselwerk, ooit sierlijke stenen balustrades op hoger gelegen verdiepingen die nu een of twee urnvormige pilaren misten, gapend als de nog met spaarzame tanden bezette kaken van oude vrouwen, waarvan alleen Mark de charme kon ontdekken. 'Zeg alsjeblieft, alsjeblieft dat je begrijpt wat ik bedoel.'

'O ja, ja. Gebouwen.'

'Ik vind het prachtig dat dit straatje zo volmaakt vervallen is, maar je kunt nog steeds zien hoe het eruitzag toen het een nieuwbouwproject was, waarschijnlijk in de jaren negentig van de negentiende eeuw of zo. Zie je dat de straat zo gesitueerd is dat het operatheater zich met optimale verrassing en drama aan je openbaart?' Hij bleef staan op de plek waar je Andrássy en de opera kon zien. 'Anderzijds, je komt van deze kant, na

een romantische avond in de opera, en op een meter afstand van de lichtjes en de rijtuigen heb je een intieme omgeving voor een wandeling van
een minnend paartje. Je zou deze straat inlopen en je volmaakt gelukkig
voelen, bruisend van het leven, en je zou je nooit afvragen waarom. Maar
de stadsplanners hebben het met opzet zo gedaan. Weet je, er zijn maar
heel weinig plaatsen in de wereld waar ik me thuis voel. Is dat niet zielig?
En dat zijn er ook echt met de dag minder. En ze worden kleiner. Overkomt jou dat ook? Er komt een tijd dat er nog maar een piepklein plekje
zal zijn. En meer zal ik niet hebben. Ik zal me heel stil moeten houden
en maar één kant uitkijken, maar dan zal het eigenlijk wel goed met me
gaan.' Hij lachte. 'Snap je wat ik bedoel, John?'

En John lachte, zoals hij veronderstelde dat Mark van hem verwachtte.

Ze sloegen Andrássy in, weg van Johns woning, de langgerekte, met
bomen omgeven boulevard op die naar het Heldenplein voerde. Marks
gezicht kreeg even een groene gloed onder een neonbord dat in een etalage hing van een winkel op de begane grond: 24 ÓRA NON-STOP duidde
een kruidenierszaak en een snackbar aan, en John liep achter Mark aan,
de fluorescerende pracht binnen, en ging op een hoge kruk aan de toonbank zitten.

'*Egy meleg szendvicset, kérek szépen*', zei de Canadees tegen de vijftigjarige
vrouw die achter de toonbank verscheen. John bestelde hetzelfde en een
Unicum. Zijn overhemd stonk naar de sigaretten van andere mensen en
zijn ogen deden pijn; hij vroeg zich af hoe laat het was. De vrouw zette
een oventje op de plank aan en begon twee sneden roggebrood met gesmolten kaas en plakken roze ham te roosteren. Ze schonk John zijn
zwarte digestief in. Ze keken zwijgend toe en staarden naar hun halve reflectie in het raam. John bestelde een tweede.

'Vraag je je wel eens af waarom kunstenaars in cafés rondhangen?'
vroeg Mark zacht terwijl hij naar het schort van de vrouw staarde toen
ze wat gesmolten kaas van de achterkant van haar duim likte. 'Dat heb
ik vandaag de hele dag gedaan, en om de een of andere reden moest ik
steeds aan jou denken, dat vooral jij dit leuk zou vinden. Echt waar. Dus
waarom hingen arme kunstenaars oorspronkelijk in cafés rond?' Hij
wachtte op een antwoord, maar toen er niets kwam, zei hij dat het een serieuze zaak was, dat het antwoord belangrijk was.

'Ik weet het niet. Om inspiratie op te doen uit de sfeer.'

'Ha! Nee, jij bent er ook ingestonken, net als wij allemaal. Cafés hadden oorspronkelijk geen inspirerende sfeer. Dat kwam pas later, toen je wist dat er kunstenaars hadden rondgehangen. In het begin was een café gewoon een vertrek met koffie. Met niet meer sfeer dan hier.'

'*Amerikai?*' vroeg de vrouw achter de toonbank. Haar haar had de kleur van een veel omgedraaide koperen deurknop, en haar borsten hingen als veel te dikke luiaards tegen hun namaak-angora omhulsel.

'*Nem, kanadai*', antwoordde Mark. Ze knikte, voldaan over het gesprek, draaide zich om en begon voorwerpen op de schappen recht te zetten: likeuren, verpakte cakejes uit Noorwegen, Duitse müslisoorten met Duitse tekenfilmmascottes, Franse condooms met expliciete foto's ten behoeve van het gebruik en de marketing.

'Ik kan het helemaal herleiden', zei Mark. Met het gemak van een deskundige ratelde hij datums, namen en gebeurtenissen af; hij begon langzaam, maar raakte steeds opgewondener: 1945 – Lenoir hoopt dat het caféleven hetzelfde zal blijven als voor de oorlog en roept zelfs een groep in het leven om ervoor te zorgen dat de beste cafés open blijven, met dezelfde openingstijden, menu's en tafeltjes; 1936 – Welnu, voorafgaand aan die oorlog constateert Fleury met deernis hoezeer de cafés sinds voor de vorige oorlog zijn veranderd. Hij is te jong om dit uit eigen waarneming te weten, maar hij noteert het niettemin in zijn dagboek. Hij schrijft ook met kinderlijke opgetogenheid dat hij Valmorin echt een keer in zijn café heeft gezien. Hij staat ervan te kijken zijn idool daar in levenden lijve te zien staan. 'Hij dacht dat Valmorin zich vanwege de veronderstelde achteruitgang niet meer in het café zou vertonen', zei Mark. 'Na die dag schreef hij nooit meer een woord van beklag, tot Valmorin overleed. Toen stelde hij natuurlijk dat de cafés echt morsdood waren, maar hij bleef er wel steeds komen. Dat was in 1939.'

1920: Valmorin zelf schrijft in een brief aan Picasso dat cafés misschien niet meer zo belangrijk zijn als in de tijd van Cézanne. 1889: Cézanne schrijft in zijn dagboek dat hij zich niet welkom voelt in het café vanwege zijn breuk met iemand wiens naam Mark even is ontschoten, ook al slaat hij herhaaldelijk tegen zijn voorhoofd in een poging hem boven te halen. Maar Cézanne moet zich toch in het café vertonen. Hij schrijft dat het hele cafégebeuren een professionele noodzaak is, maar een vervelend iets, een farce die door aapjes wordt uitgebeeld. 'Dat was het woord dat hij gebruikte, John', zegt Mark vol bewondering. 'Aapjes. En het gaat nog verder terug', vervolgt hij. 'Het is een perfecte keten. Iedereen citeert wel de een of andere dooie vent als reden waarom hij naar het café moet gaan. Iedereen zegt dat cafés prima in een behoefte voorzagen tot een tijdstip vlak voor hun eigen geboorte. Maar als je teruggaat tot die datum, dan zegt iemand anders wel weer dat de glorietijd een paar jaar geleden was. En toen heb ik het echt gevonden. Mijn ontdekking. Helemaal van mij. Je zult er versteld van staan. Ik heb het uit mijn hoofd geleerd. Ik heb het almaar opnieuw gelezen, wel een uur of twee lang eigenlijk. Ik kon het haast niet geloven toen ik het vond. Het was zo…' Hij kon alleen maar zijn hoofd schudden. Hij beschreef een brief uit 1607 aan Jan van den Huygens.

Van den Huygens was herbergier en kunstenaar, gespecialiseerd in het schilderen van dronkaards en prostituees, want die waren in zijn herberg volop en goedkoop voorhanden en ze waren vaak genoodzaakt te poseren om hun rekening te kunnen voldoen. Hij kleedde hen in fantasievolle kostuums uit het oude Rome, zodat ze voor Bacchus en Venus konden doorgaan, in die tijd goed te verkopen doeken. Maar bij het eindresultaat schortte het aan iets klassieks. 'Ze zagen er gewoon uit als trieste, verloederde mensen met een beddenlaken om,' zei Mark grinnikend, 'met een dronken grijns, rode wangen en één of twee ontblote tieten. Van den Huygens heeft er in zijn hele leven in feite maar een paar van verkocht, maar hij schilderde er hectaren van. Ze duiken in Nederland nu op in de minder kieskeurige provinciale musea, en in Amerikaanse en Canadese universiteitscollecties, die bovenop alles duiken wat voor een Oude Meester kan doorgaan.'

Met een gebaar bestelde John een derde Unicum, en Mark wachtte geduldig.

'Van den Huygens krijgt in 1607 een brief die hij eigenlijk meteen had moeten weggooien. Maar goddank heeft hij vier eeuwen overleefd, omdat Van den Huygens nog geen week later overleed. Hij gaat dood, en zijn weduwe krijgt een slimme inval: de verkoop van de schilderijen en papieren van haar man zou wel eens wat contanten kunnen opleveren. Ik denk dat ze een talent voor zeventiende-eeuwse PR had, want in minder dan een maand slaagt ze erin om álle schilderijen te verkopen van een man die het tijdens zijn leven niet was gelukt er meer dan een paar van de hand te doen. Ze maakte de verkoop aantrekkelijker met de 'paperassen' van de overleden schilder. Zijn dagboeken en brieven – met inbegrip van deze uit 1607, die kennelijk met de inkt nog nat op tafel lag toen hij bezweek

– worden verkocht, en de koper (een kunsthandelaar die altijd en eeuwig op het verkeerde paard wedde) catalogiseert elk flintertje papier dat de weduwe Van den Huygens hem verkoopt. De bescheiden worden in prachtig leer ingebonden, met vergulde letters. En dat is dat.'

Mark was zich er totaal niet van bewust dat hij zijn publiek was kwijtgeraakt: John genoot van het gesuis in zijn oren, de aangename floers in zijn keel, de flitsen van kleur en schaduw achter zijn oogballen – alle aangename gevolgen van drie snel achter elkaar gedronken Unicums. In technische zin luisterde hij naar Marks breedvoerige verhaal, maar in zijn hoofd namen de minder belangrijke personages de gestalte aan van mensen die hij kende. Met name Emily Oliver, een zeventiende-eeuwse Hollandse dame van plezier, keek hem aan vanachter een lage, ruwhouten tafel die voor een enorme, laaiende open haard stond waarin een varken aan het spit hing te druipen op de kwebbelende, likkende vlammen. Emily droeg slechts een Romeinse toga en een lauwerkrans. Voor haar op de tafel lag een stilleven uitgestald: groene bokalen met goudkleurige wijn, bonkige halve broden, makrelen die glansden als platina, spiegelend opgewreven violen, geschulpte zilveren schalen met door het vuur beschenen druiven en ribbelige noten, en een paar schedels met druipende kaarsen erin. Emily koos één enkele blauwe druif uit en hief een blote arm in de lucht. Ze sperde haar ogen open en beet zacht toe, drukte haar tanden net waarneembaar tegen het velletje van de druif, net hard genoeg om de vrucht van vorm te laten veranderen, maar niet zo hard dat het tere velletje zou knappen. John legde zijn droge palet naast zijn lege doek, wierp zijn flambard af en liep naar zijn model. Ze deed langzaam twee passen achteruit, lachte langs de door tanden omklemde druif en liet haar toga vallen.

'Tot de brief in een biografie wordt opgenomen, niet van Van den Huygens, van wie niemand ooit de biografie zal schrijven, dat verzeker ik je, maar in die van de schrijver van de brief, Hendrik Müller, een kunstenaar die werkelijk van belang was. Daarin heb ik hem gelezen, hoewel het belang ervan de biograaf volkomen is ontgaan.'

Mark glimlachte en sprak nu heel langzaam en zacht, waardoor hij Johns aandacht weer even wist te vangen. 'Müller schrijft: "Jan – De wintermaanden zijn gruwelijk koud. Werken in mijn atelier is overdag draaglijk, maar er 's avonds gesprekken voeren is ondoenlijk. Kun je ervoor zorgen dat er een vaste tafel bij het vuur is voor mij en een aantal vrienden? Wij zullen eten en wijn bestellen, en misschien kun je daarvan de prijs wat verlagen als we toezeggen tot april of mei elke avond te komen."'

Uit het hoofd citeerde Mark dit gedicht van onovertroffen welsprekendheid en emotionele kracht. Op dat moment bestond er op de hele wereld niets anders voor Mark Payton dan te zorgen dat John deze brief begreep en, daardoor, ook Mark. Hij sprak nu heel zacht, zijn vingers stevig verstrengeld achter zijn nek. 'Laat het tot je doordringen, John. Müller – een erkend genie – spreekt tot ons. Tot jou en mij. Hij is nu hier bij ons. Hij... hij raakt je schouder aan, zo. Hij is een vriend van ons, Müller. We zijn dol op zijn werk, uiteraard, maar dat geldt voor iedereen, dat is voor ons niet belangrijk. Nee, ik ben dol op hem omdat, eh... hij zo goed tegen drank kan. Of omdat hij zo'n open boek voor ons is. Hij danst vrij slecht, tenzij hij dronken is. Of omdat hij zo opkijkt tegen die idioot van een broer van hem, of, of...' (Mark haalde zijn hand van Johns schouder en keek weer naar de toonbank) '...in elk geval zegt hij tegen ons: "Jongens, John, Mark, het is koud in mijn woning, weet je?" En dat weten we immers? We komen er voortdurend over de vloer.'

Emily trok haar toga uit en stond in de gloed van de glibberige tentakels van het zeventiende-eeuwse vuur. Ze beet door het velletje van de druif, en John rukte met een kreun het wijde witte hemd van zijn lichaam, maar slaagde er toch in te vragen: 'Was het koud in zijn woning?'

'Ja. IJskoud.' Mark rekte het woord *ijskoud* tot twee elastische lettergrepen. ' "Het is zelfs zo koud bij mij thuis dat ik vind dat ik op een aangenamer plek met mijn vrienden en leerlingen moet samenkomen voor ons dagelijkse gesprek over de schilderkunst. Waarom zouden we elkaar niet treffen in de herberg van mijn vriend Jan, waar een grote open haard en voedsel en wijn zijn?" ' Mark sprak met een mogelijk Nederlands accent en wachtte tot het gewicht van wat hij zei doordrong tot zijn publiek.

'Dat zou denk ik warmer zijn', opperde John.

'Ja! Hij ging naar de herberg van Van den Huygens – *naar een café* – omdat het er wármer zou zijn! Alleen daarom. *Het zou er warmer zijn*. Begrijp je? Begrijp je het, John? In die tijd moeten overal in Europa schilders hebben bedacht dat het in een herberg – een café dus – warmer zou zijn. Drommen mensen die naar een café gingen omdat het er warmer zou zijn. Wellicht dat hun leerlingen die gewoonte zelfs voortzetten – nee, geen traditie, alleen een gewoonte – omdat ze het daar warmer zouden

hebben... Maar hún leerlingen of de leerlingen van hun leerlingen...'
Marks stem werd dieper en trager. Hij blies lucht uit zijn opgeblazen wangen. 'Zij gaan naar cafés omdat het is wat schilders doen. Begrijp je het
nu?' vroeg Mark John op de man af, en in zijn hart durfde hij nauwelijks
te hopen dat John of iemand anders – vriend, geliefde of vreemdeling –
Hendrik Müller ooit als een held zou zien, een man die had gehandeld
zonder het drukkende verleden, een gouden tijdperk waarnaar je verlangt, ook maar een blik waardig te keuren. Mark kon amper de woorden
vinden om voor zichzelf uiting te geven aan het adembenemende belang
van Hendrik Müller. Zich thuis te voelen. Vrede te hebben gevonden. Te
weten dat je verlangens werkelijk die van jezelf zijn en niet onbedoeld,
onvermijdelijk, slechts de verlangens van je reeds lang overleden voorouders of, erger – het ergst van alles – de bedrieglijke beïnvloeding van Gewoonte, Stijl, Traditie of Geschiedenis. Ergens naartoe te gaan omdat
het er warmer zou zijn, te leven en gewoon te zíjn. Met de juiste persoon
om de juiste reden, zoals dit moment, zodat zelfs deze plek, dit kruidenierszaakje zonder historie trots kon stralen vanwege het belang van het
verleden, op dit moment, op deze avond. Een laatste poging: 'Van alle
mensen die ik ken, John, zou jij toch moeten inzien hoe opmerkelijk deze
ontdekking is.'

'Ik zie in dat je een volslagen maniak bent, als dat misschien een troost
is.'

XVIII

Toen John de volgende dag het redactielokaal binnenkwam, strooide hij
zijn hallo's om zich heen en schoof achter zijn computer om zijn aantekeningen over het 4-julifeest van de ambassade uit te tikken. *Ze verlangden
veertig jaar naar vrijheid*, schreef hij en toen staarde hij naar deze onmogelijk
bondige en van inzicht getuigende zin en naar de knipperende cursor op
het scherm. Beurtelings betreurde en genoot hij van de frequentie waarmee Emily zijn hersens binnenstormde, iets relevanters verdrong en
hem uitdaagde. Zijn kaken ontspanden zich en hij staarde naar de onvoltooide, ongelofelijke generalisatie op het beeldscherm. De cursor knip-

perde steeds trager, loom en aritmisch, een incidentele zucht. Knipper. Zijn handen rustten roerloos op het toetsenbord totdat hij terugdacht aan Emily in haar toga, de nachtelijke geuren op straat, haar gesloten ogen toen ze met hem danste, haar snelle vlucht met de Julies, en zijn vingers typten geheel vanzelf: *asdjkl*, wat de cursor weer deed hijgen als een op bloed beluste hyena.

'Ik vind dat jij en ik vandaag maar eens moeten gaan lunchen.'

De gespannen stem was van Karen Whitley (Kunst, Restaurants, Uitgaansmogelijkheden, afhandeling Gevraagd-annonces). Ze zat aan de computer naast hem en hing de telefoon op. Hij schrok zo van het geluid dat hij begon te typen.

Ze verlangden veertig jaar naar vrijheid, asdjkl; en gisteren zagen uitverkoren leden van de tot voor kort onderdrukten ons twee eeuwen vrijheid en vrije markten vieren als de energieke ouwe professionals die we zijn. Rood-wit-blauwe taart en prietpraat, die natuurlijk de weldaden van de vrijheid zijn. Toch was er deze week tijdens de jaarlijkse viering van de 4de juli enige wederzijdse twijfel te bespeuren. De gedachten van de Hongaarse VIPs waren gemakkelijk te lezen: 'Is dit nu alles, na al onze opofferingen? Is dit wat we leerden vrezen, maar wat we gevoelsmatig heerlijk vinden? Is dit alles?' En aan de andere kant van de scheidslijn: 'Wat hebben we de laatste tijd gedaan om zo'n taart te verdienen? Als er rebellie tegen een tiran voor was vereist, zouden we het in ons hebben?' Welke kant was vermoeid? Welke was gereed voor de toekomst? Wie had er gewonnen? En wat volgde daarop? Zijn dit al duizend woorden? asdjkl;lkjfdsadfjkl;lkjfdsasdfjkl; ik voel een groot inzicht komen, ik voel een groot inzicht komen, daar komt het…

'Laten we gaan lunchen als je daarmee klaar bent', zei Karen nog eens, maar dit keer zat ze niet aan de telefoon.

Karen Whitley had zich aan John voorgesteld op zijn eerste werkdag, slechts enkele ogenblikken nadat hij tevoorschijn was gekomen na zijn martelende gesprek met de hoofdredacteur. Ze leidde hem rond door het kantoor en deelde haar geheime ontdekking (uit vertrouwelijke bron) met hem dat Hoofdredacteur (die zoals goed ingewijden wisten het bepaald lidwoord had laten vallen), ondanks zijn Australische accent uit Minneapolis kwam, journalistiek als bijvak had gedaan en de tweede zoon was van een van 's werelds rijkste fabrikanten van kantoorspullen. 'Deze kleine onderneming wordt gespekt door elektrische nietmachines', onthulde ze, ratelderatel, op de topsnelheid van de voormalige-middelbareschoolkampioen-debatteren die ze was. Het volgende moment gaf ze

John een arm om hem voor te stellen aan de andere werknemers, als de gastvrouw op een fantastisch feest. De rest van hun gesprek volgde toen een patroon dat, hoewel het die dag relatief nieuw voor John was, komisch vertrouwd werd toen het voorjaar in Boedapest in de zomer overging: hoe ze op dit rare moment in de geschiedenis op deze rare plek waren terechtgekomen, wat ze van hun uiteraard tijdelijke baantjes verwachtten, wat de dromen waren die ze voor hun leven in deze onverwachte periode van mogelijkheden koesterden – hetzelfde uiterst persoonlijke gesprek dat John voortdurend met expats zou hebben, vaak onmiddellijk voordat hij ze nooit meer zou zien. En sinds die eerste dag van enthousiaste wederzijdse openheid beschouwde John Karen inderdaad als weinig meer dan een stuk sprekend meubilair.

Nadat hij een bruikbare, zij het wat rammelende, pompeuze opzet had gemaakt, zat hij met Karen in een restaurant in de buurt van de redactie, een van de tientallen oude staatsbedrijven die op trage wijze allemaal dezelfde kost serveerden, die er maar net mee door kon. De collega's zaten achter een geleide-economiesalade en vijfjarenplanpaprika's, en John mengde zich slechts af en toe in Karens vurige monoloog. Ze had erg weinig gespreksbrandstof nodig om haar ketel op stoom te houden. Hij luisterde en mm-hmde. Ze beschreef haar jeugd in New York, haar studietijd in Pennsylvania, en vertelde iets over een Hongaars vriendje. Nee, niet echt een vriendje, 'een korte ontmoeting', verzuchtte ze, de wereld moe, terwijl ze een vorkje rood-oranje kip vlak voor haar mond liet zweven. 'En ik begin te denken dat dat het enige is waar Hongaren goed voor zijn, weet je? Dat móét je weten. Ik zie het aan je. Jij weet het. O, zeker weet je dat. Luister naar dit voorbeeld van verlichte Magyaarse mannelijkheid. Dit is een waar verhaal: het overkwam een vriendin van me. Uit het leven gegrepen. Ze is met een man en ze zijn elkaar aan het uitkleden als hij zegt: "Wat ruik ik toch?" En mijn vriendin denkt: o, geweldig, hij houdt van mijn parfum. Ze heeft haar hele lichaam bestoven met vanille bodyspray. Wat naar mijn idee een beetje zoet is maar wel aantrekkelijk. Dus zegt ze: "O, dat is vanille", of iets in die trant, waarop hij zegt, ongelogen, waarop die man zegt – en je moet bedenken dat het hun tweede afspraak is en pas hun eerste keer, dus dan zou je toch verwachten dat zo'n man haar een beetje ontziet, nietwaar? Hij zegt: "Vanille?" Karen imiteerde een behoorlijk Hongaarse tongval: ' "Vanille? Hoor eens, ik heb zin om met een vrouw te neuken, niet met een zak snoepgoed. Ga douchen."

Hij zegt: "Ga douchen." Kun je het je voorstellen?'

'Een zak snóepgoed neuken?'

'Precies. Mijn vriendin wil hem dus op straat zetten, maar voordat hij bij de deur is krijgt ze nog een hele preek over de Amerikaanse angst voor het lichaam en zijn natuurlijke geurtjes blablabla, je kent dat ouwe liedje wel. Nou, mijn vriendin belde mij bliksemsnel, meteen, ze liet er geen gras over groeien, en we lachten ons helemaal slap, zo van wat kan het ons verdommen. Maar ik heb haar gevraagd of ik die zin in mijn film mag gebruiken, en ze zei dat ik dan wel zijn volledige naam moest gebruiken.'

Terwijl ze doorsnelde naar een naburig terrein, een discussie over het scenario dat al uit haar Hongaarse ervaringen was voortgekomen, uit het fantastische, fantástische materiaal waarmee ze dagelijks in aanraking kwam, over haar aantekenschriften, dat ze er goed op lette dat Hoofdredacteur haar er niet aan zag werken, dat ze in een café schreef en een salon wilde beginnen, en...

En daar stond Emily met één enkele druif tussen haar tanden. Ze beet er zo hard op dat hij bijna barstte. De schaduwen van de haard streelden haar armen en dansten over haar nek. Ze maakte de schouderknoop van haar toga los...

'Want iemand moet die generatie van ons toch vertellen waar het allemaal om gaat, snap je. Staan we ergens voor? Of ergens tegen? Nou, ik kan je vertellen dat ik er helemaal voor in ben: ik ga dat gesprek nu aanzwengelen, in deze film. Dat is waar het allemaal om gaat – om óns – om onze generatie, want nu is het onze tijd, we kunnen niet langer wachten, wij moeten gaan herdefiniëren voordat iemand anders – ouder en al corrupt – het voor ons gaat doen. We moeten stelling nemen, weet je, en zeggen: "Hé, dát is niet wat we denken, dít is wat we denken..."'

Emily's hand streek over haar borst en speelde met de laatste gekruiste eindjes van de verdwijnende knoop van het afglijdende laken. Het geluid van het vuur zwol aan, alle geknisper en geknetter vulden de kamer...

'Vraag het me maar. Ga je gang, vraag het me maar. Ik zal het je vertellen: de laatste keer dat een generatie zich in onze situatie bevond was in 1919. Dat is een feít; dat is een socio-historisch feit. Je kunt het aantonen. Met cijfers. We zijn zo verloren als nooit een generatie voor ons verloren is geweest, en mij bevalt het fantastisch, meneer. Kijk maar naar onze culturele voortekenen, hoe iedere interactie in het kader staat van...'

En de toga – het lint bij haar schouder, het gewaad strak om haar borsten – viel weg, smolt weg, zakte glinsterend van haar buik, alsof een illu-
sionist haar met een onvoorstelbaar geleidelijke zwier van een zich oplos-
sende cape ontdeed, haar hoofd achterover, haar haar weggeblazen door
een krachtige maar oorspronggloze wind…

'En trouwens, deze krant wordt tijdens ons leven echt niet winstgevend. Dat is een gratis tip. Hoofdredacteur is stapelgek als hij denkt dat
hij rijk kan worden met dit sufferdje.' Ze rekende af met de kelner. 'Nee,
echt, dit keer betaal ik. Jij mag de volgende keer.' Ze tikte met haar koffiekopje tegen haar tanden. 'Trouwens, er kan toch echt niet van je verwacht
worden dat je tot in lengte van dagen voor een expatkrant schrijft, vind
je wel? O, dat doet me eraan denken dat ik iemand van thuis ken die nu
in Praag woont, de bofkont, en hij probeert een bedrijf op te zetten dat
bevroren toetjes maakt in de vorm van Proust en Freud, en van vélocipè-
des, en die heten Fin-de-vél-ijsjes…'

Geheel naakt nu achter de lange lage tafel beet ze in de druif en slikte
hem door met het allergeringste optrekken van een mondhoek. Ze
wenkte hem…

Ze stonden van tafel op. 'Bedankt voor de lunch', zei hij.

Karen glimlachte en probeerde niet in lachen uit te barsten. Met een
knikje van haar hoofd en opgetrokken wenkbrauwen keek ze omlaag.
'Ik hoop dat die voor mij is.' Ze zette grote ogen op. John droeg een
boxershort onder een wijde kakibroek.

XIX

Een microscoopset voor een kind: een objectglaasje en een dekglaasje.
Het objectglaasje: een rechthoek van glas ter grootte van een pleister en
de dikte van een kwartje. Het dekglaasje: een vierkantje van glas met de
vorm en dikte van een postzegel. Om de microscoop te gebruiken drup-
pelt het kind wat vloeistof op het objectglaasje en drukt er vervolgens
het dekglaasje op. Het dekglaasje schuift over het oppervlak van het objectglaasje, door de vloeistof gescheiden van zijn vaste ondergrond, en
glibbert en schuift weg als het kind de twee stukjes glas stevig op elkaar

wil drukken zodat ze aan elkaar blijven zitten. De twee glaasjes drijven zo dicht bij elkaar als maar mogelijk is, zonder elkaar feitelijk te raken, maar zweven een celdikte van vloeistof uit elkaar.

John kon zich niet losmaken van deze herinnering tijdens zijn eerste, korte seksuele gemeenschap, vlak na de lunch op 5 juli 1990. Hij werd krankzinnig – van begeerte, ja, maar ook bijna tot tranen toe gefrustreerd. Is dit alles? dacht hij, ook terwijl hij krampachtig handenvol Karen vastgreep. Kunnen twee lichamen niet dichter bij elkaar komen?

Tegelijkertijd stond hij er versteld van hoeveel iemand woog, dát ze iets woog. In zijn fantasie waren vrouwen gewichtloos en oneindig plooibaar geweest. Je kon ze optillen, omrollen, en doorschuiven van het ene seksuele tableau naar het volgende, van de ene heupstotende wrijving naar de andere. Maar in plaats daarvan was er deze overvloed aan zwaartekracht – een andere, meer verdichte planeet precies ter grootte van een bed. Lichaamsdelen raakten bekneld, er werd aan haar getrokken, de toegang was geblokkeerd, er waren muren om tegenaan te stoten, lakens spanden samen om het hem lastig te maken, er piepten beddenveren om hem af te leiden en te bespotten. 'Ik vind het lekker als je vloekt', zei ze, en ze begon zomaar terug te schelden.

Hij lag onder haar staande naakte gestalte, met aan weerskanten van hem een voetje dat op het matras drukte. 'Zo, jíj was uitgehongerd, John Price. Je hebt zeker een hele poos niet gegeten? We zullen je onder handen moeten nemen. Bijvoorbeeld: kanaliseer dat enthousiasme een beetje.'

Ze sprong op en neer met haar voeten krap vijf centimeter van zijn heupen. 'Wat heerlijk om met al dat enthousiasme te mogen spelen, John Price! Ik kan je zoveel verrukkelijke dingen bijbrengen! Heerlijk!' Sprongetje. 'Heerlijk!' Sprongetje. 'Heerlijk heerlijk heerlijk!' Sprongetje sprongetje sprongetje.

Emily stond bij de open haard, nu helemaal naakt (met details die hem nu pas opvielen), maar ze bedekte haar borsten met gekruiste handen. Ze glimlachte zelfgenoegzaam om de stoute, zwakke John. Met gespeelde teleurstelling trok ze een pruillip, snifte een niet-bestaande traan weg, liet toen haar handen vallen en wenkte hem nog eens…

'Ben je er alweer klaar voor?' Sprongetje. 'O ja, ik zie het al!'

Karen ligt op haar zij te slapen, met haar rug naar hem toe. Het laken plakt en imiteert vier benen. Werk is erg ver weg, en Emily ook. Hij steunt op een elleboog. Met zijn ogen volgt hij de meest opmerkelijke

ontdekking van de dag: de landschapsglooiing van haar zij, vanaf de onderkant van haar ribbenkast tot aan de bovenkant van haar heup. Het namiddaglicht heeft zich verzacht. Er ligt een gelijkmatige lichtgrijze schaduw over de kamer die hij nooit eerder heeft gezien, alsof er onlangs een
geheel nieuw soort licht is ontdekt. Als hij over haar verwarde haar en
trage ademhaling kijkt, kan hij over de hele straat uitkijken. Op een
straatbreedte en een halve slaapkamer afstand, in een onlangs opnieuw
geschilderd negentiende-eeuws blok woningen, dat fel wordt beschenen
door de zon die ergens boven het huis van Karen hangt, plant het gedrongen bovenlichaam van een vroegtijdig verouderde Hongaarse vrouw de
ellebogen op de vensterbank, buigt zich naar voren tot in het felle schijnsel, in een geheel ander soort licht (en wereld), en bekijkt het straatleven
vijf verdiepingen lager. De vrouw duwt een verdwaalde pluk grijs haar
terug en neemt een slok uit een hoog glas. Ze lijkt iets te betekenen. Er
trekken nieuwe geuren door de lucht die zich vermengen met vertrouwde: shampoo, deodorant, vanille. Een vlieg is de woning weten
binnen te komen, maar kan de weg naar buiten niet vinden, hij danst
met zichzelf op de spiegel, maakt dan voetsporen van lippenstift over de
rand van een glas en begint door warme limonade te waden. Zou dit gevoel je altijd bijblijven? vraagt John zich hoopvol af. Hij heeft zo dadelijk
een afspraak met Scott. Hij kan zich niet herinneren waar hij zijn horloge
heeft neergelegd.

XX

De gebroeders Price liepen langzaam door de Boedastraat waar platanen
langs stonden. 'Ik heb behoefte aan een verse lading zuurstof', zei Scott,
en daarom liepen ze zwijgend in de richting van het Margaretha-eiland.
John liet een sigaret onder en over zijn knokkels langs draaien, van vinger
naar vinger, een trucje dat hij in de achtste klas met een ballpoint had geleerd. Ze liepen verder, langs het Moskouplein en de marktkramen, staken de tramrails over en liepen door het verkeer van de Mártírok utca.
Het busstation, de haltes van de metro en de tram en de groentestalletjes
gaven hun iets te doen met hun ogen.

'Hoe is het met Mária?'

'Ze maakt het goed.'

'Heb je een vuurtje voor me?'

'Doe niet zo raar.'

De middagsmog knabbelde aan zijn neusharen, en Scott bracht af en toe zijn hand omhoog om zijn mond te bedekken. John beklopte zijn zakken om te voelen of zich ergens een lucifersdoosje ophield. 'Hoe zit het met jullie?'

'Met jullie?'

'Met jou en Mária, de allerliefste tortelduifjes van de hele Duivenstad?'

'Hoe het zit? Ik weet het niet. Moeilijk, moeilijk te zeggen.'

'Is ze joods?'

Scott liet een onaangenaam lachje horen. 'Ik heb geen idee. Wel een kanjer van een vraag, broertje. Ik zal het je zo snel mogelijk laten weten, dan kun je mamma verslag uitbrengen over Scotty's laatste vergrijpen, jij hufterige klootzak.'

'Denk je dat echt?'

'Nee, natuurlijk niet, waarom zou ik? Zulke dingen raken me totaal niet, jochie.'

Johns verdikkende tong werd door verlamming bekropen. Hij had Karens huis verlaten en was lopend naar de overkant van de rivier gegaan om zijn broer op te halen voor weer zo'n gekunsteld, oppervlakkig, eigenaardig, nutteloos wekelijks etentje waartoe hij het initiatief had genomen, en al die tijd was hij op de draaischijf bezig geweest een simpele uitspraak vorm te geven en glad te strijken die hij tegen Scott zou kunnen doen – een vochtige, plakkerige bekentenis over verwarring, eenzaamheid, opwinding, angst en trots. En toch kon hij nu de vochtige kleipot die hij met zoveel liefde had gefabriceerd niet vinden. Er wilde geen zin in hem opkomen. Geen van zijn gevoelens was de moeite van de inspanning waard om zelfs maar één lettergreep uit te brengen, en alles wat Scott uitstraalde maakte hem duidelijk dat hij zijn mond moest houden. Hij voelde zich dramatisch toen hij Karens woning verliet, zijn ogen samenkneep en zijn zonnebril opzette, hij was ingenomen met zichzelf op haar boulevard toen de auto's meevoelend gelijktijdig kuchten en de architectuur bijna zo belangrijk leek als Mark zo waanzinnig volhield, hij had een nogal lachwekkend spijtgevoel over de belachelijke principes die hij had laten varen, een dwarsstraat verder vroeg hij zich af wat dit voor hem en Emily

betekende (werd ze er met terugwerkende kracht door naar beneden gehaald of toonde het haar relatieve belang aan, werd ze er betekenisvol of
onbeduidend door, was hij oppervlakkig of mannelijk, had hij zich sterk
gemaakt of had hij iets vergooid wat van onvervangbare waarde was, en
waar haalde hij die antieke opvattingen vandaan), vlak bij de nieuwe Bur-
ger King aan het Octagon moest hij ineens nota bene de neiging om in
tranen uit te barsten wegslikken, een neiging die ten slotte werd omgezet
in een nogal geforceerd brok gelach toen hij de Kettingbrug overstak, tussen de brug en Scotts school twee keer stopte om stomme grappen op
Emily's antwoordapparaat achter te laten, toen hij de deur van de school
opendeed, hoopte hij dat Scott alles zou verklaren, ook al wist hij dat Scott
dat natuurlijk niet zou doen, maar goed, nu hij van de Margarethabrug
op het Margaretha-eiland stapte en het voetpad volgde naar een groen
veld, waar een groep jongens aan het voetballen was, voelde hij alleen
een steeds groter wordende drang om iets ondubbelzinnigs uit zijn broer
los te krijgen, wat dan ook, zelfs woede: 'Je bent dus verliefd op Mária?'

'Dat klinkt als de aanzet tot een liedje uit *West Side Story*.'

De kinderen deden al struikelend hun best om de voetbal onder controle te brengen. 'Heb je haar familie al ontmoet?'

'Zit je me nou in de zeik te nemen, John? We kennen elkaar feitelijk
nog maar net, ja? Dus hou erover op.'

Schoppen, missen, vallen, knie beetpakken en pijnlijk gezicht trekken,
opstaan, richting doel rennen om in positie te staan voor mogelijk heroïsch doelpunt. Daar wachten, in neus pulken. 'En hoe ís het? Hoe voelt
het?'

'Hoe het ís?' Scott krabde aan een oor. Hij keek naar de wedstrijd. 'Het
is als een voorjaarsbui. Het is als Rome onder de sterren. Logeplaatsen
bij de première. Je naam horen roepen in een volle kamer.'

'Dat klinkt serieus.'

'O ja, bloedserieus. Psychologisch complex. Moeilijk Frans filmgedoe.
Verpletterende lang uitgesponnen ruzies. Veel dreigementen. Het zal allemaal wel in tranen eindigen, maar om de een of andere reden kunnen
we elkaar ook niet loslaten.'

'Klinkt leuk.'

'Dat ook. Vrolijk. Geschift. Mesjogge. Zoenen in de regen. Broodkrui-
mels strooien voor de duiven. Je weet wel, we hebben de hele wereld in
onze macht.'

'Dus je bent best gelukkig?'

'Verschrikkelijk. Nooit geweten wat het woord betekende, tot nu. Ik heb er nooit iets van gezien, nooit geroken, nooit enig idee gehad, maar nu licht ik van binnenuit op, weet je, alsof ik een nachtlampje in mijn buik heb dat opgloeit tot aan mijn gelukkige hoofd aan toe.'

'Het moet een kanjer van een vrouw zijn.'

'Het zout der aarde. Kan met haar charme de vogels zo uit de boom laten neerdalen. Ik kan niet anders dan van haar houden. Pit en lef, klatergoud en teflon. Dat is die vrouw van me.'

'Seks zal ook wel vrij bijzonder zijn.'

'O ja. Pervers. Liefdevol. Twee zielen die versmelten. De diepste band. Taal zonder woorden. Terug naar Eden.' Scott wreef in zijn ogen. 'Eenheid van lichaam en ziel. Kwetsbaar, onveranderlijk, noem maar op. Pfff… geheimen uit het oosten. Technieken van verloren gegane perkamentrollen. Wat wil je precies van me?'

'Niets. Laat maar zitten.'

'Afgesproken!'

De voetbal ontsnapte aan de zwakke greep die de kinderen erop hadden en rolde naar het bankje van de broers. John schopte hem het spel weer in. Een minuut later rolde hij eindelijk tussen twee hoopjes windjacks door aan de andere kant van het veld, en het jongetje wiens voet hem toevallig het laatst had aangeraakt rende in een grote, opgetogen cirkel rond op zijn kleine beentjes. Hij stak zijn vuist in de lucht en zwaaide met zijn wijsvingertje terwijl hij de bedwelmende maar onhoorbare juichkreten van het Wereldbekerpubliek in zich opnam. *Magyarország! Magyarország!* riep het kind toen het zijn ronde door het stadion had voltooid. Zijn ploeggenoten omhelsden hem en hesen hem wankel op hun kleine schouders voor nog een ronde. De broers voegden hun vier handen toe aan het applaus.

'Dat is precies zoals ik me de hele tijd voel', zei John.

'Ja, het zit in de genen.'

Ze staken over naar Pest en liepen langs de rivier naar de Blue Jazz. De club was in de afgelopen week uitgebreid met een portier; hij vroeg de broers iets in het Hongaars. *'Nem beszélek magyarul'* zeiden de gebroeders Price; ze spraken hun standaardbegroeting gelijktijdig verkeerd uit.

'Goed. Amerikanen?' vroeg de uitsmijter in het Engels. 'Dineren en muziek?' bromde hij terwijl hij hun entreegeld in ontvangst nam.

Terwijl de ruimte langzaam volliep, was de nieuwe huispianiste van de nachtclub aan het spelen. Op het handgeschreven schoolbord dat buiten stond, werd ze slechts aangekondigd als NÁDJA. Ze zag eruit als zeventig, een magere, broze vrouw in een zwierige rode japon, die haar weliswaar goed paste, maar dat al vele jaren deed. Toen ze zich wat op haar muziek bewoog, leek ze op een exotisch wezen in een aquarium, een felgekleurde baan rafelige stof, die in haar eigen privé-stroming zweefde en zwierde. Op de gebarsten pianoklep vol met kringen stond een asbak en er lag een pakje Mockba Reds met een zilveren aansteker ernaast. Ze speelde een vreemde, eindeloze medley die tussen decennia en stijlen heen en weer schoot: nu eens een jazzritme dat voor iedereen herkenbaar was, 'All of Me', gespeeld op een uiterst traditionele manier met lichte improvisaties in de stijl van die tijd, dan weer een oud nummer van Scott Joplin, uit het hoofd geleerd en noot voor noot weergegeven, ineens een bebopwijsje, Charlie Parkers 'Yardbird Suite', met een vaardige bopsolo van een paar refreinregels, 'Watermelon Man', een jazz-funkmelodie uit de jaren zestig, met het gebruikelijke, swingende jazzy pianospel van het oorspronkelijke album en Dexter Gordons saxofoonsolo omgezet voor haar rechterhand, 'Angel Eyes', 'Everything Happens to Me' en 'The Night We Called It a Day' in snelle opeenvolging, een eerbetoon aan een vergeten songschrijver, een prelude van Chopin die maar ongeveer twee minuten duurde maar met achteloos gemak werd uitgevoerd, toen een Broadwayhit en omdat het 'Maria' uit *West Side Story* was, zetten Scott en John hun keu weg en gingen aan een tafeltje zitten kijken hoe de oude handen op de oude toetsen tikten en hamerden.

Toen de muziek afgelopen was, applaudisseerden de broers in ongeveer dezelfde geest als bij de voetbalwedstrijd. Dit was de eerste reactie die de pianiste had gekregen sinds ze anderhalf uur eerder was begonnen. Ze draaide zich om naar haar fans en boog het hoofd, een gebaar dat John merkwaardig ontroerend vond; het raakte hem met onverklaarbare kracht en betekenis; hij had het gevoel dat dit het antwoord op zijn dag was, op de vragen die hij tegenover zijn eigen broer niet had kunnen formuleren. Een verlepte oude vrouw buigt ironisch voor gekscherend applaus, dacht hij met een rustgevend gevoel. Emily en Karen werden meteen vanuit een verafgelegen perspectief gezien, als op een door de zon beschenen helling, en daar stonden ze prima. John wilde de pianiste heel graag ontmoeten.

De barkeeper zette een schakelaar om en vulde de bar met de rokerige krassen van een vroege opname van Louis Armstrong. Nádja stond op, pakte haar sigaretten en haar aansteker en kwam naar hen toe zweven. John was buitensporig opgewonden, ook al hoorde hij Scott 'o, jezus' verzuchten.

'Ik vermoed dat de heren uit Amerika komen', zei ze met de rasperige stem van een filmster op leeftijd. John stond op en gaf haar een vuurtje. Hij schudde het vlammetje uit, bood haar een stoel aan en stelde zichzelf en zijn broer voor.

Ze liet een trage, dunne stroom rook ontsnappen; conversatie wachtte op haar. 'Een intrigerend stel', zei ze zacht. 'Eén broer joods, de ander Deens. Hoe is dat zo gekomen, John Price?'

Doorgaans was de klank van een stem met een Oost-Europees accent die het woord *joods* uitsprak al genoeg om John te irriteren, maar nu werd hij ertoe verleid het grote verschil te erkennen dat de twintig voorgaande jaren onmiddellijk elk gesprek had doodgeslagen, een uitgekauwd gespreksonderwerp op familiebijeenkomsten. 'Als regel wissel ik nooit verhalen over erfelijkheid uit met een vrouw die ik pas heb ontmoet, zeker niet als ik haar naam niet ken', antwoordde John, toen hij de tijd had genomen om zijn eigen sigaret aan te steken.

Ze stelde hem niet alleen op zijn gemak, maar met haar magere, oude armen tilde ze hem op de een of andere manier hoog in de lucht. Haar verbleekte elegance en rafelende jurk, haar merkwaardige baan, haar charmante manieren en onmiddellijke heerschappij over de situatie, haar glamoureuze directheid: John voelde de angst opflakkeren dat ze hun tafeltje al snel weer zou verlaten en hij deed zijn best om haar daar te houden. Scott zag de verandering bij zijn broer aan en zei heel weinig.

'Heel verstandig, John Price. Maar hoe zit het met de melancholieke Deen? Kan hij het grote verschil verklaren?'

'Ik betwijfel of hij daartoe in staat is', antwoordde John. 'Onze ouders zweren dat ze elkaar levenslang trouw zijn geweest. Wilt u iets drinken?'

'Een Rob Roy zou wel een opkikkertje zijn', zei ze glimlachend. 'Alleraardigst van u.'

Scott stond echter op en greep het excuus aan om aan haar gezelschap te ontkomen. Haar vreemde, ouderwetse, kakkerige Engels, gekruid met het vage accent van Centraal-Europa, irriteerde hem. Het lollige gedoe van John irriteerde hem. Haar jurk irriteerde hem en haar bestelling irriteerde hem. Het feit dat John haar aardig vond irriteerde hem. Alles wat John nog een minuut langer in Boedapest zou houden irriteerde hem. Scott zou zo snel mogelijk weggaan uit de nachtclub; hij was deze wekelijkse broederlijke kwelling toch al zat; misschien zou vanavond het eind van die dwangarbeid markeren. Hij keerde terug met zijn mineraalwater, Johns Unicum en, nadat de barkeeper nijdig een boekje had geraadpleegd dat aan een ketting aan het eind van de bar vastzat, een Rob Roy. Hij hing in zijn stoel en wist te zeggen: 'Dat is een leuke ring.'

De oude hand die de lichtoranje whisky-soda omvatte ging gebukt onder een grote, groen met zilveren knoeperd. 'Het is heel aardig van je, Scott, dat je dat zegt. Een geschenk uit een tijd die onnoemelijk lang achter me ligt. Hij is van me gestolen, teruggevonden, als steekpenning gebruikt en weer teruggekomen. En verder? Even denken... Hij stond heel veel jaren geleden centraal in een chantagezaak. En hij duikt op aan de hand van een Franse gravin op een vreselijk middelmatig schilderij van tweeënhalve eeuw geleden, dat je nu nog steeds kunt zien in een zeer drukke zaal in het Louvre. Ik weet dat dit wel een beetje als een paardenmop klinkt, maar er is me verzekerd dat het waar is, door een zeer grote autoriteit.' Ze stak haar hand uit en liet een keurende blik over de ring gaan. 'Wat een vreselijke wansmaak, vind je niet?'

En een vreemde stilte in het gesprek. Ze lachte naar de twee jongemannen, met eerder iets minzaams dan iets uitnodigends, en keek hoe ze haar aanval van onwaarschijnlijkheid doorstonden. De broers moesten er allebei om lachen – twee totaal verschillende geluiden – en aan de hand van de dissonante klanken wist ze al wie van hen haar die avond meer gespreksgenot zou bezorgen, nog voordat John zei: 'Waarom vermoed ik toch dat u degene was die chanteerde?'

'John Price, je bent een impertinente jongeman en ik denk dat ik je enorm graag zal mogen. Misschien zal ik je vraag beantwoorden nadat we hebben gedineerd.'

'Ik ben heel blij dat je ons die eer wilt bewijzen.'

'Een persman', zei ze, bij de paprikás en de champagne. 'Ben je een dappere buitenlandverslaggever die staat te trappelen om verslag te doen van de frontlinie tijdens onze volgende, onvermijdelijke sovjetinvasie?'

'Meer een societycolumnist, eerlijk gezegd. Een historicus van het moment.'

'Kostelijk. En prins Hamlet?'

'Ik geef Engelse les aan de wilden hier.'

'En we zíjn wild, vind je niet?' Nádja draaide een lok grijs haar om een lange, gerimpelde vinger, een gebaar dat de helft van de mannen aan tafel grotesk en de andere helft onverklaarbaar charmant vond.

Ze zei dat ze half Hongaars was, geboren in Boedapest, in het paleis op de Burchtheuvel nog wel, hoewel daarover verder geen bijzonderheden werden verstrekt. 'Maar ik heb hele periodes elders gewoond. We hebben de uiterst ongelukkige gewoonte om bij de verkeerde kant van wereldoorlogen in het gevlij te willen komen, is het niet? En dan komt er een invasie van onze Russische vrienden om ons te laten boeten voor onze zonden. Ik werd telkenkere gedwongen me aan te sluiten bij de club van refugiés. Toch kom ik terug. En nu is er een invasie van aantrekkelijke jonge mannen uit het Westen, die in de krant over ons schrijven, ons hun schraperige, veel te ingewikkelde taal komen bijbrengen en ons betere gymnastiektoestellen willen verkopen. Op onze indringers!' Ze hief de fluit champagne die ze John had voorgesteld.

'Op jullie indringers.' Eén lid van de binnendringende horde stootte haar glas aan.

Scott kwam tot de slotsom dat Nádja deed denken aan een gastvrouw in een herensociëteit, en dat ze commissie kreeg op te hoog geprijsde drankjes en gerechten waartoe ze haar gasten verleidde. Maar als lokaas leek ze bestemd voor zo'n microscopisch specifieke smaak, dat hij zich afvroeg hoe ze in vredesnaam iets kon verdienen. Hij nam het gezicht van zijn broer op wanneer zij aan het woord was, en andersom.

'Met diverse leden van diverse families heb ik mijn land in 1919 verlaten, ben teruggekomen in 1923, ben weer weggegaan in... 1944, ben teruggekomen in 1946, ben wederom vertrokken – ja, alweer, het is nogal een verslavende gewoonte – in 1956 en ben vorig jaar pas weer teruggekeerd. En ik vind dat ik voor één leven wel genoeg over de wereldbol heb rondgezworven.'

'Bent u elke keer alles kwijtgeraakt?' vroeg John met onverhuld ontzag.

'Geld kon je verplaatsen of verstoppen, zelfs in die donkere tijden, John Price... Maar op een keer' – ze lachte zacht en prikte voorzichtig een stukje kip paprikás aan haar vork – 'op een keer hoopte ik – o, dit is een lang en gek verhaal. Ik moet iets verder terug beginnen. In 1956 woonde ik tien jaar in Boedapest. Ik was getrouwd met een heer met uitmuntende

omgangsvormen en beschaving, maar hij was in dat jaar bij het anti-sov-
jetgeweld betrokken geraakt. Toen de Russen besloten voor eens en altijd
met ons af te rekenen, kozen mijn man en ik voor een haastige aftocht.
We hadden dat al te lang uitgesteld, ongeneeslijke optimisten die we waren.' Ze nam een slokje champagne. 'We moesten met enige haast naar
de Oostenrijkse grens zien te komen, maar met hoeveel haast was niet helemaal duidelijk. Over het mogelijke verlies van geld maakten we ons
geen zorgen; ik kon altijd pianospelen. We hadden *quand même* niet zo
erg veel te verliezen. En ik ben geen sentimentele vrouw, John Price, dus
door het verlies van oude foto's of prullaria op de schoorsteenmantel werd
ik niet tot tranen bewogen. Nee, mijn man en ik betreurden maar één
ding. In de jaren dat we samen waren, hadden we een behoorlijke bibliotheek en een grote collectie grammofoonplaten opgebouwd, en dat waren in die tijd geen makkelijk verkrijgbare zaken. Gasten hadden oordeelkundig geschenken voor ons meegebracht, want ze kenden onze smaak.
We hadden vrienden die in een boekhandel werkten, we kenden iemand
die zakelijk leider van het symfonieorkest was en daarmee op tournee
ging, anderen maakten bandopnamen van jazzmuziek van de Amerikaanse radio. We waren erg trots op ons huis: boeken in het Hongaars, Engels, Duits en Frans, opnamen van jazz en klassieke muzieken.' Terwijl
ze tegen de zijkant van haar glas tikte, zwierde en danste er een parelsnoer
van belletjes door haar drankje. 'We konden niet de hoop koesteren, en zeker niet op zo'n laat tijdstip, onze schatten mee te nemen als we het land
uitgingen. Hongarije sloot al zijn grenzen, elke opening in zijn huid, in
een razend tempo. We moesten het lot aanvaarden dat onze schat zou worden geroofd en dat betreurden we heel erg. Maar mijn knappe echtgenoot
was slim tot op het allerlaatst. Hij had namelijk een idee omdat... nou ja,
ik vrees dat ik jokte toen ik zei dat ik niet sentimenteel was. Ik ben echt
een onverbeterlijke leugenaar, John Price. Dat is een vreselijke karakter-
fout en die moet ik corrigeren. Dat zal ik binnenkort doen. Jij zult me helpen. Maar in die tussentijd moet je geen woord geloven van wat ik zeg.
Dus, ja, hij zag me huilen – het is lachwekkend het nu te zeggen – om *Alice
in wonderland*. Niet om de bijbel, Petőfi of Arany of Kis, niet eens om Tolstoi. Ik kon het niet verdragen mijn *Alice* te verliezen. Hij zag me op de
grond zitten terwijl ik het vasthield als een baby – en dat was waarom ik
was begon te huilen – ik had dat boek in mijn handen en een plaat van
Charlie Parker, die "Blues for Alice" heette. Eerst moest ik lachen – ik

had die twee nog nooit samen gezien. Ik zei voor de grap tegen mezelf dat die song over het boek ging, en toen zat ik te huilen, en mijn man, die kleren bij elkaar zocht voor onze vlucht, trof me daar aan terwijl ik me als een erg dwaas klein meisje aanstelde. Hij berispte me niet omdat ik tijd zat te verdoen. Hij begreep meteen waarom ik huilde, en hij zei wat we zouden doen, en dat hebben we gedaan. We zijn een hele lange nacht bezig geweest een catalogus te maken van onze literatuur en muziek. Van ons leven en onze genoegens. We namen de pen om beurten ter hand. Een van ons somde alles op, de ander schreef. Je moet denken aan dit mooie tafereel, John Price, want het was heel mooi. Er rollen tanks door de straten van je stad. Waar jij bent opgegroeid, waar jij en onze Scott jongens waren geweest. Waar je verliefd werd en je eerste vriendinnetjes kuste. Nu ligt die straat aan flarden, is in stukken gescheurd, doordat tanks erg zwaar zijn, weet je, veel zwaarder dan gewone automobielen. Deze tanks zijn op je straat en er zijn jongens, niet veel ouder dan kinderen, veel jonger dan jij nu bent, die flessen benzine naar de tanks gooien! Er weergalmen explosies door de straten waar je vroeger speelde – wat zou je gespeeld hebben? Is het honkbal? En achter een verduisterd raam zijn mijn man en ik bij kaarslicht aan het krabbelen en fluisteren. Luister naar ons: ik noem zo snel op als hij kan schrijven, soms kort hij dingen af, en ik kus hem en zweer dat ik hem zijn nek omdraai als hij zijn kleine steno's niet kan lezen als we in ons nieuwe huis zijn. Ik som op en maak de stapels boeken en platen terwijl hij ze opschrijft. Ik kan me nog steeds woorden die ik zei herinneren, titels die ik nooit zal vergeten. Soms komen ze zonder aanleiding weer bij me boven: Bach, Brandenburgse Concerten, zes platen, 1939, Berlijns Filharmonisch, onder leiding van Von Karajan. Louis Armstrongs Hot Sevens, 1927: "Willie the Weeper", "Wild Man Blues", "Alligator Crawl", "Potato Head Blues", "Melancholy", "Twelfth Street Rag". Beethovens *Complete muziek voor cello en piano*, Rudolf Serkin en Pablo Casals in Prades, Frankrijk, 1953, drie platen. Wat vind je ervan, John Price? Honderdeenendertig platenalbums, elk lied genoteerd, dirigenten, datums, uitvoerenden, plaatsen. Veertien grote banden met radio-uitzendingen: *Die Fledermaus*, Metropolitan Opera, 1950, onder leiding van Ormandy – een Hongaar moet je weten. Adele, gezongen door Lily Pons; Alfred door Richard Tucker. *Madame Butterfly*, 1952 in La Scala, onder leiding van Tullio Serafin, met Renata Tebaldi die "Cho-Cho-San" zingt. Art Tatum bij het Esquire Concert in het Metropolitan Opera House in

New York City, USA, in 1944 met Oscar Pettiford en Sid Catlett: "Sweet Lorraine", "Cocktails for Two", "Indiana", "Poor Butterfly". Dvoráks "Celloconcert in B Mineur", Pierre Fournier met het Weens Filharmonisch, onder leiding van Rafael Kubelik, 1952. Mijn god, ik kan ze nog zo makkelijk oproepen! En toen driehonderdvier boeken. Alle auteurs, de titels van alle verhalen of gedichten in anthologieën. Goethes *Faust* in twee delen en *De jonge Werther*, in het Duits. Tsjechov, verhalen in het Hongaars. Alle titels, uitgevers, edities, omslagbeschrijvingen, alle...'

'Dat is belachelijk. Dit is volslagen belachelijk', zei Scott, en hij stond meteen op. 'Het is onmogelijk. Het zou zelfmoord hebben betekend. Ik vrees dat je een verkeer...' Maar hij schudde alleen maar zijn hoofd en liep weg van het tafeltje voordat hij uitgesproken was, wijselijk en gezond afziend van een conflict.

Nádja glimlachte naar haar resterende toehoorder en accepteerde een vuurtje van hem. 'Tja, weet je, ik moet je broer gelijk geven. Zeker als ik mezelf die platen hoor opnoemen. Het ís onmogelijk. Het verhaal is heel absurd. Ik moet dergelijke sprookjesverhalen niet spuien.'

'Toe, alsjeblieft. Let niet op hem. We zijn niet eens echte broers.'

'Kletskoek! Doe nooit beleefd tegen me alleen omdat ik zo oud ben als een antieke vaas, John Price. Natuurlijk is mijn verhaal belachelijk. Scott is veel slimmer dan jij, denk ik. Geen wonder dat je zo'n hekel aan hem hebt. Ja, je hebt een hekel aan hem. Maar hij heeft gelijk: welk normaal mens zou geloven dat een ander normaal mens terwijl er bommen ontploffen en de uren tellen zoals ze maar zelden doen, de volgende woorden opschrijft' – ze sluit haar ogen – '*De Iliad, door Pope in het Engels vertaald, stofomslag met gouden bloemmotief, 1933.*' Ze deed haar ogen weer open en gaf klopjes op de rug van Johns hand. 'Je broer heeft volkomen gelijk. Hecht geen geloof aan een oude vrouw die zulke bespottelijke verhalen vertelt. Ze vormt een bedreiging voor je geluk, John Price.' Ze ademde rook uit, en John wenste met heel zijn hart dat Nádja vierentwintig was. 'Maar toch, daar waren we en we deden het. We beseften natuurlijk dat er een risico was, we waren niet gek, we waren alleen opgewonden en ervan overtuigd dat dit het waard was en dat we het zouden overleven en later, ergens anders, dit verhaal zouden kunnen vertellen aan bewonderaars die diep onder de indruk waren, zoals jij, en dat we het genoegen zouden smaken deze collectie weer op te bouwen. Verderop in de straat ontploffen bommen en wij zijn onze *catalogue raisonné* aan het schrijven. We weten niet hoe is de situatie op het platteland. We weten niet of we een uur of een week hebben om Oostenrijk te bereiken. Maar we doen het. Alleen bij kaarslicht staat mijn man – mijn prachtige man – bij de boekenkast, grist de boeken van de plank en leest de titels zo snel op als ik kan schrijven. Ik ken niet zijn steno's. Hij kust lievelingsboeken terwijl hij ze voor de laatste keer op de grond legt. Soms lachen we om wat we doen. We lachten toen we klaar waren met ons schrijfwerk. Hij kuste me. We moesten lachen, John Price. We hadden gewonnen! We redden ons leven, niet alleen ons lachwekkende lichaam, zoals de andere vluchtelingen zouden doen, maar ook ons hele bestaan samen. We spraken over wanneer we een ander thuis zullen stichten in Londen of Parijs of Amsterdam of zelfs in jouw New York City. Elke dag zullen we dit doen: we zullen samen onze nieuwe, vrije dagen doorbrengen met onze lijst in muziekwinkels en boekhandels, en we zullen onze platen vinden en onze boeken kopen tot de lijst tot leven komt. We lachten omdat we ontsnapten met de blauwplannen, het ontwerp voor ons geluk, en als ze ons gebouw opbliezen, als ze onze boeken verbrandden, als ze onze platen zouden laten smelten met hun vlammenwerpers, als ze mijn piano onklaar maakten, zullen ze ons nog niet kwetsen.

Ten slotte verlieten we ons huis met de kleren die we aanhadden en met onze kostbare lijst. Het geheugen is iets merkwaardigs: ik kan me die beschrijvingen van boeken en platen in detail herinneren, maar ik weet helemaal niet meer precies hoeveel bladzijden we meenemen. Ik herinner me een groep papieren, misschien twintig pagina's. Maar soms voel ik het gewicht van honderden pagina's. Ik heb vele jaren gedroomd dat we op de vlucht waren met één enkel vel papier tussen ons in, en dat we beide handen nodig hadden om het gewicht ervan te ondersteunen. Ik zie dat duidelijk voor me als een herinnering, maar ik weet dat dit niet waar is.'

De barkeeper, die een dubbelrol als aankondiger vervulde, introduceerde de band die de hoofdattractie van de avond vormde. Scott kwam terug met een drankje en een opgefriste glimlach en keerde zich om om naar de vijf muzikanten te kijken die het podium betraden. Drie van hen hadden achter Billie Fitzgerald gespeeld, John en Emily hadden ze een rondje gegeven: de Russische tweeling en de Hongaarse pianist. Maar Fitzgerald was nu vervangen door twee jonge Amerikaanse mannen in een zakenkostuum en met een kaalgeschoren hoofd – een zwarte zanger en een blanke saxofonist. Terwijl de band inzette onder de blauwe hemel, de witte wolken en de reeds lang verscheiden helden, kondigde de saxofonist het eerste nummer aan. ' "Beatrice", een prachtig nummer dat door de saxman Sam Rivers werd geschreven voor zijn vrouw.'

Nádja luisterde zwijgend een paar minuten. 'Het is een mooie melodie, niet? En een aloude traditie, geloof ik: schrijf iets leuks, noem het voor je vrouw of geliefde en zweer dat het háár onsterfelijk zal maken. Een bekende leugen, ja? Jullie mannen doen dat allemaal, John Price.'

'Maak het verhaal eens af ', spoorde Scott haar aan. 'Ik voel dat er een ondubbelzinnige tragedie in het verschiet ligt.'

'Is dat wat nu volgt?' mijmerde ze. John verbaasde zich over haar vermogen om de irrelevante Scott te negeren, maar dacht dat ze het verhaal beu was en leek te overwegen of ze het zo snel mogelijk zou afronden of zich er met een grapje van af zou maken. 'Ja, er was een poos een automobiel, toen raakte de benzine op, dus toen lopen in groepjes, toen alleen wij tweeën. En toen werden we aangehouden. Niet zo ver van de grens, weet ik. In een open veld, toen we net uit een bos waren gekomen. Een heel jonge Russische soldaat vond ons en onze lijst en hield ons staande terwijl hij de bladzijden zus en zo om hield en erop wachtte, stelden we ons voor, tot hij in een vlaag van inzicht Hongaars zou leren. Nou, weet je, Russische soldaten krijgen zelden zo'n vlaag, dus na een poosje riep hij ten slotte zijn officier erbij. De officier kwam uit de open militaire auto, de hoe-heet-het, de, de, de jeep, maar hij kende net genoeg Hongaars om als een holenmens te praten. "Wát?" riep hij met zijn hoofd ver voor zijn schouders uitgestoken, zó, en hij zwaait met de papieren, schudde er mee naar ons. Mijn knappe echtgenoot glimlachte naar hem, op en top een heer, bereid om de arme man te laten begrijpen wat het geval was. Hij zei: "Vrienden. Muziek. Boeken." Hij pakte de vellen papier voorzichtig uit de handen van de gorilla en wees op de Russische namen, ook al waren ze niet in cyrillisch schrift. "Kijk", zei hij. "Tsjechov. Toergenjev. Tolstoi. Tsjaikovski. Prokovjev." Hij floot thema's uit de muziek. Onder de sterren zong hij. Hij zong heel goed. En ik dacht: het zal geen probleem zijn, want zijn stem is vast. Ze zullen horen dat hij niet zenuwachtig is en dus zijn we onschuldig en zal er geen probleem zijn en ze zullen ons laten gaan met onze lijst, en als we dit verhaal aan onze nieuwe vrienden in Oostenrijk vertellen, vertellen we het alsof het een auditie voor de Weense opera was. Mijn man wees op het papier en zei met een grappig Russisch accent: "Prokovjev!" en hij floot het thema van *Peter en de wolf*,

en hij deed alsof hij de jager was, deed alsof hij zijn grote donderbus richtte. En de jongen – de soldaat, de eerste militair – begint te lachen. En hij
floot het volgende deel ervan! En we weten dat het nu allemaal goed
komt. *"Da! Da! Kamarad!"* zegt mijn man, omdat de jongen echt een ka-
meraad is omdat hij deze muziek kent. Hij was opgetogen, mijn man,
hij lachte, en ze floten samen de muziek van *Peter en de wolf*! Daar stonden
we met ons vieren, op een smerige weg op het Hongaarse platteland, op
maar een paar kilometer afstand van de Oostenrijkse grens. Maar een paar
kilometer van Broadway, van de Seine. Er was een halve maan. Er waren
de lichten van de auto van de Russen. Daar was ik, en ik probeerde niet
verleidelijk te lijken voor de hongerige Russische soldaten. In 1956 lijk ik
nog verleidelijk, heren.'

'Daar twijfel ik geen moment aan.'

De zanger stapte naar de microfoon, knoopte zijn jasje los en zong boven de zachte akkoorden en de loopjes van de bas uit:

And now I'm lost without you,
Star-crossed without you,
Tempest-tossed, mildewed and mossed,
And not infrequently sauced without you.

'Nog wat champagne?'

'*Köszi*, John Price. Dat zou zalig zijn.'

John trok de lege fles uit de ijsemmer en zijn wenkbrauwen op naar een
serveerster.

'Dus – maanlicht en licht van een jeep en aanminnige, hongerige soldaten en grote boze wolven en kanonnen in de verte, waar zal het allemaal op uitlopen?'

'Je smukt het een beetje op, mijn Deense criticus, als een professor natuurlijk, maar eens even kijken. Ja. Nou, mijn man en de soldaat staan *Peter en de wolf* op te voeren. De officier staat al die tijd onze bladzijden te bekijken, en nu onderbreekt hij hun spel. *"Njet, njet."* Nog fluiten en spelen
ze door. *"Njet!"* En nu houden ze op. "Nee. Waarom?" vraagt hij. Zoveel
Hongaars kent hij. *"Nem. Miért?"* Mijn man stopte. Hij was gekwetst en
hij liet het merken. *"Miért?* Vriend, leven. Muziek. Boeken." Het eenvou-
digste Hongaars dat hij kon opbrengen. De fundamentele elementen.
Toen zei hij hetzelfde in het Duits. Toen in het Frans. Engels. We kenden

geen van beiden Russisch, dus hij hoopte alleen maar een taal te vinden die hij met de officier gemeen had. *"Zene. Musik. Musique. Music. Könyvek. Bücher. Livres. Books."* Ik heb nooit zijn gezicht, zijn stem vergeten. Hij was een engel op aarde. Welsprekend in acht woorden. Hij was' – ze dacht even na – 'een ambassadeur voor leven en schoonheid en kunst. Hij vroeg die achterlijke keuterboeren op te staan uit hun Russische aarde en de beschaving te omhelzen. En als ze naar hem keken, waarom zouden ze dat niet willen? Hij was onvervaard, zozeer een man. Hij wees op mij. *"A feleségem. Meine Frau. Mon épouse. My wife."* Wat kon duidelijker zijn? Minder bedreigend?'

Ze maakte in het Hongaars een praatje met de serveerster die hun borden kwam weghalen en accepteerde nog een fluitglas champagne van John. Ze blies haar rook weg van Scott, raakte zijn hand aan en zwoer dat ze in zijn aanwezigheid nooit meer een sigaret zou opsteken nu ze zag dat hij niet rookte. 'Melancholieke Deen, je moet vergiffenis schenken aan een oude vrouw die jouw mooie roze longen in gevaar heeft gebracht.' De bassist dreunde de laatste akkoorden van een improvisatie.

'Yuri op de bas, dames en heren', zei de zanger bij beleefd applaus. 'Yuri op de bas.'

'Yuri ziet eruit als ongeveer vijftien, nee? Hij lijkt erg op de soldaat die met mijn man mee floot. Nu moet ik een eind maken aan deze lange en saaie herinnering, zodat jullie heren wat tijd kunnen doorbrengen met dames die meer naar jullie smaak zijn…'

'"Wat kon duidelijker en minder bedreigend zijn?"' zei John. Hij draaide de steel van zijn champagnefluit rond tussen zijn duim en wijsvinger.

'Ja, behalve voor deze officier. Je moet je, denk ik, zíjn hart voorstellen, hoe walgelijk die gedachte natuurlijk is. Hij is ver van huis. Hij hoopt zijn steentje bij te dragen aan het in het gareel houden van dit rusteloze hoekje van het Rijk, een hoekje dat immers niet eens Slavisch is, dat het altijd hoog in het hoofd heeft, denkt beter te zijn dan de Polen en Tsjechen en Bulgaren en Russen, en dat – vergeet het niet – nog maar twaalf jaar geleden zij aan zij vocht met de nazi's, dezelfde nazi's, zo moet je je voorstellen, die misschien wel de vader van de officier hebben gedood. Te midden van dit opstandje moet hij zijn plicht doen. Op een verlaten pad heel, heel dicht bij de gevaarlijke grens met het Westen, met diezelfde nazimensen, hij denkt misschien, want nou ja, *Oostenrijkers,* immers. En hier, op dit

pad, komen een jonge man en vrouw aan die alles behálve Russisch lijken
te spreken. En ze hebben een groep papieren bij zich, met een rare indeling en rare aanduidingen, volgeschreven vellen, onwaarschijnlijke, willekeurige lijsten met namen en woorden, waaronder Russische namen.
En na sommige namen van platen staan natuurlijk serienummers. En na
elk boek woorden die een vreemd soort betekenis krijgen in zijn weinige
Hongaars: rode stof, marokijn, goud op snee. Wat kon duidelijker zijn?
Wat kon bedreigender zijn? Ik heb natuurlijk vaak aan deze officier terug-
gedacht. Vermoedde hij echt dat onze papieren codes van geheimen waren? Of haatte hij ons gewoon? Ons Hongaren die niet de moeite namen
om Russisch te leren, maar wel in het Frans en Duits en Engels spraken.
Hongaren die moeilijkheden veroorzaken en er de oorzaak van zijn dat
hij werd weggestuurd van zijn gezin en huis in Rusland om ons tot de orde te roepen. Kende hij mensen zoals wij en haatte hij ons gewoon, ons
mensen die over Tsjaikovski en Toergenjev en Chopin praatten? Of misschien klonk geen van deze namen hem bekend in de oren, en maak ik
van hem een anti-intellectueel terwijl hij iets veel eenvoudigers was. Misschien bevatte zijn hart alleen zijn bevelen: houd iedereen aan, verdenk
iedereen, schiet iedereen neer. Ik weet het niet.'

De muziek veranderde van tempo, en ze begon een sigaret uit het pakje
te halen, maar ze bedacht zich en duwde het witte uiteinde terug in het
verborgene. 'Het spijt me zo, Scott. Sommige dingen herinner ik me niet
zo makkelijk. De hoop sloeg zijn vleugels uit en vloog het volgende moment weg, toen ik hem de papieren zag opvouwen en in zijn jaszak zag
stoppen. Hij blafte iets in het Russisch tegen de soldaat. Hij keek naar
ons en wees op de auto, op die jeep. "Boedapest", zei hij volkomen toonloos. Mijn man knikte meteen en lachte. *"Da. Gut. Ja. Igen, nagyon jó.
Da!"* alsof we waren verdwaald op deze weg en niets liever wilden dan
een rit terug naar de hoofdstad die in lichterlaaie stond. Mijn man lachte
luid, glimlachte naar me en zei in het Engels: "Schat, rennen als ik het
zeg!" alsof hij zei: "Wat een fijne buitenkans, niet? Deze reuze aardige heren gaan ons terugbrengen naar Boedapest!"'

De zanger introduceerde het volgende nummer: 'Een oude song voor
iedereen die de liefde verwarrend vindt als ze komt en nog verwarrender
als ze verdwijnt.'

Nádja trok een gezicht alsof ze iets smerigs rook. 'O, eerlijk, je kunt het
vrijwel nergens over hebben met jazzzangers in de buurt. Alles wordt

vrijwel meteen belachelijk. Ik vertel jullie de rest een andere keer.' De zanger begon te croonen bij ingehouden akkoorden, een insinuerende bas en fluisterende brushes. 'Of wanneer deze sentimentele flauwekul in elk geval afgelopen is.' Scott schoof zijn stoel weg van het tafeltje en liep hoofdschuddend naar de telefoon.

Terwijl de saxofonist een trieste, grillige solo ademde, vroeg Nádja John naar zijn broer en complimenteerde de afwezige Scott zonder enige merkbare ironie. Ze vroeg waarom een man die een filmster of een politicus zou kunnen zijn in plaats daarvan hier was gekomen om 'zijn niet uit te spreken bastaardtaal te onderwijzen aan ons, arme Magyaren'. John had geen antwoord voor haar en besefte pas op dat moment – in aanmerking genomen wat hij jarenlang allemaal van Scott had gewild – dat hij zijn broer of de beweegredenen van zijn broer amper kende. Maar hij vond het vreselijk om tegenover haar toe te geven dat hij van een bepaald onderwerp niets af wist, en daarom zei hij dat mensen die in de Verenigde Staten Engels hadden gestudeerd vrijwel geen vooruitzichten hadden en genoodzaakt waren zelf een soort vluchteling te worden en dat ze in de vier windstreken van de aarde werden ingezet om les te geven in de enige vaardigheid waarover ze beschikten, die proportioneel waardevoller was naarmate ze verder van huis waren. Hij was voldaan toen ze lachte en was weg van de manier waarop ze gelijktijdig rook en geamuseerdheid uitblies.

'Het is opmerkelijk. Hij is hier een Zweed in de Kongo', zei ze. 'Er is altijd wel iets interessants in deze wereld.' Van de tafeltjes steeg applaus op, als plotseling versterkte hartslagen, en de band kondigde het eind van deze set aan. 'Helaas,' zei ze, 'als je me wilt excuseren' – ze stond op – 'ik word aan mijn piano verwacht als het orkest rust.' Zij en haar fluit champagne zeilden naar het podium, als de zonderling gevormde voorsteven van een onzichtbaar schip.

Scott kwam meteen terug, maar ging niet zitten. Nádja begon een snelle 'As Time Goes By', en Scott verfrommelde wat Hongaarse bankbiljetten die hij, één tegelijk, op tafel liet vallen. 'Dat zou mijn aandeel in het theatrale gedoe van vanavond moeten dekken. Ze heeft het verhaal niet afgemaakt, hè? Juist. Ik verwed er twintig dollar onder dat je het eind nooit helemaal zult horen. Ik ga er net op tijd vandoor, jochie. En weet je? Laten we voorlopig maar even stoppen met deze wekelijkse poppenkast, oké?'

'Ik vind het best, baas.'
'Goed.'
'Goed.'
'Goedenavond.'
'Ja.'

XXI

Some girls need their glass of claret,
Or to be draped head to toe in ferret.
And I know ladies who like lunch time
And there are those inspired by tea
And there are those who want to tussle
Only in chalets après-ski.

And some pretty things like the bal musette
Or to hear bandoleons and a castanet,
But my girl need not leave the kitchenette,
As long as she has plenty flaming crêpes suzette.

Sure, I could make her drink before dinner,
But that would never win 'er.
For an ante-prandial brandy'll
Never make this girl a sinner.

Cocaine makes her nose bleed
And reefers make her sleepy.
For cash and jewels she has no greed
'Tis pastry makes her weepy.

Because she's most spectacular
When she is post-jentacular,
She's my after-breakfast girl!
She's my after-breakfast girl!

John werd verwelkomd door boze gezichten en luide muziek toen hij op een ochtend, ongeveer een week later, het gebouw binnenkwam waarin Marks woning zich bevond. Van haat vervulde gezichten zweefden achter opzij getrokken gordijnen, oogleden knepen zich samen achter ramen die ondanks de juliwarmte potdicht waren. Toen hij op weg naar boven de donkere trap opliep, stormden er twee vrouwen op hem af die hem de weg versperden en hem warempel begonnen uit te schelden, hoewel zijn vergrijp uiteraard verhuld bleef in de Hongaarse beschrijving, en zijn bede om vergiffenis zich dom genoeg als buitenlands gebrabbel ver-momde, klanken die zijn aanklaagsters nog meer irriteerden, totdat zij eindelijk hun weg naar beneden vervolgden en ze hun armen naar voren wierpen en hun woedende blikken over hun schouder, in de richting van de overlast.

Op de binnenplaats van het gebouw en in de twee lagen wandelgang eromheen weergalmde merkwaardige, krasserige oude muziek, een charlestonachtig danswijsje uit de jaren twintig, iets over ontbijten. Er zweefden ruis en geluidjes om de tenorstem van de zanger, als sneeuw-vlokken die worden aangetrokken tot een straatlantaarn. John hoefde niet zo heel veel fantasie aan te wenden om te weten waar de muziek vandaan kwam en waarom de bewoners hem de schuld gaven van de overlast: het verraste hem niet dat het geluid aanzwol toen hij bij Marks deur kwam, en hij moest hard op de deur bonken voordat hij werd binnenge-laten. Mark was in zijn ondergoed (boxershort, mouwloos T-shirt), en zijn gezicht was rood en pafferig; John had de indruk dat hij had gehuild, maar nu stond zijn zonderlinge vriend breeduit te lachen en was algauw door zijn woning aan het wiegen en dansen op het kabaal dat de ruiten deed rinkelen.

John, de pas aangewezen pleitbezorger van de vijandig gestemde be-woners van het gebouw, sloot Marks ramen aan de binnenplaats en ging op zoek naar de ergerniswekkende stereo. In de slaapkamer van de wo-ning stuitte hij daarentegen op een grote grammofoon, compleet met een metalen slinger en een koperen hoorn. Zijn ogen draaiden mee toen hij probeerde het verbleekte, loslatende label op de rondsnellende zwarte plaat te lezen: *Afr-Bekft Grl*. Omdat zijn opgeblazen, ontredderde gastheer naar de keuken was gegaan om iets te drinken in te schenken, en John op het verouderde toestel geen volumeknop kon vinden, lichtte hij voor-zichtig de grote arm van de plaat. Hij kreeg al kippenvel omdat hij ver-

wachtte dat er een akelig schraperig geluid zou volgen, maar halverwege
een couplet werd het gebouw overstroomd door een vreedzame stilte.
In de onverwachte rust bleef zijn hand even liggen op de schelpachtige
cannelures en lippen van de doffe koperen hoorn. Hij was benieuwd
wie hem eerder in hun bezit hadden gehad en zag een diepe kras in het
metaal, die met aanzienlijke kracht moest zijn toegebracht – een verveeld
kind met een pennenmesje, een slordige verhuizer tegen een deurknop,
een afgewezen minnaar die een wrok koesterde.

'Mijn nieuwste kleinood!' legde Mark uit. Hij had twee beslagen glazen ijsthee in zijn dikke, vochtige handen. 'Ik wist dat vooral jij hem leuk
zou vinden. Ik had jou zelfs voor ogen toen ik hem kocht: "Dit zal John
weten te waarderen." ' Hij had het in goede staat verkerende, opwindbare
antiekje de dag ervoor bij een elektriciteitszaak in zijn buurt gekocht. Er
hoorden acht dikke zwarte platen bij, vreemde geluiden uit een periode
van decennia voor Marks geboorte: kokette, archaïsch-obscene teksten
die archaïsche manieren van flirten en seks bezongen, modieuze dansen
uit de jaren twintig, die even stokoud en vreemd waren als Etruskische
begrafenisrituelen of Azteekse maagdenoffers. Door Marks onverklaard
pafferige gezicht vroeg John zich af of hij een scène had onderbroken
met een vreemde die was weggeglipt en zich nu schuilhield in het bad
of die de achterdeur uit was geslopen, of dat er nu een door tranen bevlekte brief lag te wachten die half geschreven of half gelezen in een la was
weggestopt.

Maar Mark lachte en zweette, beklaagde zich er niet over dat hij was
gestoord, gaf John zijn drankje en praatte verrukt over de grammofoonplaten. 'Die vind ik echt prachtig.' Hij wees op *After Breakfast Girl*. 'Die
heb ik gedraaid, die heb ik een paar keer gedraaid sinds ik hem gisteren
kreeg, maar, oh, moet je deze eens horen.' Ondanks Johns protest verwis-
selde Mark eerbiedig de plaat, zijn handpalmen plat tegen de dikke rand-
en van de plaat. Toen hij lachte speelde de tic aan zijn ooglid op; hij wond
het apparaat op en zette toen heel voorzichtig de naald op de plaat. Terwijl
de krassen samensmolten tot een stem en een jengelende piano, begon
Mark losjes een charleston te dansen.

That's the kinda dance that a fella can do
That a fella can do
That a fella can do

That's the sort of dance that a fella can do
With a girl who knows the rules!

Het stomme speeltje had kennelijk maar één volumestand, 'want, je weet,
het verleden moet schreeuwen om te worden opgemerkt', zei Mark op
een doceertoon. John gluurde door de gordijnen om te zien of de buren
al een lynchmenigte tegen de buitenlandse idioten vormden. Toen hij
zich weer omdraaide, flapte Mark nog steeds met zijn vlezige armen, als
een logge deelnemer aan een dansmarathon in de late uurtjes, en ook
huilde hij.

Of misschien ook niet. Het zweet dat bij stromen uit zijn haarlijn en
wenkbrauwen brak, kon een verklaring zijn voor hoe vochtig en geïrriteerd zijn ogen eruitzagen, en zijn gehijg en gelach leken zijn rode neus
en gesnotter afdoende te verklaren. Tenzij hij huilde.

'Jezus, ik heb er spijt van dat ik gekomen ben. Alsjeblieft, hou in godsnaam op. Ga douchen. We zouden gaan lunchen. Dit is afgrijselijk.'

'Ik ben weg van dit liedje! Luister nou! Dit is muziek! Waarom niet ík?'

Zelfs bij de eerste en tweede herhaling vertikte John het antwoord te
geven op die onzinvraag, en toen concludeerde hij (opgelucht) dat Mark
op een duistere, historiografische manier een grapje maakte – 'waarom
niet ík?' waren naar alle waarschijnlijkheid de laatste woorden van de
een of andere negentiende-eeuwse parlementariër of circusartiest. Het
dansen hield op, het geluid smolt weg tot de samenklank van het kuche-
rige, herhaalde krassen van de grammofoon en Marks amechtige
ademhaling. John sloot het deksel van het apparaat. 'Je mag wel uitkijken
met dit ding. Je buren vermoorden je nog.'

Mark liet zich op de bank vallen en kauwde op ijsblokjes. Hij knikte en
sprak heel snel (John dacht even terug aan Karens gekakel): 'Ik weet het,
en het zal best, maar weet je, de kwestie is dat ik vandaag een behoorlijk
serieuze doorbraak in mijn werk heb gehad. Moet je horen, ik ga een ap-
pendix maken, een madeliefjesketting van nostalgie. Het komt erop neer
dat je begint met dit jaar, of wanneer dan ook, en dan zie je de culturele
golf van collectieve nostalgie die zich op dit moment voordoet, zoals bijvoorbeeld een hang naar de jaren vijftig, die er nu beslíst aan gaat komen.
Ik zal hem heel precies moeten zien aan te geven en met de gebruikelijke
bewijzen onderbouwen – stekeltjeshaar, de recordverkoop van Chet Ba-
ker-platen, capri-broeken – maar dan zal ik teruggaan naar de periode

in kwestie waarnaar zo hevig wordt verlangd en dan zal ik ontdekken –
en ik weet dat hij er is – dat er tóén zowaar een golf van nostalgie bestond
naar een nog eerdere periode, en die zal ik precies aangeven en teruggaan
naar de bron daarvan, en dan is er vast wel een andere, enzovoort, enzovoort, helemaal terug tot Karel de Grote. De goeie ouwe tijd, je weet wel.'

'Ga je nog douchen voor de lunch?'

'Ja, natuurlijk. Maar het probleem is dat het te breed is. Waarom brok-
ken van veertig jaar, snap je? Waarom niet een decennium per keer? Iemand in de jaren tachtig verlangde naar de jaren zeventig, of het nu gaat
om de jaren zeventig in de twintigste of de vijftiende eeuw, weet je, dus
dan kan ik kettingsgewijs met tien jaar tegelijk teruggaan. Maar toen besefte ik dat ik het zelfs nog preciezer kan documenteren. Waarom niet
per jaar?'

'We zouden paprikás en goulash kunnen gaan eten. Ik geloof dat ik een
restaurant heb gevonden dat dat misschien heeft.'

'Precies. Dit is mijn doorbraak. Dus natuurlijk worden ze kwaad om
mijn muziek, dat gaat feitelijk altijd zo. Waarom niet per máánd? Dat
zou ik kunnen doen. Maandelijks, dat zou ik kunnen aantonen. Echt.
Het is een makkie als je weet hoe je je onderzoek moet doen, als je weet
wat je zoekt. Ik zou je per maand kunnen terugvoeren tot Willem de
Veroveraar. Maar dat ligt misschien te ver in het verleden, hè? Om mensen echt iets te zeggen. Om ze te genezen, bedoel ik.'

'Ik heb afgelopen week een vrouw ontmoet die jij echt graag zou mogen, een oude pianiste.'

'Hiermee ga ik naam maken, John. Je zult heel trots op me zijn, en dat is
waar het om gaat. En daarom zijn de buren wat geïrriteerd. Per dag. Ik
kan het per dág aantonen. Vandaag verlangen mensen naar gisteren, en
ze laten roodgloeiende bewijzen na van hun triestheid, en dat kan ik aantonen, maar gisteren waren er mensen die ervan overtuigd waren dat er
gisteren een eind was gekomen aan hun geluk. Ik kan helemaal teruggaan
tot Jezus Christus en nog verder. Ik geef toe dat er onderzoek voor nodig
zal zijn, maar het ligt er. En ik zál mensen helpen, of ze willen of niet.
Dus, weet je, mijn buren kunnen er maar beter aan gewend raken en, en
niet meer bij me komen zeuren over de muziek of andere dingen.'

John schoot ongewild in de lach. 'Alsjeblieft, ik smeek je om te gaan
douchen.'

Mark was zich aan het afdrogen terwijl John in de keuken een *Herald*

Tribune aan het lezen was, aan het tafeltje, onder een affiche dat de komende tournee van Sarah Bernhardt door Amerika aanprees. 'Ik ben blij dat je kwam toen je kwam', gaf Mark toe, op een toon die door de douche was verzacht en vertraagd. 'Ik begon, geloof ik, echt de zenuwen te krijgen van die muziek.' Hij droogde zijn hoofd af en verdween naar de slaapkamer. 'Ik heb iets voor je gekocht.' Hij kwam de keuken weer binnen, nu met de handdoek om zijn middel, en zette een gleufhoed met een gelamineerde PERSkaart in de band op Johns hoofd. Hij liet een geamuseerde John achter, die de hoed op allerlei zwierige manieren opzette.

In de internationale krant las John een artikel over 'Het nieuwe Hongarije', geschreven door een befaamd buitenlandcorrespondent. Er werd een land in beschreven dat psychisch onder jaren van tirannie had geleden, hopend op verandering, maar verstikt door economische tegenspoed en onervarenheid met ondernemerschap. De schrijver gaf een duidelijk, helder beeld van het Hongaarse nationale karakter, de gemeenschappelijke karaktertrekken die een onvermijdelijk effect zouden hebben op de ontwikkeling van het land tot een democratie en het ontstaan van vrijemarktmechanismen, en vergeleek de vooruitzichten daarvan met die van de veelbelovender Tsjechen. De journalist had het artikel gelardeerd met anekdotes over gewone Zsolten, hun beproevingen, hoop en angsten. Door de hal riep John passages uit het artikel naar Mark, maar hij liet achterwege om welk land het ging, zoals: 'Puntjepuntjepuntje is een land dat meer dan zijn rechtmatig deel aan tegenspoed heeft gehad, en als de puntjepuntjepuntjes op hun hoede zijn voor vreemdelingen, is dat met reden; als ze de naam hebben dat ze charmante gladjakkers zijn en over een vertederend pessimisme beschikken, kun je het hun nauwelijks kwalijk nemen. Het puntjepuntjepuntje volk ziet de toekomst met begrijpelijke angst tegemoet.' Mark had zich inmiddels aangekleed, en John vroeg hem te raden wie de puntjepuntjepuntjes waren voor wie hij in deze context bewondering en afgunst voelde.

Nadat hij drie keer verkeerd had geraden (Afghanistan, Angola, Argentinië), verloor Mark zijn belangstelling en gaf toe dat hij geen actuele kranten las. ('Trouwens, iederéén ziet de toekomst met begrijpelijke angst tegemoet'). Hij had dit specifieke exemplaar alleen gekocht omdat er iets raars mee was, rechts op de voorpagina. De Canadees tikte veelbetekenend op de datum bovenaan, glimlachte en wachtte tot het zijn vriend begon te dagen, maar dat bleef uit. De datum klopte, lichtte John toe.

'Dat is zonneklaar', was de sarcastische repliek. 'Ach, toe nou! Kijk ernaar! Je weet toch dat in de eerste paar dagen of weken van januari de datum op de krant vreemd aandoet', legde Mark geduldig uit, als aan een kind. 'Als iets uit sciencefiction, waarin iemand naar de toekomst reist en verbaasd is een krant te zien omdat het jaartal dat bovenaan staat zo vreemd is en zo ver in de toekomst ligt. Dat gebeurt immers de eerste dagen van een nieuw jaar? Zoals 1990. Niet meer 1989? En je weet dat je bij de eerste paar cheques die je na nieuwjaarsdag uitschrijft moet nadenken welk jaartal je opschrijft, en dat je zelfs bij vergissing het oude jaartal kunt opschrijven? Nou, kijk nog eens naar de datum op de krant!' Mark tikte er hard op en floot. 'Zo laat in het jaar is het me nog nooit overkomen. Ik bedoel, het is júli, maar de datum geeft me vandaag zo'n sciencefictionachtig gevoel. Toen ik de krant zag, was ik verbaasd, want de datums zijn over het algemeen prima geweest sinds ongeveer de tweede of derde week van januari, maar toen zag ik vandaag deze krant – het was vlak voordat de grammofoon me vanuit de etalage riep – en toen had ik zoiets van: 14 juli 1990? Dat ziet er bizar uit. En toen heb ik hem gekocht als souvenir. Dit is een record: het is immers júli. Je zou er ook een moeten kopen. Iets om aan je kleinkinderen te laten zien.'

Tijdens de lunch op de Burchtheuvel sprak de historicus weer op een zodanige manier over tijdperken en het belang van datums dat John bijna kon zweren dat het een grap was. Hij vond het helemaal niet geestig, maar het voelde als een sociale verplichting dat hij om Marks woorden moest lachen, alsof Mark deed dat hij zijn verstand had verloren en op een agressieve manier van zijn publiek eiste dat het zijn poging op zijn minst met een beleefde lach van waardering zou belonen.

'Denk eens aan het jaar 2000. Daar zijn we nog maar tien jaar vandaan, maar het is een belachelijk getal. Het is geen echt jaar, zoals 1943 of 1862 of, of 1900 als je toch nullen wilt. Tweeduizend is onzin, iets uit films. Eerlijk, ik...' Mark keerde blaadjes sla om op zijn bord. Ze zaten op de binnenplaats achter het Hilton Hotel, dat luxueus rond de ruïne van een middeleeuws klooster was gebouwd. Luisterend naar zijn vriend vroeg John zich af waarom een man als Mark Payton inzat over de dingen waarover hij inzat, en hij vroeg zich af of het niet allemaal komedie was. Maar met welk doel? Er was vast een komedieloze eerste oorzaak, een oprechte reden, die de komediant ertoe aanzet om zo te doen. Misschien had Mark deze vreemde persona voor paringsdoeleinden in elkaar geflanst, misschien dat een dikke, maar alledaagse Canadees, vrijgezel in hart en nie-ren, als vanzelf een manier zou zoeken om zich van de gladdere, meer ge-likte concurrentie te onderscheiden, en op de duistere seksuele jachtterrei-nen waar een type als hij in het post-communistische Centraal-Europa noodgedwongen op zoek ging, moest de door-het-verleden-geobse-deerde man een perverse, ongebruikelijke aantrekkingskracht hebben. Of misschien was Mark wel volkomen gespeend van elk gevoel voor ko-medie. Misschien hadden zijn onderzoekswerk en zijn natuurlijke inborst gewoon de overhand gekregen en kon hij echt de deur niet meer uitgaan zonder te denken dat de datum niet klopte of dat de architectuur hem op een misdadige manier geweld aandeed. Misschien beschikte hij niet meer over het vermogen (zo hij dat al had bezeten) om een gesprek over iets anders dan verloren tijd te voeren; misschien leefde hij uitsluitend op een dieet van lindethee en magdalenakoekjes.

'Eerlijk, ik vind het beangstigend. Het is een te futuristisch getal – niets voor mannen als ik. Of jij. Het is iets voor ruimtevaarders of supercon-cerns.' Mark omknelde zijn tafelzilver zo hard dat zijn vingers er wit van werden, maar John staarde naar twee jonge toeristen – een man en een vrouw – die ruzie stonden te maken voor een van de sprookjesachtige bastions langs de boulevard. Ze waren te ver weg om te kunnen verstaan. Met een stevige wijsvinger gaf de man een por tegen het puntje van de neus van de vrouw, een rare, duidelijk symbolische stomp. Ze draaide hem de rug toe en liep stampvoetend weg.

Eindelijk had Mark door dat hij het alleen tegen zichzelf had. 'Ik begin echt vermoeiend te worden, hè? Ik en mijn "problemen". Met vier vingers maakte hij het aanhalingsteken om problemen, hij keek of er een vriende-lijk lachje volgde, wat niet het geval was, en richtte zijn aandacht weer op zijn eten. 'Je hebt een pianiste ontmoet, zei je, een pianiste?' zei hij, om-dat hem een flard van het gesprek van een uur geleden te binnen schoot. 'Hoe zit het dan met jou en Emily?'

'Dat is een ander soort relatie.' John vroeg zich af wanneer en hoe zijn niet-romance algemeen bekend was geworden.

'Dat is geen groot mysterie', zei Mark in antwoord op de niet-ver-woorde vraag. 'Als je weet waarop je moet letten. En voordat je me gaat uithoren, nee, ik kan je niets over haar vertellen. Hoe zit het trouwens tus-sen jou en Scott? Wat heb je met die jongen gedááán?'

John weigerde te antwoorden, maar vertelde in plaats daarvan over de bezoeken die hij 's avonds aan Nádja in de Blue Jazz had gebracht. Toen hij over de avonturen van de oude vrouw vertelde – haar vlucht uit Boedapest, haar bohémienleven in de Verenigde Staten, haar relatie met een wereldberoemde concertpianist, haar extravagante omgang met de minder belangrijke Europese vorsten – hield hij zijn toon sceptisch, geamuseerd, intuïtief vermoedend dat de wetenschappelijke Mark haar ongeloofwaardig zou vinden, ook al hoopte hij dat de nostalgische Mark haar verfijnd onweerlegbaar zou vinden. Op deze toon sprekend stelde hij voor dat hij zelf een rol speelde in de verhalen die hij navertelde. Soms vervulde hij een bijrol – de ontwikkelde, heldhaftige echtgenoot van de jonge Nádja, of de concertpianist die onder begeleiding van Chopin langzaam de liefde bedreef met een vrouw die vagelijk op Emily leek. In andere verhalen vervulde hij de vrouwelijke hoofdrol: híj rende – angstig, alleen, lijst- en lusteloos – de Oostenrijkse grens over; híj dineerde met de slonzige burggraaf in de donkere, ijskoude eetzaal, die door geldgebrek niet kon worden verwarmd; híj voer de wereld over en begon zich zoetjes aan te vervelen aan boord van een miljardairsjacht.

'Veel van die dingen kun je verifiëren. Je moet beseffen dat het meeste ervan zo onwaarschijnlijk is als…' Mark begon professioneel en rustig uit te leggen welke onderzoekstechnieken John kon gebruiken om de verhalen van Nádja te controleren. Het onderwerp had een ontspannende uitwerking op hem. 'Elk verhaal heeft aspecten die je kunt natrekken.' Hij spuide een catalogus van trucjes die wetenschappers toepasten: adresbestanden voor een bepaald jaar, bootregisters, lijsten met vluchtelingen, de reisschema's van wereldberoemde musici.

'Verifiëren? Waarom? Denk je dat ze een leugenaar is?' John hervatte zijn toon van lichte desinteresse. 'Ik had haar zelf eigenlijk ook niet zo serieus genomen. Ik dacht alleen dat jij haar onderhoudend zou vinden.'

'Ja, natuurlijk, dat lijkt me leuk. Neem me een keer mee zodat ik haar kan ontmoeten, ja? Wat dacht je van vanavond, wij tweeën?'

Ze staken de binnenplaats over naar de lobby van het Hilton, gingen door de draaideur weer naar buiten en kwamen op het Szentháromságplein. 'Ik moet een interview doen. Ik zie je straks wel bij Gerbeaud.' John sloeg rechtsaf.

'Bel me, hè? Dan gaan we op bezoek bij de pianiste.' Mark sloeg linksaf naar het paleis en het Rijksmuseum, en vroeg zich af wanneer ze elkaar weer zouden treffen; hij kon nu meteen zijn werk gaan doen in Gerbeaud en ervoor zorgen dat hij er zou zijn als John kwam opdagen. Hij schoof door een drom meelijwekkend besluiteloze toeristen heen en werd ineens boos op ze omdat ze afbreuk deden aan de sfeer op de Burchtheuvel. Toen hij aan de andere kant van de kudde kwam, sloeg zijn boosheid al snel om in bezorgdheid: hij zat in over het gevoel dat zijn moeizaam verworven innerlijke vrede hem tijdens de lunch door samenspannende, kwade krachten was ontstolen, hoewel hij zijn uiterste best had gedaan om het gevoel dicht bij zich te houden. John was geen officieel afgevaardigde van de kwade krachten, maar hij werd meer en meer hun onbewuste instrument, net als al die vervelende toeristen, net als de jonge serveerster met de lam-met-drakenkop-tatoeage op haar gespierde, volkomen onbehaarde onderarm. Het was een hele opluchting om niet meer in gezelschap te verkeren. Het kostte zoveel moeite om iedereen alles uit te leggen, zelfs aan John, wiens traagheid van begrip vaak ongelofelijk charmant was, maar ook irritant en mogelijk zelfs voorgewend. Het was zoveel makkelijker om alleen te zijn, als je tenminste precies de juiste plek kon vinden. De binnenplaats van het paleis glansde in Marks herinnering met een bijna tastbare, bijna eetbare belofte, een belofte met een geheel eigen kleur: een soort zacht goudachtig rood. De binnenplaats van het paleis moest het beoogde resultaat opleveren. Hij verdroeg de wandeling van vijf minuten door de hitte en de toeristen met de wetenschap dat zijn dag al snel zacht goudachtig rood soelaas zou vinden.

Hij installeerde zich op de binnenplaats in de buurt van de fontein en wachtte verlangend op het vredige gevoel dat zou moeten uitgaan van het water dat aanhoudend neerkletterde, van het rustgevende historische bouwwerk aan alle vier kanten, van de eeuwig steigerende hertenbok, de flagstones en de zuilengangen, de hoge vensters en het vierkant van de achttiende-eeuwse blauwe lucht.

Nog niets.

Zijn ogen bewogen zich langzaam, toen sneller, van de ene rustgevende aanblik naar de andere, van frustratie steeds sneller toen hij zich steeds minder op zijn gemak voelde, steeds meer verraden door de plek, door de flagstones en de zuilengangen waarin hij zijn vertrouwen had gesteld. Al in de paar korte maanden sinds hij hier was, waren er steeds minder inschikkelijke plekjes. Hij sloot zijn ogen en probeerde zich alleen te concentreren op het water dat uit de mond van de fontein stroomde met precies hetzelfde geluid als eeuwenlang het geval was geweest.

Felgeel met blauwe snoepwikkels, ongemanierd meegenomen van de
zwakzinnige verkoper vlak voor het paleis, en pas ontdaan van hun cho-
coladen binnenste, tuimelden, maakten radslagen, stegen op en zeilden
als een troep bovennatuurlijke acrobaten over de bruine flagstones van
de binnenplaats. Mark deed zijn best om zijn blik op iets anders te richten,
maar werd onthaald op dikke Duitse toeristen in korte broeken die twee
maten te klein waren, door Amerikanen met videocamera's die elkaar
filmden terwijl ze elkaar filmden en door een Engels echtpaar van middelbare leeftijd met een identiek tasje om hun middel en een zonnehoed
met daarop een geplastificeerde foto van de koningin-moeder. Mark
leunde achterover om naar de bovenste verdiepingen van het paleis te kijken en naar de wolken die de blauwe lucht achter de geoxideerde kop
van de adelaar schoon sponsden. Maar het was te laat. Het paleis voelde
als het zoveelste treurige themapark, dat niet was gebouwd als een exacte
weergave van het verleden, maar zoals de domste lidmaten van het heden
over het algemeen dachten dat het verleden eruitzag, een fantasieland
met waardeloze rondritjes, maar met werknemers die overtuigend als
norse Hongaarse reisleiders gekleed gingen.

Ver weg, op Marks keukentafel, lag een dag leeswerk op hem te wachten. Gisteravond en vanochtend had de muziek hem ervan weerhouden
om te werken, en de lunch had zich een hartverscheurende eeuwigheid
voortgesleept. De twee stapels boeken onder de affiche van Sarah
Bernhardt zagen er verloren en sneu uit terwijl ze hoger en wankeler werden en hem opriepen om het paleis te verlaten. Er lag een enorme stapel
boeken over cultussen rond de millenniumwisseling van het ophanden
zijnde jaar 2000. Daarnaast en in de schaduw ervan kniesde een treurig
hoopje dunne verhandelingen over het millenniumbijgeloof van omstreeks het jaar 1000. Maar het vooruitzicht van werk hielp hem niet.
Hij werkte nu al een aantal maanden zeven dagen per week, met alleen
onderbrekingen om vrienden te ontmoeten en in Gerbeaud te zitten, op
de binnenplaats van het paleis te zitten (inmiddels onbezield en definitief
afgevoerd van zijn lijstje), op de bankjes op het Kossuthplein bij het parlement te zitten, aan de oever van de Pest te zitten, bij de opera te zitten,
in kuurhotel de Gellért te zitten, in het Rácz Fürdő te zwemmen, op zijn
dooie akkertje door Pest te wandelen, de bouwplaatsen te vermijden en
zich in plaats daarvan oude bouwplaatsen voor te stellen. Hij stond langzaam op en ging er met gehavend vertrouwen van uit dat hij zin zou heb-

ben om aan het werk te gaan tegen de tijd dat hij thuiskwam, áls hij veilig thuiskwam. Hij was benieuwd hoe Johns interview verliep, hoopte dat hij de gleufhoed zou begrijpen en hem op de juiste manier zou dragen. Het was pas halfdrie. Hij ging weg uit het paleis en omdat het te warm was om het slingerende pad van de Burchtheuvel naar de rivier af te lopen, kocht hij een kaartje voor de één minuut durende rit met de kabelspoorbaan, die kiekgrage toeristen op en neer langs de helling vervoerde. Hij stond bij het stationnetje boven aan de heuvel en keek naar de twee kabelwagens die elkaar in evenwicht hielden, met elk een stuk of acht passagiers, zoals ze in een tegengestelde beweging op en neer gleden, elkaar halverwege tegenkwamen en elkaar tussen twee ritten in vanaf de beide eindstations triest aanstaarden.

Meteen toen John de draaideur van het Hilton uitkwam, werd hij omhelsd door de juliwarmte, die vooral drukkend was na de aircokoelte van de lobby. Was het warmer geworden sinds hij een paar minuten geleden op de binnenplaats had geluncht? vroeg hij zich af. Kon een klimaatfront zo specifiek zijn dat het begon aan de andere kant van een hotel? Hij probeerde zich te concentreren op het interview waarvoor hij al een halfuur te laat was. Zonder zich bewust te zijn van zijn omgeving, behalve van de manier waarop de keien de dunne zolen van zijn schoenen tot holronde omhelzingen bogen, kwam hij aan het eind van het kleine Táncsics Mihály utca. *Waarom Hongarije welke investeringsplannen hebt u mist u de hectiek van Washington hoe kijken de Hongaren tegen uw werk aan welke bars en restaurants bezoekt u graag is het leven hier wat u ervan verwachtte en zal dit alles in de toekomst als een grote gebeurtenis worden beschouwd waarom is hetgeen u doet van belang bent u trots op uzelf is dat eigenlijk wel de juiste norm dit zijn belachelijke vragen.*

Hij kwam langs een lantaarnpaal, die groen was en beplakt met restjes aanplakbiljet van de verkiezingen van het afgelopen jaar en iets wat DE NIEUWE AMERIKANEN heette. En er was een bruin-wit hondje met lange pluchen oren, geplooid als fluwelen gordijnen, een hond die op drie poten hinkte in een poging zijn vierde poot nog hoger op te duwen en zijn evenwicht te bewaren terwijl hij zijn torso wrong als een theedoek om met een boog steeds hoger tegen de lantaarnpaal te plassen in een vergeefse poging om achteraf door latere snuffelaars voor een grote hond te worden aangezien.

John kwam door het oude vestingwerk dat de Weense Poort heette,

versnelde zijn pas en verraste een paartje dat zoenend tegen een boom
leunde. Hij snakte naar adem toen hij de vrouw herkende die met haar
rug naar hem toe stond: Emily. Hij bleef staan kijken, kon niet geloven
dat zijn droom zo snel in duigen was gevallen. Het zichtbare oog van haar
partner ging open en zag de roerloze John; zijn schuine, half aan het oog
onttrokken gezicht veranderde en kreeg een dreigende, alerte uitdrukking. '*Mi a faszt akarsz?*' siste hij tegen de vreemdeling.

John zocht naar Hongaarse woorden, besloot toen haar naam te zeggen, misschien te vragen waarom, maar ze draaide haar hoofd al om en
keek wie de aandacht en de lippen van haar geliefde in beslag nam. Het
bleek een Hongaars meisje met een rond gezicht te zijn, een beugel om
haar tanden en ogen die wijd uit elkaar stonden. 'Oo, *elnézézt kérek*', wist
John uit te brengen met een gebaar dat op een vreedzaam misverstand
moest duiden, en daarna viel hij op het Engels terug. 'Ik dacht, tjonge,
het spijt me, ik dacht dat ik haar kende, maar dat is niet zo, ik bedoel…'

De man schoof achter het meisje vandaan en deed een stap in Johns
richting, waarbij zichtbaar werd wat een raar kapsel hij had. Toen demon-
streerde hij de reikwijdte van zijn Engels: 'Jij ken haar? Wie de fuck jij
bent?'

'Nee, nee, het is mijn fout. Ik ken haar níét. Ik dacht alleen…'

'Jij nu een goede kijk neem, toe maar, nu jij kijk heel goed naar haar,
hè? Jij ken haar?'

'Nee, beslist niet.' Een gulle lach, haha, tsja, zoiets kan toch gebeuren.

De Hongaar leek Johns ontkenningen niet te kunnen bevatten. Hij
bleef naast zijn bedreigde bezit staan. 'Jij ken haar niet, jij hebt gekeken,
dus fuck op, man.'

John weerstond de impuls om de weerzinwekkende grammatica te
corrigeren, lachte en vervolgde zijn weg over de schuin aflopende Várfok
utca. Achter zich hoorde hij het dreigende, slechte Engels in Hongaars ge-
bas overgaan, af en toe onderbroken door de klaaglijke zang van de onge-
kuste vrouw. Haar stem kreeg een seconde of twee, drie de overhand, en
toen kreeg John een warm, misselijk gevoel in zijn hoofd, gevolgd door
een scherpe pijn toen zijn knie en linkerhandpalm de grond raakten.
Toen hij zijn rechterhand naar zijn hoofd bracht, kwam deze vochtig en
rood terug van zijn hoofdhuid. Terwijl hij nog op de grond lag, draaide
hij zich duizelig, met een van pijn vertrokken gezicht om en zag de man
een beledigend gebaar maken terwijl hij achterwaarts naar de oude, ver-

sterkte Weense Poort liep en de vrouw de heuvel achter hem opduwde alsof er nog steeds een tegenaanval kon worden ingezet. De kei die de strijd had beslecht was zo rond, constateerde John met een belangstelling die, naar hij wist, misplaatst was, dat hij de heuvel bleef afrollen, voorbij de plek waar zijn recentste slachtoffer nog op zijn knieën lag.

Marks gevoel dat zijn innerlijke vrede hem was ontstolen vervloog bij de eerste schok tijdens de afdaling van zijn kabelwagen. Hij stak een punt van zijn kaartje in zijn mond en zette twee van zijn hoektanden er zo in dat ze elkaar raakten door het gaatje dat in het blauwe strookje was geknipt. Het oosten doemde op door de voorruit van de kabelwagen en ontvouwde zich van onderaf: het negentiende-eeuwse Pest, de prachtige, stokoude Kettingbrug en de traag stromende bruine Donau spreidden zich voor hem uit. De zon schilderde witte en gele strepen voor hem op de rivier. Hij voelde dat zijn hartslag trager werd en dat zich geluiden voor hem manifesteerden: het gonzen van de kabels, de onzichtbare vogel, wiens lied niet vervaagde toen de kabelwagen afdaalde, en die dus, besefte Mark gelukzalig, op het dak moest zitten om dezelfde kortstondige vreugde in zich op te nemen als Mark zelf. Hij zou hier met plezier tot in lengte van dagen kunnen blijven zweven, doelloos in de lucht zitten, zoals een kinderdroom over vliegen. Zijn ochtend en zijn lunch zwollen achteraf bezien op tot iets van begrijpelijke importantie; hij was weer erg op John gesteld, vertrouwde en bewonderde hem, verheugde zich erop iedereen in Gerbeaud straks weer terug te zien en op het warme bad van werk dat op hem wachtte.

Toen de twee kabelwagens elkaar halverwege echter passeerden, voelde Mark een knagende lichte triestheid in zijn keel. Haastig haalde hij zich de omvang en de hoogte van het parlementsgebouw voor de geest, zijn nokken en rondingen en zijn piekhelm, de gekromde omhelzing van de verkeersring om de straten van Pest, de wolken die hun schaduw door de straten trokken en geluidloos over gebouwen sleepten zonder dat ze aan schoorstenen of verouderde antennes bleven haken... maar enkele schrijnende seconden later werd hem dit alles in één klap ontnomen. Binnen luttele seconden doemde de oeverbebouwing van Pest op, die hem het zicht op alles ten oosten ervan benam, de Donau glinsterde met een laatste rimpeling en vervloog toen als een luchtspiegeling op een snelweg in de zomer achter het verkeer van Boeda onder aan de rails — nog maar enkele seconden geleden stille, eendimensionale speelgoedautootjes, maar nu opgeblazen en plotseling toegerust met snelheid en lawaai.

Onder aan de heuvel slaagde hij er wel in het station te verlaten, trots dat hij zich had vermand, klaar om te gaan werken. Maar toen moest hij wachten voor alle auto's op de rotonde voor de Kettingbrug en keek hij achterom naar de kabelwagen die boven op de heuvel tot stilstand was gekomen. Er viel eigenlijk geen beslissing te nemen; het was simpelweg een kwestie van gehoor geven aan een dwingende behoefte. En daarom liep hij terug naar het kaartloket van de kabelwagen.

Slechts een of twee keer struikelend legde John de laatste straat heuvelafwaarts af, zijn koude hand vastgeplakt aan zijn verhitte hoofd met het samengeklitte haar. De sjofele, bejaarde portier van het kantoorgebouw bracht hem naar de houten deur waarop met drie stukken doorzichtig plakband een getypt vel papier was opgehangen: HONGAARS-AMERI-KAANSE MAATSCHAPPIJ VOOR VERMOGENSONTWIKKELING, INC. De jonge Amerikaan met het stoppelig geschoren hoofd, de slecht zittende kakibroek en de sleetse blauwe blazer die de deur opendeed, werd geconfronteerd met de schrikwekkende aanblik van John Prices helderrood besmeurde handpalm die hij had opgeheven als zwijgende verklaring waarom hij hem niet meteen een hand kon geven. 'Kan ik even gebruikmaken van het toilet?'

Het koude water van het toilet in de kelder brandde een gat in Johns hoofd en wierp kersrode kolkingen op het karamel-vanillekleurige motief van de stokoude wasbak. Met een papieren handdoek depte hij voorzichtig zijn hoofdhuid en hij keek naar de bekende figuur boven het spiegelbeeld van zijn schouder: 'Jij bent toch de saxofonist uit de nachtclub?' wist hij uit te brengen voordat hij zich naar voren boog om over te geven, waarbij de inhoud van zijn verwonde schedel door elkaar werd gerammeld. De stem achter hem gaf dat schoorvoetend toe en vroeg John het er 'daarboven' niet over te hebben. John spoelde zijn gezicht en zijn mond schoon. 'Je kleedt je geweldig als je speelt. Vanwaar dan nu dat eindexamenpak?' Hij boog zich voorover en kokhalsde opnieuw. De stem verzocht hem op een meelijwekkende, smekende toon nog eens om het 'daarboven' niet over zijn geheime muziekleven te hebben.

'Daarboven' was één kamer met twee tafels, twee stoelen, twee telefoons, diverse doosjes met tegenstrijdige visitekaartjes, en weinig meer.

En toen een te luide stem – Harvey Achternaamontschoten – stug haar met een scherpe witte scheiding, en een hand die heftig Johns hand schudde terwijl Johns gezichtsvermogen vervaagde en zijn hoofd opzwol. Er werd een glas lauw, zilt sodawater aangeboden. De saxman werd op koffie uitgestuurd. Een verhaal over Harvey (notitieblok nakijken voor achternaam), doorspekt met post-Koude-Oorlogsymboliek, iets over de Russische ambassadeur, een stevige hint dat de ambassadeur, als inhalig type zonder werk, een baan bij Harvey zou willen aannemen, een wereldrijk dat ten onder gaat, ratten, zinkend schip, heel amusant om cognac te nippen in de werkkamer van de Russische ambassadeur, het vroegere hoofdkwartier van deze voorpost van zijn rijk, de kamer van waaruit dit land werd bestuurd, god-nog-aan-toe, en hem dan min of meer te zien smeken om een baan, of in elk geval een tip! Een prachtig moment. Waar gaat je reportage over? Er is al eerder een profiel van me gemaakt, dat heb je waarschijnlijk wel gelezen in de FT en de Journal, allebei vierkant achter ons, intelligente journalistiek steunt de goede zaak. Spannend wat we hier gaan doen, dappere nieuwe wereld, een kans voor ons allemaal om samen geld te verdienen, en dat is precies wat ik de Hongaren voorhoud: ik wil dat zij ook rijk worden, want ik weet dat ik prettiger en sneller rijk kan worden als we allemaal samen rijk worden. Allemaal in hetzelfde schuitje, kantoorgebouwen in westerse stijl, ik heb een streepje voor als het om bouwvergunningen gaat, een optie op de bouw van een conferentiecentrum, de minister is een goede vriend van me, prima vent, ik bewonder zijn gedichten, een gepubliceerd dichter moet je weten, zo grappig, die nieuwe artistieke regeringen, hier noch in Praag zijn het natuurlijk blijvertjes, het is leuk na de communisten, maar uiteindelijk zullen ze weer zakenmensen en juristen aanstellen, want zo krijg je dingen voor elkaar, je kunt niet echt een kabinet vol beeldhouwers hebben, het is nu meer een toeristenattractie. Ik kan je verzekeren, John, even onder ons, gewoon hier en nu, wat ik je kan zeggen is dat het de beste tijd is voor een man van eer en geloof om erin te stappen, er zal zich nooit meer een kans als deze voordoen, niet alleen voor de financiële jongens, maar ook voor dit land, als ze hun ketenen afwerpen, ik wil geld mensen zien vrijmaken, John, dat ik nu hier ben maakt me de gelukkigste man op aarde, we mikken op een openingsfonds van 37 miljoen dollar, ik wil dat ze samen met mij rijk worden. Zo is dat, en het geeft ook blijk van respect, iets waar die Hongaartjes blij mee zijn. We kunnen niet zomaar binnenvallen en hun land tegen brandschadeprijzen opkopen alleen omdat het armoedzaaiers zijn, vind je wel? Als ik eerlijk ben, kunnen we dat wel, John. Nee, ik maak maar een grapje. Ik neem aan dat een paar van de slimsten wel fortuin zullen maken, dat is nauwelijks te vermijden als ze niet helemaal zo stom zijn als ik soms denk. Weet je, John, het is allemaal een kwestie van hoe je verkiest je leven te leiden. Een kerel pakt het leven bij de enkels en schudt het leeg om te zien wat er uit de zakken komt vallen. Ik mag jouw stijl wel, John. Je bent net als ik. Hoe oud ben je? Als je ooit iets anders wilt dan voor de krant schrijven, moet je met mij komen praten, John, mannen als jij en ik hebben recht op bepaalde dingen. Het leven is als een vrouw: je moet haar in de nek bijten en kijken of ze het uitgilt, en haar tieten kittelen, als je begrijpt wat ik bedoel. Jij wilt het leven? Nou, zij wil dat je laat zien dat je haar aankunt, dat je weet hoe je haar moet opgeilen. Ze wil gedomineerd worden. Vroeger wisten de Hongaren dat, maar ze zijn vergeten hoe het moet, 't is triest om te zeggen en triest om te zien: een land vol mannen die onder de Russen zo druk bezig waren zich dom voor te doen, en dan worden ze op een dag wakker en kunnen ze er niets meer aan doen, ze doen niet meer alsof, ze zíjn gewoon dom. Eerlijk, John, ik zou ze dolgraag weer willen leren hoe het moet, maar daar is geen tijd voor. Nu ligt de kans er. Het is een kwestie van doorstomen, jij bent net als ik, ik kan me niet voorstellen waarom je je pen niet neerlegt, jezelf bij de pik grijpt en voor mij komt werken. Onlangs ontmoette ik een senator en ik zei: "Senator, als u zover bent dat u uit de politiek wilt, dan is er in Boedapest een kantoor op een hoek met uw naam op de deur, een blinkende koperen naamplaat." '

De eerste rit terug, heuvelopwaarts, was vrijwel helemaal gelukzalig: het uitzicht werd steeds mooier, werd met de seconde panoramischer, elk moment stelde het voorgaande in de schaduw, tot de kabelwagen plotseling, verraderlijk, met een schok tot stilstand kwam en het zinken dak van het station op de heuvel half over het voorraam hing; vervolgens ging de deur rammelend open en voelde het geheel als de belachelijke, hijgerige, licht misselijkmakende anticlimax aan het eind van een achtbaan. Toen hij een paar minuten op de wandelweg op de heuveltop had gestaan en tegen een railing geleund van het onbeweeglijke uitzicht had genoten, was dat voldoende om hem naar huis te sturen en aan het werk te gaan.

En uiteraard kon de volgende rit naar beneden onmogelijk hetzelfde onschuldige plezier bieden als de eerste keer. Deze tweede afdaling was bezoedeld met het besef hoe slechts een minuut later het einde ervan zou voelen, zodat de vreugde zowel korter als waardevoller was. Toen de kabelwagen bij het lawaaierige, rokerige, drukke eindpunt beneden met een siddering tot stilstand kwam, had Mark – ook sidderend – het gevoel dat de veertig vredige seconden van de eerste tocht naar beneden er bij deze rit dertig waren geworden, maar wel dertig veel intensere seconden. Hij verliet het station nogmaals en stond op het punt om naar huis te gaan, op het punt dit niet-noodzakelijke retourtje lachend af te doen, maar vroeg zich toen af of het patroon zich bij de volgende rit zou voortzetten, of het twintig seconden nieuw verworven diepzinnigheid zou worden, en of een dergelijk patroon eigenlijk niet van enige betekenis voor zijn onderzoek was.

John kon nauwelijks geloven hoe zwak hij zich voelde toen hij zich eindelijk op de achterbank van een taxi liet zakken. Hij kreunde toen zijn hoofd langs het vinyl schampte. Door zijn pijn en zijn veelhoekige woede (de vent met de steen, Harvey, de esthetisch weerzinwekkende investeerder, Scott, de ontoegankelijke klootzak die John nooit alles zou laten goedmaken) kreeg hij een inval: *pak het leven bij de enkels.* Hij besloot de chauffeur Emily's adres op te geven. Hij helde van de ene naar de andere kant over toen de gladde banden van de taxi bij elke bocht heuvelopwaarts slipten. Hij zou zich in deze toestand aan haar vertonen, hij zou zich door haar laten redden en verplegen. Een toonbeeld van opoffering en liefde: het allerlaatste restje energie van het slachtoffer besteed aan een kus. *Zo is het begonnen. Ik had naar een dokter moeten gaan, maar ik ging naar je moeder. Ik hoopte maar dat de Julies er niet zouden zijn. En ze waren er niet. Weet je nog wat het eerste was wat je tegen me zei, Em, toen ik uit die taxi kwam rollen? Vertel ze wat je zei. Je zei:*

'John Price? Ben je ongezond? Scott is zijnde afwezig.' Het accent was Hongaars. Hij keek om in de hoop dat Emily op de een of andere manier toch nog zou verschijnen, ook al stond hij bij het huis van zijn broer en was zij vele heuvels van hem vandaan. Mária had het universiteits-T-shirt van zijn broer aan.

De tochten omhoog werden echter alleen maar mooier en mooier. Vroeg in de avond, toen de zon achter de kabelbaan begon te verdwijnen en het uitzicht werd beschenen door het afnemende, indirecte licht van de ondergaande zon, dat de gebouwen een krachtiger derde dimensie leek te verlenen en waardoor ze in een glinsterend bas-reliëf uitsprongen tegen de zilverig blauw-groene hemel, werden de tochtjes bijna onverdraaglijk mooi, en bij een aantal tochten omhoog voelde Mark zijn ogen vochtig worden van dankbaarheid. De magie werd opgeroepen door de beweging, door de geleidelijke verandering van het panorama tijdens die minuut van het omhooggaan, door te zien hoe het schilderij zichzelf schilderde, zichzelf tot twee dimensies vervlakte. Ja, het was plezierig om vanaf de wandelweg bovenaan naar het eindresultaat te kijken, maar dat had niet zo'n sterke uitwerking als de langzame tocht omhoog naar diezelfde wandelweg.

En als wetenschapper vond hij het interessant te merken dat de periode van pure vrede tijdens elke tocht omlaag weliswaar iets korter werd, maar dat die krimpende, afnemende momenten meetkundig lieflijker en genotzaliger werden; het genot van de tochtjes omhoog nam slechts rekenkundig toe. Toen bij zonsondergang het paar dat naast hem in de kabelwagen stond luid aan het zoenen was, en de beugel van het meisje tussen de omhelzingen door met zilverkleurige flitsen het licht reflecteerde, duurde het genot misschien maar vijf seconden – drie seconden voordat ze de kabelwagen tegenkwamen die naar boven ging en nog twee seconden erna – maar in die vijf seconden vond er een aankondiging plaats, het gevoel van zowel absolute vertroosting als verlies, een vlucht in de bestendigheid van een oude ansichtkaart (tijdens zijn kilometerslange verticale heen-en-weer-gereis van die middag was hij ín of net buíten het beeld van een stuk of honderd toeristenfoto's geweest). Het blijvende en het tijdelijke gingen in elkaar over, werden kortstondig identiek – het blijvende van zijn rechtmatige plek, en het tijdelijke uitzicht, tijdelijke gebouwen, het verblekende licht, verblekende jaren, stijlen die zo snel veranderen, op de een of andere manier de onmiskenbare maar ongrijpbare betekenis van het leven. Vijf seconden, meer niet, maar dat is meer dan de meeste mensen in een heel leven krijgen, dacht hij, en hij voelde zich heel voldaan in die vijfde van de vijf seconden, tot de zesde, toen het duidelijk werd dat die auto's weer lawaaierig, stinkend en groot werden, en dat de rivier, die zwart met fonkelende strepen werd, voor de zoveelste keer verdween en zijn beloften, geschiedenis en het blijvende meenam.

De honderd kiekjes waar Mark op stond, zouden in de komende weken in fotowinkels over de hele wereld tot leven worden gewekt, besefte hij. De achterkant van zijn hoofd in schaduwen gehuld, een hoek van zijn gezicht verlicht door een afnemend sprankje zon, één oog rood van het flitslicht of zijn hele gezicht gevangen in een ogenblik van volmaakte vrede: hij zou – zij zouden – over de hele wereld opduiken, in honderd opbollende papieren mapjes, op honderd doorzichtige negatiefstrippen, op honderd dia's, ingeraamd in dik, wit, geplastificeerd karton. Wie zou dé foto ontwikkelen, de foto van volmaakte vrede en volmaakt geluk, de aanblik van hem in zijn eigen huid op de juiste plek op aarde, tijdens zijn volmaakte moment, waarop de schoonheid van het verleden en de vooruitzichten van zijn eigen leven niet grimmig en genadeloos tegenover elkaar stonden? In Stockholm? Een echtpaar dat net terug was van zijn huwelijksreis die de gelukkigste zes dagen van hun leven besloeg, zouden ze jaren later zeggen. Maar nu, nog jong, nog vooruitblikkend met het kinderlijke vertrouwen dat het leven alleen maar rijker en gelukkiger zal worden, bekijken ze de foto's die het hoogtepunt van hun liefde vertegenwoordigen, en daar, in een hoekje van een foto van dag zes, is het gezicht van een vreemde, een gezicht precies op het moment van diepste tevredenheid over het leven. In Dubuque, Iowa? Leerlingen van de middelbare school keren terug van hun educatieve zomerreis en moeten een verslag maken van wat ze hebben geleerd. Eén leerling kan niet verwoorden wat het belang is van het gezicht in een hoekje van haar foto van Pest, die ze vanuit de bewegende kabelwagen heeft genomen. Ze kan alleen van haar zakgeld (verdiend met oppassen, krantenwijken en een beetje handelen in softdrugs) de foto tot posterformaat laten vergroten en hem dan zwijgend op een ezel voor de klas te zetten om ernaar te staren totdat ze voelen (neem alle tijd die nodig is, negeer de rinkelende bel) wat Mark voor hen betekent in hun ontvankelijke jeugd. Tyson's Corner in Virginia? Een bejaarde Amerikaanse man – pas weduwnaar geworden, een reeds lang gepensioneerde spion – keert naar huis terug na een nostalgische reis naar alle kritieke gebieden uit de Koude Oorlog, waar de betekenis van zijn leven in onzichtbare inkt werd opgeschreven; hij had een foto willen maken van het houten bankje in de kabelwagen waarop hij vroeger een microfilm had gekregen van de enige vrouw van wie hij ooit oprecht heeft gehouden, een vrouw die werd doodgeschoten wegens landverraad, doodgeschoten vanwege hem, en hij hoopte op een foto van een leeg bankje, maar wie is die jonge roodharige man op zijn foto en waarom kijkt hij zo… zo… Wat zou in vredesnaam het woord zijn om het belang van zijn goedgevulde gezicht te verklaren?

Drie tochtjes later, toen het staartje van de zonsondergang, als een pauw die over de rand van de heuvel kuiert, een paar laatste reepjes zilver in het westen wierp, en het oosten van groenblauw tot marineblauw tot dieppaars verduisterde, nadat Mark het houten bankje had gedeeld met de bejaarde fotograaf, die in werkelijkheid geen gepensioneerde spion was, maar een cardioloog uit Wales die op weg was om zijn vrouw voor het avondeten te treffen, stond Mark onder aan de kabelbaan en probeerde het zelfvoldane gevoel terug te krijgen dat hij die dag bij zoveel afdalingen had gehad: sommige mensen krijgen niet eens vijf seconden als ze een glimp van de schoonheid van het leven opvangen, hield hij vol. 'Vijf seconden', herhaalde hij, dit keer hardop.

Een paar uur later stond Mark een meter links van diezelfde plek. Hij besloot nu dat hij deze dag niet kon afsluiten met een tochtje naar beneden, dat het gevoel na de afdalingen, hier zo te staan bij de rotonde van het Adam Clarkeplein, te hevig werd; deze kabelwagen kon hem nooit naar huis brengen. Hij kocht een kaartje bij het meisje dat drie uur geleden haar dienst was begonnen; het ontging hem dat ze een onvriendelijke uitdrukking op haar gezicht had en een onvriendelijke toon aansloeg – *Een kaartje voor u vandaag, meneer?* – of dat ze iets riep naar haar vriendin bij de tourniquet. Hij merkte niets van de sarcastische manier waarop haar vriendin hem in de kabelwagen verwelkomde. Hij dacht daarentegen met een gevoel van verwachting aan het genot van het tochtje naar boven, waarvan hij wist dat hij er latere ervaringen aan zou afmeten omdat hij het de maatstaf van goed, echt leven vond, die eerste onbeschrijflijke huivering wanneer de kabels in beweging kwamen. In latere jaren zou misschien alleen al de gedachte aan Budavári Sikló (tijdens deze laatste rit zag hij het houten bord met de Hongaarse naam van de kabelbaan) in hem iets laten gonzen en trillen van geluk. Misschien zou hij er niet tegen kunnen er een foto van te zien of erover te lezen in een gids in de reisboekhandel vlak bij zijn woning in Toronto, zonder dat er een rilling van opwinding langs zijn ruggengraat liep, en hij zou terugdenken aan zonsondergangen die de hele dag duurden en aan de vijf seconden die de overige zeventig jaar bijna de moeite waard hadden gemaakt.

John lag op zijn buik. Zijn handen lagen op het kussen van de bank, onder zijn kin, en door haar warme aanraking met het washandje ging zijn haar uiteen en werden de laagjes rood en bruin – zachtjes, schrijnend – weggenomen. Ze rook als een bloem. Haar handen bewogen zich heel langzaam. Ze verontschuldigde zich drie keer voor Scotts afwezigheid, vroeg twee keer of ze hem pijn deed, wrong het washandje uit, zei hoe mooi het was dat John hier kwam als hij pijn had en hulp nodig had, en zich vooral op zijn broer verliet. Hij vroeg zich af of ze het meende, vroeg zich af wat ze wist en wat Scott over hem had verteld. Ze liet één hand troostend op het washandje op zijn achterhoofd rusten en met de andere hand masseerde ze zachtjes zijn nek. Het interesseerde hem niet meer of ze een grapje had gemaakt.

Scott had haar zoveel verteld over het leven van de broers in het mooie, mooie Californië, dat ze graag een keer zou willen zien, zei ze, en dit leek op een andere keer, waar of niet? John die bij Scott kwam, gewond aan zijn hoofd? Ze vertelde het uit de tweede hand verkregen verhaal na aan een van zijn eigen hoofdpersonen: een stel kinderen had John uitgelachen omdat hij dik was, en toen hij ze te grazen wilde nemen, werd hij aan zijn hoofd geraakt, net als nu, en had hij Scotts hulp ingeroepen; Scott had twee van de kinderen een pak slaag gegeven terwijl John bloedend en huilend toekeek. John luisterde naar deze episode uit zijn jeugd – accuraat, behalve dat de rollen van de broers omgedraaid waren – maar corrigeerde haar niet, en door haar toon vroeg hij zich zelfs af of ze wist dat haar een vervormde versie was verteld en ze John nu uitdaagde om het recht te zetten.

John riep zich Scott voor de geest zoals hij er vroeger uitzag. Scott was dik geweest, echt lachwekkend dik, herinnerde John zich met een gretig genoegen, en hij was in feite nog steeds dik, zijn slanke, gespierde uiterlijk daargelaten. Hij sloot zijn ogen en luisterde naar het gesijpel van het washandje dat boven de kom werd uitgewrongen. Terwijl ze in de keuken iets koels voor hem inschonk, praatte ze over Scotts leven en vertelde liefdevol Scotts heldendaden na aan zijn broer, zonder te bedenken dat hij ze al eens zou hebben gehoord, een traagheid van begrip die John vertederend vond. Ze vertelde over atletische prestaties die nooit hadden plaatsgevonden, onderhield John met puberale rebelse daden, die hij herkende als de wapenfeiten van hun jeugdvrienden, maar allemaal met Scott in de hoofdrol – Scotts verkeerd gerichte vuurwerk, Scotts schandelijke naaktlopen, Scotts spuitbussen met verf, Scotts gitaar. Ze was nu heel dicht bij hem, bood hem ijswater en gezond eten aan, drong erop aan dat hij iets zou eten, vroeg hem wat hij het leukste aan Californië vond, en toen (John wist op de een of andere manier dat dit zou komen, had haar volgende zin voor haar kunnen afmaken) vertelde Mária het verhaal na van het kleine meisje, dat toen het al donker was uit het zwembad was gered, maar in haar versie veranderde de natte, volledig geklede John die naar adem hapte toen hij het meisje naar het plankier sjorde in een natte, volledig geklede, naar adem happende, sjorrende Scott. 'Dat was erg dapperheid, niet?'

'Een dappere man, onze Scott', zei hij instemmend terwijl hij haar wang aanraakte. John ging rechtop zitten, alsof er een last van hem was afgenomen, en oude wonden genazen moeiteloos, als in versneld tempo: Scott had niets te bieden, had geen toekomstig potentieel. John had jarenlang achter een verdwijnende rug aan gelopen: nu hij hem had ingehaald en hem omdraaide zodat hij hem kon aankijken, constateerde hij dat hij al die tijd achter de verkeerde had aangezeten. Wilde Scott Johns verleden? Mijn god, dat kon hij krijgen; John deed er in elk geval niets mee. John zou het met plezier omruilen voor het heden: het was alleen jammer dat Scott het gerotzooi met Mária niet serieus nam, want dat zou dit nog geestiger maken: de bloemengeur en haar nabijheid. Haar glimlach die hem toestemming gaf. Ze trok haar lippen niet meteen terug. Een voorzichtige reactie. Toen een zachte wang, misschien als milde afwijzing. Maar toen de lippen weer. Zijn hand tegen het veel te grote T-shirt van zijn broers alma mater, de afbeelding van de universiteitsmascotte, schilferig door slordig wassen, vertekend over haar gestalte, kriebelig tegen zijn handpalm. Haar glimlachende verwijzing naar de klok en de tijd die resteerde tot Scott terugkwam: 'Een dappere man, onze John.'

Deel 2

De Horváth Kiadó

I

Vraag Imre Horváth in je jeugdige, aangeschoten enthousiasme naar
zoiets pretentieus als de zin van het leven of wat zijn doel op deze aarde
is. Of stel hem, terwijl je gedachteloos de tijd doodt met je blik gericht
op het blondje aan de andere kant van het vertrek, een zo banale vraag
als de reden voor het glas melk dat hij bij vrijwel elke gelegenheid drinkt,
zelfs op deze cocktailparty. Vraag hem, uit bezorgdheid over het op peil
houden van je diplomatieke garderobe, hoe het kan dat zijn Italiaanse kostuums zo ongelofelijk goed gesneden zijn en zo perfect gestoomd, gezien
de toestand van de Hongaarse kledingindustrie op dit moment. Als je na-
denkt over een mogelijk boek of een artikel (dat waarschijnlijk nooit verder zal komen dan een paar neergekrabbelde losse flodders op een vochtig
servetje), vraag hem dan of het communisme ooit nog in Hongarije zal
terugkeren of dat de democratie zal standhouden. Ga op zoek naar ge-
meenschappelijk terrein en vraag hem wat het Hongaarse nationale voet-
balelftal dit jaar mankeert. Probeer het landje te doorgronden, waar je
een paar gejetlagde dagen doorbrengt voordat je je op de Weense door-
kijkjes en Praagse feesten gaat storten, en vraag hem onder wie zijn land
meer heeft geleden, de nazi's of de Russen. Vraag Imre Horváth wat je
wilt, o westerling, en hij zal zijn antwoord op vrijwel dezelfde manier beginnen.

Hij zal beginnen met een merkwaardig zachtmoedig lachje. Als je niets
van de man af weet, zal dat eerste lachje ontwapenend diepzinnig, licht
geamuseerd en zelfs een beetje lachwekkend lijken, maar op een manier
die je niet helemaal kunt thuisbrengen. Hij lijkt iets te weten, maar kan
het niet over zijn hart verkrijgen het je te vertellen, en dat vinden jullie allebei grappig, maar niet op dezelfde manier.

Als je echter meer van zijn leven af weet, als je gastheer een hint heeft
laten vallen over deze of gene episode, dan is lachwekkendheid bij dit
voorspel meteen uitgesloten; Imre Horváth wordt een van die zeldzame,
uiterst gevoelige mensen, bij wie je het niet in je hoofd zou halen om ze
te bespotten. Je hebt wellicht iets over zijn arrestatie gehoord. Hij verloor
alles, vluchtte weg uit Hongarije om een nieuw familiefortuin op te bouwen en keerde verscheidene keren terug, ondanks de bedekte dreigemen-

ten en zelfs ondanks de dreigementen die waren uitgevoerd. Je hebt gehoord dat hij gevangeniscellen en wellicht martelkamers deelde met
mannen die in het huidige Hongarije, in de sprookjesachtige gerechtigheid van 1989-'90, door vrije verkiezingen aan de macht zijn gekomen.

Nu vermoed je dat je iets van strijd in zijn glimlach ziet, niet iets geestigs. Hij moet onder de handen van de communisten vreselijk hebben geleden, en je stelt je voor dat zijn glimlach onder dikke lagen afschuwelijke
herinneringen vandaan komt, moet aantonen dat hij sterk genoeg is om
zichtbare expressie waardig te zijn, moet bewijzen dat hij sterker is dan
de alomtegenwoordige herinnering aan de tirannie (wat, voorzover je
weet, waarschijnlijk even pijnlijk is als de tirannie zelf).

Het is een lange, brede man, die door zijn houding, zijn stemgeluid,
zijn gebaren en zijn grote handen kracht uitstraalt. Zijn dikke, staalkleu-
rige haar valt golvend achterover in een waterval van zilver, die bijna tot
aan zijn schouders reikt. Hij draagt zijn haar lang voor een man van zijn
leeftijd, maar hij lijkt er niet naar te verlangen dat hij jonger was. Zijn
ogen zijn doorschijnend blauw, de kleur van ondiep water in een zwembad. Ondanks zijn achtenzestig jaar zijn ze helder, en het wit ervan vertoont geen adertjes. Zijn blik brengt je in herinnering dat hij vaak op de
proef werd gesteld, dat achter deze droevige, geamuseerde ogen diepten
schuilgaan waar je geen weet van hebt, en toch wil hij je vraag graag naar
zijn beste vermogen beantwoorden om je begrip bij te brengen voor een
tijd die voor jou (impliceert zijn glimlach) mijlenver achter je lijkt te liggen. Want je bent een kind en komt uit een land van kinderen.

Misschien word je overgevoelig. Je hebt het gevoel dat er iets van betekenis wordt overgebracht door de huid en de spieren rond zijn ogen, ogen
die hij (ondanks een perfect gezichtsvermogen) iets samenknijpt als hij
naar je kijkt, door de wenkbrauwen die bij elkaar komen en dan, als ze elkaar raken, worden opgetrokken en uit elkaar wijken in een heel lichte
geamuseerdheid, wat op zich heldhaftig is na god-weet-wat voor pogingen door god-weet-wat voor krachten om dat kapot te maken.

Wanneer je hem je onbenullige vraag stelt – diepzinnig of prozaïsch,
over thee of tirannie – lijkt hij zich te verbazen over de zoete, onwaarschijnlijke triomf van Leven en Gerechtigheid, die een wereld hebben
mogelijk gemaakt waarin jij, jongmens (hoewel je bijna zo oud als Imre
zelf kan zijn), kunt gedijen en je, vrij van dictators, kunt laten gelden, en
de tijd en de vrijheid hebt om met dergelijke vragen te worstelen. Hij

waardeert deze nieuwe wereld, charmant gesymboliseerd door jou en je nieuwsgierigheid.

Er zijn slechts een paar seconden verstreken, en nu zegt hij: 'Oooo, mijn vriend…' Het 'oooo' is een klank even rijk als een lange streek op een open snaar van een cello, vol van gevoel, geschiedenis en weer die lichte geamuseerdheid: 'Oooo, mijn vriend, je moet begrijpen hoe het was om hier te zijn', zal hij zeggen met een accent dat een langdurig gebruik van onvolmaakt Engels verraadt. 'Ik heb nooit, of misschien moet ik eerst zeggen… nee. Dat is de zeebodem afdreggen. Er is niets anders dan een oude man die… In plaats daarvan alleen dit: Niet zo erg lang geleden, voordat jij ons mooie land kwam bezoeken en hier in ons nederige Boedapest kwam wonen, was het hier anders. Het zat aan de buitenkanten, ja, net als vandaag, maar het was echt heel anders dan de stad waar jij nu van geniet. Ik hou van de nieuwe dansende nachtclubs die de jonge mensen tot het leven hebben geroepen. Daarvoor staan we diep bij jullie in het krijt… Oooo, weet je, toen was er geen plaats in dit land voor de man die niet wilde buigen, die geen leugens wilde slikken, die niet de papegaai wilde spelen in een kamer vol idioten. Er was helemaal geen plaats voor zo'n, zo'n, zullen we zeggen, dwáás, behalve misschien dat hij in een kerker thuishoort. En toch zo een iemand als dit te zijn, zo een dwaas, voor wie geen plaats is, een type even onmogelijk als een fabeldier met het lichaam van een leeuw en het hoofd van een man, en toch echt. Echt maar onmogelijk. Kun je je voorstellen zo een iemand als dit te zijn, in zo een stad? Ik hoop dat je dat nooit zult hoeven doen. Je boft erg en je hebt grote dingen gekregen. En je zult grote dingen doen, ik kan dat binnen in je zien, o ja, beslist. Maar toen, die arme idioten in de regering, in kamers van de geheime politie en andere van zulke speelkamers van onvolgroeide, wrede kinderen, wat kunnen deze arme idioten doen wanneer zo een wild beest vrij rondloopt? Ze stoppen. Ze gapen je aan. Ze gaan op zoek naar bevelen. Ze raadplegen geheime handboeken en houden geheime vergaderingen. Ze proberen wreed te doen, want ze hebben niet de fantasie voor iets anders. Ze fluisteren opgelaten tegen elkaar. "We kunnen niet toegeven dat hij bestaat", zeggen ze. "Maar we hebben geen plek om hem te stoppen, en hij staat er zo echt als een boom. Kunnen we het volk zeggen dat ze niet mogen kijken? Of zeggen dat hij niet is wat hij lijkt? Zullen we niets zeggen? Misschien gaat hij weg. Kunnen we zo een beest doodmaken of zal hij opstaan uit de doden?" Dit is de complexiteit waarmee jouw prachtige vraag worstelt, mijn vriend. Oooo, het is moeilijk te zeggen hoeveel ik je moet vertellen…'

Je vraag wordt vergeten, vooral door jou. Óf je babbelde maar wat toen je hem stelde, omdat je dacht dat het onwaarschijnlijk was dat je met een dergelijke man gewichtige zaken zou bespreken, zodat je nu aangenaam verrast bent, bijna geïntimideerd door het vertrouwen, óf je deed je best om iets te vragen over een onderwerp waar je vrijwel niets vanaf weet, besef je nu. Nu, vanavond op deze cocktailparty, zul je dus de kern van de zaak te horen krijgen, een onbetaalbaar geschenk, een onverwachte blik op wat de échte wereld kan zijn, genadig toegestaan aan jou, die anders door het leven zou zijn gedarteld zonder ooit meer dan de buitenkant te hebben gezien. Dit ademende symbool, dat onverzettelijk is gebleven onder de stormloop van de Geschiedenis, is nu van zijn voetstuk en zijn granieten paard afgestapt om naast je te staan, om ernstig te knikken en toe te laten dat jij je trillende handje op zijn kloppende hart legt.

En toch is hij niet zonder Bescheidenheid. 'Ik hoop dat ik je niet verveel met deze malle praat.' In vrijwel elk woord en elk gebaar schuilt de stilzwijgende veronderstelling dat hetgeen hij heeft gedaan en hij heeft gezegd, precies en onontkoombaar datgene is wat jíj zou hebben gedaan en wat jíj zou hebben gezegd. En met een nederig knikje en opwellend genoegen over dit onwaarschijnlijke, werkelijk ongelofelijke compliment, dank je de Bescheidenheid zelve dat ze tijd heeft vrijgemaakt uit wat echt een overvol programma moet zijn om deze boodschap door te geven aan zo'n ondermaatse toehoorder.

In weerwil van zijn monumentale waardigheid maakt Imre Horváth vandaag, 15 juli 1990, zijn entree in dit verhaal in de vorm van een dossiermap, die bescheiden zijn beurt afwacht onderaan een stapel dossiermappen op een bureaublad dat een gouden gloed krijgt door het zonlicht dat door de rivier wordt weerkaatst.

II

De julizon, die langer boven de stad bleef talmen dan zijn bloedverwanten in april of februari, verscheen pas laat in de middag voor Charles Gá-

bors westelijke raam met uitzicht op de Donau. Toen had hij al bijna vijfentwintig van zijn dossiers voor die dag doorgenomen. Sommige daarvan vergden erg weinig van zijn tijd: balansen die twijfelachtig uit balans
waren, impertinente verzekeringen van 1500% rendement op een investering 'wellicht hoogstens binnen zes weken – wat naar ons idee een be-
houdende schatting is', onvoldoende prikkelende verwijzingen naar niet
nader genoemde uitvindingen, gloedvolle aanbiedingen van een aandeel
van 49% in wankele, uit het communistische tijdperk stammende bedrijven in bouwmaterialen in ruil voor 'een redelijke investering in herscho-
ling van het personeel, het terugkopen van de fabriek en het machine-
park, herstructurering van het productieproces, een herziene evaluatie
van de marketing, en de wederopbouw van het handelsnetwerk. De ma-
nagementbeslissingen blijven uiteraard voorbehouden aan de deskundi-
gen die momenteel ervaring hebben met de operationele kant van deze
fabriek.' In andere dossiers ontrolden zich liefdevolle, met soft-focus genomen vergezichten van slecht bevoorrade winkels, verouderde laadkis-
ten, door storm geteisterde wijngaarden, rijen verplicht glimlachende
oude vrouwen met hoofddoekjes om, die met de hand de traditionele
Hongaarse klederdracht naaiden.

Sommige dossiers verdienden iets meer aandacht: portefeuilles die waren toegezonden door het Staatsbureau voor privatisering (het unieke,
nieuwe ambtenarenapparaat, dat tot taak had dezelfde eigendommen
die de Staat veertig jaar geleden had ingepikt terug te verkopen aan de
particuliere sector), niet geheel onwaarschijnlijke verkoopramingen voor
niet volkomen ongewenste producten, management dat oppervlakkig
vertrouwd was met westerse boekhoudkundige normen, en zes verschillende paren jeugdvrienden die een winkel in sportartikelen wilden openen. Niet één van deze dossiers zou tot iets leiden, daar was Charles van
overtuigd. Zijn hele baan was een lachertje. De Hongaren konden nergens mee komen wat in New York in de verste verte acceptabel zou zijn,
want daar waren ze natuurlijk veel te druk bezig om Praag met geld te
overstelpen om ook maar enige aandacht aan de Magyaren te besteden.
Het leek er nu op dat hij alleen maar bij wijze van PR-stunt naar dit stille
binnenwater was gehaald.

Met nog maar twee dossiers over op zijn stapel, en de zon fel achter
zich, schoof Charles achteruit in zijn stoel en strekte zijn armen boven
zijn hoofd tot zijn ellebogen ervan kraakten en zijn vingertoppen het

raam raakten. Geeuwend trok hij het onderste dossier van de stapel, een mentaal spelletje om het eentonige werk wat te verlevendigen. Later zou hij een verhaal vertellen over een vooruitziende blik, een heldere ingeving en zakelijke gewiekstheid.

Geachte dames en heren,

De passende informatie die is bijgevoegd is betreffende uitgeverij Horváth, een uitgeverij die daterend sinds het jaar 1808 in het bezit is van de familie Horváth. Het huidige zittende hoofd van de familie is de heer Horváth Imre, directeur-generaal van de uitgeverij. Hij is beschikbaar voor besprekingen over mogelijke investeringen, joint ventures of andere denkbare soorten relaties. Als de passende geschiedenis en financiële gegevens interesse maken voor uw bedrijf, staat meneer Horváth bereid gesprekken te hebben op een tijdstip dat naar wederzijdse geschiktheid kan worden vastgesteld.

Met alle beste wensen voor al zulke gesprekken,

ben ik uw nederige dienaar, *Toldy Krisztina*

HOOFD VAN HET SECRETARIAAT

A HORVÁTH KIADÓ/HORVÁTH VERLAG/

UITGEVERIJ HORVÁTH

Charles doolde loom door het dichte kreupelhout van de begeleidende documenten. Hij hield een slechte presentatie en zijn eigen sluipende vermoeidheid verantwoordelijk voor zijn verwarring over de precieze locatie van uitgeverij Horváth. De financiële gegevens refereerden aan een bedrijf in Wenen, maar de brief van die Toldy-dame en de naam Horváth duidden op een Hongaarse uitgeverij. De financiële gegevens en de foto's konden zich op een voldoende professioneel vernisje beroemen om later een nader onderzoek waard te zijn, maar niets in het aangebodene kon zijn verflauwende belangstelling vasthouden of zijn zware oogleden openhouden. Hij schoof de map naar de paar andere Onderzoekswaardige van die dag en sloeg het laatste dossier van zijn voorraadje open. Hij herkende het al snel als een herschreven aanvraag, die een paar weken geleden lachend was afgewezen op grond van de schaamteloze incompetentie van de directie, maar nu fonkelde hij, dankzij het vakmanschap van een Amerikaans PR-bedrijf, van de glanzende, nieuwe adjectieven en verlegde zwaartepunten.

Toen hij tegen het raamkozijn leunde om neer te kijken op de schilder-achtige, gouden Donau, merkte Charles dat zijn gedachten voor het eind van de middag over vertrouwd terrein ronddraaiden: de frustratie over het gehoorzamen van waardeloze superieuren, de absurditeit van het af-handelen van voorstellen die een maximale investering en beperkte zeg-genschap behelsden, het afschrikwekkende vooruitzicht tot in lengte van dagen de machinekamer te blijven bemannen en nooit het roer in handen te krijgen. Wanneer hij aan dit land en dit volk dacht als aan het land en het volk die hem sinds zijn jeugd in het vooruitzicht waren ge-steld, kreunde hij hoorbaar, alsof hij maagpijn had.

Hij twijfelde er niet aan dat hij door zijn opleiding aan een economi-sche hogeschool en zijn natuurlijke scherpzinnigheid gekwalificeerd was om de leiding over iets te hebben. Hij had in staat gesteld moeten zijn om gebruik te maken van zijn leiderschap, charisma en intuïtie om zich-zelf (en anderen natuurlijk) buitengewoon... íéts te maken. Hier wist hij het even niet meer en hij was genoodzaakt het woord *rijk* te gebruiken om de leemte in zijn innerlijke monoloog op te vullen, hoewel hij wist dat dat het niet helemaal was.

In een wereld die in staat van oorlog verkeerde, zou Charles zich heb-ben opgeworpen als een veldmaarschalk, wiens encyclopedische, non-chalant onderhouden kennis van traditionele tactieken en strategieën al-leen zou worden overtroffen door zijn buitengewone vermogen om die soms te verloochenen voor een verrassend krachtige penseelvoering die het militaire operatieterrein tot een schildersdoek voor zijn zuivere, kil bovenmenselijke genialiteit zou transformeren. Maar in 1989-'90 ver-keerde de wereld niet alleen niet in oorlog, het leek wel of er nooit meer oorlog zou komen. Mannen met Charles' karakter, wist hij, zouden een ander doek nodig hebben om op te schilderen en andere tradities die ze soms konden verzaken voor nog vernietigender nederlagen. Dat doek was geen ondergeschikt baantje bij een achterafvestiging van een tweede-rangs investeringsmaatschappij.

En zo ontmoetten Imre Horváth en Charles Gábor elkaar op 15 juli 1990, hoewel ze dat geen van beiden nog wisten.

III

Op de ochtend van 16 juli 1947, toen Imre Horváth vijfentwintig was, droeg hij zijn vader, Károly, negenenzestig jaar, ten grave onder de felle zon op de begraafplaats Kerepesi. De oude man had zelf in de voorgaande zesenveertig jaar in de drukbevolkte grafkelder van de familie Horváth op Kerepesi zijn enige dochter, drie zoons en een echtgenote bijgezet, die respectievelijk waren overleden aan tyfus (1901), influenza (1918), een Amerikaans bombardement (1944), een Russisch bombardement (1945), en een gemengd bombardement door Duitsers en de Hongaarse pijlkruisers (1945). De oude Horváth was uiteindelijk bezweken aan een chronische, onbehandelde hartkwaal.

Die middag liep Imre, na een sombere lunch met niemand die hij erg goed kende of om wie hij ook maar enigszins gaf, in het midden van een naargeestige stoet naar het kantoor van zijn vader in een gebouw dat relatief onbeschadigd was, hoewel er aan weerskanten uitgebreide rijtwonden waren die van de strijd getuigden. Daar, in die handelsoase, had hij een halfslachtig onderhoud met de familiaire familiejurist in een armoedig, opgelapt kostuum. Met nauwverholen verveling en een hart dat niet goed wist of het moest rouwen of niet, tekende Imre de belachelijk formele documenten die hem zeggenschap gaven over het waardeloze bedrijf van zijn familie. Hij werd de zesde mannelijke Horváth sinds 1818 die de uitgeverij Horváth zou bestieren.

IV

In 1808 was de uitgeverij opgericht onder een andere naam; in 1818 werd die overgenomen door Imres bet-betovergrootvader (ook een Imre).

De eigenlijke stichter van de uitgeverij – de drukker Kálmán Molnár (Molnár Kálmán in het Hongaars) – was overleden als gevolg van een duel waarop hij buitengewoon slecht was voorbereid omdat hij zijn hele leven nog geen vuurwapen had afgevuurd. Hoewel Molnár het vuurgevecht aanvankelijk overleefde (waardoor hem in het roddelcircuit enige lof werd toegezwaaid, omdat hij was opgestaan en toen was omgevallen als de heer die hij niet was), bezweek hij twee weken later aan een infectie van de dijwond die hij had opgelopen.

Door zijn dood bleef er een weduwe met drie en een derde weeskind achter. Voor de eerste Imre Horváth was van meer belang dat er ook een drukpers, inkt, etsplaten, papier, boekbindgereedschap en een winkelpui verweesd achterbleven. Twee uur na de dood van haar man accepteerde de treurende, wanhopige weduwe de luttele som die Horváth haar bood, en Horváth – die haar man zijwaarts had zien vallen op het omsloten stuk grasland omdat hij was ingehuurd om de strijdende partijen door de ochtendnevel naar het Margaretha-eiland over te zetten – werd de eigenaar van de snel omgedoopte uitgeverij Horváth.

De grote bijdrage van de eerste Imre aan het bedrijf dat zes generaties lang zijn naam zou dragen was het op Unicum geïnspireerde ontwerp van zijn colofon – het logo dat onderaan de laatste bladzijde van de boeken en in een hoekje van affiches werd gedrukt, en dat als algemeen herkenbaar handelsmerk van het bedrijf diende. De woorden *A Horváth Kiadó* stonden in een cirkel om een rijk versierd duelleerpistool. Uit de loop van het pistool kwamen een rookwolk en een voortsnellende kogel tevoorschijn. Op de kogel stonden de letters MK, ter nagedachtenis aan – goed voor gegrinnik van Imre als hij alleen was en voor plechtige woorden van respect in het openbaar – Molnár Kálmán, de onwetende oprichter van uitgeverij Horváth, die ernaast had geschoten.

V

Onder de zoon van de eerste Imre, Károly, legde uitgeverij Horváth zich al snel toe op Habsburgse, keizerlijke proclamaties en publicaties (in het Hongaars en het Duits), verzamelbundeltjes poëzie en anti-Habsburgse politieke manifesten, die zich in de jaren dertig en veertig van de negentiende eeuw vermenigvuldigden met de vruchtbaarheid van konijnen. In 1848 stond de smakeloze afbeelding van Károly's schietende vader op edicten van de keizerlijke regering die werden aangeplakt op kiosken,

achter in de bundeltjes poëzie van János Arany en op bulletins van hervor-
mingsgezinde Hongaarse parlementariërs tot stichting van het publiek.
Het pistooltje stond rokend afgebeeld aan het eind van een beknopt boekje ter ere van de geboortedag van de zwakzinnige, epileptische Oostenrijkse keizer: *Een bundel ter gelegenheid van de geboortedag van onze Koning en
Keizer, Ferdinand Habsburg, de vijfde drager van die trotse naam, lang moge hij rege-
ren en moge zijn wijsheid ons leiden, met Gods zegen en voor het welzijn van al zijn
trouwe Hongaarse onderdanen die floreren onder zijn vaderlijke en genereuze zorg.*
Maar de MK-kogel zoefde ook onbeweeglijk over de laatste pagina van
een dichtbundel van de Hongaarse revolutionair-dichter-avonturier-
minnaar Boldizsár Kis, getiteld *Geboorteliederen voor mijn land.*

Toen Hongarije – gedeeltelijk geïnspireerd door mannen als Arany en
Kis – in 1848 in opstand kwam tegen zijn Oostenrijkse keizer, verloor Károly Horváth alle contracten met het verbannen keizerlijke ambtenarenapparaat. Hij verloor ook een zoon. Zijn oudste zoon, Viktor, kwam om
bij de slag van Kápolna, een vroege botsing tussen de krijsende, pasgebo-
ren Hongaarse republiek en zijn reflectorisch strenge Oostenrijkse ouder.
Aan beide kanten vochten soldaten van Hongaarse afkomst. Viktor Horváth, vierentwintig, werd getroffen door een kanonskogel, die zijn hoofd
en nek volledig van zijn schouders kliefde.

Voor de uitgeverij was het echter niet per se een verloren zaak. Het tijdelijke bestaan van een onafhankelijke Hongaarse regering beloofde
ruimschoots vervangende, zakelijke mogelijkheden: proclamaties, wetgeving, nog meer manifesten en talloze bundels van talloze zogenaamd revolutionaire dichters. In een poging om dit werk binnen te halen en zijn
wankele goodwill op te poetsen slaagde Károly Horváth er terloops in
de blijvende, glorierijke reputatie van zijn uitgeverij te bewerkstelligen.
De heldhaftige Boldizsár Kis – die bij Horváth in het krijt stond vanwege
het aanzienlijke voorschot dat hem was uitbetaald voor zijn *Openhartige
herinneringen van een minnaar* – bezegelde in eigen persoon deze overwinning voor de rouwende uitgever. Tijdens het hoogtepunt van de tot mis-
lukking gedoemde opstand, toen de Hongaren eindelijk hun vrijheid op
Wenen leken te hebben heroverd, prees Kis de uitgeverij van Károly Horváth herhaaldelijk (die daardoor vermaard werd) en noemde die 'het geweten van het volk en het geheugen van een land'. In een brief waarin
de diensten van de uitgeverij werden aanbevolen aan de nieuwe Hongaarse regering (die later tot een essay geredigeerd en uitgegeven werd

door uitgeverij Horváth) ging Kis diplomatiek voorbij aan Horváths kritiekloze diensten aan politieke partijen van allerlei kleur en tevens aan de Habsburgers. De dichter bezong daarentegen het Magyaarse patriottisme van het bedrijf. Hij herinnerde zijn pas aan de macht gekomen en gejaagde, overwerkte collega's aan de zoon van de man, die zich had opgeofferd voor de revolutie. Wat de mensen langer bijbleef, was dat hij de verborgen betekenis uitlegde van Horváth Kiadó's stoutmoedige colofon, dat altijd duidelijk de vrijheid van de Hongaarse republiek had voorgestaan – uit de loop van een pistool! – de Magyar Köztársaság. MK. Uit commerciële noodzaak had Horváth natuurlijk voor allerlei soorten klanten moeten werken, gaf Kis toe, maar kijk naar zijn logo, zijn brandmerk van revolutionaire trouw! De wankele nieuwe regering – die de handen vol had aan een onbeslechte, onvoorspelbare vrijheidsoorlog en het hoofd bij andere zaken had – verleende de uitgeverij veelomvattende contracten. Horváth kreeg zelfs een brief vol lof en waardering over een vrijwel onleesbare, maar naar alle waarschijnlijkheid uiterst invloedrijke naam.

In een dichtbundel uit 1849 – die ook op Horváths kosten was uitgegeven, maar waarvan de gehele opbrengst uit de verkoop rechtstreeks naar de drukker ging totdat de aanhoudende schuld van de dichter was terugverdiend – nam Kis dit complimenteuze gedicht op:

Van onze dappere mannen van de inkt en drukpers
Komen berichten over een nieuwe tijd die aanbreekt
En met de kracht van een kogel uit een pistoolschot
Knalt luid het nieuws van wat niet langer valt te loochenen:
Onze republiek, onze republiek, onze republiek!

Toen de Habsburgers in het najaar van 1849, met behulp van de Russen, opnieuw de lastige Magyaren in hun greep kregen en een vreselijke stroom vergeldingsexecuties ontketenden, prijkte er een vertrouwd symbool onderaan de proclamaties van de keizerlijke regering en de vonnislijsten. Nadat Boldizsár Kis naar de Levant was uitgeweken, stond het Horváth-logo op het aanplakbiljet dat hem tot vijand van de keizer-koning uitriep, maar dat gold ook voor de zeer geliefde dichtbundels van Kis, uitgaven die sinds hij een vluchteling was geworden beter dan ooit verkochten, zodat Horváth eindelijk zijn voorschotten aan de gevluchte dichter (ruimschoots) terugverdiende.

VI

De tweede zoon van Károly Horváth, Miklós, was iets te jong voor revolutie en oorlogsvoering, en daarom erfde hij in 1860 de uitgeverij die eigenlijk aan zijn overleden oudere broer zou zijn toegevallen. In datzelfde jaar werd zijn eigen zoon (en zijn enige erkende nakomeling) geboren, die naar zijn overgrootvader werd vernoemd. Miklós kwam voor die gelegenheid met een gedicht voor de dag:

De jongen zal de man worden
De man zal de jongen worden
Zing, muzen, voor Imre, de Magyaarse held
Die ons naar een wereld van licht en rechtvaardigheid zal leiden!

Onder Miklós leiding kreeg uitgeverij Horváth door verwaarlozing met aanzienlijke tegenslagen te kampen; Miklós werd meer bekoord door zijn pogingen tot dichten dan door de bedrijfsvoering. Hij liet zijn assistenten vrijwel alle zakelijke beslissingen nemen, liet ook de omgang met klanten en schrijvers en de onderhandelingen met de hernieuwde Oostenrijks-Hongaarse monarchie aan hen over. Ze mochten tevens de financiële zaken van de uitgeverij behartigen, wat velen van hen tot hun eigen voordeel en tot de langzame, maar gestage teloorgang van de uitgeverij deden. Zelfs zijn allereerlijkste assistenten trokken wit weg als ze genoodzaakt waren de onvermijdelijke verliezen onder ogen te zien die het gevolg waren van de verplichte uitgave van Miklós' gedichten, waarvan de ene bundel na de andere de onverschillige wereld in werd geslingerd, in steeds rijker versierde uitgaven en in steeds optimistischer aantallen.

Wanneer Miklós niet halfslachtig in het familiebedrijf liefhebberde, was hij in de koffiehuizen en bordelen van Boedapest te vinden, met zijn lange haar naar de Byroniaanse mode van veertig jaar geleden, waar hij papier, pen en inkt vroeg aan de barmeiden of de hoeren. Hij liet zijn vrouw en kind dagen achtereen in de steek om te voet over het platteland te zwerven, om terug te keren met pagina's die waren bezaaid met lofzangen op de natuur en zijn eigen ontembare geest.

Zich beroepend op Boldizsár Kis, János Arany, Sándor Petőfi en de rest van het Hongaarse revolutionaire dichterspantheon van de generatie voor hem, publiceerde Milós in 1879 zijn laatste bundel: *Waar zijn de helden van de poëzie?* Elk gedicht in de bundel was zogenaamd geschreven in de stijl van een van zijn poëtische meesters, en elk gedicht was een lofzang op Miklós Horváth en voorspelde hem onsterfelijke roem. Sándor Petőfi leverde een bijdrage vanuit zijn ongemarkeerde graf buiten het Siberische gevangenkamp, waar de Habsburgers hem na de revolutie naartoe hadden gestuurd:

Bezing de dappere Miklós wiens hart het volkslied van heel Hongarije bonkt
Die over de wegen van stad en land
Alle lachende kinderen
En vrouwen met borsten als Griekse meloenen aanvoert.

De dichter droeg de bundel op aan zijn broer Viktor ('Die sneuvelde voor zijn keizer') en liet het – ondanks de gestamelde protesten en stotterende monologen van zijn bedrijfsvoerder over de kosten – binden in geitenleer, decoreren met goud inlegwerk van nimfen en sirenen, met drie dunne parallelle reepjes zwart fluweel over de lengte van de rug, en met de handtekening van de dichter in nog meer goud op de omslag gestempeld. Er werden zevenendertig exemplaren van verkocht. Duizenden exemplaren liepen tien maanden later waterschade op toen een magazijnruimte in de kelder bij zware regenval onder water liep.

Miklós' zoon Imre werd in 1880 twintig jaar, en hoewel hij nog steeds bij zijn ouders thuis woonde had hij al een vrouw en een twee jaar oude tweeling, Károly en Klára. Imre kende zijn vader nauwelijks. Hij was onder schamele omstandigheden grootgebracht door zijn moeder, Judit, en had van jongs af op de uitgeverij gewerkt. Hij maakte zich geen illusies waar het geld vandaan kwam of hoe het leven was zonder dat geld of hoe het met zijn vaders zakelijke beoordelingsvermogen gesteld was. Op zijn twintigste zag hij zijn vader, de mislukte, dwaze, zevenenveertigjarige dichter en de eigenaar van een bedrijf waarmee het in hoog tempo bergafwaarts ging, aan vergevorderde syfilis lijden, een ziekte die hem letterlijk zijn neus had gekost en waardoor hij slechts enkele maanden later volledig blind zou worden.

Miklós' aftakeling, die met gruwelijke onverbiddelijkheid voortschreed, zette hem ertoe aan om zwaar te drinken en vrijwel aan één stuk

door te schrijven. Het dreef de wegterende man tot melancholieke gebaren en tot een weinig diepgaande, maar sentimentele waardering voor
het gezin dat hij tijdens zijn vruchteloze hofmakerij aan een onwillige
en ongeïnteresseerde muze jarenlang had verwaarloosd. Miklós, die in
zijn aangetaste aderen aanvoelde dat zijn beeldende en expressieve ver-
mogens juist op hun hoogtepunt verkeerden omdat de duisternis inzette,
schreef nu oden aan zijn ziekte, de dood en de naderende nacht. Hij krabbelde zijn verzen met een trillende, dolende, halfblinde hand, die verdwaald in de steeds dichtere mist over de pagina's zwierf, met een boog
terugkeerde en warrige inktknopen achterliet die op enorme witte vlak-
tes waren gestrand. In de ochtend vonden zijn vrouw en zoon deze gedichten voor de deur van hun slaapkamer. De dichter zelf had dan inmiddels het huis al weer verlaten en was naar zijn lievelingsbordeel gegaan,
waar hij niet langer betaalde voor genot, maar voor vertroosting van de
vertrouwde stemmen en de vaag te onderscheiden gezichten van degenen
die hem met beperkte bedrevenheid, maar met professionele genegenheid verpleegden tegen hetzelfde tarief dat hem altijd was berekend. Zijn
schaars geklede verpleegsters brachten hem pen en inkt, papier en drankjes.

De twintigjarige zoon – zelf echtgenoot en vader – besefte dat er voor
zijn eigen financiële zekerheid bepaalde stappen moesten worden ondernomen. Terwijl de laatste volgekrabbelde pagina's van Miklós de haard
brandend hielden, vroeg Imre zijn enige betrouwbare ouder wat hij het
beste kon doen. Met de hulp van zijn moeder en twee trouwe bedrijfslei-
ders werd de tweede Imre Horváth later op de dag het feitelijke hoofd
van uitgeverij Horváth, en ondernam hij een poging om het gekapseisde
familiebedrijf vlot te trekken. Dit was nog enige maanden voor de dood
van de vorige eigenaar, die zich tot januari 1881 aan het leven vastklamp-
te, hoewel zijn gezin noch zijn bedrijf nooit meer iets van hem verna-
men.

Nadat Miklós op 23 december 1880 op zijn vorige adres verontschuldigend maar beslist de deur was gewezen omdat hij de andere klanten de
stuipen op het lijf joeg met zijn jammerkreten van een syfilislijder (die
ongewild als waarschuwing fungeerden voor het overigens aanlokkelijke
product van het etablissement), was hij in huis genomen door een be-
wonderaarster, een van zijn prostituees, een vrouw van vierendertig, die
hem voor het eerst – maar daarna nog vele honderden keren – genot

had verschaft toen ze dertien was, en die hem in de loop der jaren onder meer twee levende kinderen had geschonken. Hij overleed in haar schaars gemeubileerde zolderhokje, op een dunne matras op de vloer, onder een splinterig plankje dat hij in zijn volslagen blindheid niet kon zien, maar waarop één exemplaar van alle delen van zijn gepubliceerde werk stond – elf bundels in totaal. Zijn angstaanjagende gebrul leidde tot onwelvoeglijke klachten van de andere bewoners van het pand, maar acht dagen lang voedde en waste ze hem, ofschoon hij niet wist waar hij was, wie hij was of wie er bij hem was. Toen hij uiteindelijk stierf, hield ze een vochtige doek tegen zijn met littekens bezaaide, kletsnatte voorhoofd. 'Eindelijk licht', zei hij, hoewel zijn ogen gesloten waren. Zijn laatste woorden bleven haar nog jaren bij.

VII

De tweede Imre loodste uitgeverij Horváth majestueus naar haar gouden hoogtepunt van invloed en glorie. Van zijn onbetwiste coup in 1880 tot aan zijn eigen dood, drieëndertig jaar later op drieënvijftigjarige leeftijd, verwierf het familiebedrijf geleidelijk een plek heel dicht bij het centrum van een opbloeiende cultuur, van een veelbesproken hervormingspolitiek en van een stad in koortsachtige wederopbouw. Hoewel er verscheidene nieuwe uitgevers verschenen die, te laat, de concurrentiestrijd aangingen, waren er ineens op elk terrein Hongaarse genieën te over voor wie ze maar wilde, en was er meer behoefte aan kranten, tijdschriften en boeken dan ooit tevoren. Het colofon met het pistooltje – met daaromheen nu de gevierde woorden van Kis: A HORVÁTH KIADÓ – HET GEHEUGEN VAN ONS VOLK – prijkte nu op de gepubliceerde toneelstukken, romans, gedichten, geschiedenissen, politieke essays, wetenschappelijke en wiskundige verhandelingen, studieboeken en bladmuziek van een samenleving die opbloeide in een groene, artistieke en wetenschappelijke lente. Net als zijn bakermat bereikte het bedrijf een hoogtepunt in het eerste decennium van de twintigste eeuw. De bevolking groeide, het onderwijs breidde zich uit en er heerste vrede. Onder de bescherming van Horváth schaarden Hongaarse vertalingen van Shakespeare, Dickens,

Goethe en Flaubert zich naast werken van eigen bodem.

Het bleef de uitgeverij (en Imre) voor de wind gaan. De wekelijkse sportkrant, *Corpus Sanus*, was sinds het derde nummer een winstgevende onderneming, maar Imre zou al een bloeiend bedrijf hebben gehad als je alleen keek naar zijn productie van felgekleurde reclameaffiches voor concerten en koffiehuizen, opera's en toneelstukken, drank en tabak, fournituurenhandelaren en kleermakers, sportevenementen, kunsttentoonstellingen en reismogelijkheden. Zijn financiële dagblad, *Onze forint* (later *Onze korona, Onze pengő,* en nog later *Onze forint*), werd in zakenkringen alom gelezen, maar hij streek in 1890 ook vrolijk zijn aanzienlijke honorarium op voor de publicatie van het manifest van de eerste Hongaarse socialistische arbeiderspartij. En alleen een dwaas zou overheidscontracten afslaan, in weerwil van keizer-koning Franz Josef. Het pistooltje rookte dat het een lust was. MK! Imre zette de herinneringen aan het leven in het schaars gemeubileerde, sombere huis van zijn ouders van zich af. Hij begon in te zien dat hij meer was dan een succesvol zakenman.

Imre – trots op zijn garderobe en zijn woningen, zijn rijkdom en zijn zakelijk inzicht, zijn familie en de nationale traditie waarvan hij de belichaming was – zag zichzelf en beschreef zichzelf tegenover anderen als een cultuurliefhebber, een intellectueel. In de steeds ruimdenkender samenleving van Boedapest vormde zijn gebrek aan officiële scholing geen beletsel voor die bewering. Imre beschouwde zichzelf als een reus die twee werelden overbrugde – handel en kunst – en hij frequenteerde de gezelligheidsverenigingen van beide. Hoewel hij in de kring van uitgevers, drukkers en journalisten hartelijk werd verwelkomd en oprecht werd bewonderd, was hij nog altijd de zoon van Miklós, en hij voelde zich meer zichzelf, welkomer en prettiger als leider onder kunstenaars, schrijvers en acteurs. Tegen zijn vrouw zei hij vaak: 'De kunstenaars zien me voor wat ik ben; de uitgevers benijden me alleen om wat ik heb bereikt.' Hij was lid van de KB, een groep schrijvers en kunstenaars die elkaar regelmatig troffen in Gerbeaud voor avonden met drank en voordracht, loftuitingen en beledigingen. Deze club, genoemd naar Boldizsár Kis, was tevens een discussieforum over politiek, met name over de kwestie van de Hongaarse onafhankelijkheid. Tijdens het verloop van zulke gesprekken toastte Imre op de nagedachtenis van zijn oom Viktor, die bij Kápolna was gesneuveld voor Hongarijes kortstondige bevrijding van Wenen.

Ook al beschouwde hij zichzelf als een geletterd man, ook al waren veel leden van de KB voor hun broodwinning van hem afhankelijk, ook al waren de kunstenaars in Gerbeaud beleefd, zelfs joviaal vriendelijk tegen hem: hij was niet een van hen, maar dat feit ontging hem (behalve op sombere, snel vergeten momenten van eenzaamheid en helder inzicht).

Endre Horn, de toneelschrijver, gebruikte Imre als voorbeeld voor Swindleton, de onbetrouwbare Engelse zakenman in zijn klucht *Onder koude sterren*, en daarin ging hij zelfs zo ver dat hij het personage een twee-lingzoon en -dochter gaf. Die overeenkomst viel Imre niet op. De dichter Mihály Antall schreef dichtregels (die in het Hongaars rijmden), die van hand tot hand gingen en waarnaar in gesprekken tersluiks werd verwe-zen, maar die Imre nooit onder ogen kreeg:

Wanneer zakenlieden smaak ontwikkelen,
En met o zo elegante passen lopen,
En verhandelingen over Shakespeare houden,
Wie bestelt er dan een rondje?

'Waar blijft het geheugen van ons volk?' vroegen ze als Imre niet in Gerbeaud verscheen. 'Ik geef me gewonnen aan het geheugen van ons volk', antwoordden ze glimlachend als Imre een stelling bleef verdedigen die alle anderen stilzwijgend als barbaars veroordeelden. 'Op het geheu-gen van ons volk!' Zo hieven ze hun glas als de rekening kwam. 'Het lijkt erop dat het geheugen van ons volk kort van memorie is', schimpte de componist János Bálint, toen hij het gerucht doorvertelde dat er een kind van Imre was geboren bij een vrouw die niet zijn echtgenote was. 'Arm geheugen', fluisterden ze bij de begrafenis van Klára, de tweelingdochter, die was bezweken aan een longontsteking. 'Het geheugen begint te verva-gen', zeiden ze nerveus als Imres bedrijf een moeilijke periode doormaak-te, en weer toen hij eerst vermagerde en toen schrikbarend vermagerde door de langdurige ziekte waaraan hij ten slotte overleed.

VIII

De tweede Károly, Imres zoon, maakte voor het eerst kennis met zijn toekomstige erfgoed toen hij veertien was, maar pas eenentwintig jaar later
kwam hij aan het hoofd van het bedrijf te staan, na Imres dood in 1913.
Na een leertijd van twintig jaar wist hij alles van het reilen en zeilen van
de uitgeverij, maar raakte ook overtuigd van de incompetentie van zijn
pompeuze vader. Toen Károly met het verstrijken van de jaren een onder-
geschikte bleef, werd het de man die zijn vader allang had moeten opvol-
gen met het kwartaal duidelijker dat het bedrijf, ondanks het succes van
de uitgeverij, veel beter zou hebben gefloreerd als híj aan het roer had gestaan in plaats van zijn laffe, van kunst bezeten, negentiende-eeuwse vader. Imres overwinningen waren ergerniswekkend gemakkelijk; Károly
zou ze hebben overtroffen. Imres mislukkingen waren flagrant; Károly
zou nooit zo nonchalant, voorzichtig, goed van vertrouwen, achterdoch-
tig, roekeloos of lafhartig zijn geweest. Toen Imre en de uitgeverij zich
op Károly gingen verlaten, waren de werknemers van de uitgeverij op
de hoogte van de minachting die de prins voor de koning voelde, en zelfs
Imres domste zakenvrienden grinnikten erom en raadden hem aan iemand zijn eten te laten voorproeven. In 1898 begon een grappenmaker
in de KB Károly achter zijn rug om Brutus te noemen. Imre zelf had het
daarentegen over 'de wens van de jongen om een rol te spelen in de familietraditie', om zijn lotsbestemming in het nationale leven te vervullen.
Maar als hij alleen was, vroeg hij zich ook af waaraan hij de spotlust van
zijn zoon had verdiend, want als heel klein jochie was Károly dol op zijn
vader geweest, had hem aanbeden en had zijn manier van spreken en zijn
gebaren nagedaan, en toen hij zes was had hij tegen zijn moeder gezegd:
'Pappa en ik lijken in alles op elkaar. We zijn twee mannen die uit hetzelfde hout zijn gesneden.'

Een deel van het probleem ontstond op de KB. Op een zomeravond,
toen Károly twaalf was, werd hem voor het eerst het voorrecht verleend
zijn vader te mogen vergezellen naar Gerbeaud, en het viel de jongen
meteen op dat de andere mannen zich anders kleedden dan zijn vader.
Ze spraken anders. En als ze de moeite namen (duidelijk tegen hun zin,
merkte Károly) om het woord tot de jongen zelf te richten, voelde hij

dat ze om hem lachten. Die eerste avond deed de schilder Hanák een eenvoudig, maar door oefening geperfectioneerd kaarttrucje voor de jongen. De slonzige kunstenaar leende een bankbiljet van Horváth senior, liet het aan het kind zien, vouwde het klein op en verstopte het in zijn enorme vuist. 'In welke hand zit het vuige gewin, kleine Károly?' vroeg hij, tot toenemende afkeer van de jongen. Károly wees eerst op de ene, toen op de andere hand van de kunstenaar, terwijl hij rilde van zijn harige knokkels en met verf besmeurde vingers. Eerst opende zich krakend de ene, toen de andere vuist, waarin niets anders was te zien dan veegjes kleur op de handpalmen van gekerfd leer, dat dezelfde textuur vertoonde als de voetkussentjes van Károly's geliefde pumihond. 'Het is een raadsel, vind je niet, jochie?' vroeg de kunstenaar. De schilder ging verder met drinken en kletsen en sloeg geen acht meer op de jongen tot hij, zonder dat zijn vader het hoorde, aan Hanák vroeg: 'Hou je pappa's geld?' De kunstenaar lachte en hief zijn glas bier op naar de jongen. 'Jij begrijpt heel goed wat goochelen is, jongetje', zei hij, voordat hij het zichtbaar ongelukkige kind de rug toekeerde.

De twaalf jaar oude Károly had de uitnodiging voor de speciale avondjes van zijn vader opgevat als een teken dat hij nu zijn vaders adviseur en gelijke was. Hij nam zijn verantwoordelijkheid serieus. 'Ik mocht die mannen niet', zei Károly heel ernstig tegen zijn vader, toen ze naar huis liepen langs de uitgestrekte bouw van nieuwe huizen rond het Deákplein en Andrássy út. 'Er is iets mis met ze. Die viezerik heeft jouw geld gestolen.' Károly was kwaad, vooral omdat hij tot medeplichtige was gemaakt bij het stelen van zijn vaders (en zijn eigen) geld.

Zijn vader gaf hem een harde draai om zijn oren. 'Hij heeft het niet gestolen en hij is geen viezerik', zei Imre bedaard terwijl de jongen een hand naar zijn gezicht bracht. 'Hij is een groot kunstenaar. Hij heeft het geld harder nodig dan ik. Moet ik hem in verlegenheid brengen en het terugvragen? Is dat wat je wilt, kleine barbaar? Moet ik van de daken roepen dat ik rijk ben terwijl hij arm is? Nee. Ik laat dit toe om hem een dienst te bewijzen. In ruil daarvoor maakt hij prachtige dingen, die ik bewonder...' De vader sprak geruime tijd, op steeds luchtiger toon, over de discretie die een beschermheer van de kunsten moet betrachten, dat deze mannen van de KB zowel zijn meerderen waren (qua talent) als zijn gelijken (qua smaak) als zijn minderen (qua rijkdom en succes). Maar nadat de jongen een poos had geprobeerd te begrijpen hoe hij het in woord en daad bij het verkeerde eind had kunnen hebben, luisterde hij niet meer, maar werd alleen nog kwader en verwarder. Op het laatst hield hij het met de onwrikbare zekerheid van een twaalfjarige op de onmiskenbare schending van een feitelijk principe: *Deze mannen waren misdadigers. En vader is hun slachtoffer, hoewel hij dat niet wil toegeven omdat hij zich ervoor schaamt.*

De rest van de zwijgzame wandeling naar huis verheugde Károly zich erop om de gebeurtenissen van die avond te bespreken met zijn tweeling-zus, wier intelligentie hij respecteerde boven die van alle anderen. Maar toen ze thuiskwamen, vertelde zijn moeder dat Klára zich niet lekker voelde en vroeg naar bed was gegaan. De longontsteking, die net die avond zijn sluipende aanval had ingezet, beëindigde haar leven niet lang daarna, en tot het eind van zijn eigen leven was Károly nooit in staat het irrationele, knagende gevoel van zich af te zetten dat de KB Klára op de een of andere noodlottige manier had geschaad, haar die avond ook had gestolen en ook hem bij dat kwaad tot medeplichtige had gemaakt.

Károly's vader ontsloeg hem echter niet van het voorrecht af en toe de bijeenkomsten van de KB te mogen bijwonen. Na een periode van balling-schap vanwege zijn eerste reactie (die al snel veranderde in een periode van rouw over het verlies van Klára) werd de jongen, die nu veranderd was op een manier die zijn vader niet helemaal kon thuisbrengen, op-nieuw meegenomen. En hoewel hij er elke avond dat hij werd meegeno-men zwijgend bij zat, dacht zijn vader dat hij onder de indruk was van het briljante gezelschap. Imre, die meer dan ooit verslaafd was aan deze avonden vol cultuur en roddelpraat sinds zijn huis door het sterfgeval zo somber en zijn vrouw zo ergerniswekkend afstandelijk waren geworden, had zich voorgenomen dat zijn zoon zou opgroeien in het gezelschap van intelligente mannen en kunstenaars. Zulke mannen, zei hij tegen zijn zoon tijdens de wandeling naar Gerbeaud niet lang na Klára's begrafenis, waren de enigen die in staat waren een balsem te verschaffen voor de brute wonden die het leven je toebracht. Károly had medelijden met zijn vader.

De jongen was een paar jaar ouder toen hij begreep dat ze zijn vader uit-lachten, ook al verhulden de mannen van de KB dat op manieren die hij niet kon verklaren. Toen hij er nog wat avonden zwijgend had doorge-bracht, kreeg hij ook het gevoel dat ze hem tegen zijn vader probeerden op te zetten, hem probeerden bij te brengen om zijn vader op hun achter-bakse manier uit te lachen, net zoals Hanák hem bij de diefstal had be-trokken. 'Zullen we de opvattingen van je pa helemaal aanhoren?' fluisterde de componist János Bálint op een avond tegen hem, midden in een lange, raadselachtige discussie toen de gemoederen hoog opliepen en allerlei stemmen Imres rustige, halsstarrige uiteenzetting probeerden te overschreeuwen. 'Of zullen we de kans waarnemen om naar buiten te glippen voor wat broodnodige frisse lucht?' Bálint stond op, met het gewicht op zijn goede been, en pakte de jongen bij de hand, maar Károly trok zich met een ruk los.

'Ik wil mijn vader horen', zei hij rustig en duidelijk. 'Hij is erg intelligent, en als u dat niet inziet, bent u erg dom.' Deze repliek, die werd toegesist en met een felle hoofdknik onderstreept, werd zowel door de componist als door de journalist die aan de andere kant van Károly zat vermakelijk gevonden. Die avond begon de wandeling naar huis met een draai om zijn oren, maar die was ontoereikend om Károly's respect voor het verheerlijkte lidmaatschap van de KB af te dwingen en nu, na nog een aantal zwijgzame avonden, liet de jongen zich niet langer de mond snoeren. 'Hij probeerde mijn hand te pakken, vader. Er was iets raars mee.'

'De man is getrouwd en heeft kinderen, jij...' stak Imre van wal, maar hij werd onpasselijk van Károly's insinuatie. 'Hij is een groot componist...' begon hij nog eens in een poging tot zichzelf te komen. Ten slotte wist hij niets anders te zeggen dan: 'Sta op', toen het kind na nog een tik niet meteen opstond van het trottoir. 'Sta in vredesnaam op', snauwde hij. 'Die mannen zijn je lánd.'

De volgende verbanning duurde twee jaar. Károly bleef in het sombere, vreugdeloze huis achter in het gezelschap van zijn zwijgende, dochterloze moeder, totdat zijn vader, die hem zelden zag, aannam dat de jongen volwassen was geworden en hem toestond om naar het cultuurminnende gezelschap terug te keren. Dit keer lachte Károly met hen mee, maar niet omdat hij instemde met hun stilzwijgende, heimelijke oordeel dat zijn vader onintelligent, te weinig belezen of als een vis op het droge was. Károly lachte met de KB mee om zijn vader, omdat zijn vader niet kon inzien dat zijn helden hem minachtten, en Károly wel, en dat was wrang-geestig. Als je weigerde de waarheid in te zien, kon je nauwelijks verwachten dat je geliefd werd om je blindheid.

'Het lijkt erop dat je het vanavond, nu je wat ouder bent, beter naar je zin hebt gehad. Klopt dat, mijn jongen?' was de voldane vraag tijdens de vredige wandeling naar huis.

'Volgens mij lachen ze om echte mannen, vader. Ik vind het een stel el-
lendelingen. Ze zijn onsympathiek. Zij zijn mijn land niet.' De vader
dacht eerst dat Károly een cryptisch grapje van twijfelachtig allooi maakte. Hij bleef staan, nam zijn zoon in ogenschouw en besefte dat zijn zoon
te groot was geworden om te slaan. 'Ga je mee, vader?' zei de zoon met
precies hetzelfde lachje als hij op de lippen van Horn had gezien toen Imre
een nieuw toneelstuk prees dat door een talentloze rivaal was geschreven.

Károly wees alle verdere uitnodigingen om mee te gaan naar de KB af,
en zijn vader stonden geen andere instrumenten ter beschikking om het
gedrag van de jongen te verbeteren nu lijfstraffen niet meer uitvoerbaar
waren. Er werd nooit over de kwestie gesproken, en als er leden van de
KB op de uitgeverij verschenen om werk te bespreken, was Károly opvallend afwezig van zijn post of hij legde een vorm van onberispelijke, qua-
si-militaire vormelijkheid aan de dag die zijn vader verbaasde, en 'waar
ik kippenvel van kreeg', in de woorden van de historicus Balázs Fekete.

Oppervlakkig beschouwd was de uitgeverij succesvol, erkende Károly
tegen een tijdelijke vertrouweling (meestal een laaggeplaatste werknemer, die zijn geluk niet opkon nu hij door de opkomende zoon werd verwarmd), maar in wezen was het bedrijf ongezond, uit balans. Zijn vader,
en de gezondheid van de uitgeverij, waren veel te afhankelijk van de aanhoudende, zogenaamde inspiratie van deze zogenaamd Hongaarse, zogenaamde genieën. En trouwens, als uitgeverij Horváth inderdaad het geheugen van het Hongáárse volk was, zou hij Hongáárse schrijvers
moeten uitgeven, en je hoefde niet veel te weten om te weten dat de leden
van de KB dat helemaal niet waren. Voor degenen die de moeite namen
om te kijken, vertelde hij zijn aangename doch stille metgezel, was er
een eenvoudige, voor de hand liggende reden waarom ze er hun vak van
maakten de echte Hongaren uit te lachen: Het wáren geen echte Hongaren. 'Hun werken zijn buitenlands, on-Magyaars. Ze stellen niet aan de
orde wat de Magyaar bezighoudt. Ze liefhebberen een beetje in vermaak.
Ze gaan voorbij aan hun plicht om te onderrichten, omdat het niet in
hun vermogen ligt: een niet-Magyaar kan geen uiting geven aan een Magyaarse ziel. Dat is een keihard beginsel,' legde Károly uit terwijl zijn toehoorder dronk, 'niet een onbestendige mening of vluchtige populariteit.
Een keihard beginsel.'

De erfgenaam wist echter dat hij niet goed in discussies was en dat hij
zijn vader niet zou kunnen overtuigen van hetgeen hij wist, en daarom

deed hij erg veel moeite om de stemmen te vinden die dat wel konden. Hoewel Károly op de uitgeverij niet erg geliefd was, had hij een paar werknemers voor zich ingenomen, die hem hielpen om de kranten en boeken te vinden die hij wel steekhoudend vond. Károly gencerde zich er enorm voor dat die kranten en boeken meestal bij andere uitgeverijen verschenen. Hij geneerde zich ervoor dat hij bij een uitgeverij werkte die echte Hongaarse schrijvers leek te schuwen, schrijvers die de harde, wetenschappelijke waarheid verkondigden, eenvoudig en duidelijk uitgedrukt, mannen als Bartha en Egán, die zich bezighielden met de gezondheid van het land in plaats van met goedkope pluimstrijkerij, mannen die bereid waren te verkondigen en te bewijzen wat zonneklaar was: joden waren geen Magyaren. Liberale leugenaars waren geen Magyaren. Een groot deel van het corrupte, kosmopolitische Boedapest was niet-Magyaars. En de hele tijd vormden de onzin uitkramende stemmen van liberalen, joden, zelfverklaarde kunstenaars en intellectuelen een onverdraaglijke kakofonie in het uitgevershuis dat ooit het geheugen van het Hongaarse volk was geweest. Alleen al om zakelijke redenen, omwille van het familiekapitaal, zo niet omwille van het land, was het noodzakelijk dat Károly's vader naar rede ging luisteren. Károly zou de harde cijfers benadrukken; alleen de winstcijfers konden zijn misleide vader weer op het juiste pad brengen.

Op een ochtend, toen Károly net eenentwintig was, verscheen Imre laat aan het ontbijt, omdat hij de avond ervoor tot in de kleine uurtjes in Gerbeaud was gebleven. Aan de rommelige tafel zat Károly op hem te wachten. Zijn vader zeeg langzaam op zijn stoel neer en wierp een teleurgestelde blik in de lege koffiepot.

'Was het een opwindende avond, oude man?' vroeg zijn zoon, met onnodig volume.

'Opwindend, nee, dat zou ik niet zeggen. Verhelderend.'

'Verhelderend? Met die joden en derderangs schrijvers? Ieder zijn meug, zullen we maar zeggen.'

'Joden en derderangs schrijvers?' reageerde Imre versuft. 'Waar heb je het over?'

De jongeman tikte op het krantenartikel dat opengeslagen op tafel lag en schoof het zijn vader toe. 'Niets wat ik zelf al niet heb gedacht, maar het is leuk om het in druk te zien. Leuk te weten dat er nog genoeg tijd is om ons kapitaal veilig te stellen. Mijn erfenis, vergeet dat niet. Tijd om te overdenken of ons bedrijf niet op het verkeerde fundament berust. Het geheugen van wélk volk, vraag ik me af', besloot de jongen met een ironische lach, die in Gerbeaud nauwelijks zou hebben misstaan.

Imre, die een kater had en eigenlijk nooit precies wist wat hij van zijn humeurige nakomeling moest denken, pakte de krant op en begon even later te lachen. Hij reikte over de tafel om zijn zoon in de wang te knijpen, iets wat hij zelfs vrijwel nooit had gedaan toen Károly daar de juiste leeftijd voor had gehad. 'Je had me bijna te pakken', zei hij.

Károly had zich voorbereid op een noodzakelijke, zuiverende discussie over principes, maar nu vond hij zijn vaders laatdunkendheid bijna raadselachtig genoeg om het bestudeerde lachje van zijn gezicht te vagen. 'O ja?'

'Ik vind dit Horns beste poging tot dusver', zei zijn vader peinzend.

Volgens mij, begon de column die Károly Horváth in 1899 zo had getroffen, *brengen de joden en derderangs schrijvers die ons toneel bezoedelen met hun toneelstukjes en de stad vervuilen met hun koffiehuizen, en die van Boedapest met hun tegennatuurlijke neigingen een absoluut Sodom en Gomorra maken, ons echte Magyaren in groot gevaar. Ik, bijvoorbeeld, wil niet met hen aan één tafeltje zitten wanneer God besluit een bliksemschicht te laten neerdalen om voorgoed een einde aan deze plaag te maken. Ik, bijvoorbeeld, wil niet in het theater zitten kijken naar een armzalig toneelstuk dat door woekeraars is geschreven, wanneer het land eindelijk walgend in opstand komt en de acteurs en schrijvers in stukken scheurt nadat ze weer een voorstelling hebben getolereerd die zwakkere geesten dan de mijne blijven bespreken als 'snedig scherpzinnig' en 'een blijspel van de bovenste plank' en 'misschien wel Endre Horns beste werk tot nu toe'. Ik vraag jullie, beste Magyaarse broeders, hoelang moeten we nog wachten voordat we hiervan worden bevrijd? We mogen, denk ik, niet hopen dat God deze anders geaarden voor de laatste voorstelling op de 18de van deze maand zal neerslaan, aangezien de uitverkochte zalen die het stuk trekt op zijn minst een aantal fatsoenlijke, doch misleide mensen zal bevatten. Maar als het snel naderende eind van deze eeuw geen goed tijdstip is voor de dag des oordeels, waarop het koren van het vuil zal worden gescheiden, weet ik niet wat een betere dag zou zijn. Het is verre van mij om God voor te houden wat Zijn verantwoordelijkheden zijn, dat is ongetwijfeld de taak van de paus, maar ik verheug me in elk geval op 1 januari 1900. Ik zal me onder mijn bed verstoppen, en als de vloedstroom is voorbijgetrokken, en de straten schoon zijn, en God in Zijn wijsheid bereid is de waardigen op te nemen langs de gouden ladder die hij voor ons zal laten afdalen, dan zal ik met al mijn vrienden en familieleden onder dat bed vandaan komen en zullen we luch-*

tig over de verwrongen, krijsende lichamen van deze zogenaamde toneelschrijvers heenstappen en opstijgen naar de hemel, waar vast beter amusement is dan Endre Horns Brutus en Julius, dat nu in het Kasteeltheater aan de Színház utca wordt opgevoerd, en waar iets beters te lezen zal zijn dan Mihály Antalls nieuwste bundel kreupelrijmen en zogenaamde minneliederen, Jaargetijde van licht, die onlangs bij uitgeverij Horváth is verschenen en op grote schaal lachwekkend werd geprezen, en waar echte hemelse muziek zal zijn in plaats van die afschuwelijke experimenten van János Bálint, wiens muziek fatsoenlijke mensen laat kokhalzen, terwijl de zogenaamde smaakmakers hem uitroepen tot een genie van de eerste orde, die de Hongaarse cultuur tot eer strekt. Ik, bijvoorbeeld, ben niet van plan zulke werken te lezen of aan te horen als ik aan de linkerzijde van de Heer zit, nadat Hij heeft gezegd dat ik veilig onder mijn bed vandaan kan komen, waar ik weldra onder zal gaan liggen als voorbereiding op het noodweer dat zal losbarsten.

Het vergde alle geduld waarover Károly beschikte om te begrijpen waarom zijn vader deze geweldige, vernietigende (en kunstzinnig metaforische) aanval op zijn smerige, verraderlijke kring (en god! zelfs op onze uitgeverij) eerder geestig vond dan onthullend en alarmerend. In deze schrijver, Pál Magyar, had Károly eindelijk iemand gevonden die alle afkeer die hij voor zijn vaders onbetrouwbare vrienden voelde, alle schaamte over de relatie tussen het familiebedrijf en dit niet-Magyaarse schorem onder woorden bracht, en nu zat zijn vader te lachen, en hij feliciteerde Károly ermee dat hij hem bijna voor de gek had gehouden. De verklaring kwam tergend langzaam.

De sarcastische column, die de KB veroordeelde als 'joden en derderangs schrijvers', en die ochtend Károly's aandacht zo had weten te vangen en een neerslag van zijn eigen gevoelens was, was geschreven door niemand anders dan Endre Horn, hetzelfde kopstuk van de KB die de oude Horváth had gehekeld in *Onder koude sterren.* Onder een pseudoniem (met grote en lachwekkend overbodige geheimzinnigheid) schreef Horn momenteel columns voor het nationalistische, antisemitische krantje *Ontwakende natie* (Károly's favoriete dagblad, waarop hij was geattendeerd door een werknemer van de uitgeverij, die inmiddels wegens dronkenschap was ontslagen), die het hoofd net boven water kon houden. Onder de naam Pál Magyar spuide Horn in deze stukken extreem-nationalistische denkbeelden, maar in stuitend slecht proza. De essays moesten geloofwaardig genoeg zijn om door de van flinke oogkleppen voorziene, maar van zuiverheid bezeten redacteuren te worden goedgekeurd, maar toch bizar genoeg om door de gemiddelde lezer niet serieus te worden genomen en, het allerbelangrijkste, te dienen als zelfpromotie voor Horn zelf, ook al ging hij schuil achter zijn *nom de* spotternij.

Károly deed er het zwijgen toe en werd door de omstandigheden genoodzaakt Horns bewonderaar te zijn, want hij was op afstand door de joodse derderangs schrijver aan zijn eigen keukentafel vastgebonden en gekneveld. Hij kon niets zeggen. En daarom lachte Károly. Dat zijn eigen vader verraad pleegde ten opzichte van de uitgeverij (vertelde Károly later aan een collega) bracht hete tranen van schaamte in zijn ogen, de ondergang van wat ooit een groot man was geweest. 'Een man kan natuurlijk te gronde worden gericht, maar een nationaal instituut niet.'

Maar hij ging die dag zelf naar het kantoor van *Ontwakende natie* en verzekerde zich ervan dat de redacteurs dezelfde fout niet nog eens zouden maken. Er waren nog steeds een paar principiële mannen in deze wereld, ook al kon zijn vader daar niet meer toe gerekend worden.

'Ach, weet je wat jammer is? Het spelletje van Horn is doorzien door die idioten van *Ontwakende natie*', meldde zijn vader op een katterige ochtend.

'O ja? Wat een opmerkelijke wending.'

IX

De tweede Imre Horváth stierf in 1913, tien jaar nadat hij een klaaglijk uitgesproken, alom geparodieerde grafrede had gehouden tijdens de zeer uitgebreide, zeer katholieke staatsbegrafenis van Endre Horn.

Toen Imre overleed, was Károly Horváth vijfendertig, getrouwd, had drie zonen en treurde hij nog steeds om zijn dochtertje, dat twaalf jaar daarvoor was overleden. Het meisje had Klára geheten, naar Károly's onfortuinlijke tweelingzusje, en was op haar beurt aan tyfus overleden. Maar nu klopte hij het stof en de spinrag van woede en verdriet van zich af en klom eindelijk op naar de positie die hij al tweederde van zijn leven verdiende.

De dag na zijn vaders begrafenis stelde hij een lijst op van alles wat de uitgeverij met onmiddellijke ingang niet meer zou uitgeven. Dit lange document begon met de toneelstukken van Endre Horn en vervolgde met de werken van vrijwel alle leden van de reeds lang ter ziele gegane KB. Daarna stelde hij een lijst op van kranten en schrijvers die hij wilde binnenhalen bij de uitgeverij, beginnend met *Ontwakende natie*, die in de vijftien jaar dat hij werd verspreid steeds populairder was geworden. De nieuwe directeur bekeek beide lijsten en stelde – met de hulp van nieuwe, vertrouwde medewerkers – een nieuw onderzoek in naar de financiële situatie van de uitgeverij. In een paar weken tijd maakte hij een schatting van wat het zou kosten om alles te kopen wat hij wilde hebben, en van het verlies dat zijn bedrijf zou lijden als hij alle beschamende bezittingen zou wegsnijden. Daarna ging hij heroverwegen. Sommige dingen zouden helaas moeten blijven, ook al waren ze niet bepaald bewonderenswaardige voorbeelden van het geheugen van het Hongaarse volk. Horn, bijvoorbeeld, verkocht nog steeds belachelijk goed. Antall bracht op een onverklaarbare manier geld in het laatje. Maar de componist Bálint? Niemand luisterde naar die rotzooi, en in elk geval kocht geen mens de bladmuziek voor dat krijserige kabaal. Zijn vader was belachelijk sentimenteel geweest om het werk van die ondankbare homoseksueel uit te geven. Vrijwel niets in Károly's leven kon het genoegen evenaren waarmee de punt van zijn pen tergend langzaam de letters B-Á-L-I-N-T J-Á-N-O-S doorkraste en zelfs een scheurtje in het papier maakte, en Károly herinnerde zich zijn eigen vroegwijze woorden waarmee hij de hijgerige componist jaren geleden in Gerbeaud van zijn ziekelijk-libidineuze spoor had afgebracht. 'Blijf met je handen van me af, walgelijke vent. Gedraag je als een heer, of een echte heer zal je leren hoe dat moet.' Zelfs op die jeugdige leeftijd had hij geweten wat goed en wat kwaad was en had hij dapper gesproken. Bálint was een stap achteruitgedeinsd en was bleek weggetrokken toen hij zo welsprekend werd terechtgewezen in het bijzijn van al zijn vuige vrienden, en nog wel door een jonge knaap. 'En door een knaap, een jonge knaap', fluisterde Károly hardop. Op de lijst van vijfenveertig auteurs, dagbladen en tijdschriften die hij van de hand hoopte te doen of waarvan hij de publicatie wilde staken, waren zes auteurs en het tijdschrift *Cultuur* onvoldoende winstgevend om een generaal pardon te rechtvaardigen: zeven winkeldochters, stuk voor stuk een bron van vreugde. De overige vijfendertig schrijvers en vier publicaties moesten worden getolereerd en langzaam worden vervangen, maar er was vast wel iemand anders op de uitgeverij die dat op zich kon nemen. Hij was de hoeder van het geheugen en geweten van zijn land. Als vuiligheid tijdelijk en noodzakelijkerwijs geld opleverde om zijn missie te ondersteunen, het zij zo, maar hij ging er zijn handen niet aan vuil maken.

Het jaar erna, toen hij zijn bedrijf van onrendabele vuiligheid had gezuiverd, rondde Károly de onderhandelingen over de aankoop van *Ontwakende natie* af, die met ingang van 8 juli 1914 in de rechterbovenhoek van elk exemplaar het vertrouwde Horváth-logo droeg. Károly had er vooral plezier in zijn maandelijkse 'Brief van de uitgever' op te stellen, die hij op 10 augustus 1914 links onderaan pagina één inwijdde met de kwestie van de eeuwige, onveranderlijke kracht van het Oostenrijks-Hongaarse keizerrijk. In zijn debuut gebruikte hij zijn oudoom Viktor als een symbool, een Hongaar die bij Kápolna zijn leven voor het keizerrijk had gegeven. Hij riep de Hongaren op om standvastig te blijven als ze met de huidige internationale spanningen werden geconfronteerd, omdat standvastigheid een oorlog beslist zou voorkomen; deze crisis zou voorbijgaan en Oostenrijk-Hongarije zou er sterker dan ooit uit tevoorschijn komen. En ofschoon *Ontwakende natie* nooit de oplage van *Corpus sanus* bereikte – met wieleruitslagen en reportages over paardenrennen – noemde Károly het dagblad altijd de edelsteen in de Horváthkroon.

X

Doctoraal economie, afsluitend tentamen, een essay aan de hand van een praktijkgeval. Vraag, zoals voorgelegd aan Károly Horváth tussen 11 augustus 1914 en 16 juli 1947:

U staat aan het hoofd van een kleine, maar zeer succesvolle uitgeverij die familiebezit is. Beschrijf welke zakelijke beslissingen u zou nemen bij elk van de volgende zeventien gebeurtenissen die plaatsvinden in het land waar u werkzaam bent. Leg uit hoe u aan materialen en arbeidskrachten komt, hoe u de markt peilt, het assortiment samenstelt, de marketing uitvoert en een geïntegreerde, strategische langetermijnplanning ten uitvoer brengt binnen het hogere leidinggevende personeel.

I. Uw land vecht mee in een wereldoorlog en verliest; de arbeidsmarkt is krap; de inflatie is schrikbarend hoog. U verliest uw tweede zoon aan een ziekte, waardoor u wekenlang wegzakt in een zwijgzame depressie. U besluit de uitgave van verscheidene van uw meest winstgevende titels te staken, omdat de auteurs ervan verantwoordelijk zijn voor de influenza die uw zoon het leven heeft gekost. De geldstroom die tijdens de oorlog binnenkwam uit de publicatie van overheidsdrukwerk, zoals lijsten met gesneuvelden, oproepen voor de dienstplicht, landkaarten en propaganda, is tegen het einde van uw zwaarmoedige periode vrijwel geheel opgedroogd.

II. Uw land maakt zich los van het stabiele politieke systeem waartoe het eeuwenlang heeft behoord; de politiek is gevaarlijk en de regering is zwak.

III. Er dient zich een gewelddadig communistisch dictatorschap aan, dat uw uitgeverij nationaliseert. U raakt alles kwijt en wordt gearresteerd. Het communistische regime bestaat voor bijna 70% uit joden, een getal dat u zeer significant vindt. Uw executie wordt voorlopig in het uiterst drukke schema van de communisten opgenomen.

IV. Uw land verliest nog een oorlog (meer een epiloog van de vorige) en wordt binnengevallen door Roemenen, die het korte tijd voor het zeggen hebben in Boedapest voordat ze de stad opgeven en de aftocht blazen. U blijft al die tijd in de gevangenis, en uw executiedatum wordt eerst vervroegd en dan voor onbepaalde tijd uitgesteld.

V. Na slechts vier maanden communisme barst er een succesrijke rechtse contrarevolutie los. U wordt vrijgelaten, u krijgt uw bedrijf terug (u ontslaat drie onwrikbaar anti-communistische joodse werknemers op beschuldiging van crypto-communistische sympathieën), en u wordt persoonlijk gecomplimenteerd voor uw moed door het nieuwe staatshoofd, een regent/vice-admiraal. (Hij is een regent, ook al is er geen vorst namens wie hij regeert. Hij is een vice-admiraal, ook al heeft uw land geen kustlijn meer, want die is het kwijtgeraakt – net als 70 procent van het land en 60 procent van zijn bevolking – door het voorspelbaar impopulaire en tot verbittering aanzettende verdrag van Trianon, dat een eind aan de wereldoorlog maakte). De regent noemt uw uitgeverij het geheugen van een volk en het geweten van een land. U krijgt een medaille, die u in uw kantoor ophangt, in een vitrinekast met een elektrisch lampje erboven. Er raast een golf van executies van echte en vermeende communisten door het land. De vraag naar 'nationaal-christelijke' kranten en schrijvers lijkt een zeer verleidelijk fundament waarop de toekomst van de uitgeverij opnieuw kan worden opgebouwd.

vi.   Wanneer zich gedurende korte tijd een pretendent voor de Hongaarse troon aandient, wordt een burgeroorlog ternauwernood voorkomen.

vii.   Eindelijk keren vrede en voorspoed terug in uw land. De vraag naar uw oude fondslijst met Hongaarse auteurs en wetenschappers neemt toe, ook al associeert u die zelf met gevangenschap, tirannie, moord en ziekte. De welvaart die u dat kan opleveren is, zij het noodzakelijk, in uw ogen een duivels verdrag met het kwaad.

viii. De Recessie.

ix.   De verkiezingen die na de Recessie volgen, vallen zoals te verwachten in het voordeel van de fascisten uit. De nieuwe regering van de regent flirt met Mussolini en Hitler en drukt een nieuwe wetgeving door, die een maximum stelt aan het aantal joden dat tot universiteiten en bepaalde beroepsgroepen wordt toegelaten, en bestempelt ze vervolgens tot een afwijkend ras. Beschrijft u nauwkeurig wat de ruime mogelijkheden voor winst en acquisitie voor uw bedrijf zijn.

x.   Nog een wereldoorlog. Uw land doet zijn uiterste best om er buiten te blijven, want het zit ingeklemd tussen twee erg grote, vijandige partijen die niet van mening zijn dat uw land echt als een onafhankelijke natie telt. Geef een nauwkeurige beschrijving van de nieuwe contracten voor drukwerk voor uw nieuwe regering en het leger.

xi.   Genoodzaakt partij te kiezen mengt uw land zich voorzichtig in de oorlog als lid van de Asmogendheden en helpt beschroomd bij het binnenvallen van de Sovjet-Unie. De regering verbiedt huwelijken tussen joden en niet-joden. Maak een raming van het aantal overheidsplakkaten die u op korte termijn kunt produceren en in joodse woonwijken ophangen.

xii.   Na herhaald aandringen van de Duitsers verklaart de Hongaarse regering met tegenzin en zonder veel ophef de oorlog aan de Verenigde Staten en Groot-Brittannië. Nieuwe wetten dwingen de joden om een gele ster te dragen en in een getto in Pest te gaan wonen. Nadat aanvankelijk pogingen zijn ondernomen om de joden naar concentratiekampen te transporteren, stopte de regering met de deportatie toen de politie van Boedapest, die verantwoordelijk was voor de razzia's, in opstand dreigde te komen. Maak een herberekening van de inkomsten uit aanplakbiljetten, zowel van de opdracht tot deportatie als van de intrekking ervan.

XIII. De regering laat aan haar Duitse bondgenoot doorschemeren dat het land zich nu uit de oorlog zou willen terugtrekken, dat het er alleen bij betrokken was geraakt om iets van het Hongaarse grondgebied terug te krijgen dat het bij de vórige oorlog was kwijtgeraakt, dat het land eigenlijk geen ernstige grieven jegens de Britten en Amerikanen heeft. De regent onderhandelt in het geheim met het Westen en kondigt vervolgens publiekelijk, via de landelijke radiozender, aan dat Hongarije daar afzonderlijk vrede mee heeft gesloten. Hongarije wordt onmiddellijk door zijn afgewezen Duitse bondgenoot onder de voet gelopen. De gecompliceerde diplomatieke manoeuvre van de regent bleek zinloos: Duitsland en zijn Hongaarse semi-ss-bondgenoten van de pijlkruisers vestigen hun hoofdkwartier in het paleis op de Burchtheuvel in Boeda en verjagen de regent naar Berlijn. Thuis in Boedapest bieden sommigen van uw landgenoten ijverig hun hulp aan om de joden in treinen te laden die naar Auschwitz gaan. Joodse bezittingen en woningen zijn vogelvrij. De pijlkruisers, waarvan sommige leden voor uw uitgeverij werken of hebben gewerkt, steken met hun bezielde wreedheid de ss naar de kroon. Intussen geven andere leden van de regering uitvoering aan de voorwaarden van hun unilaterale vrede met de bondgenoten en verklaren de oorlog aan de (bezettende) Duitsers. Uw land is in oorlog met iedereen. Wees duidelijk over uw bedrijfsmatige en commerciële mogelijkheden.

XIV. 's Ochtends wordt u door de Amerikanen en de Britten gebombardeerd. Uw oudste zoon (die tot uw opvolger is opgeleid) komt om het leven. 's Avonds wordt u door de Russen gebombardeerd. Uw derde zoon komt om het leven. De Russen vallen het land binnen. De Duitsers – die al uit vrijwel elk land dat ze ooit hadden bezet zijn verdreven – besluiten om onduidelijke strategische redenen Hongarije niet op te geven, en met hun partners van de pijlkruisers nemen ze een laatste verdedigingsstelling in op de Burchtheuvel. Op straat en langs de prachtige kaden langs de Donau worden joden vermoord, die worden samengebonden en van het smaakvolle Corsó voor het gebombardeerde Bristol, Carlton en Hungaria de ijskoude rivier in worden geduwd. Tijdens veldslagen tussen tanks en artillerie wordt de stad platgegooid. Uw vrouw komt om het leven. Leg alstublieft uit hoe u de uitgeverij rendabel in bedrijf houdt, ondanks uw verlammende verdriet, gedachten aan zelfmoord en de vrijwel totale economische ineenstorting van uw land.

XV. Terwijl de laatste Duitsers zich terugtrekken en tijdens hun vlucht mensen vermoorden (Hongarije is nu eenmaal hun vijand), beginnen de zegevierende Russische redders van het land alles te stelen en te verkrachten wat de moeite van het stelen en het verkrachten waard is (Hongarije is nu eenmaal hun vijand). Uw kantoor wordt kort en klein geslagen, en Russische soldaten defeceren op uw boekencollectie, met zeldzame uitgaven die uit het begin van de negentiende eeuw dateren en waaronder zich prachtig vormgegeven bundels van uw grootvaders gedichten bevinden. Het Russische leger, dat de waanzinnige hoge aantallen krijgsgevangenen die het tijdens de oorlog aan Stalin had gerapporteerd moet zien waar te maken, ontvoert Hongaarse mannen die naar de Sovjet-Unie worden getransporteerd, of ze nu wel of niet hebben gevochten, en áls ze hebben gevochten, ongeacht of dat voor de Asmogendheden was of niet. Uw enig overgebleven kind, een stevige knaap van drieëntwintig, duikt 157 dagen onder in een kelder en komt dan weer tevoorschijn, met knipperende ogen en ruim veertig kilo lichter dan hij voor de oorlog was. Het interesseert u allemaal niet meer zo.

XVI. Uw land heeft nog een wereldoorlog verloren. De Hongaarse valuta is waardeloos. Inkt en papier zijn schaars. De stad beschikt niet over gas, elektriciteit, telefoon of glas dat intact is. Uw kantoorgebouw staat er nog, maar uw drukpersen zijn zwaar beschadigd. Sommige joden die het hebben overleefd, beginnen terug te keren en eisen hun geplunderde woning, meubels en andere bezittingen terug. Geef in de huidige chaos leiding aan uw familiebedrijf, terwijl u nauwelijks voldoende energie of zin hebt om uw stinkende bed uit te komen.

XVII. Er volgt een periode van relatieve vrede, semi-democratie en wederopbouw, hoewel de communisten op de achtergrond de touwtjes in handen hebben, arrestaties en martelingen plegen en hun tegenstanders vermoorden terwijl ze de politie en het veiligheidsapparaat van uw land overnemen. U beschikt over weinig werknemers, weinig vaste activa en hebt geen zin om door te gaan. Dagen achtereen zit u alleen maar in een goed gestoffeerde bruine stoel met een vettige antimakassar. De eigenaars van deze stoel zijn nog niet teruggekeerd van hun verblijfplaats tijdens de oorlog. Een onevenredig deel van uw gedachten wordt in beslag genomen door de vraag of zij zullen terugkeren en vervolgens deze stoel, die u rechtens toekomt, zullen vinden en terugvorderen. U praat nauwelijks meer. Uw overgebleven zoon, een ongelukje toen u op middelbare leeftijd was, en die u nauwelijks kent, brengt u eten en sigaretten. U eet weinig en rookt veel. Een enkele keer gaat u naar de uitgeverij en kijkt zwijgend toe terwijl sommigen van uw werknemers de zaak weer proberen op te bouwen. Wegens sommige van uw daden en uitspraken tijdens de oorlog wordt u beschuldigd van nazisympathieën, maar uw zoon verdedigt u vurig; u wordt niet publiekelijk opgehangen, maar grotendeels met rust gelaten. Het laat u koud. U overlijdt aan verwaarloosde hartklachten, en in het felle zonlicht van 16 juli 1947 wordt u door uw zoon ten grave gedragen op het Kerepesi-kerkhof. U wordt bijgezet in dezelfde grafkelder waarin al tal van uw voorouders rusten, en uw vrouw, uw tweelingzus en uw vier oudste kinderen. De eigenaars van de leunstoel zien kans een week later naar huis terug te keren, en uw zoon weet niet wat hij moet zeggen of doen, maar houdt beleefd de deur open, zodat de buurvrouw, die hij van jongs af heeft gekend en op wie hij gesteld was, haar meubels door de hal kan terugduwen naar waar ze thuishoren.

XI

De derde Imre Horváth – zo genoemd in een moment van sentimentele zwakheid door een vader van middelbare leeftijd, die daarvóór had gezworen die naam uit de familiegeschiedenis weg te snijden – stond in het gedeeltelijk herbouwde kantoor. Zijn erfenis – die bijna vijf generaties lang was beheerd in afwachting van zijn oudste broer – was vrijwel niets waard toen hij die middag in juli 1947 werd overgedragen aan hem, Károly's vijfde en enig overgebleven kind. De uitgeverij beschikte over wat contanten in een waardeloze valuta. Inkt, papier en andere benodigdheden waren nauwelijks verkrijgbaar. De uitgeverij was gevestigd in een platgebombardeerde stad, waar ondernemers die een eigen bootje hadden vreugdeloze reizigers van de ene oever naar de andere vervoerden, langs de half verzonken, niet meer overspannende geraamten van de prachtige Donaubruggen: de Kettingbrug leek op Stonehenge, de gouden Elizabeth hurkte in het bruine water als een chique dame die het in de bol is geslagen, haar prachtige japonnen gescheurd en opgehesen om haar heupen, terwijl ze voor het oog van Jan en alleman haar geslachtsdelen waste, zodat gevoelige zielen zich afvroegen wat er van hun wereld geworden was.

Imre ondertekende een aantal ongelezen documenten en kreeg een stel sleutels, waarvoor hij in de meeste gevallen geen bijpassend slot kon vinden. Tot 1945 had hij nooit enige reden gehad om te denken dat hij het hoofd van de familie zou worden en hij was tijdens zijn 157 dagen durende verblijf in de kelder van zijn pand niet erg onder de indruk van deze naargeestige eer. Toen zijn vader overleed, voelde hij zich alleen in staat de uitgeverij officieel te sluiten voordat hij het land ging verlaten. Hij had nooit enige hoop gekoesterd aan het roer van een bedrijf te staan. Hij wilde overal liever zijn dan in de smeulende stad die zijn hele familie had verzwolgen. Hij was opgeklommen tot het hoofd van een uitgestorven clan, van een op-sterven-na-dood bedrijf. Hij belichaamde familietradities en -verantwoordelijkheden die nu duidelijk irrelevant waren geworden.

De geschiedenis van de familie Horváth had deze Imre trouwens nooit zo geïnteresseerd. In de loop van de jaren had hij er via familieleden en werknemers van zijn vader stukjes van gehoord, maar hij had niet, zoals zijn broers, de opvoeding gekregen die daarop was gericht. Zijn grootmoeder had hem bijvoorbeeld wel eens verteld over een soldaat in de familie, die hij in verband bracht met de speelgoedsoldaatjes die deze zelfde grootmoeder hem bij een andere gelegenheid had gegeven, zodat hij nog veel later, toen hij begreep dat zijn voorganger in 1848 bij Kápolna voor een onafhankelijk Hongarije had gevochten en daarbij het leven had gelaten, die verre Viktor nog in volle wapenrusting wilde kleden, met een witte tuniek die paste bij het vaandel van zijn landheer.

Toen hij heel klein was, nam Imres moeder hem een enkele keer mee naar het kantoor van zijn zwijgzame, norse vader. Daar zag het jongetje zijn oudere broers werken en het vak leren, en ze onderbraken hun werk even om hem te kietelen voordat ze, heel gewichtig, zeiden dat ze beneden nodig waren bij de drukpers of dat er een distributieprobleem was dat ze van vader moesten oplossen en dat ze niet langer konden praten – de drukpers moet immers in toom gehouden worden, moeder – en dan beenden de zeer bewonderde zeventienjarige broer en de onvoorspelbaar wrede zestienjarige broer weg, terwijl de oudste de jongere met professionele gebaren iets uitlegde. Daarna nam Imres moeder hem soms mee naar het archief en liet ze hem de prachtige uitgaven zien, bekleed met goud of met zacht fluweel, en legde ze uit dat dit boek nog wel was geschreven door een van zijn eigen voorvaderen, een dichter, die op raadselachtige wijze was verdwenen en van wie nooit meer iets was vernomen, en dat Imre op een dag misschien ook wel prachtige boeken zou schrijven. Dan verscheen Imres vader wel eens in de deuropening om de aandacht van zijn vrouw te vragen, en ging ze wel eens met hem in de hal staan praten, en dan werd Imre soms een paar heerlijke minuten alleen gelaten, die aanzwollen tot het uren leken, en dan doolde hij rond door een woud van boeken, stapels boeken die tot hoge bomen werden, waarachter vijanden op de loer lagen die Imre met lans en knots zou verslaan voordat hij bij hun lijk heldhaftige oden dichtte.

In 1946 stond Imre te midden van de resterende stapeltjes, die vroeger zijn toverwoud hadden gevormd, te luisteren naar zes mannen die van hem verwachtten dat hij hun een inkomen zou verschaffen. Hij vond het moeilijk om zich te concentreren toen de zes werknemers, die er nog steeds been in zagen om te blijven, het weinige voor hem opsomden wat nog van de Horváth Kiadó over was.

Imres gedachten dwaalden daarentegen af naar de twee schrikwekkend snel groeiende foetussen, aan beide kanten van de Donau één, het zenuwslopende gevolg van een vlaag van verleiding die een halfjaar had geduurd en was samengevallen met het ellendige laatste halfjaar van het leven van zijn vader. Een halfjaar lang had Imre zich gewetensvol aan het rokkenjagen gewijd. Hem kwam een leven vol vrouwen toe, had hij vaagweg besloten, een compensatie voor het verlies van zijn familie en voor zijn 157 dagen vol angst en verveling. Een vurig leven dat je ten volle geniet, vol vrouwen, vertelde hij aan zijn vrienden, was voor een man de natuurlijke omhelzing van de wereld, de enige imposante, menselijke reactie op de vernietiging van Boedapest. Zijn vrienden waren het met hem eens, maar geen van hen kon gelijke tred houden met Imres begeerte of zijn tempo, totdat zijn lustgevoelens, in de dagen na zijn vaders begrafenis, even snel afnamen als ze waren opgekomen en volkomen uitdoofden op de middag van de verbijsterende dubbele aankondiging, toen eerst de ene, daarna de andere vrouw die hij zich amper meer kon herinneren bij hem op de stoep verscheen om hem het vreselijke nieuws mee te delen.

'En dat is de trieste stand van zaken, Horváth úr.' Imre bood schoorvoetend aan om nog een paar keer naar kantoor te komen, in elk geval tot er enige stabiliteit was bereikt en iemand anders de leiding kon overnemen, of tot de situatie zo overduidelijk werd dat je er niet meer aan kon voorbijgaan en helemaal niemand meer de moeite zou nemen om nog te verschijnen. Terwijl hij afwachtte tot de anderen het zouden opgeven, besloeg 'nog een paar keer' algauw een paar weken, en toen een maand of twee, waarin Imre van zijn werknemers leerde hoe hij de drukpers moest bedienen en repareren. Hij leerde dat dagbladredacteurs boodschappers zonden met op karton geplakte artikelen die hij moest drukken. Hij leerde hoe boeken in elkaar werden gezet en hoe de rug van een reliëfstempel werd voorzien (ofschoon er geen boeken werden geproduceerd). Hij leerde wat die merkwaardige kleine afbeelding van een pistool betekende. Imre hoorde over de trieste financiële situatie van het bedrijf, over zijn vaders bedroevende – nu eens wispelturige, dan angstige, dan weer herroepen – beslissingen, en over de economische afhankelijkheid van klanten, partners en auteurs, die nu ten val waren gebracht, geëxecuteerd of in de gevangenis beland. Imre inventariseerde de opvattingen van zijn werknemers en vrienden over welke boeken mensen zouden kopen als ze geld hadden. Hij hield lijsten van deze theoretische boeken bij en zocht in de jammerlijke resten van het archief naar herdrukmogelijkheden; onderwijl bleef hij kranten van twee of vier pagina's drukken, die na een paar nummers alweer op de fles gingen, en bescheiden, zwart-witte reclameaffiches die zelfs in hun bescheidenheid misleidend waren: De winkels die ze onbeholpen aanprezen hadden slechts een schamel aanbod.

Een paar maanden regen zich aaneen tot een halfjaar. Zowel Imre als de uitgeverij had er veel baat bij dat hij er goed in was om de stad af te schuimen en zwarte handel te bedrijven – vaardigheden die hij had verworven tijdens de oorlog die, tot de drievoudige tragedie van 1944-'45, voelde als een spel dat hij met onmiskenbare bedrevenheid speelde – terwijl de oorspronkelijke economie langzaam opnieuw tot bloei kwam, van een sijpelend stroompje ruilhandel tot een harde valutastroom. Hij wist genoeg geld uit zijn gedehydreerde erfenis te persen om discrete betalingen en schenkingen te doen aan de twee jonge moeders aan weerskanten van de rivier.

En ten slotte boekte hij zijn eerste successen. Hij gaf de moeders van een aantal van zijn vrienden opdracht om een kookboek te schrijven met recepten die geschikt waren voor krappe tijden, en *Genoeg voor iedereen*, het eerste boek in vier jaar dat het daglicht bij uitgeverij Horváth zag, verkocht heel behoorlijk. De zes bezorgde werknemers vermenigvuldigden zich en werden acht soms optimistische werknemers.

Ontwakende natie bestond al lang niet meer, en als Imre toevallig op oude exemplaren stuitte, verbrandde hij die prompt, vooral de nummers met de steeds krankzinniger 'Brieven van de uitgever'. Maar het financiële dagblad, nu *Onze pengő*, begon weer goed te verkopen. Al snel was Imre zo fortuinlijk om via een vriend ook een contract los te krijgen voor het drukken van bonboekjes. Een negende werknemer werd nuttig geacht.

In negen maanden tijd aanschouwden vier tegenstrijdige geschiedenisboeken die de voorgaande drieëndertig jaar bestreken het daglicht bij uitgeverij Horváth. Alle boeken waren gefinancierd door nieuwe of in ere herstelde politieke partijen; het was alsof met een onzekere toekomst ook het verleden wazig werd en niemand het er precies over eens werd wie de ander wat had aangedaan en waarom, wie fout was geweest en wie verstandig, behalve dat iedereen het erover eens was dat Trianon misdadig was geweest. Imre las zo veel hij kon van alle vier boeken, maar schoot met elk ervan steeds minder op. Maar de opbrengst ervan was goed voor een nieuwe vrachtwagen en reparaties aan het pakhuis en een van de drukpersen.

Het meest succesvolle naoorlogse waagstuk van de herboren Horváth Kiadó werd uitgegeven in het begin van 1948, net na de laatste regeringsovername door de communisten. Het boek was een ingeving van Imre zelf en een werk dat hij nog vele jaren koesterde. Hij verzamelde foto's van vrienden, en vrienden van vrienden en van volslagen vreemden uit heel Boedapest. Hij vroeg mensen simpelweg hem hun familieportretten uit te lenen, hun oude kiekjes, lievelingsfoto's van de stad of van het platteland – datgene waar ze echt van hielden. Hij vroeg er een regel of twee beschrijving bij. Vervolgens redigeerde en combineerde hij deze schenkingen tot een fotoalbum, dat hij uitgaf onder de titel *Békében* (*In vredestijd*). Bij elke foto maakte hij een onderschrift met een beschrijving in de ikvorm, ook al vertegenwoordigden de teksten honderden verschillende sprekers. *Dit is mijn broer op de dag dat hij naar Engeland vertrok om te studeren... Dit is een arm gezin dat naast ons woonde; ze hadden vrijwel niets, maar ze waren ontzettend lief voor dat hondje, een bastaard die Tedi heette... Dit zijn mijn vader en moeder op hun trouwdag in 1913... Dit zijn mijn vader en moeder op hun trouwdag in 1919... op hun trouwdag in 1930... Dit is een jood die in ons gebouw woonde en erg aardig voor me was toen ik jong was. Ik hoop dat het goed met hem gaat, maar ik vrees van niet... Dit ben ik als jongetje op de Elizabethbrug met mijn vriendjes... Dit is mijn familie bij het Balatonmeer in 1922... Dit is een foto van mijn vader die paardrijdt met de regent... Dit is een vergadering van de vakbond, en mijn broer is de spreker op het podium... Zo zag het Corsó eruit in 1910... Dit is de oude vismarkt; die bestaat niet meer... Zo zag de Kettingbrug eruit vóór... Dit is mijn vader voor zijn winkel; hij is gestorven in Auschwitz... Dit is mijn grootmoeder als jong meisje... Dit is een feestje ter ere van mijn naamdag in Gerbeaud; ik ben degene die met grote ogen naar de *krémes *kijkt...

Een van Imres lievelingsfoto's was het verstilde portretje in de linkerbovenhoek van pagina 66. Hij had het gekregen van een volslagen vreemde, die door wederzijdse kennissen over Imres project had gehoord. Het was een foto van een jonge vrouw van negentien of twintig. Ze zat aan een keukentafel, kaarsrecht, met een ernstige uitdrukking op haar gezicht. Ze was onopvallend. Haar handen rustten in haar schoot en ze keek rechtstreeks naar de fotograaf. *Dit was het allermooiste meisje van de hele wereld.*

Voor Imre was het geen verrassing dat *Békében* populair was, ook al schudden veel van zijn personeelsleden verbaasd het hoofd toen er steeds meer exemplaren werden gedrukt en gebonden. Zeker waren er critici – beroepsmatig en op eigen titel – die het sentimenteel, naïef en zelfs misleidend noemden, en daar hadden ze misschien wel gelijk in, maar Imre had het gevoel dat hij iets goeds had gemaakt, en de verkoopcijfers overtuigden hem ervan dat hij gelijk had. Zijn samengestelde verteller, vierhonderd verschillende stemmen die met elkaar waren verweven, tartte elke categorie. Er waren allerlei politieke overtuigingen vertegenwoordigd, er kwamen uiteenlopende sociale klassen in voor, katholieke plechtigheden werden als familiegeschiedenis pal naast joodse opgevoerd: de polyfone stem van Hongarije in vredestijd. De woorden varieerden slechts licht van pagina tot pagina, en na een poos leek de parade van vreemden, die als vrienden en familie werden beschreven, op een hypnotische manier precies dát te worden. Dit was Hongarije, en Imre was het geheugen. Voor sommigen had het boek de uitwerking van een opiaat: het genoegen om op je gemak of ongeduldig van pagina naar pagina te reizen en in zwart-wit het prachtige, onbeschadigde Boedapest te zien dat nog niet was gebombardeerd, was bijna pornografisch in zijn onbereikbare, voluptueuze glorie: Lipótváros, de Elizabethbrug, het Corsó, de Burcht, het Nyugati-station op de dag van ingebruikname – de dag dat het het grootste, schoonste spoorwegstation ter wereld was...

Imre had ook drie van zijn eigen foto's opgenomen: *Dit is mijn moeder op haar doopfeest, op de schoot van mijn grootmoeder, en mijn overgrootmoeder staat achter hen... Dit ben ik toen ik tien was, met mijn vriend Zoli. We proberen op onze schaatsen te blijven staan, maar we zijn er niet erg goed in en vlak nadat deze foto was genomen, vielen we... Dit is pas twee jaar geleden, met mijn vriend Pál op mijn schouders. Hij is vier, en hoewel de Kettingbrug onder water staat, denkt hij dat het vrede is. Kijk eens hoe gelukkig hij is.*

Ondanks dreigende voortekenen stond de zesentwintigjarige Imre halverwege 1948 aan het hoofd van een bedrijf waarvan elf mensen afhankelijk waren. Hij bezat een pakhuis, kantoorruimten, een vrachtwagentje, twee volledig functionerende drukpersen – een die boeken produceerde, de andere kranten – een derde die werd gerepareerd en een vierde was in beraad. Zeer tot zijn verbazing beleefde hij enig plezier aan zijn werk. Hij begon te denken dat hij misschien toch wel aanleg had voor legitieme zaken. Hij speelde met de gedachte om dit bedrijf te verkopen en de opbrengst mee te nemen naar een betere plek in het westen of zuiden en een nieuwe start te maken met iets anders.

Nog in 1948 werden alle vier kranten van Imres partner opgeheven als vijanden van de Partij, en er kwam zomaar een einde aan de tweemaal-daagse bezorging (om twee uur 's nachts en drie uur 's middags) van de plakproeven. De gedachte in Imres achterhoofd om de uitgeverij te ver-kopen en het land te verlaten werd steeds urgenter, in precies hetzelfde tempo waarmee dat volkomen onmogelijk werd. Het Westen – vroeger nog geen driehonderd kilometer verwijderd – trok zich ineens eindeloos veel verder weg: De regering was bomen aan het vellen tussen hier en daar, en verbouwde in plaats daarvan een oogst van prikkeldraad en wachttorens. In 1949 kondigde de regering af dat alle bedrijven die meer dan tien mensen in dienst hadden eigendom van de Staat werden. Toen Imre de volgende dag op het werk kwam, trof hij daar al een vertegen-woordiger van de Partij aan, die aan Imres bureau zat, Imres papieren doornam en de harde en zachte inhoud van een verstopt neusgat op Imres vloer afschoot.

Horváth leidde zijn gast rond door de kantoorruimten en liet hem het ingekrompen archief van de uitgeverij zien. 'Dit vindt u wellicht interes-sant', zei Imre vriendelijk. Hij trok het manifest van de eerste Hongaarse socialistische arbeiderspartij uit 1890 van de plank, compleet met het MK-colofon. 'Onze voorouders werkten samen', zei Imre met een bemin-nelijke glimlach, en hij bood zijn naar behoren geïmponeerde gast een drankje aan.

Zes weken kon Imre aanblijven als technisch assistent en leidde hij nieuwe werknemers in de drukkerij op (overtollige boeren, vers van het platteland). Twee van zijn vroegere werknemers waren simpelweg ver-dwenen, en een derde, György Toldy, was met Imres hulp ondergedoken in de kelder van de uitgeverij. Terwijl de partijcommissaris elke ochtend in Imres kantoor zat en probeerde wijs te worden uit Imres paperassen, was Imre op de werkvloer van de drukkerij bezig aan mannen, die nog nooit een werktuig hadden gehanteerd dat groter of ingewikkelder was dan een schoffel, uit te leggen hoe de dagelijks aangeleverde plakproeven op karton tot exemplaren van de Partijkrant moesten worden verwerkt. Drie keer smokkelde Imre een persoonlijk artikel of iets uit het familiebe-zit mee naar huis. In een kist onder zijn bed, in zijn woning, die was ont-manteld en verdeeld voor de inkwartiering van drie pas geürbaniseerde gezinnen, bewaarde hij een beschadigd exemplaar van de dichtbundel van zijn overgrootvader, een etsplaatje met het MK-colofon, en een exemplaar van *Békében*.

Aan het eind van die zes weken – het nieuwe personeel was zo goed opgeleid als onder de omstandigheden kon worden verwacht, en de commissaris had geen verdere vragen meer over waar iets werd bewaard of wat een dossier behelsde – werd Imre gearresteerd. Er kwamen twee onaangename leden van de AVO, de geheime politie, naar de uitgeverij, en de partijman, die over het algemeen nors maar niet vijandig was geweest, riep Imre weg van de machines, gebood dat hij op de vloer van zijn kantoor moest gaan zitten, deed hem handboeien om en legde uit welke beschuldigingen tegen hem waren aangevoerd, terwijl de twee AVO-mannen hem om beurten schopten. De commissaris las de aanklacht rustig voor: Sommige nieuwe werknemers in de drukkerij beweerden dat Imre de revolutie 'een slechte oogst' had genoemd, dat hij partijsecretaris Rá-'kosi een 'bokkenlul' had genoemd en had voorspeld dat er al snel een welkome opstand zou volgen, die werd bekokstoofd door Hongaarse edellieden en Britse spionnen. Verder meldde een van zijn nieuwe huisgenoten dat Imre zelf een spion was en *Genoeg voor iedereen* gebruikte om geheime boodschappen aan de Amerikanen te coderen. Imre slaagde er heel dapper in te lachen om deze verhalen en, ere wie ere toekomt, de man van de geheime politie en de commissaris lachten met hem mee. Toen kreeg hij een schop tegen zijn ballen. 'We begrijpen dat deze mensen wat overijverig zijn in hun trouw aan de Partij. We zijn niet gek', zei de partijman. 'Maar dít is geen grapje.' En hij zwaaide met een exemplaar van *Békében* naar de bloedende, jammerende jonge man. 'Dit is walgelijk.' Hij sloeg Imre in het gezicht met het harde, zware boek, brak Imres neus en sloeg hem twee tanden uit. 'Zit er een lievelingsfoto bij, heer Horváth?' vroeg hij, maar hij wachtte geen antwoord af en sloeg hem opnieuw met het boek, dit keer tegen de andere kant van Imres gezicht. 'Zit er een foto bij van voordat de Partij waar je op gesteld bent aan de macht kwam?' En sloeg hem opnieuw. 'Een foto van je pappa?' En nog eens. 'Een mooie foto van chique feesten?' En nog eens. 'Pijlkruisersvriendjes van je vader?' En nog eens. 'Mooie foto's van de varkenregent Horthy op een prachtig zwart paard?' En nog eens. Toen kwam er een onderbreking, een eind aan de slagen. 'Bent u erg op dit boek gesteld, grote meneer Horváth? Vredestijd zonder de Partij?' En hij sloeg hem nog eens. 'En, wat betekent dit?' herinnerde Imre zich dat hem werd gevraagd terwijl zijn bloedende, opzwellende hoofd van achteren omhoog werd gehouden door de harde handen van een vreemde, en een vinger met een bebloede nagel woedend steeds weer op het MK-colofon op de laatste bladzijde van *Békében* tikte en er een roodbruine vlek op maakte. 'En, wat betekent dit? Gaat u ons neerschieten, grote meneer Horváth?' En door de volgende klap belandde hij in een welkome staat van bewusteloosheid.

XII

Nadat hij tot levenslang was veroordeeld terwijl hij sliep, bracht Imre Horváth drieënhalf jaar in een werkkamp door.

Hij telde zijn dagen en nachten in onderworpenheid niet, omdat hij verwachtte – zelfs tot twee dagen voor zijn vrijlating – dat zijn gevangenschap pas met zijn dood zou eindigen. Hij had niet het gevoel dat een heimelijk aspect van zichzelf sterker was geworden door zijn ontberingen. Hij kreeg niet stiekem van de ene gevangene een beduimelde vertaling van de Amerikaanse Grondwet of Montesquieus essays over de natuurlijke rechten van de mens om die daarna door te geven aan een andere gevangene. Zijn hart werd niet verwarmd door een grote, onverwachte liefde voor zijn medegevangenen. Hij organiseerde zijn metgezellen niet om te waarborgen dat de sterkeren de zwakkeren zouden beschermen. Hij verborg geen extra voedsel onder zijn vieze, grauwe kussen om het aan de zieken of stervenden te geven. Hij nam niet de verantwoordelijkheid op zich voor schendingen van de tucht die hij niet had begaan om een andere gevangene straf te besparen en won daardoor niet de eeuwige trouw van een kleine groep. Hij vond geen nieuwe troost in zijn vroegere, verwaarloosde religie, hoewel er in het kamp geen gebrek aan katholieke priesters was. Hij oefende in gedachten geen grote redevoeringen, die het hart van de harteloze rechters die hem hadden veroordeeld zouden vermurwen. Hij weigerde niet om deel te nemen aan opvoedkundige bijeenkomsten om in plaats daarvan trots een arbeideristisch pak slaag te ondergaan. Hij provoceerde zijn leraren niet, ging niet met hen in discussie en stelde niet op een licht ironische toon lastige vragen. Hij krabbelde niet met een stokje schematische voorstellingen in de aarde,

gehurkt in een kring van bewonderende trawanten die meeknikten, op
de uitkijk stonden en op zaden kauwden. Hij kwam niet in de gunst bij
de bewakers. Hij hield niet het prikkeldraad omhoog om anderen eerst
naar de vrijheid te laten kruipen, verleende onder zijn bed geen schuilplaats aan een westerse spion, stond bij nieuwe maan niet op om morsete-
kens te tikken op een briljante in elkaar geknutselde zender, die onder
deze omstandigheden alleen door de meest sublieme geest kon zijn vervaardigd. Hij keek niet met sympathie naar diegenen onder zijn medegevangenen die zelf communist waren, verraden, geshockeerd, opgevreten
door het monster dat ze zo liefdevol hadden grootgebracht. Hij viel niet
de medebewoners van zijn barak lastig die oprechte democratische dissidenten waren, hengelde niet naar hun acceptatie en beschouwde hen niet
als heiligen. Hij liet zijn blik niet vol verwondering op zijn magere, stille,
bleke celgenoot rusten in het besef: ja, ja, dit is de man die een vrij Hongarije zal leiden als we maar geduld hebben, en deed daarom niet alles wat
in zijn weliswaar beperkte vermogen lag om die man tegen klein- of
grootschalige mishandeling te beschermen. Hij droomde niet van de
dag dat dit alles zou worden weggevaagd. Hij zwoer niet om alles te onthouden of als een camera te worden. Hij dacht niet dat hij als getuige
zou worden opgeroepen en verwachtte niet dat er recht zou worden gedaan. Hij vroeg zich niet af waar zijn bevrijders vandaan zouden komen.
Hij wist niets beter dan de mensen die hem gevangen hielden, viel niet
elke avond in slaap met een sluwe glimlach, vrij, ondanks de bedrieglijke
schijn van gevangenschap en liet hun niet zijn lichaam terwijl zijn geest
een vrije vlucht nam. Hij was niet boven dit alles verheven. Hij verborg
zijn tranen niet. Hij vroeg anderen niet om hun tranen met hem te delen.
Hij keek niet toe wanneer iemand anders werd weggevoerd, mishandeld
of doodgeschoten. Hij zwoer niet om dit of dat te doen. Hij legde niet
de eed af dat hij op een dag, et cetera. Hij weigerde niet zich over te geven.
Hij ging niet dood.

En toen kwam er iets wat ze dooi noemden. Die kwam aanwaaien uit
het oosten, en door die relatieve warmte kon hij wegsmelten onder de
van prikkeldraad voorziene muren en terugstromen naar de stad waar
hij vandaan was gekomen. En daar werd hem verteld waar hij moest gaan
wonen. En er werd hem verteld wat hij moest doen. Er werd hem gevraagd wat hij hiervoor had gedaan, en hij moest weer drukker worden,
een bescheiden drukker, die werkte met dezelfde machine die hij zes jaar

geleden had herbouwd in hetzelfde gebouw waar zijn moeder hem mee
naartoe had genomen om zijn broers en vader te bezoeken, en waar zijn
voorouders leefden in de schaduwen van een woud van boeken. En hij
wist niet of deze herplaatsing een vergissing, toeval, verontschuldiging,
lastige beproeving of belediging was, en hij vroeg er ook niet naar; hij
probeerde te zijn zoals hij in het kamp was geweest, maar kwam erachter
dat hij dat niet kon, omdat hij vaak te kwaad was om zelfs maar een
woord te kunnen uitbrengen. Hij vulde de inkt bij, bemande de persen
en probeerde te zijn zoals hij vóór het kamp was geweest, maar merkte
dat ook dit onmogelijk was, omdat niets van wat eerder was geweest
hem hier had gebracht, logica niet, een progressieve koers niet en zelfs
een spel niet. Zijn daden hadden niets bepaald, en hij dwong zich om er
niet over na te denken.

Hij sprak weinig. Hij wees de andere mannen die met de drukpers
werkten op hun fouten, mannen die hij niet kende, maar die het papier
te ruw invoerden. Ze accepteerden zijn terechtwijzingen niet, evenmin
als ze hem accepteerden; hij was ook niet ineens een natuurlijk leider
van mannen, gehard door de pijn en de ruwe behandeling. En ook dat
maakte hem woedend.

De dageraad van het volk rolde nu van de persen, maar het kon hem weinig schelen dat in het redactionele commentaar nu van hoogst noodzakelijke hervormingen werd gerept. Het viel hem niet op dat de krant onder
een nieuw en geheel ander Horváth Kiadó-logo melding begon te maken
van het falen van het communisme rond Hongarije. Hij wist niet, en
het zou hem ook koud hebben gelaten, dat de krant opriep tot een terugkeer naar 'socialistische legaliteit', dat de krant zich verontschuldigde voor
de onterechte gevangenneming van onschuldige kameraden, dat de krant
algemeen partijsecretaris Mátyás Rákosi en premier Imre Nagy prees
om hun bewonderenswaardige besluit om hun voormalige hoofd van
de AVO levenslange gevangenisstraf op te leggen en om hun gelijktijdige
belofte om voortaan de burgerrechten te respecteren.

Imre Horváth hield zich afzijdig van anderen en probeerde niet te denken aan het verleden waaraan hij constant dacht. Hij overwoog zijn twee
kinderen te bezoeken, die voortbrengselen van een andere tijd en persoonlijkheid, maar hij zou ze niet herkennen, had geen cadeautjes aan te
bieden en zag op tegen een gesprek met hun moeders. Nadat hij al zijn
moed bij elkaar had geschraapt voor één zwak bezoekje aan zijn dochter

op de eerste warme dag in mei, overwoog hij geen verdere pogingen meer.

Hij kwam stilletjes op zijn werk, sprak weinig en worstelde met een woede die hem in gezelschap tot zwijgzaamheid dwong, maar als hij alleen was tot tranen bracht. Twee keer per dag dronk hij staande koffie in een koffiebar vlak bij zijn woninkje. Hij las niets over de gebeurtenissen van begin oktober 1956.

Tot de avond van de 23ste van die maand. Want toen wist iedereen in Boedapest – zelfs degenen die net zo intens onwetend waren als Imre – dat er iets was gebeurd. Imre was de vloer van de drukkerij aan het vegen en nam het schemerzachte gebezem van zijn werk in zich op, zo hij er al niet van genoot, toen een jongeman buiten adem op de muur onder de openstaande garagedeur van de losplaats bonkte. 'Wie heeft hier de leiding?' vroeg de vrouw die bij hem was, eveneens ademloos, opgewonden.

'Ik', zei de man met de bezem, want op dat moment was hij afdelingsvoorman, een roulerende functie die weinig voorstelde omdat er op het moment alleen werd schoongemaakt.

'Kunt u dit dan drukken?' vroeg de jongeman. Nu zag Imre het pistool dat in de broekband van de jongen was weggestopt. Ook zag Imre de gloed op het mooie gezicht van het meisje. En hij las het enkele vel dat de jongen hem gaf: een ontwrichtende bijeenkomst van schrijvers en dichters, dan een studentendemonstratie die werd beschoten door de AVO, het leger dat erbij werd gehaald om de studenten onder de voet te lopen, maar hen in plaats daarvan bewapende, eisen, geweld. Eindelijk geweld van twee kanten.

'Ja, dat kunnen we drukken.'

Dertien dagen lang sliep Imre heel weinig, las veel en verliet de drukkerij amper. Degenen die de uitgeverij zeven jaar hadden geleid waren ineens afwezig, maar het was een voortdurend komen en gaan van nieuwe gezichten. Op alle uren van de dag kwam er nieuws binnen, getypt, handgeschreven of slechts buiten adem verteld. Imre begon opdrachten te geven: een secretaresse om dit stuk uit te typen, een boodschappenjongen, die ervoor moest zorgen dat er rollen papier werden geleverd, een chauffeur om de bulletins van één pagina over de hele stad te verspreiden, een student van de kunstacademie om te tekenen wat hij zei: een duelleerpistool, ja, dat klopt, maar met een langere loop, ja, goed, nu een rookwolk en een kogel, maar met de letters...

Er werd drukwerk de knetterende stad ingestuurd dat niet eens was gecorrigeerd. Spelfouten en inktvegen waren het bewijs van de urgente
juistheid en revolutionaire authenticiteit van de krant. De kopij werd alleen maar gedrukt, er werden een datum en een tijd boven gezet, en werd
dan zo snel mogelijk afgegeven aan ongeduldige chauffeurs die voor de
distributie zorgden. (De baan van krantenjongen was ineens gevaarlijk
en onstuimig, het domein van snoeverige jongemannen). In het begin
zeiden de koppen van *Feiten* Imre weinig, alsof hij was vergeten hoe hij
het aannemelijke van het onaannemelijke moest onderscheiden: Leger
steunt studenten tegen AVO; Russen, ga naar huis!; AVO beschiet honderd
ongewapenden; Imre Nagy loopt met ons mee; Vrijheidsstrijders ontzet-
ten gevangenen; Nagy stuurt Russen weg uit Boedapest; Tijd voor verkiezingen en eind van Warschaupact; We bezetten hoofdkwartier Partij;
Nagy trekt ons terug uit pact; WE ZIJN ONAFHANKELIJK! WE ZIJN NEU-
TRAAL!; Volledige terugtrekking Russen in gang; Scholen heropenen –
Russische troepen terug; Russische troepen trekken zich terug; Russische
troepen beloven aftocht; Russische troepen trekken zich terug; Russische
troepen vermist; Russische troepen omsingelen de stad; Russen vallen
aan – bied verzet! VS zullen ons steunen!

In de nacht van 7 november, vier dagen voor het afkondigen van de
staat van beleg, reed Imre weg uit Boedapest. Hij nam van niemand afscheid en nodigde niemand uit mee te gaan – ook niet zijn kinderen of
hun getrouwde moeders – behalve degenen die het dichtst bij hem stonden op het moment dat hij besloot te vertrekken. Hij reed in een oranje
vrachtwagen, die eigendom van de uitgeverij was. Tien dagen eerder
had de student van de kunstacademie het oude Horváth-logo op de por-
tieren van de vrachtwagen geschilderd, en het motto van de uitgeverij
op de laadklep. Nu de straten door tanks aan flarden waren gereten en er
voortdurend explosies en geweersalvo's waren te horen, had Imre het ver-
standiger gevonden om de voortrazende MK-kogels over te schilderen,
zodat alleen de woorden *Het geheugen van het volk* er in het zwart uitsprongen op het verder kale voertuig. Imre vervoerde drie voormalige medewerkers van de uitgeverij, die waren teruggekomen om te helpen bij de
uitgave van *Feiten*, samen met hun vrouwen en kinderen, een kat en een
hond, en alle bezittingen die verder nog in de resterende ruimte pasten.
Ze kwamen al snel in de karavaan van even overladen voertuigen te staan,

die bumper aan bumper van de westkant van de stad naar de Oostenrijkse grens kroop, aan beide zijden geflankeerd door iets langzamer slingerende rijen over- of onderbelaste voetgangers.

Toen ze de Oostenrijkse grens overstaken, had Imre drie dagen niet geslapen. Toen hij, eenmaal veilig aangekomen, moest stoppen bij een grenspost, viel hij kwijlend achter het stuur in slaap. Hij droomde dat hij een onbeschreven witte banier boven zijn hoofd hield. Zijn armen werden moe en hij wilde ze laten zakken, maar toen verscheen zijn dochtertje, dat er net zo uitzag als tijdens zijn treurige bezoek op die eerste warme dag in mei, maar het meisje zei nu met een griezelige volwassenheid heel dringend: 'Nee, pappa. Als je die banier laat zakken, volgt er een vreselijk lijden. Al deze mensen zullen doodgaan. Door jouw falen.' Ze wees achter Imre, alsof er een grote menigte aanhangers op zijn volgende zet wachtte en zich verliet op zijn onwrikbare armen en de inspirerende aanblik van zijn wapperende banier. Omdat hij wilde zien wie ze precies bedoelde, draaide hij zich om, maar er stond niemand achter hem. Toen hij zich weer omdraaide, lachte ze hem uit totdat de tranen over haar wangetjes rolden. Maar omdat hij uitgerekend haar niet wilde teleurstellen, bleef hij met de banier boven zijn hoofd staan, en zijn armen begonnen te branden, er stak een wind op die zand in zijn ogen blies en hij wilde zijn armen heel even laten zakken om in zijn ogen te wrijven, maar de wind blies nog harder en hij draaide zijn hoofd van de ene kant naar de andere, maar de wind blies nog harder uit alle richtingen alsof hij het doelwit was, het stormachtige eindpunt van alle wind op de hele aarde, waar het naar aardappel rook…

Hij werd wakker omdat een ongeduldige, geamuseerde Oostenrijkse immigratiemedewerker in zijn gezicht stond te blazen.

XIII

Imre werd wakker in Oostenrijk. Hij begon een plan te zien, een lijn van punt A naar punt B, een strikte logica achter de gebeurtenissen in zijn leven. In Wenen kwamen er dramatische zinsneden in hem op, die gierend rondwervelden, in het vluchtelingenkamp, en later toen hij alleen in de schemering op een houten bankje in een koud, nat park zat. Hij kon er niets tegen inbrengen. Ze klonken als de waarheid: *Hiervoor ben ik geboren. Hiervoor is mijn familie doodgegaan. Ik ben de uitgeverij in 1949 niet zonder reden kwijtgeraakt. Ik ben niet zonder reden naar dat kamp gestuurd. Ik was op de 23ste niet zonder reden voorman.*

Imre begon – heel sterk, heel vaak – het gevoel te krijgen dat hij niet zomaar een doel had, maar een doel dat hij had Geërfd. Hij bezette een plaats in een lange rij, met een paar mensen voor zich en velen achter zich. Hij werd geacht zijn plaats in die rij te behouden en de volgende generatie te leren hoe zij hun plaats moesten behouden. 'Een duurzame institutie bestaat uit sterfelijke mensen, en ieder van hen moet een bijdrage leveren in de vorm van zijn ziel, van zijn eindige, onbelangrijke leven, wil de institutie zijn onsterfelijkheid behouden. Dit geldt zowel voor een land als voor een bedrijf', schreef Imre in zijn aanvraag bij een stichting die financieel werd gesteund door een Hongaarse filmproducent uit Hollywood. De rijke immigrant leende Imre voldoende geld om in Wenen het Horváth Verlag op te zetten, een bedrag dat de aanvrager in slechts drie jaar terugbetaalde.

Imre begon aan de wederopbouw. Als het maar enigszins mogelijk was, nam hij gevluchte Hongaren in dienst. Hij begon met de publicatie van een serie korte geschriften in elf talen over de geschiedenis van de Hongaarse revolutie van 1956, en hij maakte er winst op door er een paar duizend van aan de Verenigde Naties te slijten. Omdat hij de wereld wilde laten zien wat er in Boedapest op het spel stond, nam hij taalkundigen aan om de klassieken uit de Hongaarse literatuur, wetenschap, wiskunde, muziek, toneelkunst, poëzie en geschiedenis te vertalen in het Engels, Frans, Spaans, Duits, Italiaans, Grieks en Hebreeuws, en hij verspreidde dit Hongaarse Babel door heel Europa en Noord-Amerika. Horváth Verlag gaf ook studieboeken uit voor vreemde talen en lokale geschiedenis voor Hongaren die probeerden zich thuis te voelen in Wenen, Londen, Toronto, Cleveland en Lyon. Imre liet nieuwe vertaalwoordenboeken van het Hongaars maken, die na 1956 korte tijd en vogue waren toen het Westen grootmoedig en kortstondig zijn hart voor de vrijheidslievende vluchtelingen opende, de collectieve Man van het Jaar van het tijdschrift *Time.*

Toen de jaren vijftig overgingen in de jaren zestig, werd de Hongaarse communistische regering iets milder, en Imre vond mogelijkheden om

van zijn ballingschap te profiteren. Hij nam gevluchte Hongaarse wetenschappers die geen passend werk hadden gevonden aan om nieuwe westerse wetenschappelijke en medische studieboeken te vertalen, die hij vervolgens zelf naar Boedapest bracht en aan de Hongaarse regering
verkocht. Bij elke aankoop gaf de regering het staatsbedrijf Horváth Kiadó opdracht de boeken van hun omslag te ontdoen en het nieuwe omslag
te herdrukken zonder het provocerende MK-symbool van Horváth Verlag
Wenen.

Imre reisde op zijn Oostenrijkse paspoort en ontmoette heimelijk be-
kenden van vroeger. Hij kocht ook cadeautjes voor twee tieners, die uit
de verklaring van hun moeders niet precies konden opmaken wie hij
was. Bij zijn eerste bezoek kwam hij met ongepast kinderlijke cadeaus
aan, die de ontvangers teleurstelden en ergerden, en kwam daarna terug
met verheugd aangenomen platen van de Beatles. Maar al na deze twee
keer vroegen de beide moeders – die vreemden voor elkaar waren –
hem nog geen dag na elkaar of hij niet meer op bezoek wilde komen,
een toevalligheid waarbij hij niet probeerde stil te staan. Ze zeiden allebei
dat zijn aanwezigheid te verwarrend was voor de kinderen en hun jongere broers en zussen. En voor de zachtaardige, grootmoedige echtgeno-
ten van de vrouwen.

Hij keerde van deze uitstapjes naar Boedapest terug met manuscripten
die zijn oude kennissen hem stiekem hadden toegestopt, en hij liet er, ondanks de kosten, wat exemplaren van drukken, die hij opsloeg in het archief van de uitgeverij, of hij probeerde de Oostenrijkse regering of universiteiten zover te krijgen dat ze het verlies subsidieerden. In een van de
universiteitsbibliotheken richtte hij Horváth Verlag-planken in, en daar
nestelden zich de Duitse vertalingen van de teksten die hij het land had
uitgesmokkeld, vrijwel onaangeroerd in eeuwige paraatheid (naast andere, meer gewilde uitgaven van Horváth). Een enkele keer werden deze geheime dagboeken, essays, parabels en geschiedschrijvingen geciteerd in
werken over Ruslandkunde, in dissertaties of wetenschappelijke artikelen. Maar niet vaak.

Al na een paar reisjes begon Imre ondergeschikten naar Hongarije te
sturen om zijn complimenten over te brengen. Zijn personeel had heimelijke ontmoetingen met zijn oude kennissen en leverde uit zijn naam studieboeken af bij de regering. Teruggaan leek een overbodige inspanning,
zoveel ongemak, terwijl er immers personeel te over was om erheen te

sturen. Wenen was best aangenaam; het was ziekelijk om voortdurend koppig terug te keren naar het tragische Boedapest.

Het gevoel dat hij een missie had, zo hevig in 1957, werd nu en dan wat minder. En als dat gebeurde – alsof hij een kortwerkend vaccin had gebruikt dat nu was uitgewerkt – kreeg hij last van paniekaanvallen en zag ertegen op om naar zijn werk te gaan, zonder dat hij ook maar enigszins kon begrijpen waarom. Dan stond hij voor zijn badkamerspiegel of bij de telefoon in de hal, mompelde in zichzelf, zei hardop de namen van iedereen die hij in Wenen kende, op zoek naar iemand met wie hij zou kunnen praten, maar hij kon nooit de juiste persoon bedenken. En in plaats daarvan probeerde hij hals-over-kop die plotseling gapende, beklemmende leemten in zijn hart te vullen. Hij begreep niet waarom hij er soms toe werd gedreven om iets te doen, het maakte niet uit wat, waarom hij zo overijverig zijn diensten aanbood bij liefdadigheidsinstellingen of wekenlang elke middag in de kerkbanken van een katholieke kerk ging zitten of naar de hondenrennen ging of uren achtereen in de kou ging schaken op een plein of bordelen bezocht met de brandende begeerte van een zestienjarige jongen, maar met de financiële middelen en de fantasie van een tweeënveertigjarige man van de wereld.

Aan het eind van de jaren vijftig (en later nog eens in 1968, toen de Tsjechoslowaken met een kortstondige, maar door de critici bejubelde heropvoering van het Hongaarse drama van een jaar of tien geleden kwamen) vatte Imre belangstelling op voor de politieke genootschappen van ballingen. Hij sloot zich aan bij organisaties met namen als het Weense Genootschap voor de Steun aan een Vrij Hongarije, en de Wereld Bevrijd Hongarije-groep. Hij zat dan zwijgend op bijeenkomsten waar verslagen werden voorgelezen die in detail ingingen op het falen van de Hongaarse planeconomie, waar de laatste schendingen van de mensenrechten met onwaarschijnlijke precisie ('102 arrestaties, 46 gevallen van mishandeling') werden opgesomd, en discussie werd gevoerd over de geëigende rol van de Kerk en de adel in een toekomstig democratisch Hongarije.

Soms kon Imre het gewoon niet opbrengen om naar de uitgeverij te gaan. Dan ging hij zoals gebruikelijk te voet op weg naar kantoor, maar in plaats van na tien minuten op zijn werk te komen, zwierf hij vele uren later nog door de stad of zat in een koffiehuis. Wanneer hij er door pure wilskracht in slaagde op kantoor te komen, werkte hij met intense, zwijgende concentratie tot diep in de nacht door om zijn misstap goed te maken. Maar de volgende ochtend kon het hele proces zich herhalen, en zat hij om halftwaalf aan een terrastafeltje met zijn vierde espresso, bolde zijn wangen boven een kruiswoordpuzzel en wipte met zijn been in het tempo van een kolibrie.

Na pieken van gewetensvolle ijver, waarin hij voor zijn medewerkers een preek afstak over het belang van hun werk voor het Hongaarse volk en de wereldcultuur, verviel hij in depressies, perioden waarin hij misschien wel naar kantoor ging, maar nooit achter zijn bureau vandaan kwam, en zijn Hongaarse assistenten de lopende zaken afhandelden zonder hem te raadplegen, totdat hij na dagen of zelfs weken de depressie van zich afschudde en hun koortsachtige, willekeurige, gedetailleerde vragen begon te stellen. Aan het eind van zo'n periode keerde het geloof in zijn roeping terug als na een vakantie: verfrist, enthousiast, gelijkmatig.

Als deze onkrabbare jeukaanvallen waren verdwenen, verdubbelde hij snel en oprecht zijn toewijding aan de uitgeverij. Hij hield zich voor dat hij tijdelijk gek was geworden en was vergeten waarom hij bestond. Nooit meer vergeten, dan zul je je nooit meer zo verloren voelen, hield hij zich voor, vol vertrouwen dat zijn geheugen in staat zou zijn zich dit voor eens en voor altijd in te prenten. Hij schreef deze zin zelfs op en legde hem in zijn archiefkast om zich beter te verzekeren van zijn toekomstige stabiliteit en toewijding aan de uitgeverij. Hij wist dat hij zijn opvolgers moest leren om voorbereid te zijn op hun eigen aanvallen van paniek en twijfel. Er waren zoveel dingen die ze moesten leren om de onsterfelijkheid van de uitgeverij te waarborgen.

In 1969 kreeg hij maagklachten, die een stortvloed, een vrijwel onafgebroken instroom van melk vereisten, en zelfs lang nadat de aandoening was genezen, dronk hij vrijwel niets anders.

Halverwege de jaren zeventig sliep hij niet goed meer. Hij werd een aantal keren per nacht wakker en moest steeds langer wachten voordat de slaap terugkeerde. Toen hij had ervaren dat veranderen van houding niet hielp, dwong hij zich om de neiging te weerstaan om zich met ijdele hoop van de ene zij op de andere te werpen terwijl de zoemende elektrische wekker versprong van 2:30 naar 2:31, van 3.30 naar 3:31, 4:30. Het was beneden de waardigheid van een man met zijn voorgeschiedenis en zijn roeping om te liggen kreunen, woelen en knarsetanden, alleen omdat de slaap niet meer zo makkelijk of langdurig kwam. Als de meest lachwekkende tirannen van de hele wereld hem niet konden breken, dan

zou hij zich door wat slaapgebrek niet tot tranen laten bewegen. Uren-
lang lag hij in bed, roerloos maar wakker. Al snel keerden de ochtenden
zich tegen hem en werden steeds wreder. Iets voor vijf uur maakte Horváth de eerste van vele gangen naar het toilet. Op dat tijdstip liep hij met
heel weinig van de statige waardigheid die hij tijdens zijn jaren van ballingschap had ontwikkeld. Zijn pyjamabroek zat aangesnoerd onder de
losse, gelige huid van zijn buik, en het bandje van het mouwloze hemd
van gisteren vocht om schouderruimte met de bossen ruw, grijs haar,
dat de kapper wekelijks intoomde omdat het de neiging had op te kruipen naar het niveau van de boord van zijn overhemd. Hoewel hij pas in
de zestig was, struikelde hij tegenwoordig vaak en viel soms, hoewel
nooit met ernstige gevolgen.

Op een ochtend in 1986 kwam hij in zijn badjas zijn woning uit en
dronk een glas melk terwijl hij genoot van de lentezon, die met moeite
door het vieze bovenlicht van de binnenplaats van het gebouw scheen.
Hij stond bij het hekje van de rechthoekige wandelgang en wenste zijn
buren goedemorgen toen zij naar buiten kwamen om naar hun werk te
gaan. Bovenaan de trap links van hem verscheen een jongeman, een
vreemde, die een beetje buiten adem was. Hij keek aandachtig naar Imres
gezicht, en Imre glimlachte naar hem. 'Herr… Rossmann?' vroeg de jongen na een lichte aarzeling. Blozend legde hij uit dat hij hier iemand zou
ontmoeten, iemand die hij nog nooit had gezien, hij had alleen een beschrijving, en hij vond het vervelend om Imre ermee lastig te vallen, maar
als hij niet Herr Karl Rossmann was, kon hij hem dan wijzen waar de woning van Herr Karl Rossmann was? Imre wees op de deur in de tegenoverliggende hoek van de binnenplaats, ging toen zijn eigen woning binnen en even later huilde hij zelfs even, omdat hij was aangezien voor
Karl Rossmann, een heel erg oude man, een verschrikkelijk oude man.

Hij werd ijdel. Hij had inmiddels bijna anderhalf uur nodig om zich
's ochtends voor te bereiden op de dag, met oefeningen die tot doel hadden verouderende spieren te verstrakken, en met ingewikkeld ondergoed
dat zijn figuur verbeterde. Hij soigneerde zich, knipte en vijlde, polijstte
en epileerde, poederde zich en epileerde nog eens. Hij droeg kleding die
hij met zorg samenstelde, nog wat schikte en dan heel even opperste
met een ingewikkeld apparaat dat hij bij een Frans bedrijf had gekocht,
en dat tegen hoge kosten uit Grasse was overgebracht.

Toen hij tegen het eind van de jaren tachtig verder opschoof naar de zeventig, piekerde hij er enerzijds niet over om met pensioen te gaan of de uitgeverij te verkopen, maar anderzijds zwoer hij ook niet om het bedrijf tegen elke prijs voort te zetten of het onder geen beding te verkopen. Er konden maanden voorbijgaan waarin hij aan niets anders dacht dan aan praktische, commerciële aangelegenheden: Wat verkoopt goed, kan dit papier goedkoper worden ingekocht, waarom toont die kleur niet goed, is Mike Steel nog steeds populair, moeten we de productie van dit of dat verhogen, zus stopzetten of zo uitbreiden?

En toen kwam 1989. Na de eerste bulletins wist Imre meteen wat hij zag, wist wat er zou gebeuren voordat het gebeurde. Steevast, keer op keer, zou de geschiedenis deze gruwelijke dans van hoop en wanhoop herhalen: demonstraties, een flauw, bijna geestig optimisme, een verwarde regering – de ene dag dreigend, de volgende smekend, beloften van hervormingen stamelend (het onbekende woord bijna verhaspelend) – vervolgens het onheilspellende geknetter van de eerste geweerschoten, het rommelende, donderende naderbij komen van het onvermijdelijke, de vertrouwde stank, die nu elk moment, elk moment weer uit de aan flarden gereden straten kon opstijgen, en dan… en dan… niets? Dit keer een explosie die uitbleef. Hij tuurde eerst door één oog, toen door het andere; hij haalde zijn handen van zijn oren, maar er volgde geen explosie. Geen vergelding. Er werden geen onschuldigen afgeslacht. Geen invasie uit het oosten onder een dekmantel van onbenullige, beledigende rechtvaardigingen. Geen tanks in de straten. Geen vlinderachtig-fragiele aandacht van de wereld, die o zo vluchtig neerstreek op de wond van Centraal-Europa. In plaats daarvan, onvoorstelbaar maar waar: een bijna Messiaanse onmogelijkheid die werkelijkheid werd, een ondenkbare hergroepering van de sterren in de hemel – de Muur gevallen, het IJzeren Gordijn gevallen, het communisme gevallen, en verkiezingen en vrijheid en het land vrij, en kan dat allemaal echt waar zijn? Is een oude man zo gek als Lear geworden?

En terwijl hij in zijn koffiehuis de nieuwste kranten las, in zijn kantoor op het reusachtige scherm naar het Amerikaanse kabelnieuws keek en met zijn managers sprak, kreeg hij het opnieuw, sterker dan ooit, zo sterk als het in tweeëndertig jaar nog niet was geweest: Na een onverantwoord lange vakantie keerde Imres vurige overtuiging dat hij een doel had spoorslags naar huis terug. Die avond nam hij niet de gebruikelijke, nieuwste roman van Mike Steel ter hand die op zijn nachtkastje lag. In plaats daarvan begon hij hardop te lachen. Hij lachte nog toen hij ging liggen. Hij zette het glas melk neer en lachte hardop om de nieuwste, ongelofelijke krantenkoppen van thuis.

Hij lachte omdat hij het begreep. Hij had niet zonder reden al die jaren in Wenen gewoond. Hij had, ondanks zijn twijfels, de uitgeverij niet zonder reden in stand gehouden. Hij was niet zonder reden voorzichtig geweest met zijn gezondheid, zijn persoonlijke verschijning en zijn geld. Hij had niet zonder reden geen gezin gesticht en was niet zonder reden ongebonden gebleven. Hij had niet zonder reden de kracht gevonden om vol te houden, van 1956 tot 1989: drieëndertig jaar, een christelijk getal, en hij schoot weer in de lach. En nu werd hij naar huis geroepen. Hij werd geroepen om de uitgeverij weer sterk te maken, daar waar ze thuishoorde, om haar weer als het geheugen en geweten van een volk te laten fungeren, om de uitgeverij door te geven aan de volgende generatie, en die daarna en die daarna, enzovoort, als hij wijs genoeg was, als hij de uitgeverij nog één keer kon opbouwen, als hij de juiste mensen wist te vinden die hij daarop kon voorbereiden en opleiden, geletterde mensen met visie, kracht en ongecorrumpeerde jeugd, als hij ze zo goed kon opleiden dat het belang van de uitgeverij ook voor hen tot leven zou komen, als hij voor hen de paar diamanten vuistregels en principes kon opschrijven die de bestendigheid van de uitgeverij zouden garanderen. Die nieuwe gezichten zouden Hongarije zijn geheugen en zijn geweten verschaffen, en er zou hun voldoende aan gelegen zijn om belangrijk werk te verrichten voor een heel land, en zij zouden net als hij leren hoe ze hun vergankelijkheid konden aanwenden om iets duurzaams op te bouwen.

Het glasheldere van zijn visioen was prachtig, en Imre verbaasde zich erover wat zich op eigen kracht had voltrokken: een doel kon tientallen jaren groeien zonder dat je het ooit besefte, tot zich uiteindelijk een tuin voor je uitstrekte, een tuin die je, zonder dat je dat ooit had besef, had helpen plannen en aanleggen: een tuin die op je wachtte.

Die nacht sliep Imre goed en hij droomde – niet onaangenaam – over zijn vader.

XIV

'Meneer Horváth komt dadelijk. Hij is verontschuldigen voor zijn vertraging, maar vraagt wij beginnen de koffie van ons.' Krisztina Toldy zat tegenover Charles Gábor aan de lange, lichtgekleurde houten tafel van de
vergaderruimte in het Weense kantoor van Horváth Verlag, en schonk
donkerbruin in het ivoorwitte Hongaarse porselein. De vergaderruimte,
met een venster dat een weids uitzicht bood op een grote hal beneden
met geluidloos draaiende drukpersen en blauwe vaten op oranje hef-
trucks, was verfraaid met een ingelijst gedicht, schilderijen en foto's die
de Hongaarse geschiedenis illustreerden, en gravures over de ontwikkeling van de drukkunst. Met wisselende aandacht bekeek Charles heel
vluchtig de Duitse en Hongaarse onderschriften: berichten over een nieuwe tijd die gloort/En met de kracht van een kogel uit een pistool; Mátyás
aanvaardt de Vrede van Breslau; Gutenberg drukt een; Kossuth leidt een;
Een drukpers omstreeks; Imre Nagy staat pal ondanks; Een drukpers omstreeks; Bánk bán en de; Een drukpers omstreeks; kaarten van Boedapest
en Hongarije 1490, 1606, 1848, 1914, 1920, 1945, 1990.
   De bril van Krisztina Toldy hing aan een dunne gouden ketting om
haar nek, en haar zwart-grijze haar zat zo strak achterover in een vlecht
dat je de afzonderlijke haren bij de haargrens van haar voorhoofd, waar
ze uit hun haarzakjes kwamen, kon zien en tellen. Charles telde ze een
poosje terwijl ze koffiedronken. Zwijgend, met neergeslagen ogen nam
ze kleine slokjes, en Charles voelde een licht medelijden met haar. Daar
zat ze dan, belast met het gunstig stemmen van de geldschieter, volstrekt
onwetend van het feit dat alles wat ze deed hem amuseerde of irriteerde,
en volstrekt niet beseffend dat het in feite absoluut niet uitmaakte wat ze
deed, want hij had al genoeg onbehaaglijke koffiedrinkerij achter de rug
tijdens zijn maanden van investeringswerk, had al genoeg glad pratende,
geestige of stamelende assistenten zoals Krisztina Toldy meegemaakt,
die zich door dit eerste programmanummer heen sloegen, en het leidde
nooit tot iets. Daarom wilde hij maar dat ze zou opschieten met haar ver-
kooppraatje, zodat de man zelf op het afgesproken moment, druk doende
met papieren en volgelingen, zijn entree zou maken en ze nog een paar
minuten langer konden praten, net lang genoeg voor Charles om het

zwakke punt te vinden, om uit te dokteren waarom dit alles maar een hoop onzin was (wat wel het geval moest zijn als het bedrijf door Hongaren werd geleid, ook al waren het Hongaren in Oostenrijk), en hij het weekend op kosten van de zaak in Innsbruck kon gaan doorbrengen voordat hij terug moest naar BP om maandag de Presiderende Verdorvenheid te vertellen dat deze specifieke groep luie Magyaren een miljard dollar wilde, of het vermogen zich onzichtbaar te maken of een kernonderzeeër in ruil voor 33% van de aandelen in wat schilderijen die de Hongaarse geschiedenis tot thema hadden, en een grote productiehal met ongetwijfeld verouderde drukpersen.

'Hij is groot man, meneer Gábor. U heeft geen idee waar hij tegen opgenomen was en toch heeft bereikt. Het is zeer erg opmerkelijk.' Ze sprak met grote ernst steenkolenengels (hoewel Charles Hongaars en Duits had aangeboden), alsof dit de eerste keer was dat ze de woorden vond om precies datgene te zeggen waarvan ze persoonlijk getuige was geweest en waarin ze was gaan geloven. Charles lachte om haar zonder een spier te vertrekken of een kik te geven, een kunst waar hij heel trots op was. 'Hij redt mijn vaders leven, meneer Gábor', ging ze vol zelfvertrouwen verder, zich van niets bewust. 'Mijn vader werk voor meneer Horváth in Hongarije. Op een dag als…'

O, geweldig. Een verhaal uit de oude doos. Charles had het gevoel dat hij het verhaal al eerder had gehoord, maar met andere personages. Iemand had iemand anders voor een afgrijselijke ramp behoed, maar ten koste van een vreselijk persoonlijk offer en jaren van een of ander lijden, en had toch nergens spijt van. Was het een film die hij had gezien? Het kwam hem zo bekend voor… O ja, een verhaal waar zijn ouders vroeger altijd mee kwamen aanzetten: een van Charles' verre neven had iets soortgelijks gedaan en, God, Károly, kun je je zo'n dilemma voorstellen, de opoffering, de moed, de et cetera en de et cetera.

Charles deed heimelijk een spelletje om de tijd te doden: zijn gezicht nam alle uitdrukkingen aan die bij Toldy's verhaal pasten, maar hij probeerde dat te doen zonder ook maar een woord van wat ze zei tot zich te laten doordringen. Om er zeker van te zijn dat hij niet sjoemelde, en alleen op haar woorden vertrouwde als seintje voor zijn meelevende gezichten, nam hij in zijn hoofd Duitstalige versierzinnetjes door die hij het komend weekend in Innsbruck misschien nodig zou hebben. Het was onvermijdelijk dat haar schrille woorden af en toe door zijn defensieve concentratie heen braken. Dan, en alleen dan, liet hij de invalidenkruk van het Engels toe in zijn zwijgzame verleidingsrepetitie, maar alleen zo-lang het noodzakelijk was om haar terug te dringen in onhoorbaarheid.

'Er was maar twee deuren en het luik achter de grote pers. Heel snel meneer Horváth duwt mijn vader omlaag in...' *Ik wil niet opdringerig lijken, maar je doet me heel sterk denken aan een schilderij dat ik vandaag zag in het mu-seum: jij hebt diezelfde snelle, pure energie en levendigheid,* die wichtigste Sa-che...

'En daar was meneer Horváth die alleen zegt: "Heren, wat brengen je hier..."' *Wat brengt jou hier? Ik heb je hier nooit eerder gezien. Als je iemand zoals jij ziet, vergeet je dat niet. Uitgesloten.* Eine lange Zeit her ich bin gereist...

'Drieënhalf jaar! Drieënhalf jaar is meneer Horváth gedwongen om...' *Vijfendertig schilling is een redelijke prijs voor zulk goed bier. Weet je dat we in Amerika geen goed Oostenrijks bier kunnen krijgen?* Amerikanisches Bier ist nicht...

'Zij hem hadden kun vermoorden.' *Ik vind het vreselijk dat ik je niet kan uit-leggen wat een uitwerking je op me hebt. Op mij, maar natuurlijk op iedereen. Kijk eens om je heen. Kijk eens naar die kerels aan de bar; zij voelen het ook.* Ich bin nur tapfer genug Dich anzusprechen, und sie waren es nicht.

'Mijn familie is joods. Wie was het ergst, was mijn vader vaak gevraagd, de nazi's of de communisten? Hij zeg altijd: De nazi's stoppen me in kamp en zeggen dat zij mij zullen vernietig; toen de communisten stop-pen mij in kamp en zeggen dat ze me leren een beter mens zijn. In elk ge-val, mijn vader zei' – hierbij een brede, wijselijk ironische lach van haar, en het haar leek nog strakker achterovergetrokken, zodat Charles ver-wachtte dat de haren uit de rimpelige huid zouden springen – 'in elk ge-val waren de nazi's eerlijk tegen me.'

Charles wierp Krisztina een blik toe die naar hij hoopte zou uitdruk-ken: zijn medeleven, zijn stille verwondering, zijn grote verlangen om te praten, te werken en grote hoeveelheden geld te geven aan een man die zo heilig was als Imre Horváth, zijn hoop dat haar vader nog leefde en dat het hem goed ging en dat hij niet zijn hele leven werd geplaagd door een vreselijk schuldgevoel over de prijs die zijn werkgever voor hem had betaald, en ten slotte zijn beleefde en begrijpelijke verlangen dat ze nu haar mond zou houden en de grote jongen zou binnenbrengen zodat Charles kon uitzoeken waar en waarom deze schertsvertoning het geld zou laten wegvloeien dat zijn bedrijf erin zou stoppen. Dan kon

Charles zijn eigen gedurfde, op het nippertje uitgevoerde ontsnapping ensceneren en nog net de sneltrein naar Innsbruck halen.

Krisztina Toldy schonk nog wat koffie in voor de Amerikaanse jongen en begon het gevoel te krijgen dat ze in geen van haar beide opdrachten slaagde. Hoe kon ze hem op zijn gemak stellen én het gevoel geven hoe belangrijk deze uitgeverij was? Ze zag in dat haar beide taken tegenstrijdig waren: om deze jongen iets bij te brengen zou verbaal geweld nodig zijn, en dat zou hem bepaald geen ontspannen gevoel geven. Er klopte trouwens iets niet met deze jongen. Zijn lachje en bedankje deugden niet. Hij bestond uit vuile spiegels. Ze zag dat hij niet geïnteresseerd was in wat ze zei; hij was veel te verwend om te begrijpen wat Horváth met zijn leven had gedaan. Ze deed haar best om het de bezorger van de Amerikaanse dollars naar de zin te maken, maar halverwege een zin vond ze zijn houding, zijn gezichtsuitdrukking, zijn lippen en zijn haar zo irritant dat ze begon te doceren en uiteindelijk te oreren.

Charles vond het steeds vermakelijker te beseffen in wat voor lastig parket ze zich bevond, en genoot ervan te zien wat voor strijd ze met zichzelf leverde, en na zijn aanvankelijke ongeduld begon hij te hopen dat Horváth buitensporig laat zou komen, zodat Charles kon zien hoe deze zeer gespannen naaste medewerkster ten slotte door het lint zou gaan. Hij prentte het mooiste voorbeeld uit haar verwarde woordenstroom in zijn geheugen, en de volgende maandagavond in Gerbeaud droeg hij die aan Mark en John voor: 'Ik zijnde van mening dat u meneer Horváth een buitengewoon zakenman in uw westerse stijl zal vinden, behalve dat hij in de fundamenteel een man van moraalheid is, en misschien dat is iets wat u in het Westen zeldzaam heeft gezien, of misschien zelfs nooit, sinds jullie allemaal niet weten hoe leven onder de communisten sommige mannen sterk maakt. Maar misschien dit is onmogelijk voor uw begrip wat ik bedoel.'

Charles knikte en glimlachte meevoelend. 'Meneer Horváth mag zich zeker gelukkig prijzen dat hij werd blootgesteld aan de onbedoelde invloed van de communisten', zei hij. Ze stond op en haalde een verse pot koffie. Die werd aangeboden en afgeslagen, maar net toen ze weer wilde gaan zitten, bliefde Charles toch een kopje.

'Heeft u vragen die ik zou gekund beantwoorden?'

'Ja, graag. Ik meen dat u in een van de brieven aan mijn firma schreef dat dit een familiebedrijf is?'

'Sinds 1808, ja. Ja, de familie Horváth is het bedrijf tijdens 182 jaar.' Haar levendigheid keerde weer terug en ze boog zich voorover. 'Hij is de zesde om dit bedrijf te loodsen, deze meneer Horváth. Onze Hongaarse geschiedenis heeft het tot zo ver onmogelijk doen zijn om de meeste winst naar de huis te brengen – zoals ik weet dat uw westerse maatstaven wel zullen hebben – maar hij heeft de uitgeverij sinds drieënveertig jaren in leven en vrij gehouden, zoals zijn vader deed in de oorlogstijden. En we maken wel winsten. We verliezen hier geen geld, meneer. Zijn vader had uw naam.' Een stilte. 'Károly.' Haar enthousiasme nam af toen ze even bij dit toeval stilstond, maar ze praatte verder. 'Zijn vader loodste ons ook door gevaar. Ons wordt leiders gegeven die tijden voor ons vereisen, meneer Gábor, en we zijn gezegend meneer Horváth te hebben.'

'Als het een familiebedrijf is, wie is dan de erfgenaam van meneer Horváth?' onderbrak Charles haar voordat ze nog een liefdeslied begon te krijsen. 'Wie van zijn kinderen leidt hij op om na zijn dood het management van het bedrijf over te nemen?'

Ze keek wat geschrokken bij deze verwijzing naar het verscheiden van haar werkgever, maar Charles verontschuldigde zich in woord noch gebaar. 'Nee, nee, meneer Gábor. Meneer Horváth zal geen dood hebben. Hij is onsterfelijk!' Ze kirde om haar gevoel voor humor tegenover deze vreselijke jongen.

Charles zette zijn lege kopje terug op het schoteltje en boog zich voorover om mevrouw Toldy te belonen met een lachje dat op haar geestigheid was afgestemd. Tot dusver had hij genoten van haar geworstel, maar nu had hij het eerste stukje informatie gehoord dat zijn reis de moeite waard maakte. Meneer Horváth was oud (hij leidde het bedrijf al drieënveertig jaar) en had kennelijk geen erfgenaam, aangezien zijn trouwe assistente Charles' vraag plichtsgetrouw niet had beantwoord.

'Geen erven', bevestigde hij die maandagavond in Gerbeaud tegen zijn vrienden.

'Natuurlijk had hij geen erf meer in Hongarije', zei Mark.

'Hij had toch zijn erf voor de pacht laten liggen', meende John.

De deur naar de vergaderruimte ging open, en Charles forceerde een glimlach. Imre Horváth kwam, met zijn bril op zijn voorhoofd, binnen terwijl hij papieren ondertekende die door een jongeman werden vastgehouden. Ze werden gevolgd door twee andere jongemannen. Er was een overvloed aan papieren, pennen krasten, er werd op de valreep nog dringend advies aangenomen, in een fractie van een seconde werden er beslissingen genomen en er werden in twee talen briljante, meervoudige opdrachten gegeven. Charles kwam langzaam overeind, omhooggetrokken door script en ritueel, zowel verveeld als alert, maar hij verwachtte weinig. 'Oooo, meneer Gábor', kwamen de Engelse woorden, verpakt in blikkerige Midden-Europese accenten. 'Wilt u me excuseren voor mijn verlate komst?'

'Horváth úr', antwoordde Charles geheel in het Hongaars. 'U hoeft zich niet te excuseren. Mevrouw Toldy was uitstekend en informatief gezelschap.'

De keizer bleef plotseling overdreven verrast staan. Ook zijn hofhouding bevroor, en de keizer trok een erkend verbaasd gezicht, gevolgd door de gebruikelijke handgebaren die verrukking uitdrukten. 'Het is te mooi', riep hij in het Engels uit. 'U spreekt Hongaars als een genie. Het zijn opwindende tijden wanneer de beste jonge Amerikanen Hongaars spreken.' Zijn driekoppige gevolg grinnikte waarderend, en mevrouw Toldy, die aan het hoofd van de tafel stond, glimlachte en ontspande zich in het bijzijn van haar held.

De oudere man, die het geld van de jongere man wilde, gaf de jongeman, die de positie van de oudere man wilde, een hand, waarna ze hun hoofse dans voortzetten. Ze zegen neer in stoelen aan de tegenoverliggende zijden van de lange tafel. Voor Horváth verscheen een glas melk, schijnbaar uit het niets, en Charles zag in zijn kopje weer koffie verschijnen. Mevrouw Toldy zat rechts van Imre, en de drie assistenten streken, aflopend in lengte, neer op drie stoelen aan de linkerkant van hun meester; Charles zat in zijn eentje tegenover de vijf.

Imre sprak weer Engels, een grootmoedig gebaar om geen overbevissing te plegen in de ongetwijfeld ondiepe poel van het Magyaars: 'Mijn beste meneer Gábor, we voelen ons heel vereerd u vandaag op onze uitgeverij te mogen begroeten. We staan zeer tot uw beschikking. Uw reis was, hoop ik…' Het script werd tot op de letter nauwkeurig gevolgd (beurtelings in grootmoedig Engels en grootmoedig Hongaars, totdat de man die als eerste terugviel op zijn moedertaal net zozeer zijn nederlaag zou hebben erkend als de man die zijn zakenrivaal voor de lunch laat betalen): de namen van de drie andere mannen, de rituele uitwisseling en tribale inspectie van visitekaartjes, een grapje over de rituele uitwisseling en tribale inspectie van visitekaartjes, Charles' verzoek dat de anderen hem Károly zouden noemen, Horváth die de toevalligheid opmerkte, Charles' reiservaring, Wenen, de buurt, het gebouw, het geluid van ratelende drukpersen achter geluiddicht glas, vragen over hoe het kon dat een jongeman zulk foutloos Hongaars sprak (een overdrijving, bewust zo geformuleerd dat het doorzichtig was), een korte uitleg over de familiegeschiedenis, een opmerking over het weer en het onvermijdelijke om opmerkingen over het weer te maken, een grapje waaruit hoge leeftijd en wijsheid spraken, waarvan de verteller al het weer heeft gezien dat er maar te zien is en in dit leven geen verrassingen meer verwacht, de prenten aan de muur. 'Deze' — een trage streling over het glas dat het ingelijste gedicht beschermde — 'werd geschreven over ons eigen bedrijf, over onze uitgeverij Horváth, toen het bedrijf nog jong en natuurlijk nog in Boedapest was. Een groot dichter wilde de wereld meedelen hoe we…' Het verhaal van de man verhelderde niets; Charles knikte dienovereenkomstig. '…en toch, ongetwijfeld een oude geschiedenis, onzin van een oude man, kom jij helemaal hiernaartoe om over zaken te praten, en hier ben ik…' een quasi-nederige bewering oninteressant te zijn, een bedrieglijke bewering, die half onderbewust pochte op zijn eigen onnauwkeurigheid, en die eigenlijk tot doel had echte, gezonde handelslust te belichten. Afsluiting van de inleidende opmerkingen, de glanzende, heerlijk vroege trein naar Innsbruck nog geen onmogelijkheid.

'U bent allervriendelijkst, Horváth úr', vervolgde Charles in het Hongaars. 'Ik ben hier natuurlijk namens mijn firma' — de oude man knikte toen Charles eerlijk toegaf dat hij slechts andere, machtiger mannen met geld vertegenwoordigde — 'om meer te horen over uw bedrijf en over de specifieke zaken waarmee we u zouden kunnen helpen.' Charles besefte hoe zijn woorden werden verstaan en daarom liet hij erop volgen: 'Met dien verstande dat mijn rapport bepalend is voor de volgende stappen van de firma.'

Charles' vragen sprongen een voor een tevoorschijn uit het aantekenboekje waarin hij ze de avond ervoor had ondergebracht. Toen de vragen over de tafel sprongen, complimenteerde Imre ze, betoverde ze, liet visioenen van geschiedenis en tirannie, moed en sluwheid voor hen dansen, en bracht ze in een ontvankelijke stemming voordat hij deze of gene van zijn assistenten de taak toewees om bijzonderheden te verschaffen, tot de vraag uitgeput weer afdroop naar het aantekenboekje om plaats te maken voor de hernieuwde energie en het inzicht van zijn opvolger. De

in het Hongaars gestelde vragen verkenden kasreserves, vaste activa, dis-
tributienetwerken, aantal werknemers, fondslijsten en catalogi, jaarbalan-
sen en productieschema's, inkomensverklaringen en kredietfaciliteiten,
bevoorradingsketens en de gemiddelde kostprijs; de in het Engels geformuleerde antwoorden gingen over verhalen en geschiedenissen, persoonlijkheden en voorouders, dramatische gebeurtenissen die moeilijke
beslissingen oplegden, en opgelegde beslissingen die verrassende resul-
taten opleverden. Telkens wendde Imre in het Engels vleierij aan bij
Charles' Hongaarse vragen, en Charles wendde in het Hongaars vleierij
aan bij Imres Engelse anekdotes, totdat een assistent, die het voorbeeld
van zijn baas volgde door ongepolijst, metalig Engels te gebruiken, de
bijzonderheden verschafte waarom Charles oorspronkelijk had verzocht.
'Je vraag getuigt van inzicht, jonge Károly. Onze financiële gegevens
staan geheel tot je beschikking. De bijzonderheden van je vraag raken
aan gebieden die we heel nauwkeurig onderzoeken nu we zijn voorberei-
dend voor deze grote manoeuvre terug naar ons vaderland.' En geleidelijk
aan werd het Charles veroorloofd te begrijpen wat Horváth nu precies
van Charles' firma wilde.

Al ruim dertig jaar bestonden er twee uitgeverijen Horváth – de grootste in Boedapest, in 1949 zonder compensatie genationaliseerd door de
communisten, en de kleinere in Wenen, opnieuw opgezet door Horváth
na zijn vlucht uit Hongarije in 1956. Als slachtoffer van de nationalisatie
van 1949 had Horváth nu recht op een schadeloosstelling van de nieuwe,
democratische Hongaarse regering: een symbolische vergoeding voor
zijn verlies in 1949, een symbolisch bedrag dat werd uitbetaald in coupons, die alleen konden worden gebruikt om genationaliseerd bezit terug
te kopen (van hemzelf of iemand anders) of om te investeren op de nieuwe wankele effectenbeurs in Boedapest. Horváth was op zoek naar een
toereikende investering van buitenaf en die bij zijn zwakke coupons te
voegen om een bod te kunnen uitbrengen dat hoog genoeg was om alles
wat zijn familie in 1949 was ontstolen terug te kopen, om het teruggevor-
derde bezit op te knappen tot de normen van 1990, om de gezonde, winstgevende onderneming in Wenen samen te voegen met de opnieuw opgebouwde onderneming in Boedapest, en om de Horváth Kiádo
wederom tot het welbespraakte geheugen van het Hongaarse volk te maken. 'Oooo, meneer Gábor, dat Staatsbureau voor privatisering, het heeft
een charmante naam, niet? Misschien krijg ik wel excuses bij mijn cou-

pons, niet? Of een wenskaart ondertekend door mijn cipiers? Misschien zal ik merken dat ik mijn coupons krijg, maar dat ze mijn uitgeverij al hebben verkocht aan een trieste, mishandelde groenteboer. Daarom moeten we snel optreden, jij en ik. Maar Balázs'— hij knikte naar de langste assistent (hoewel die nog altijd kleiner was dan de indrukwekkende Horváth) – is oordeelkundig in exacte zaken. Balázs, wat zeg je op Károly's slimme vraag?' En de jonge Hongaar, die leefde en werkte voor zijn Weense held, verschafte de Amerikaan in het Engels de boekhoudkundige gegevens die hij wilde hebben. En Charles voelde dat Balázs antwoord was omgeven met dezelfde minachting, hetzelfde vurige geloof dat Krisztina Toldy uitstraalde – niet in scherpe bewoording, er werd in feite over niets anders dan reële en geraamde cijfers gesproken, maar Charles' rebellie, zijn weigering om diep voor de zittende godheid te buigen, leek iedereen in het vertrek te beledigen, behalve de vlees geworden icoon zelf.

'Het gaat ons hier in Wenen voor de wind, zoals u ziet. Maar het allerbelangrijkste is dat we hebben overleefd en onze plicht hebben gehandhaafd: we zijn nog steeds het geheugen van ons volk, en tijdens deze donkere veertig jaar was dat belangrijker dan ooit tevoren. Wij geven in tien talen alle klassieke Hongaarse schrijvers en dichters uit. De volledige fondslijst van de Horváth Kiadó is in de loop van twee eeuwen bijeengebracht, en wij hebben ervoor gezorgd dat ze niet uit het oog van de wereld zijn verdwenen, ook al zijn de auteurs verbannen uit hun vaderland. U beseft vast wel wat het belang van zo'n prestatie is, meneer Gábor.'

'Zeker. Bij mijn ouders in Cleveland staan de planken vol met uw boeken, Horváth úr', antwoordde hij. 'Ik ben opgegroeid met uw boeken.'

Horváth glimlachte breed en spreidde zijn vingers zo ver ze konden reiken, zodat de jongen kon zien hoe krachtig zijn oude handen waren. 'Dan hebben we ons doel bereikt, en ik ben erg vervuld van trots.'

'Maar is er een duurzame, groeiende winst te maken met de verkoop van uitsluitend klassiekers?'

'Oooo, meneer Gábor, denk niet dat ik een romanticus ben. U hebt gelijk: iets moet onze missie bekostigen. Wanneer we terugkeren naar onze rechtmatige plek, zal het hetzelfde zijn als nu, maar in het Hongaars: populaire boeken en tijdschriften, sportkranten, een financieel dagblad; *Onze forint* zou een familietraditie hernieuwen.' Zonder zijn blik van de Amerikaan af te wenden gebaarde hij vaag naar de middelste assistent die, dankbaar voor de kans en met hetzelfde vuur in zijn ogen als in die van Krisztina en Balázs was opgelaaid, Charles' aandacht vroeg voor een zeer gevarieerde catalogus waarin, te midden van andere curiosa, de fetisjistische, maar razend populaire Amerikaanse detectiveserie 'Mike Steele' was opgenomen, vertaald in het Duits (*Moordenaar in bad, Een lange hete douche met de dood, Schuim, bloederig schuim, Ingezeept voor een bloedbad*, en tal van andere), kookboeken met recepten voor Weens gebak, memoires van Duitse politici en spionnen, investeringsgidsen, dieetboeken, populaire psychologie, inspirerende mild-religeuze boeken, een voetbalkrant en het puzzeltijdschrift, die de afgelopen jaren bij elkaar 85% van de inkomsten van het bedrijf hadden gegenereerd, terwijl de klassieken met respectabele consistentie doorverkochten. 'We zijn allemaal groot fan van uw Mike Steele', zei Horváth, terwijl hij een ironische wenkbrauw optrok voor de Amerikaanse privé-detective, wiens door hygiëne geobsedeerde heldendaden de publicatie van Engelstalige bundels van Boldizsár Kis en Franstalige uitgaven van de toneelstukken van Endre Horne ondersteunden. En uit dit kritische gebaar maakte Charles op dat het de bedoeling was dat hij Europa smakelijk hoorde lachen om de Verenigde Staten met hun barbaarse smaak, en om de Europeanen, die zo uitgekookt waren om die smaak te benutten door er verhevener ondernemingen mee te financieren. Charles wist dat hij werd uitgenodigd met hen mee te lachen en zich daardoor tot Europeaan te verklaren, een van hen te zijn, volgens hun eigen definitie. Hij glimlachte en boog zelfs licht het hoofd om hun culturele triomf op het oppervlakkige Amerika te erkennen.

Alle deskundigheid zat bij deze drie managers, concludeerde Charles; die Toldy was een tikgeit, en het belang van de oude man was louter symbolisch, hoewel dat niet zonder waarde was voor investeringen en publiciteit, hield Charles zich voor, ongeacht wat voor onaantrekkelijk type hij Imre Horváth vond. De maandag erna in Gerbeaud gebruikte Charles precies dat woord: 'Het is een type zoals je zo veel ziet. Het is net zo'n dikke televisieverslaafde, die zijn mond maar niet kan houden over zijn atletische prestaties op de middelbare school. Hoe kan iemand toch als een schim van zijn vroegere zelf leven?'

Een assistent somde de ex-Horváthbezittingen op die het Hongaarse Staatsbureau voor privatisering in veiling bracht en lichtte toe wat vermoedelijk de gang van zaken zou zijn bij het bieden, voordat Imre eraan toevoegde: 'De huidige Hongaarse regering, meneer Gábor, met zijn voormalige gevangenen, zijn dissidenten die minister zijn geworden, zijn dichters en denkers: velen van hen staan ook op onze fondslijst. We hebben hen uitgegeven, en andere vergeten Hongaren die na 1956 daar zijn gebleven. Daarbij was er natuurlijke sprake van bepaalde complicaties bij het verkrijgen van manuscripten, maar dergelijke dingen konden geregeld worden met een Oostenrijks paspoort en de bereidheid om, oooo, tot het uiterste te gaan.' De uitgeverscatalogus met samizdat was duidelijk niet winstgevend en omvatte voornamelijk dagboeken en essays: genadeloze beschrijvingen van het leven onder het communisme, filosofische verhandelingen over eerlijk leven te midden van oneerlijkheid en verraad, hopeloos denkbeeldige en irrelevante, maar achteraf bezien verbazingwekkende, profetische voorstellingen van de structuur en de ziel van een toekomstig democratisch Hongarije. Alles moest tegen een enorm risico zijn verkregen en uit Hongarije zijn gesmokkeld. Imre kwam niet met bijzonderheden, maar zwaaide slechts met zijn wierookvat vol mysteriën, zodat het vertrek doortrokken raakte van een vleugje geheimzinnigheid om de neus van de Amerikaan te prikkelen.

'Het heeft absoluut geen commerciële waarde. Maar goede PR, dat moet ik die ouwe leugenaar toegeven', zei Charles toen het gebak kwam. 'Misschien heb ik jou nodig, Johnny, om deze deal voor elkaar te krijgen. Heb je wel eens gelobbyd? In elk geval gaan we dat typemachientje van je voor de verandering eens iets nuttigs laten doen, misschien verdien je er wel wat geld mee.' John Price keek vragend op van het doorboren van het laagje karamel op zijn Dobos-gebakje. 'Ja, kleine Hebreeuwse vriend van me', zei Charles. 'Geld.'

'Het is opmerkelijk maar waar, meneer Gábor: de communisten hebben nooit de naam van de Horváth Kiadó veranderd. Het was de naam van de klassenvijanden, die verdorven Horváths, de onderdrukkers van het proletariaat, maar ze wisten ook dat de naam Horváth een gerespecteerd merk was; ik denk dat u dat zult begrijpen. En wat hebben ze van 1949 tot 1989 met dat merk gedaan? Ze hebben er leugens mee verteld. Onder mijn naam. Onder de gestolen naam van mijn familie, veertig jaar lang, meneer Gábor, hebben domme, slechte mensen nonsens en leugens voortgebracht. Met uitzondering van dertien dagen in 1956 toen ik de leiding weer had. Veertig jaar vol leugens, dertien dagen van waarheid. Een slechte score, vind ik.' Alsof het afgesproken was, nam Horváth zonder zijn blik van Charles af te wenden een boek aan van zijn assistent en tikte op de rug: *A Horváth Kiadó*. Hij tikte op het omslag, op de Hongaarse woorden *De Amerikaanse terroristen voeren campagne tegen het Hongaarse volk, door Gyula Hajdú*. Terwijl hij Charles bleef aankijken, sloeg hij het boek open op de laatste pagina, met zijn opvallende colofon: een tekeningetje van een gespierde fabrieksarbeider die een gestileerd schild vasthield, en op het schild, omgeven door een wolk van stoom of rook, de letters MN. 'A *Magyar* Népköztársaság.' Eindelijk sprak Imre drie woorden Hongaars. 'De *Volks*republiek Hongarije', fluisterde hij. 'Maar MK', zei Imre, en hij tikte op de rug van een ander boek (dat een andere assistent tevoorschijn toverde), waarop het traditionele pistool werd afgevuurd. 'Het ontwerp van mijn voorvaderen. MK. *A Magyar Köztársaság*. De Hongaarse republiek. Sinds 1808 hebben we uitgegeven voor een vrij, onafhankelijk, democratisch Hongarije. Mijn oudoom Viktor is bij Kápolna gestorven voor deze vrijheid. En nu bestaat er zoiets, eindelijk een echte plek, geen sprookje of het visioen van een idioot, een echte Hongaarse republiek, en wat heb ik? Mijn naam en mijn zaak, heel erg een en hetzelfde ding, zijn me ontstolen om veertig jaar leugens te vertellen. Meneer Gábor, ik wil uw help bij het in ere herstellen van de waarheid. Dat' – hij keek de ondoorgrondelijke jongen recht in de ogen – 'zou een triomf zijn voor een jonge Magyaarse held. Niet alleen financieel, maar moreel, historisch en filosofisch. We hebben het geld van uw bedrijf nodig. Dat is duidelijk. Maar dat kunnen we, denk ik, ook uit andere bronnen krijgen. We hebben ook behoefte aan geletterde mannen en vrouwen die begrijpen wat het belang is van wat wij vertegenwoordigen. We hebben Hongaren met karakter nodig, die bereid zijn om hun erfgoed terug te vorderen. Zegt u dat alstublieft tegen uw bedrijf.' Horváth stond op, en de vier anderen verrezen tegelijk, één hartslag later. 'Ik ben nu helaas ergens anders nodig, meneer Gábor.' Hij nam de zittende Charles op. 'Ik ben heel benieuwd te weten wat u gaat doen in de situatie die voor u ligt, jonge Károly.' Hij kneep zijn ogen een beetje samen, keek Charles aan en sprak zacht, langzaam en ernstig. 'Jij en ik zullen dit verhaal misschien wel samen vertellen. Dit Hongaarse verhaal. Jouw terugkeer naar Hongarije maakt onze terugkeer naar Hongarije mogelijk. De waarheid in ere hersteld door twee Hongaren die naar huis willen terugkeren, een jonge en een oude. Ben je bereid, Károly, om voor ons volk je tanden in zo'n klus te zetten?' Hij stak hoog boven Charles uit, zijn armen over elkaar geslagen, zijn indrukwekkende handen verborgen in de plooien van zijn Italiaanse pak, zijn dungerande ovale leesbril die zijn bos grijs haar achterover hield, zijn blauwe ogen die onder de dikke rimpels van zijn voorhoofd uit staarden, ogen die scherp omlaag gericht waren op de Amerikaan. Zijn stem werd nog dieper en trager. 'Jouw Hongaarse verhaal. Denk eerst daaraan, Károly, en dan pas aan balansen. Dat is het beste advies dat ik je kan geven.'

De deur sloot zich achter Imre Horváth, en hij stapte langzaam en wankelend de met tapijt beklede gang op, die naar zijn kantoor leidde. Met grote moeite liep hij door de gang en meteen naar een van de stoelen voor bezoekers, die tegenover zijn bureau stonden. Hij liet zich zwaar neervallen onder een ingelijste foto: de huidige minister van Financiën van het nieuwe democratische Hongarije, op vierjarige leeftijd, wijdbeens op de schouders van Imre Horváth, op vierentwintigjarige leeftijd – een foto die in *Békében* was gebruikt. De twee keken met samengeknepen ogen in het zonlicht op de oever van de Donau aan de Boedakant, recht voor de gebombardeerde en in elkaar gezakte Kettingbrug, waarvan de kapotte verbindingskabels wegzakten en oprezen uit de rivier en waarvan de hoofdpijlers geen enkele weg meer droegen. Het jongetje zat hoog op de schouders van de jongeman en zwaaide en lachte; hij was net op een van de tijdelijke veerboten de rivier overgestoken met zijn vriend Imre, die af en toe voor hem zorgde. Imre hield de zacht bungelende enkels in zijn vuisten en stelde zich voor dat hij naar bed zou gaan met de fotografe, de oudste zus van het jongetje.

Charles' middag werd afgesloten met een rondleiding door de kantoren van Horváth Verlag, door de opslagruimten en langs de drukpersen, onder leiding van Béla, de kleinste van de drie assistenten, een jongeman vrijwel zonder haar, alleen met een randje haar als van een monnik, van oor tot oor, en met een twee keer gebroken neus, die op een van de minder bekende pastasoorten leek. Charles informeerde nog eens naar Imres lijn van opvolging, en Béla antwoordde: 'Hij heeft alleen een neef, ik meen in Toronto, maar hij heeft geen kinderen. Doordat hij geen familie had, kon hij iets vrijer naar Hongarije komen en gaan, kon hij een bepaalde druk weerstaan. Door middel van familie dwongen ze je vaak om te collaboreren, weet je, om je te laten buigen. Hij heeft nooit gecollaboreerd, weet u. Nooit. Hij heeft nooit gebogen. Maar met familie, tja…'

'Dat had zijn achilleshiel kunnen zijn.' Charles maakte de onverdraaglijke trage zin af.

Béla bleef voor een van de ratelende machines staan en stak zijn hand op met de handpalm naar de gast en met de vingers licht naar binnen gebogen, een geliefd gebaar van middeleeuwse heiligen op schilderijen zonder perspectief. 'Hij heeft geen achilleshiel, meneer Gábor. Hij is een van de groten, de heel zeldzame mannen. Dat zult u nog leren; u zult u heel gelukkig prijzen met hem te werken.' En Charles zag dat dit niet een ingestudeerd onderdeel was van het grote plan voor die dag om de geldschieter te imponeren, niet eens zo heel slim om tegen een potentiële investeerder te zeggen – gewoon de absolute waarheid wat Béla betrof. Charles spande zich tot het uiterste in en hield een stalen gezicht.

Deel 3

Tijdelijke indigestie

I

John Price rookte rustig een sigaret op zijn balkon, kuste de foto's van zijn antieke vrouw en kind welterusten en ging op de dichtgeslagen dekens van zijn slaapbank liggen, niet in staat om een plaatsje in te ruimen voor de gebeurtenissen van die dag, de hoofdwond en het feit dat zijn broer en hij nu kutzwagers waren. Zijn broer verdiende niet beter. Hij moest zijn broer meteen excuses aanbieden. Hij was met de dag beter in staat om Emily te waarderen. Hij was Emily met de minuut minder waard. Hij was een klootzak. Hij was een levenskunstenaar.

Hij was bijna in slaap gevallen toen er een wiskundige vergelijking opgloeide achter zijn ogen. In de zweterige toestand tussen waken en slapen, waarin je polsslag snel is, zag hij een goed verzorgde, sierlijke vrouwenhand een krijtje voortbewegen over een schoolbord. De vergelijking verscheen met tikjes en gepiep terwijl de armloze hand het veelzeggende krijtje voortbewoog: *Ernstig = niet-ernstig.* Toen haar hand aan het einde was gekomen, begonnen de letters gestaag te vervagen, in de volgorde waarin ze waren opgeschreven, als uitlaatgassen van een auto of het kielzog van een motorboot. Hij keek toe hoe de vergelijking zichzelf telkens weer opschreef op dezelfde plek, in hetzelfde tempo, vervaagde en terugkwam, keer op keer. *Ernstig = niet-ernstig. Ernstig = niet-ernstig.* Toen het woord *ernstig* er denkbeeldig en verkeerd gespeld begon uit te zien, viel John in slaap.

De volgende ochtend was deze vergelijking – in tegenstelling tot de grootse openbaringen over het verleden, de veelomvattende oplossingen voor sociale problematiek, de wiskundige inzichten en de filosofische doorbraken die zich aan hem voordeden toen hij nog niet sliep – niet verdwenen, maar zat op zijn schouder en eiste zijn onmiddellijke, onverdeelde aandacht op toen hij zijn ogen opendeed: *Ernstig = niet-ernstig.* Hij ging weer naar het balkon, waar hij naar het verkeer en de verkleinde voetgangers keek die, recht onder hem, ineenkrompen tot slechts een cirkel met vier verkorte aanhangsels. De vergelijking paradeerde rond, en een aantal minuten kon hij eigenlijk niet aan iets anders denken.

Terwijl hij die ochtend zijn best deed om iets zinnigs op te maken uit zijn met bloed besmeurde aantekeningen van zijn vraaggesprek met Harvey, leunde hij telkens weer achterover in zijn stoel, beet op zijn lip en dacht na over ernstig en niet-ernstig. Toen vroeg Karen Whitley hem vlak voor het middaguur of hij in de stemming was voor een 'bijzondere lunch'. De vergelijking gaf eindelijk zijn geheime betekenis prijs toen Karens gesloten ogen en open mond als een metronoom in en uit Johns gezichtsveld zwaaiden. Bij elke slingerbeweging belemmerden en onthulden haar bovenlichaam en hoofd in ritmische afwisseling het zicht op de rozet aan het plafond, de gipsen druiven en guirlandes die rond de plafonnière van haar slaapkamer zaten. John probeerde deze afgietsels te blijven zien, ook als Karen hem het zicht erop ontnam. Hij probeerde het meisje transparant te maken omwille van Emily, die zo vriendelijk was naakt naast hem te zitten; ze legde een hand op zijn voorhoofd en eiste op felle toon, als een drilsergeant, dat hij de druiven zou tellen, dat hij de guirlandes en de cupidootjes voor haar zou beschrijven, zwijgend, tot in de kleinste details. En terwijl hij haar bevelen opvolgde, kwam zijn vergelijking – *ernstig = niet-ernstig* – terug, waarop John begon te glimlachen en Karen, die nu haar ogen opende (zodat Emily in rook opging), lachte naar hem terug, en John lachte nog breder, en ook Karen lachte nog breder, en John begon langzaam het visioen te begrijpen dat hij de avond ervoor had gekregen toen hij in slaap viel. Na een poosje hield Karen op met bewegen, haar hoofd viel tegen Johns borst en haar stem klonk steeds zachter en trager, totdat hij haar alleen nog maar hoorde ademhalen en vervolgens hoorde slapen. Toen begreep John dat sommige dingen belangrijk waren en andere niet, en dat de gelukkige mensen op deze wereld degenen waren die deze twee zaken makkelijk en snel van elkaar konden onderscheiden. Het begrip 'ongelukkig zijn' verwees naar het gevoel de verkeerde dingen serieus te nemen.

Hij liet Karen slapend achter en ging terug naar het kantoor om zijn geschreven portret van Harvey af te maken, dat zich nu met niet-ernstig gemak liet typen: Harvey was niet-ernstig; Harvey was vermakelijk. Het was ondenkbaar dat er dingen waren die nog minder ernstig waren dan broer Scott en zijn Magyaarse maîtresse. Met een dramatisch rijzen en dalen van zijn handen, als een concertpianist, zat John op het toetsenbord van zijn computer te typen.

II

'En je vader zei tegen me: "Maar daar zijn we voor. Ik zou dit zo weer doen." Moet je nagaan. Zelfs in zo'n gevaarlijke situatie, onder vuur, terwijl ik nutteloze twijfel en angst uitstraalde, was hij volkomen helder over zichzelf en zijn doel. Buitengewoon. Mannen als Ken Oliver, die heb je niet veel.'

'Nee, dat kun je wel zeggen.'

Ed hield haar blik vast tot ze wegkeek. 'Gaat verder alles goed met je?' Toen hij zich vooroverboog, kraakte zijn stoel onder het gewicht. 'Bevalt het werk je?'

'Uitstekend. Ik vind het een eer om te doen.'

De twee kanten van de persoonlijkheid van haar chef lieten zich beurtelings, volgens een strikt schema, gelden. Buiten de beveiligde zones, in de reusachtige, bewaakbare buitenwereld waar hij de zaken onafgebroken, maar onopvallend goed in de gaten hield, leek Edmund Marshall niet alleen een bon-vivant, maar was hij er ook echt een, tonrond met een woeste baard, een kortademige grappenmaker, vaak bijna dronken, dol op het leven en soms op een pikante anekdote, een man die vaak en luid de hemel en zijn gastheren van die avond dankte voor zijn diplomatieke loopbaan, omdat hij daardoor altijd buitenlandse gerechten van hoge kwaliteit kreeg voorgeschoteld. Hij hulde zich ook altijd in een waas van verzonnen, maar erg geloofwaardige geruchten dat zijn baan op de tocht stond, dat hij onlangs weer eens was berispt omdat hij zich aan het een of ander te buiten was gegaan. Maar tijdens kantooruren, achter loodzware beveiligingsdeuren, was hij de meest humorloze, ernstig kijkende collega die je je kon voorstellen, een pietje precies wat betreft zijn paperassen, onvermoeibaar in zijn opbouwende zelfkritiek, met een onverzadigbare honger naar het bespreken van de ambivalenties, lagen, motivatie en contramotivatie van bronnen en mogelijke bronnen. Hij werd door zijn staf unaniem bewonderd vanwege zijn oprechte, zeldzame en hartstochtelijke roeping om menselijke zwakheden, twijfel en voor corruptie vatbare idealen aan het licht te brengen. Geen van zijn beide persoonlijkheden was geveinsd, alleen strikt gescheiden met het oog op maximale bruikbaarheid, en Emily besefte dat dit vermogen om je gehele persoonlijkheid te benutten een vaardigheid was die je moest nastreven.

'Ben je hier gelukkig?' vroeg hij haar.

Ze keek op. Het was een vraag waarvan ze versteld stond. 'Natuurlijk.'
Ze verliet het raamloze kantoor van haar chef – terwijl ze met moeite de
lichte vermaning wegslikte die daarna was overgegaan in een vaag verhelderend (en zelfkritisch) verhaal over haar vader in een heel ander Berlijn
– en dacht na over de implicaties van zijn merkwaardige vraag. Nooit eerder had iemand haar zoiets gevraagd, omdat niemand daar reden toe
had gehad; zij was in elk geval zo grootgebracht dat ze zo'n egoïstische
vraag nooit zou overwegen en iemand nooit in een positie zou brengen
dat die vraag moest worden gesteld. Ze wist niet wat de aanleiding tot
de vraag kon zijn geweest of wat voor mogelijk verschil het antwoord
kon maken.

Aan de andere kant had ze dat verhaal nog niet eerder gehoord en onwillekeurig voelde ze weer eens een vlaag van bewondering voor haar vader, kort daarna gevolgd door een voor haar ongewone woede over Eds
gegraaf en gewroet, en zijn verbijsterende en werkelijk volkomen onterechte commentaar dat haar Analyse van Menselijke Motivatie, die ze na
elk contact met een buitenlandse ingezetene invulde – ondanks zijn eerdere klachten, correcties en gefrustreerde raadgevingen – nog steeds door
'gebrek aan nuancering, klankkleur en diepgang door onervarenheid
werd gekenmerkt'. Ze was dus blij dat de marinier van beneden riep dat
er een John Price in de hal was om haar te zien. John en Mark leefden in
een ontspannen, ontworteld parallel universum, waar niemand van je
wilde weten of je wel naar behoren gelukkig was, en je niet tegen de
een of andere mysterieuze maatlat voor gedrag werd gelegd. Ze was benieuwd hoe het aanvoelde om maar wat rond te dobberen zoals John de
hele dag moest doen.

Ze maakten een ommetje, gingen toen op een van de oude groene
bankjes midden op het Vrijheidsplein zitten en keken naar de rij wachtenden voor een visum, die om de hoek van de ambassade verdween. 'Hoe
komt het dat je niet het leger in bent gegaan?' vroeg ze hem, nadat ze over
van alles en niets hadden gepraat. 'Waarom lach je? Waarom is dat geestig?'

'Hoe dat komt? Nou, hoe komt het dat jij geen sumoworstelaar bent
geworden?'

'O ja? Het was niet een soort stellingname of zoiets? Je hebt er gewoon nooit aan gedacht om het leger in te gaan?' Ze zweeg. Op dat moment raakte ze alleen maar in verwarring van Johns aanwezigheid, van zijn on-gebondenheid, zijn geloof in niets in het bijzonder. Hij was zo stuurloos dat ze zich al draaierig voelde door gewoon in zijn nabijheid te zijn. Din-gen waarvan ze een paar minuten geleden nog zeker was geweest, leken nu twijfelachtig. 'Ik heb mijn broer Robert nooit gevraagd of hij, je weet wel, gelúkkig is in het korps. Vind je dat ik dat had moeten doen? Is dat vreemd? Tjezus, hoe laat is het? Ik moet weer naar binnen.'

John was naar de ambassade gekomen met een uitnodiging die bedoeld was om haar iets over hem aan de weet te laten komen, om een privé-ruimte te openen waar ze samen alleen konden zijn. 'Er is iemand die ik graag aan je zou willen voorstellen', wist hij ten slotte uit te brengen toen ze in de hal onder het oog van twee mariniers en een aantal zichtbare en onzichtbare camera's, stonden. 'Ze is heel bijzonder. Je zult dol op haar zijn.'

Ze spraken af dat ze hem in de Blue Jazz zou treffen, dat was beter dan dat ze een avond lang de achterstand in contactrapporten ging zitten weg-werken terwijl ze zich ondertussen afvroeg of ze er wel gelukkig genoeg uitzag om langs een of andere mysterieuze maatlat te worden gelegd, en beter dan kostbare tijd te verdoen met de onnozele Julies. Ze voelde aan het plastic identiteitsplaatje dat aan haar rever vastzat, en bekeek John eens goed: Ze vroeg zich af of hij gelukkig was op een manier waaraan het bij haar schortte, ze vroeg zich af of er een gevaarlijk spoor van verraad aan haar vader of van haar principes aan haar gezicht was af te lezen dat je in de spiegel niet kon zien. En ze verdween door de zelfsluitende dub-bele glazen deuren om de opdrachten van haar verlegen ambassadeur uit te voeren.

John zag haar verdwijnen. Bang geworden dat hij haar vraag over de militaire dienst verkeerd had beantwoord (en omdat hij voor deze week toch nog een column moest hebben) liep John door de hal naar de bewa-kingspost van de mariniers. Hij had Todd Marcus' naam onthouden van de wedstrijd *touch football* van duizend jaar geleden op het Margaretha-eiland. De marinier drukte op een knopje dat zijn stem in staat stelde ver-vormd door de plexiglaswand van de bewakingspost te snerpen.

III

Scott had dit tripje al eerder gemaakt, met zenuwachtige meisjes in andere werelden. Hij was met hen teruggereisd in de tijd, was met een redelijk volwassen of beschaafd vriendinnetje van de universiteit of uit de periode daarna het huis uit haar kindertijd binnengegaan en had verheugd toegekeken hoe ze in tweeën spleet: in een meisje dat steeds jonger werd naarmate ze verder in het huis doordrongen, en in een vrouw die door deze ervaring op de een of andere manier een vreemde werd. Hij keek met wetenschappelijke verbazing toe hoe ze verlegen werden of onbehaaglijk, energiek, opgewonden of geïrriteerd. In het beste geval werden deze verschijnselen heviger wanneer hij nauwlettend toekeek, zodat hij, alleen al door heel langzaam door een gang te lopen of zijn hoofd heel langzaam af te wenden van een foto van zijn liefje op driejarige leeftijd in tranen op pappa's schoot, naar zijn liefje van drieëntwintig, dat daar stond en er vreemd, bijna misselijk uitzag, nog meer merkwaardige misselijkheid kon opwekken, terwijl hij zelf nooit iets anders voelde dan wetenschappelijke glorie en enige speelse alwetendheid.

Het liefje zelf – vanochtend nog zo stijlvol, sensueel, onafhankelijk – verloor op zo'n moment iets van haar fleur, kromp nauwelijks zichtbaar in elkaar bij de blinkende zwemtrofeeën, de knuffelbeesten in altijd waakzame, pluchen formatie, de poppenhuizen, de lintjes voor paardrijden, de fotocollages van leuke momenten met vriendinnetjes van de lagere school, beplakt met veelzeggende woordjes die uit tienerbladen waren geknipt: JONGENSHARTSGEHEIMEN. Hij was dan achter haar gaan staan, kuste haar in haar nek en keek haar recht aan in dezelfde roze omlijste spiegel waarin ze voor het eerst haar negen jaar oude haar had leren vlechten, waarin mamma boven haar schouder had gezweefd en de huilende dertienjarige had verzekerd dat ze echt mooi was, zo ontzettend mooi, ongeacht wat die andere rare kinderen (die gewoon jaloers waren) zeiden.

De beddensprei te zien die ze had uitgekozen toen ze twaalf was, en die al die jaren voordat ze hem kende dienst had gedaan. Had ze bestaan voordat zij elkaar ontmoetten? Wonderlijk toch dat dat het geval was, en dat ze er zo had uitgezien, dat ze die rok had gedragen en met dit speelgoed had gespeeld en met die vrienden had gespeeld en over een toekomst had gefantaseerd en zich naar de derde plaats had gevlinderslagd bij de 4 x 100 meter wisselslagestafette voor meisjes onder de veertien, terwijl ze eigenlijk al die jaren knus in haar cocon had gezeten om voor hem een vlinder te worden.

Bij elke nieuwe kamer voelde zo'n meisje zich steeds minder op hun gemak, wat hij steeds opwindender vond. Het liefje vertraagde het tempo en treuzelde om een bezoekje aan de meest gênante kamers te vermijden, of verhoogde het tempo en probeerde hem weg te trekken wanneer ze iets in zijn oog zag, een lachje of een nieuw inzicht, terwijl hij zijn tastende, keurende blik liet gaan over het jonge meisjesleven dat gevangen zat in het verharde barnsteen van haar slaapkamer.

Na deze historische museumzaaltjes liepen ze naar de grootste kamer, de slaapkamer van haar ouders, waar het uitgesloten was dat er iets zou voorvallen op het echtelijke bed van iemand anders, uitgerekend de plaats waaruit zij was voortgekomen.

Vandaag kreeg hij zijn drempelkus vlak voor de deur, toen werd de sleutel omgedraaid, ging de deur piepend open en lag de hal op hem te wachten; hij wist al wat hij zou aantreffen. Maar hij trof het niet aan, en de afwezigheid ervan bezorgde hem een licht gevoel in het hoofd.

Er hingen wel foto's in de hal, maar niet één van haar. Hier een oudere broer, een officier in het Hongaarse leger. Daar een zwartwitfoto van (wijlen) haar vader, die zijn hoofd boog terwijl er een lint om zijn witte hals werd gelegd. En dit hier moest grootvader zijn – ach, gelukkige tijden met legermakkers, makkers uit andere legers met inbegrip van, o ja, dat vermoedde ik al.

Hij draaide zich naar haar om, maar dit keer wachtte hem geen gêne. Ze keek naar hem op met dezelfde lach en dezelfde genegenheid die ze altijd toonde, maar vandaag met iets meer, met iets als een inspectie van hém, een zekere nieuwsgierigheid terwijl ze toekeek hoe hij de fotografische neerslag van haar familie in zich opnam. Een glazen vitrine: hetzelfde lint waarvoor pappa iets verderop het hoofd boog om in ontvangst te nemen, een medaille met een Hongaarse inscriptie en een borstbeeld van, o ja, dat vermoedde ik al.

Er waren geen prijzen voor paardrijden, geen zwemtrofeeën, alleen nog meer foto's van een vreemd uitziende familie, die niet in staat was om te lachen naar de fotograaf. Telkens wanneer Scott snel wilde doorlopen naar de volgende kamer, hield ze hem tegen, dwong hem om iets lan-

ger te blijven staan, gaf hem een arm, trok hem dicht naar zich toe en
sloeg hem gade terwijl hij rondkeek.

Ze liet hem alle kamers bekijken. Vroeger hadden ze hier met hun vij-
ven gewoond. Nu twee oudere broers het huis uit waren en vader dood
was, woonde Mária hier alleen met haar moeder en drie poezen. De woning was kleiner dan alle andere woningen die hij kende waarin volgens
hem een gezin kon worden grootgebracht, en daar maakte hij ten on-
rechte uit op dat er sprake was van armoede. De kleine hokjes van de
broers waren onveranderd sinds hun vertrek: geen posters van rocksterren
of universiteitsvaantjes, alleen ernstige jonge soldaten, officiële portretten
in simpele fotolijstjes, oude handhalters en elastische banden met hand-
grepen, een paar boeken in het Hongaars en Russisch, en een prikbordje
met foto's van tanks, artilleriegeschut en straaljagers.

Ze is net als ik, dacht hij. Zij komt ook uit het niets, een vreemde voor
deze mensen die haar van jongs af hebben omringd. Ze had er nog nooit
zo mooi uitgezien als op dat moment, voor een foto van een Russische
gevechtsjager waaruit zich scherpe rook ontrolde. Eindelijk had hij de
enige andere bewoner van zijn land gevonden.

Haar eigen kamertje was nog kleiner en was een tijdje geleden licht-
blauw geschilderd. Het bed, de stoel, het bureau, de planken die vol stonden met onleesbare boeken, de rare Oost-Europese kunstnijverheid, en
poppen die van niet-aaibare, afstotende materialen waren gemaakt. Op
haar bureau lag het huiswerk dat hij haar zelf had opgegeven. Op haar
prikbordje hingen twee foto's van Miami en een van Venice Beach, die
ze uit een tijdschrift had geknipt, een reproductie van een Manet, een
zwart-wit ansichtkaart van een Amerikaanse matroos die een vrouw kust
op Times Square, een foto van een beeld van Rodin, spierwit en erotisch,
drie foto's van haar met vrienden, maar niet één met een meisje erop dat
iets jonger was dan de vrouw die hij kende. Op een tafeltje naast het bed
stond een foto van hem, die vanuit een lage invalshoek was genomen:
springend in de lucht, met achter hem alleen maar blauwe lucht en wolken, vliegend als een god, met beide armen hangend aan een American
football (die buiten beeld door Mark Payton de lucht in wordt geschoten), terwijl twee handen (alles wat zichtbaar was van zijn broer) zinloos
Scotts oude universiteitsshirt vastgrepen in een vergeefse poging hem terug te trekken naar de aarde. 'Ik wou dat ik je nu meteen mijn kinder-
slaapkamer kon laten zien.'

'Dat zou ik heel leuk vinden.'

'Nee, je zou het vreselijk vinden, maar je zou wel begrijpen waarom we zo uitstekend bij elkaar passen.'

Ze glimlachte en trok hem langs de stoel en het bureau dat haar grootmoeder had weggehaald uit de woning van de buren toen de bewoners (met achterlating van al hun spullen) waren weggegaan, trok hem naar haar moeders oude eenpersoonsbed, waarvan het rijkbewerkte hoofdeinde een onmiskenbaar blijk van luxe was en voor de geoefende kijker een bewijs van bevoorrechting en ongewone koopkracht.

IV

Later, toen er nog drommen mensen door Váci Utca liepen terwijl de rolluiken voor de etalages werden neergelaten, en toen de boerenvrouwen de onverkochte sjaaltjes en met fleece gevoerde bodywarmers van het trottoir begonnen te rapen, en toen de zon zo laag stond dat de schaduw van de ijsventer zich helemaal tot aan het eind van de straat uitstrekte, meldde John zich voor de eerste van de twee afspraken die hij voor die ochtend had gemaakt. Met een aantekenblok in de hand schoof hij aan bij een afgeschoten tafeltje in het New York Amerikai Pizza Place Étterem en begroette artilleriesergeant Todd Marcus en zijn drie kameraden, de mannen van wie hij hopelijk iets elementairs (zij het onmiskenbaar buitenlands) over Emily kon opsteken.

Met hun identieke borstelhaar, poloshirt en bermudashort brachten de vier mariniers de jonge bedrijfsleiding van het nieuwe restaurant in vervoering vanwege de onbetaalbare Amerikaanse authenticiteit die ze uitstraalden. De vijf mannen schonken zichzelf Tsjechisch bier in uit een grote kan en trokken weerspannige stukken pizza los, die waren belegd met ham, maïs, stukjes ananas uit blik, rotsgarnaaltjes uit de diepvries, hele gebakken eieren, bloedworst, paprika en wat er verder zoal op het repertoire stond van een New Yorkse pizzeria. John schoof de echte journalistenhoed naar achteren die hij van Mark had gekregen, bladerde door zijn aantekenblok en koos een van de zeer weinige vragen die hij de hele middag had kunnen bedenken.

'Oké, zijn jullie allemaal weg van *Rambo*?'

Tussen de slokken pils en grote happen smeltende kaas door maakten de drie mariniers spottende opmerkingen: *wel cool, maar onrealistisch… allemaal over ego… ontzettend stom.* Artilleriesergeant Marcus ging nog iets verder: 'Ik heb wel wat van hem gelezen, maar ik geef de voorkeur aan Verlaine', maar John begreep niet helemaal wat hij bedoelde.

'Zeg, moeten jullie horen. Hier wil ik over schrijven. Jullie zijn mariniers, soldaten, opgeleid om te doden. Ik wil schrijven over wat dat voor jullie betekent. Je weet wel, over plicht en moed en dood. Dat allemaal. In die trant.' John keek verwachtingsvol van de een naar de ander. Kurt, een tweeëntwintigjarige sergeant, excuseerde zich heel beleefd en ging naar de toonbank om plakjes pikante paprika te halen.

'Hé, joh, neem servetten mee', zei Luis.

John begon opnieuw. 'Waar zouden jullie voor vechten?'

Het gekauw werd tijdelijk gestaakt om nog meer pizzapunten te bemachtigen en meer bier uit te schenken, en John meende dat hij iets geamuseerds of minachtends op Todds gezicht zag. 'Ik moet zeggen', zei Kurt, die terugkwam van het foerageren, 'dat ik weg ben van deze tent. De raarste pizza die ik ooit heb gezien, maar ik ben weg van deze tent.'

'Ja, oké, maar in ernst. Waar zouden jullie voor vechten?'

'Bedoel je wat we betaald krijgen?' vroeg Danny.

'Niet veel, man', zei Kurt. 'Ver onder het minimumloon.'

'Nee, nee, waar zouden jullie voor véchten? Voor welke zaak? Je kan toch doodgaan in een oorlog?' Hij keek van het ene onbewogen gezicht naar het andere. 'Waarvoor zouden jullie uit je schuttersputje komen?'

De schransende mariniers zeiden niets, tot eindelijk Luis – een wel heel gespierde Latino van twintig uit Wisconsin – zijn mond afveegde en John aankeek alsof hij iets moest uitleggen aan een kind. 'Nee, jochie, zo werkt het niet. Om te beginnen zou niemand hier aan tafel doodgaan. We zorgen voor elkaar. En in de tweede plaats is het niet zo dat je kunt kiezen, weet je. Het is geen, eh, vrije keus. We mogen er niet over stemmen. Wij zijn mariniérs, man. En daarvoor dank ik God op mijn blote knieën.' Hij trok nog een pizzapunt van het blad en wikkelde de draderige, slappe kaas om zijn wijsvinger.

Kurt knikte. 'Als je tekent, Jack, zeg je: "Ik sta tot je beschikking, man". En trouwens, de officieren weten hoe het zit.'

'Ja, natuurlijk', zei John. Hij kon geen andere vraag bedenken. Het drietal aan de andere kant van de tafel zat intussen naar clips te kijken, die achter hem, hoog boven zijn hoofd, zonder geluid op drie tv-schermen waren te zien. 'Maar misschien een voorbeeld', zei John terwijl hij met zijn pen tegen zijn tanden tikte. 'Oké, Hitler was slecht, dat was duidelijk, maar wat denken jullie van…'

'Madonna zag er beter uit toen ze "Like a Virgin" zong', zei Kurt.

'Als de Russen Letland zouden binnenvallen, zouden jullie dan je leven geven om het te redden?'

'Ik zou Madonna een beurt geven om Lestland te redden.'

'Ik zou Slowakije, Slovenië en Slavonië binnenvallen om Madonna een beurt te kunnen geven.'

Todd zei rustig: 'De wereld draait, omdat mensen – slechte mensen, John – denken dat we zouden vechten voor alles wat de president ons opdraagt. We zijn de best uitgeruste, best opgeleide strijdmacht ter wereld, en dat zegt het wel zo'n beetje, zoals mijn moeder altijd zei.'

'Te gek!' De mariniers sloegen vette handen tegen elkaar. 'Ja, ja, dat moet je opschrijven!'

'Zeg, betaalt die krant van jou nog een pizza?'

John deed zijn best om zijn vraag anders te formuleren, maar hoe meer hij erover nadacht, hoe minder hij in staat was hem vast te houden. Toen hij in Gerbeaud slaperig dit interview had zitten voorbereiden en fantaseerde over het afspraakje dat er beslist op zou volgen, was hij ervan uitgegaan dat de mariniers al snel op dezelfde golflengte zouden zitten als hij, het ermee eens zouden zijn dat oorlog volkomen nutteloze onzin was, dat (behalve ter verdediging van met verkrachting bedreigde geliefden of zoiets) níets de moeite waard was om voor te sterven, dat ze lijf en leden op het spel zetten om geld te verdienen voor een universitaire studie of een opleiding in de elektronica, en dat de column die eruit voortkwam 'Leven en laten leven!' of iets in die trant zou gaan heten.

Natuurlijk zou hij voor Emily ten strijde trekken, beantwoordde hij zwijgend zijn eigen vraag, terwijl de mannen op een obscene manier de draak staken met de clip van een Spaanse popzanger, die gekleed als een toreador stond te huilen boven het naakte, dode lichaam van een vrouw met een stierenkop, bij wie er een zwaard tussen haar prachtige schouderbladen was gestoken. Niet alleen om Emily te beschermen, maar hij zou ook gaan als ze het hem gewoon zou vrágen. Hij zou vechten en doden als zij zou toekijken. Wat zou ze hem willen zien doen? Hij zou achter een machinegeweer kunnen zitten, zijn tanden op elkaar klemmen, door elkaar geschud worden als hij de kracht van zijn wapen in alle hevigheid losliet op de ene na de andere golf aanstormende mannen om ze aan flarden te schieten, zodat hun armen omhoog vlogen en hun hoofd achterover en hun lichamen in intrigerende zigzagpatronen zouden neervallen. Keek ze nog steeds naar hem? Dan kon hij een man-tegen-man-gevecht aangaan, met de kolf van zijn geweer tegen het gezicht van de ander beuken, zijn neus verbrijzelen, zijn oogkas openscheuren, zijn kaak verfrommelen, en als de vijand op de grond viel en zijn hoofd met zijn armen probeerde af te schermen, kon John zijn schedel bij de slaap inslaan, waar die maar zo dik was als een eierschaal, had hij eens gehoord, botfragmenten in zijn hersens jagen en nog door blijven beuken. Zou ze kijken? Zou ze dichtbij staan, op de een of andere manier buiten gevaar, maar wel zo dichtbij dat hij haar adem in zijn oor kon voelen, om hem aan te sporen, hem er met een zachte zucht van te overtuigen dat hij nog niet klaar was? Kon hij zich boven op een vijand laten vallen, zijn hoofd bij het haar achterover trekken, het lemmet over zijn keel halen, de strakke huid van de keel voelen wijken en loskomen, het lemmet voelen wegkrullen als papier dat bezwijkt voor de vlam?

'Hé joh, heb je verder nog vragen?'

Drie van de mariniers vertrokken met elkaar, maar Todd vroeg aan John welke kant hij opging. Omdat hij nog een uur moest zoetbrengen voor zijn volgende afspraak, liepen de marinier en hij samen naar het Corsó. 'Trek het je niet aan. Je moet er niet al te verbaasd over zijn dat je niet de antwoorden hebt gekregen waarnaar je op zoek was. Pacifisten gaan meestal niet het leger in. In elk geval niet bij de mariniers.' Met zijn handen in de zakken van zijn shorts liep Todd tevreden naar de gebouwen en het fraaie uitzicht te kijken, maar hij vergat ook niet om een taxerende blik op vrouwelijke voetgangers te werpen. 'Is het je wel eens opgevallen dat ik de enige zwarte man in Boedapest ben?'

In een reflex draaide John zijn hoofd om en bekeek de mensenmenigte. 'O ja? Ik geloof dat het me niet – nee, er is ook nog een jazzzanger, een kale vent. Jullie zijn met zijn tweeën. Stoort het je?'

'Nee. Hier ben ik exotisch. Dat is te gek. Hiervoor was ik gedetacheerd bij de ambassade in Soedan. Daar was ik gewoon de zoveelste goedbewapende zwarte. Dit bevalt me dus wel.'

Ze kwamen bij de rivierkade. Beneden hen lagen casinoboten aangemeerd die de nevel van de juliavond verlichtten, en aan de overkant van de rivier zweefden de lichtjes van de Burchtheuvel boven de kabeltram voor toeristen, die op en neer kroop langs de helling.

'Zeg, pennenlikker, weet je hoeveel mannen er bij Verdun zijn gesneuveld?'

'In de Eerste Wereldoorlog? Geen idee.'

'Zeshonderdduizend in vier maanden. Ongeveer vijfduizend per dag. Vier maanden lang ongeveer drie of vier jongens per seconde. De Engelsen hadden de gewoonte om jongens uit dezelfde plaats bij elkaar te laten in dezelfde eenheden, als een stimulans om dienst te nemen. Je weet wel: "Schrijf je in met je vrienden, dan kunnen jullie samen het grote avontuur tegemoetgaan."' John had geen idee waar Todd op aanstuurde en vond het moeilijk om zich op bijzonderheden van de Eerste Wereldoorlog te concentreren terwijl de marinier lachte naar iedere vrouw die voorbijkwam. Todd zei: 'Hallo daar', tegen een blondje. Hij liep achteruit om haar verdwijnende gestalte te zien opgaan in de menigte, en ze wierp hem over haar schouder een blik toe en wuifde met haar vingers naar de grote, donkere buitenlander. Todd zwaaide en lachte en liep toen weer vooruit. 'Het is vreselijk', zei hij. 'Ik mag geen omgang hebben met staatsburgers die op de lijst staan, en die lieve Hongaarse vrouwtjes staan nog steeds op de lijst. Snap je dat? Officieel zijn ze nog steeds rood. Wat een mooi gezicht, hè?' Todd wees op de Kettingbrug net op het moment dat de verlichting aanging, die verblindend wit afstak tegen de citroen-limoenkleurige en duifgrijze lucht. De wind rukte fiks aan het zeildoek dat – totdat de zandstralers en metselaars konden worden betaald – zedig de communistische symbolen afdekte die op het hoogste punt van de stenen bogen van de brug waren uitgehakt.

De twee mannen gingen op een houten bank zitten, ergens voor een van de moderne hotels die in de plaats waren gekomen van het Hungaria, Carlton en Bristol (die allemaal kapot waren gebombardeerd) en keken naar de voorbijkomende meisjes en naar de fratsen van een karig getalenteerde straatkarikaturist, bij wie alle slordig getekende voorbeelden van filmsterren zo'n beetje op elkaar leken: vooruitstekende tanden, kaakspieren als rimpelende golven, piepkleine beentjes. Todd lachte naar twee vrouwen die gearmd liepen. 'Je ziet het aan hun kleren', zei hij. 'De kunst is om West-Europese of Amerikaanse toeristen te vinden. Daarmee mag ik omgang hebben. En voor hen ben je exotisch omdat je hier woont,

maar je bent geen Hongaar, dus ook weer niet al te exotisch.' Hij ging ver-
zitten. 'Na een slag als bij Verdun kon je dus een heel dorp vol Engelse jongens kwijt zijn – allemaal. Ze namen samen dienst, ze werden samen opgeleid, hun eenheid ging gezamenlijk naar de Somme, waar ze met z'n
allen vast kwamen te zitten in de modder en – boem. Pech. En dan heeft
het dorp geen enkele man meer tussen de achttien en de veertig. In één seconde. Alle zonen, vriendjes en broers die je kent. Patsboem.'

John was blij dat hij eindelijk had gewonnen, dat hij een militair
hoorde zeggen dat oorlog zinloos was. Nu kon hij Emily zijn principiële
weigering om in dienst te gaan uitleggen. Hij haalde zijn aantekenblok
tevoorschijn, en Todd vervolgde: 'Wie heeft dat beleid bedacht? Het zet
je toch echt wel aan het denken over de Engelsen, vind je niet? Ho, niet
opschrijven.' Todds vingers tikten een krijgshaftig ritme tegen de houten
latten van de bank. 'Maar echt, het was alsof ze de bedoeling hadden de
mensen een afkeer van de oorlog te bezorgen. Ik ben er altijd nog verbaasd over dat er geen grote protesttoestand kwam tijdens de Eerste Wereldoorlog. Maar ze waren er natuurlijk wel wat huiverig voor om
halsoverkop in de Tweede te stappen.'

'Goed dan', ging John verder, terwijl Todd het drummen naar zijn been
verplaatste. 'Dan moet je je toch wel afvragen wat de moeite waard is
om voor te vechten? Die jongens uit hetzelfde dorp. Die gaan allemaal
op één dag dood voor níéts. Verdun was in feite gelijkspel, of niet soms?
Zeshonderdduizend zinloze doden. Hoe kun je zoveel van geschiedenis
af weten en toch bij de mariniers gaan?'

Todd glimlachte bedaard naar John, met vaderlijke geamuseerdheid.
'Ze zijn niet voor niets gestorven. Dat heb ik niet gezegd. Daar gaat het
me helemaal niet om. Ze zijn gesneuveld tijdens een kleine actie met
een gelijkspel waarbij het Duitse leger ook behoorlijk op zijn lazer heeft
gekregen. Als zij daar níét waren geweest en hadden gevochten, was het
misschien wel geen gelijkspel geworden.'

'Wat maakt het uit? Doodgaan op je vierentwintigste door, door mós-
terdgas? Onder een generaal die een loopgravenoorlog begon omdat hij
dat twintig jaar geleden had geleerd? Heb je háár gezien? Dat was beslist
geen Hongaarse. Maar doodgaan op je vierentwintigste: geen vrouw, niet
oud worden, geen kinderen. En waarvoor? Wat maakt het uit? De Eerste
Wereldoorlog is net een grapje tijdens de geschiedenisles: geen mens die
weet waarom hij werd gevoerd. Het was volstrekt middeleeuws.'

Todd luisterde beleefd, maar reageerde nu enigszins verhit. 'Daar denkt hij heel anders over, die Engelse jongen. Dat is jouw opvatting, en daar heb jij het recht niet toe. Jij zat daar in die pizzatent te doen alsof mijn jongens beslissingen moeten nemen, gebaseerd op wat mensen over vijfenzeventig jaar van ze zullen denken. Vind je dat mensen zó moeten denken? Je weet niet waar die Engelse jongens voor vochten; het waren individuen. Voor jou is het veel te gemakkelijk om te zeggen dat de Eerste Wereldoorlog een lachertje was. Jij bent geen Belg. Jouw boerderij werd niet door de Duitsers onder de voet gelopen. Jouw zus werd niet door ze verkracht. Noem maar een willekeurige oorlog op. Alle oorlogen werden zonder uitzondering gevoerd omdat iemand er op dat moment een verdomd goeie reden voor had, en ze zijn er jou geen verklaring voor schuldig. Ik zal je iets vertellen, John, en dat mag je in de krant zetten en je kunt er een van die wijsneuzige columns omheen schrijven, oké? Ben je er klaar voor? Daar komt-ie: Er is geen "groot plan van alles". Dat is gewoon een achterlijke dekmantel voor lafaards. Het heden heeft niet het recht om over het verleden te oordelen. Of op een bepaalde manier te handelen om de goedkeuring van de toekomst te kunnen wegdragen. Die twee dingen zijn allebei irrelevant wanneer de vijand voor de deur staat. Daarom ben ik marinier. Zo, wat vind je van haar? Denk je dat het een Hongaarse is? Wacht even.' De marinier draafde naar een jong blondje, dat een sigaret rookte en tegen de leuning hing, met één been gekruist achter een blote enkel die onder een zwarte strakke kuitbroek uitstak. John sloeg hun gesprek gade, te ver weg om het te verstaan, zag dat het meisje knikte, haar hoofd van Todd afwendde om rook uit te blazen en de sigaret in haar andere hand nam om hem een hand te kunnen geven. Het duurde een paar minuten voordat de marinier bij John terugkwam; zij bleef wachten.

'Leuk je gesproken te hebben, jongen. Moet je horen: dat meisje is Belgische. Wat vind je daarvan? Ik vind het hartstikke leuk om me te verbroederen met mensen die niet als communist te boek staan.' Hij gaf John een hand en ging terug naar zijn Vlaamse melkmeisje, bood haar zijn arm, redde haar van de binnenvallende moffen, loodste haar langs de oever van de rivier en ging op in de beschermende dekmantel van toeristen, karikatuurtekenaars en straatartiesten.

V

Ze stak een stokoude hand uit en kuste Emily toen op beide wangen. 'De
vermaarde mevrouw Oliver! Ik heb al zoveel over uw charmes gehoord.'
In Nádja's rasperige stem klonk iets ondeugends door dat John zorgen
baarde.

Hij had Emily hier uitgenodigd zodat ze kon zien wat een mondain
(relevanter, authentieker, Europeser, geëngageerder, meer weet-ik-veel-
wat) leven hij leidde als hij niet bij hun gemeenschappelijke vrienden
was. Hij had Emily hier uitgenodigd zodat Nádja haar voor hem kon beoordelen en hem van zijn aandoening kon afhelpen of vertellen hoe hij
haar voor zich kon winnen. Hij wilde dat Emily naast hem zat terwijl
Nádja hen hoog in de lucht tilde, en ze samen in de handpalm van de
oude vrouw zaten en met hun hoofden zij aan zij langs het plafond
scheerden, en vanaf dezelfde hoge uitkijkpost zou zij zien wat hij had gezien en zou alles duidelijk worden.

In plaats daarvan begon John na een paar minuten weinig oorspronkelijk, haperend gepraat over koetjes en kalfjes de hoop op te geven: de uit-
getelde oude pianiste was niet sterk genoeg om hen allebei op te tillen;
ze was deze avond zelfs te zwak om hem alleen op te tillen. Hij werd er
humeurig van dat hij in een achterlijke jazzbar zat tussen een saaie oude
vrouw en een meisje dat zijn aanwezigheid alleen maar verdroeg uit een
soort beleefdheid zoals ze die alleen in het Midwesten kennen. Nu hij
moest wachten tot Nádja Emily ideaal voor hem zou vinden en tot Emily
Nádja interessant zou vinden, vond hij hen allebei onuitstaanbaar. Hij
bood aan drankjes te gaan halen, en terwijl hij uit het zicht aan de bar zijn
eerste twee Unicums dronk, had hij weinig haast om terug te gaan.

Toen hij wel terugkeerde, zaten beide vrouwen over zijn recente column over Nádja zelf te praten. 'Beste John Price', zei ze, en ze gaf klopjes
op zijn hand in ruil voor haar Rob Roy. 'Volgens mij heb je me iets te intrigerend gemaakt, maar dat is een piepklein klachtje, vind je niet? Beter
te groots dan te saai, ja?' Ze lachte naar Emily. 'Je vriendin zat net te bewe-
ren dat ze een soort bediende van jullie ambassadeur is.'

'Nou, niet echt een bediende.'

'Wat dan precies?' Nádja stootte Emily's glas aan met het hare, en haar mondhoeken gingen zo abrupt omhoog dat het leek of ze bijna in lachen wilde uitbarsten.

'Nou, ik hou zijn agenda bij en ik doe natuurlijk ook wel wat klusjes.'

'Lieverd, waarom zouden ze een schat van een meid als jij dat werk laten doen?'

'Ik ben erg op details gericht... ik...'

'O, laat me even speculeren: je ontmoet allerlei fascinerende mensen, en zij verbazen zich erover dat de bediende van de ambassadeur zo'n charmant en goed opgeleid meisje is. En deze fascinerende mensen stellen voortdurend hun hart voor je open.'

'Ik vind dat ik goed kan luisteren. Dat vind ik echt. En ik ontmoet inderdaad interessante mensen, maar ik doe eigenlijk meer de tafelschikking voor de lunch.'

'Hoor je dat, John Price?' En Nádja begon echt te lachen en boog zich voorover om zijn hand aan te raken alsof het ook zíjn grapje was geweest. 'Dit is echt verrukkelijk.' John herkende niets van deze dialoog uit zijn visioenen voor de avond en vermoedde dat Nádja misschien al dronken was.

Emily vroeg Nádja naar haar piano-opleiding.

'We kunnen best over mij praten als je wilt, lieverd, maar dat helpt niet. Goed: ik ben voornamelijk een autodidact, ik heb het geleerd van platen, door te luisteren naar anderen. Maar —' John leunde onmerkbaar iets naar voren en hoopte dat maar een teken was dat Nádja aan kracht won — 'maar toen ik een meisje was hier in Boedapest heb ik wel een leraar gehad, en hij was een interessante man...' John haalde diep adem en herkende het majestueuze openen van een oude poort, het langzaam zichtbaar worden van prachtige tuinen daarachter. Hij keek verwachtingsvol heen en weer van Nádja naar Emily, voelde om de een of andere reden dat híj het indirecte onderwerp van gesprek was en elk moment in ieders achting kon stijgen. 'Konrád was een opmerkelijke man. Ik was tien en hij was misschien drieëndertig toen hij me mijn toonladders, vingerzetting en notenschrift begon bij te brengen. Het was een elegante man die in de jaren na de Eerste Wereldoorlog in moeilijke geldtijden kwam. Dit was, geloof ik, omstreeks 1925. Hij was namelijk een spion tijdens de Eerste Wereldoorlog.' Ze glimlachte naar Emily en wachtte op interrupties, maar die bleven uit. 'Hij was een jonge pianostudent, die in Frankrijk woonde toen de oorlog uitbrak. Hij bood zijn diensten aan als leraar voor kinderen en omschreef zichzelf aan hun ouders als een vluchteling voor de slechte Habsburgers, verzon een verhaal over geconfisqueerde familielanderijen, mishandeling door jaloerse rivalen, weigerde terug te keren tot zijn familiebezit werd teruggegeven, enzovoort. En door puur toeval, mevrouw Oliver, waren de pappa's van deze kinderen Franse militairen en regeringsmensen. Een knappe jonge Hongaar, een tikje bohémien, een Chopin-type, maar toch, zo leek het, van goede afkomst en bemiddeld. Ze mochten hem al snel, de ouders. En je bent natuurlijk geneigd om goed personeel aan te bevelen bij vrienden, ook in het leger en de regering, natuurlijk.'

Emily nam een slok van haar witte wijn met spuitwater en luisterde met charmante, vleiende aandacht. John hoorde de andere geluiden in het vertrek afnemen en vervliegen tot een zwak geroezemoes ver beneden hem.

'Konrád hield zijn ogen en oren open. Hij keek stiekem in bureaus en vuilnisbakken als de gelegenheid zich voordeed. En hij wist uiteraard ook zijn leerlingetjes tot medeplichtigen te maken. O ja, de kinderen horen ook dingen, en vinden het heel gewoon om die te delen met hun vriend de pianoleraar. Geheimen hebben voor verschillende mensen een verschillend gewicht, zoals u ongetwijfeld weet.' John was blij dat Nádja zo haar best deed om indruk op Emily te maken en hij voelde dat ze hem haar goedkeuring schonk en haar beste beentje voorzette om het hart van het meisje te winnen. 'En het onthullen van een geheim heeft ook verschillende kwaliteiten. Twee mensen kunnen hetzelfde geheim onthullen: voor de een is de onthulling verraad, voor de ander een spel. Een kinderspel. En als een kind over het geheim van een ander beschikt, tja, dan is dat natuurlijk niet meer dan een ruilmiddel in het gesprek, een paar stuivers om wat aandacht en respect te kopen. Konrád wist dat, en hij was heel vrijgeefs en serieus in het verlenen van aandacht en respect. Dat was eigenlijk zijn grootste gave, niet pianospelen en lesgeven. Hij was de perfecte spion voor kinderen, kon het saaiste kind heel serieus nemen, op een tactvolle manier. Ken je dat type?' Ze nam een slokje van haar Rob Roy en schudde een sigaret uit het pakje. John haastte zich om haar een vuurtje te geven.

'O, ik denk dat we dat type allemaal wel kennen', antwoordde John op deze absurde vraag, en hij was blij dat Emily met hem mee lachte. Nádja ademde rook uit; John zag hoe de rook opkringelde en om het uitgeblazen rondje een weefsel van blauwgrijze slierten vormde waardoor alle andere mensen in de club werden weggefilterd tot vage schimmen die erin oplosten tot ze niet meer dan kleur en achtergrond werden.

'Hij zorgde ervoor dat het kind zich belangrijk voelde, helemaal volwassen. Wanneer de kleine Sophie of Geneviève aan Konrád vertelde dat pappa – die, laten we zeggen kolonel van een bepaald regiment was – over een week een reisje naar Marseille ging maken, zei Konrád tegen haar dat hij behoorlijk onder de indruk was van de volwassenheid van haar conversatie. En de vrouwen! O ja, de vrouwen, uiteraard. Ook zij zagen iets in de knappe jonge *artiste*, de muziekliefhebber, de onterfde, wilskrachtige edelman. En opnieuw bleek dat geheimhouding een variabel iets is. In de ogen van deze vrouwen was de pianoleraar een figuur met veel glamour, maar meer belangrijker, vrijwel hun laatste kans om openlijk van het leven te genieten. Voor deze vrouwen, die met een terughoudende man getrouwd waren, was het idee om een geheime affaire te hebben een daad van openheid, niet van geheimhouding. Met Konrád in hun bed konden ze alles bespreken wat ze wilden; hij was maar de pianoleraar, wat maakte het uit? Ze hoefden niet vast te houden aan de oervervelende behoedzaamheid en discretie die hun dagelijks leven bepaalden en waardoor ze namelijk bijna gek werden van verveling en isolatie. Die vrouwen snakten ernaar om grillig en spontaan te zijn en, ik ben er vrij zeker van dat je dat weet, dat is in het geheel niet mogelijk als je op elk woord moet letten, elke gedachte moet toetsen.' Ze zweeg en nipte van haar Rob Roy. 'Lieve juffrouw, ik hoop dat ik u niet verveel met dingen die u al weet?'

'Helemaal niet', zei Emily met grote, verraste geestdrift. 'Dit is verbazend interessant. Ga alsjeblieft door.'

Nádja lachte. 'Die vrouwen leefden onder de vreselijke last van de staatsgeheimen van hun dwaze echtgenoot, en je weet dat je van geheime lasten erg snel veroudert. Die vrouwen bereikten dat vreselijke punt waarop jeugdigheid steeds moeilijker is waar te nemen in de spiegel. Er zijn speciale verlichting en veel gevlei nodig om de jeugdigheid uit haar steeds talrijker schuilplaatsen vandaan te krijgen. Dat zijn erg slechte jaren. Ze zullen u ook niet bevallen, mevrouw Oliver. Kent u de Franse woorden *Un secret, c'est une ride*? Elk geheim is een rimpel. Bij Konrád konden ze dat allemaal van zich afzetten en zich weer jong voelen. Ze wilden de aandacht vasthouden van deze jongeman, die de vrouwen voor het uitkiezen had. En ze denken bij zichzelf: waarom zou hij zich bezighouden met mij, vrouw op leeftijd van een bureaucraat op het ministerie van Zeevaart? Omdat ze hem kon boeien met grappige verhalen over collega's van haar man of met misprijzende verhalen over hoe slecht bepaalde elementen van de vloot waren toegerust. Die vrouwen voelden natuurlijk helemaal geen misprijzen over zoiets; ze herhaalden slechts wat hun man had verteld. Het geheim van de man was iets waar de vrouw munt uit sloeg tijdens het gesprek dat voor Konrád een geheim werd waar hij munt uit kon slaan door het naar Wenen te verzenden.'

Nádja bood Emily een sigaret aan en verontschuldigde zich ervoor dat ze dat niet eerder had gedaan. Het meisje schudde haar hoofd en vroeg: 'En Konrád' – haar accent uit het Midwesten leverde een zeer on-Magyaars *Conrad* op – 'heeft u al deze inzichten van seksuele psychologische bijgebracht toen u tíén was?'

'Nee, nee, lieverd. Ik heb dit alles gehoord in de loop van een heel lange periode. We zijn vele jaren bevriend geweest, en een korte en erg gelukkige periode meer dan bevriend.'

'Uiteraard, uiteraard', mompelde John, blij te zijn teruggekeerd naar Nádja's wereld, een wereld waarin dingen gebéúrden. In zijn wereld gebeurde er niets (in elk geval niets ernstigs). Hij luisterde naar Nádja's verleden en wilde dat hij vanaf zijn kruk bij Emily's hand kon komen. Zelfs een heel lichte aanraking van haar vingers in deze lucht, op deze hoogte, zou hem al een blijvende brandplek opleveren.

'Hebben zijn inspanningen ervoor gezorgd dat de oorlog sneller voorbij was?'

'Je vraag is een goede, mijn kind, maar alleen als je, zoals ik vermoed, het antwoord al weet: hij was van erg weinig nut, denk ik zo. Veel bereikt heeft hij niet. Hij vond altijd dat zijn informatie beter benut had moeten worden, maar het keizerrijk dat hem betaalde was ook voor de oorlog al aan het afbrokkelen. De onbenullige nieuwtjes die hij aan talentloze kinderen en ontevreden vrouwen ontfutselde zouden daar in de verste verte geen verandering in kunnen brengen. Hij heeft in elk geval de uitkomst van de oorlog niet veranderd, is het wel? Ik weet niet of zijn zorgvuldig gecodeerde boodschappen ooit een Hongaar het leven hebben gered en of er een veldslag door is gewonnen of dat ze maar iets hebben kunnen verbeteren aan die vreselijke vredesbepalingen. Dat is altijd het lastige parket waarin een spion zich bevindt: wat kunnen ze slim zijn en wat kunnen ze weinig doen', voegde ze er met een scherpe lachsalvo aan toe. 'Maar wat interessant is, is dat ze altijd worden omringd door minnaars of minnaressen. Het is niet meer dan natuurlijk, maar dat is een vreselijke misser van de natuur. Ze zijn als een onvruchtbaar dier met prachtige kleuren. Ze zijn alleen aantrekkelijk omdat ze een doel lijken te hebben, maar in feite zijn ze de meest nutteloze soort. Het is een vreselijk domme manier om je beste jaren te vergooien.'

John zag dat Emily's ogen zich vulden met medeleven. 'Dat is afschuwelijk. Was hij triest toen u hem leerde kennen? Omdat hij niet méér aan de oorlog had bijgedragen?'

'Triest?' Nádja gunde de vraag een moment van stille aandacht. 'Omdat hij een mislukte spion was? Nee, dat denk ik niet. Liefje, de slimsten leren inzien dat het nauwelijks de moeite waard is, en hij was tamelijk slim. Hij was triest, geloof ik, over bepaalde dingen. Hij was altijd ontevreden over geldzaken. Ik weet dat hij angst had om oud te worden. Hij was bang dat hij zijn vingervlugheid op de piano en zijn knappe uiterlijk zou verliezen, maar dat is nooit gebeurd. Hij haatte de Fransen tot het eind van zijn leven. Mensen noemden Pest het Parijs van het Oosten, weet je, en altijd als hij dat hoorde keek hij boos en brulde: "Dat mocht Parijs willen!" Maar triest zijn omdat hij zijn wereld niet van de ondergang had gered door met vrouwen van middelbare leeftijd te slapen, in het afval te graaien en snoep aan kindertjes te geven? Nee maar, mevrouw Oliver, vindt u dat triest?'

'Ach, zegt u toch Emily tegen me.'

De band van die avond bestond geheel uit Hongaren, oudere mannen, docenten van de muziekacademie. De trompettist droeg een lange baard, als een Russisch-orthodoxe monnik; van neus tot borst leek hij wel een marionet. Hij mompelde wat Hongaarse woorden in de microfoon, waar sommige mensen in het publiek om moesten lachen. John, die zich abnormaal bedacht voelde op alle stemmingen om zich heen, waakzaam op elke nuance in het vertrek, liet zijn Unicum ronddraaien; de kolkende drank schilderde smeltende Romaanse bogen op de binnenkant van zijn glas. De bandleider telde een song af. Het was jazz, maar onmiskenbaar Hongaars; een sprankelend ritme met van flarden van iets buitenlands, het opwindende van Hongaarse volksmuziek, het geluid van gemantelde mannen te paard. De melodie was in mineur, met de merkwaardige intervallen en het klaaglijke gevoel van Oost-Europese dansen, maar met de snelle swingende explosies en de grillige melodielijnen van bebopjazz. John keek naar de dikke pianist, die zich in het zweet werkte om deze vreemde nieuwe muziek te spelen. Hij had het gevoel dat zijn contact met andere mensen, zelfs met dingen, al was het slechts tijdelijk, hecht maar mooi was geworden, helemaal niet beklemmend. Zelfs het besef dat dit gevoel tijdelijk was voelde als een verhoogde staat van helderheid.

'O ja, natuurlijk, in de loop van de jaren heb ik diverse spionnen gekend. Ze hoefden het me niet te vertellen, ofschoon sommigen dat wel deden. Meestal is het niet zo moeilijk om ze eruit te pikken, hoe raar dat ook klinkt. Ik vond ze altijd nogal – ook Konrád – tja, het is moeilijk werk, denk ik, maar het is niets voor mensen die een volwaardig leven willen leiden, dichtbij anderen, vol ervaringen. Ik vind ze allemaal een beetje vreemd. Een beetje tríest, om jouw woord te gebruiken.'

'Dat zal wel', zei Emily. 'Dat zal best.'

Met zijn ogen op het plafond gericht blies John een zuil van rook omhoog en knikte: inderdaad, inderdaad, moeilijk werk, vreemd en triest. Emily nam een slok van haar drankje en luisterde naar de band, om Nádja daarna te vragen of ze wel eens naar de Verenigde Staten was geweest. 'O ja. Ik heb vele jaren in San Francisco gewoond, waar ik piano speelde en – iets wat veel leek op wat je me wilt laten geloven dat jij voor jouw ambassadeur doet – en waar ik de uitgaansagenda bijhield van een Zuid-Vietnamese generaal, die daar na die oorlog van jullie in een merkwaardig frivool soort ballingschap leefde. Hij gaf zoveel, zoveel feesten. Ik weet nog dat op een keer…' John lachte naar Emily: daar ging Nádja weer, in zeldzaam goede vorm, haar gehoor betoverend met nog een herinnering die ze op een geweldige manier vertelde en die voldoening schonk door zijn opbouw, lyrisch en vol glamour, ietwat onwaarschijnlijk maar volstrekt niet onmogelijk. En John twijfelde niet aan de waarschijnlijkheid. Een leven zoals dat van Nádja moest bestaan: hij had genoeg gelezen om te weten dat het waar was.

En nadat ze Nádja een goedenavond hadden gewenst en hadden gecomplimenteerd met haar spel tijdens de pauze, haar dank hadden geaccepteerd voor de drankjes en de column, en waren terechtgekomen in de benauwde, plakkerige late juli-avond, was John dus verbaasd en terneergeslagen toen hij Emily uiting hoorde geven aan haar geamuseerde ongeloof. Hij bracht haar lopend naar huis en stak de Margarethabrug over naar Boeda. Ze bedankte hem er vriendelijk voor dat hij haar aan zijn vriendin had voorgesteld. Ze had nog nooit zo'n charmante, boeiende 'oude vrouw' ontmoet. Die betiteling – oude vrouw – stoorde John. Enigszins geïrriteerd zei hij: 'Dat is niet zo'n relevante omschrijving. Dat is het minst relevante aan haar, zie je dat niet?'

'Oké, sorry. Tjonge. Wat vind je van "ontstellende leugenares"?' opperde ze met een lachje. 'Kom op, je bent beter dan ik in Eerlijkheid, dus ga me niet vertellen dat je deze vrouw niet doorziet. Het is een pianiste die verhalen verzint. Goede, oké. Ik begrijp waarom je haar graag mag. Ik mag haar ook, ze is leuk. Ik meende het toen ik je bedankte dat je me aan haar hebt voorgesteld. Maar kom nou toch, ik bedoel, ze is aardig, maar...' Emily bleef staan en keek John aan. 'John, je kunt echt niets geloven van wat die vrouw vertelt. Niets. Die is bereid alles te zeggen om goed gezelschap te zijn. Of om haar kunnen op de proef te stellen of zoiets.' Ze bleef hem aankijken. 'Dat heb je met leugenaars, bedoel ik.' Ze wendde zich af en liep door; John bleef verbouwereerd even staan en zag hoe ze zonder hem doorliep tot halverwege de brug, waar de lichte stijging subtiel overging in een lichte daling.

Zijn gekwetstheid was buiten proportie; dat wist hij meteen. Wat deze vrouwen van elkaar dachten, maakte niet echt iets uit. Maar dat ze niet had gezien wat John in Nádja's gezelschap was, en wat Emily zelf kon zijn, dat ze niet was geweest wat hij tien minuten geleden had gedacht wat ze was: Dat veroorzaakte een stekende, adembenemende pijn. Hij zette het op een rennen, haalde haar in, pakte haar arm vast en draaide haar naar zich toe. 'Laat me je iets vragen. Wíl je niet dat ze de waarheid vertelt?' Het verkeer werd onhoorbaar en streek met zachte lichtjes over één helft van Emily's gezicht, van wang tot neus, telkens weer, in een onregelmatig ritme.

'Wat heeft dat er nu mee te ma...'

'Alles. Het heeft alles met alles te maken. Wíl je niet dat de wereld zo is?' Hij was er trots op dat hij opgewonden was, niet ter verdediging van Nádja, maar van de hele wereld die ze hem had gegeven.

Emily's gezicht veranderde, ontspande zich tot een soort medeleven. 'Ach, lieverd, de wereld hoeft van mij helemaal niets te zijn.' John merkte dat hij zijn uiterste best deed om zichzelf te blijven, het woord *lieverd* als minnaar op te vatten, niet als neef. 'De wereld bestaat, en volwassenen reageren er naar beste vermogen op. De wereld is niet opgebouwd uit grappige anekdotes.'

Hij pakte Emily's hand. 'Ja, maar daar vind je… de wereld is niet alleen… het maakt toch iets uit of…' Ten slotte stootte hij slechts gekreun uit, razende frustratie, die als rook tussen zijn op elkaar geklemde tanden uitkwam. 'Gisteren heb ik die militairen geïnterviewd, je vriendjes de mariniers. Nádja is de andere kant, het tegenovergestelde daarvan. Dat zie je toch wel?'

'De mariniers? Ik geloof niet dat ik je kan volgen, nee.'

'Kijk daar. Kijk!' John pakte haar bij de schouders en draaide haar om zodat ze met haar gezicht naar de Donau stond; hij ging naast haar staan en wees stroomafwaarts waar de lichtjes van de Kettingbrug net waren uitgegaan – precies op het moment dat Emily sprak – zodat het monument tegen de donkere hemel en het water bleef hangen als een nabeeld dat achter gesloten oogleden wordt geprojecteerd. 'En dat!' zei hij, nog meer verzekerd van zichzelf, en hij gaf haar bijna een zetje om haar omhoog te laten kijken naar het grauwzwarte silhouet van het nu in duisternis gehulde paleis dat zich aftekende tegen de blauwzwarte hemel, eigenlijk niets meer dan een paleisvormige afwezigheid van sterren. 'Die zijn echt, Em. Op dit moment bestaat de wereld daaruit. Onze wereld. En Nádja bestaat. Haar leven is… zo zou het moeten…' Zijn stem klonk zachter, sloeg om van opgewonden in kalmerend. 'En jij bent hier met mij in deze wereld.' En hij boog zijn hoofd naar voren, zijn handen omvatten haar gezicht en een moment lang vonden zijn lippen haar lippen, en nog een moment en nog een moment en nog een half moment, en hij had onweerlegbaar gelijk, gelijk in alles.

'Nee.' Ze boog zich van hem weg. 'John.' Ze trok zich los uit zijn handen. 'Dat is niets voor ons.' Ze lachte vriendelijk, haar standaardtechniek om jongens op zo'n moment op een fatsoenlijke manier te verlossen van hun schaamte of woede. 'We zijn allebei een Unicum of twee over de limiet, jongeman, en morgen is het een gewone schooldag. Ik loop zelf wel verder naar huis, dan kun jij gaan slapen. Ik zie je wel weer in Gerbeaud. Dan kun je me vertellen wat Nádja voor verzinsels over me vertelt.'

Ze is weg. John Price staat in het midden, op het hoogste punt van de zacht zuchtende boog van de Margarethabrug, en hij hangt tegen de leuning en probeert zijn blik te richten op de stenen van de Kettingbrug. Hij wilde dat ze op díé brug hadden gestaan, een paar honderd meter stroomafwaarts. Daar zou hij zich compleet voelen, op zijn plaats. Daar zou ze het hebben begrepen; die kus zou onmiskenbaar zin hebben gehad. Na een poosje bijt hij op zijn lippen, overweegt en verwerpt vervolgens de gedachte om bij zijn broer of Mark Payton of Charles Gábor op bezoek te gaan. Hij zet zich af tegen de roestige brugleuning, zijn handen gruizig van de bouten waarop ze hadden gerust. Hij loopt terug naar Pest en spuugt in de Donau.

VI

Een week later, een paar uur voordat hij met John vorstelijk dronken werd in de Old Student, had Charles zijn rebels wijdlopige rapport over uitgeverij Horváth ingeleverd bij de VP, die bijna elke eerste zin van elke alinea las en het vervolgens door Zsuzsa naar New York liet faxen: *Mijn uiterst sterke aanbe… Als een eerste manoeuvre op het Hongaarse tonee… Een duidelijke synergie met onze… Gezien de bijgevoegde gegevens kan ik als gefundeerde verwachting geven dat er meer winstgevende sectoren bijkomen dan het huidige management voorz… Tot de opties behoren: groei tot passende drempel voor beursgang* BP, *18-24 maanden. Als alternatief: een bedrijfssamenvoeging scoort 'hoogstwaarschijnlijk' in zes analyserapporten (bijgevoegd), indicatief voor een zeer waarschijnlijke kans voor* M&A*… Dankzij het historisch samenvallen van zeldzame omstan…* CM Gabor, vestiging Boedapest.

Daarna verdween Charles bijna negen dagen van het toneel, van zaterdagochtend tot zondagavond. Zijn secretaresse zei dat hij de stad uit was. Zijn antwoordapparaat gaf thuis en beweerde te luisteren, maar was niet in staat om de man zelf aan de lijn te geven. Hij ontbrak op avonden in Gerbeaud, nachten in A Házam, en op alle andere plekken. John, die dringend de mening van een heteroseksuele man over Emily wilde, nam donderdagavond een tram en een bus naar Charles' huis in de heuvels en belde aan. Er brandde licht achter de gordijnen, maar er deed niemand open. Op de zevende dag van Charles' afwezigheid hoestte Johns antwoordapparaat deze imitatie van de vermiste man op: 'Er komt geen eind aan, God sta me bij.' Charles sprak duidelijk met een dikke tong. 'Komt er een eind aan, Johnny? God sta me bij, ik geloof het niet.'

De volgende avond, zondag, liet Charles zich weer zien, goed verzorgd en rustig, op het terras van Gerbeaud. Hij glimlachte en weigerde koppig iets te zeggen over de voorgaande week of over het grijsharige echtpaar, met wie hij die eindeloze week had doorgebracht en dat hij vervolgens zojuist naar de luchthaven Ferihegy had gebracht om het vliegtuig naar Zürich te halen, met een verbinding naar New York, met een verbinding naar Cleveland, God zij geloofd en geprezen.

De volgende ochtend vroeg zat hij op het briefje van de Vreselijk Pathetische, dat sinds dinsdag op zijn stoel had liggen wachten, vier dagen nadat zijn rapport zijn eigen weg was gegaan naar New York:

Charlie – NY-TOKO *snel klaar. Naxos, jochie. Helaas pindakaas. Die vent is niet eens een Hongaar. Het is een* Oostenrijker. *Het is een* Oostenrijks *bedrijf, Charlie. We hebben er immers nada aan als de eerste deal met een stel Oostenrijkers is? Ik moet zeggen: dat had je niet mogen ontgaan.*

Charles leunde met zijn voorhoofd tegen het nog koele raam en overdacht tien minuten vol walging de elk geloof tartende achterlijkheid van de vP. Toen maakte hij wat aantekeningen op een notitieblok, tekende een wirwar van rechte pijlen met grote, ingevulde driehoekige koppen, die van het ene snel neergekrabbelde, ingekorte idee naar het volgende vlogen, en waarvan er twee in rijk bewerkte vraagtekens eindigden. Het was in elk geval een opzetje. Hij pleegde een telefoontje naar een bevriende jurist en een ander naar het Staatsbureau voor privatisering. Ten slotte, toen hij nog vier minuten in gedwongen meditatie had doorgebracht omdat hij furieus op een internationale kiestoon moest wachten, kreeg hij verbinding met Imre Horváth in Wenen. '*Jó napot, Horváth úr*', begon hij opgewekt. '*Gábor Károly beszél. Jó hírem van* (ik heb goed nieuws).'

'De opzet van de deal is een tikje gecompliceerd', vertelde Charles twaalf uur later aan John, toen de journalist op de kantoorsofa lag te kijken hoe de kleuren van de glazen hemel achter Charles' hoofd veranderden door de zonsondergang.

'Het woord dat je zoekt is *leugen*. Je bent aan het *liegen*. Het is een *leugen*.'

'Dat is een akelige, veel te vaak gebruikte term.' Gouden, hemelse zonnestralen schoten door zilveren wolken en verleenden een puntige halo aan zijn silhouet, zodat John genoodzaakt was zijn ogen tot spleetjes te knijpen. 'Gun mij nou gewoon de geloofwaardigheid die me geloofwaardig toekomt, dan komt alles goed. Wat vind je hiervan: ik heb dit weekend een schoonmaakster, een kok en een tuinman aangenomen', zei hij. 'Ik heb *personeel*. Heb je ooit zoiets geestigs gehoord? Personeel. De kwestie is, help me nou gewoon om Horváth ervan te overtuigen dat ik voor hem de juiste man ben, dan leggen we de treurige omstandigheden waarin het bedrijf verkeert later wel uit. Wanneer hij de humor er wat makkelijker van kan inzien.'

'Ik begrijp van onze gezamenlijke vriend dat je een opkomend, gerespecteerd journalist bent', zei Imre Horváth toen John, drie dagen later, bij Charles en de uitgever aanschoof voor de laatste helft van hun bespreking in Gerbeaud, met respectievelijk koffie en melk. 'Mijn familie zit al zes generaties lang in jouw krantenvak', vervolgde de Hongaar. 'Ik verwacht dat we over niet al te lange tijd in Boedapest naar deze sector zullen terugkeren.' Terwijl hij zich koesterde in de warmte op het terras, was Johns eerste reactie op Imre – nog geen halve minuut na hun kennismaking – ontzag, een onbeheersbare emotionele en lichamelijke reactie, die John voelde in zijn ruggengraat en zijn stuitje, in zijn handpalmen en zijn onderarmen, in zijn wangen en zijn nieren. Na de spottende beschrijving die Charles van Imre had gegeven, was hij overdonderd; in persoon was de Hongaar een indrukwekkende figuur, en de roddelachtige flarden geschiedenis en persoonlijk lijden die Charles erbij had vermeld, plaatsten Imre in een volkomen andere categorie van de mensheid.

Natuurlijk nam Imre zichzelf wel erg serieus, besefte John een minuut later, in een poging los te komen van dit verstikkende, onaanvaardbare ontzag, deze felle afgunst. Imre was over iets heel prozaïsch aan het vertellen – oude productiemethoden om kranten te maken – maar John was al afgedwaald naar een prairielandschap van afgunst op mensen die zich bewezen tijdens de ultieme beproeving van hun tijdperk en er waardig uit tevoorschijn kwamen. 'Ja, er was een moment van verrassing, toen de AVO door de deur kwam binnenvallen', zei Imre, en Johns afgunst vermomde zich omwille van zijn eigenaar als iets wat veel waardiger en beter te verteren was: misprijzen. John had een hekel aan Imres mislukte, doorzichtige pogingen om afgunst en bewondering op te wekken. Tot zijn voldoening kreeg hij oog voor de lacunes in Imres verhalen, de duurte van zijn pak, zijn monumentale wens om indruk te maken.

En daarom begon John nu met plezier aan de taak die Charles hem had toebedeeld. Hij schudde de leugens moeiteloos uit zijn mouw. Hij dreef het gesprek zo ver en zo snel hij kon op en daagde Charles uit om het tempo bij te houden. 'Wie is ook al weer de toneelschrijver die je altijd citeert,

Károly?' vroeg John hem. 'Die vent met die bijtende satires? Horn, toch? Was dat degene van wie je ons hier afgelopen week iets hebt voorgelezen?'

'Fantastisch!' riep Horváth uit. 'Zijn werken worden al vanaf hun eerste editie door onze familie uitgegeven, alle toneelstukken.'

'Wat is er eigenlijk geworden van je plan om een theater te financieren, Károly?' vroeg John aan Charles. 'Károly heeft me vaak verteld, Imre, dat hij in eerste instantie in de investeringswereld is terechtgekomen door zijn liefde voor cultuur, zijn verlangen naar beschaving', hoorde John zichzelf zeggen, terwijl Charles een hap van zijn gebakje nam. 'Wereldvreemd, maar waar. Uit mijn portret van zijn werk moet blijken dat hij altijd de wens heeft gekoesterd kapitaal aan te wenden om cultuur te bevorderen. Tot dusver is hij teleurgesteld in het banale denken van de mensen om hem heen. Ik denk dat hij niet beseft hoe zeldzaam de helderheid van zijn visioen is.'

'Wij vertrouwen erop,' zei Imre met een dreunende stem, 'en ik ben blij dat ik niet de enige ben die de kracht en belofte in onze Károly ziet. Uw lezers, meneer Price, zijn vast geïnteresseerd in de successen die een jeugdig man met energie en beschaving zoals meneer Gábor kan behalen. Vooral nu. Vooral in Hongarije.'

'Precies. Wat ik opvallend vind' – John besloot Charles' schuilnaam zo vaak mogelijk te gebruiken – 'is Károly's ervaring in een beroep waar al te vaak de nadruk op het resultaat wordt gelegd. Károly is een ouderwets type, een Europees type, en een opmerkelijke mengeling van zijn Hongaarse cultuur en zijn Amerikaanse opvoeding.' Hij zweeg even om een sigaret op te steken en deed alsof hij naar de juiste woorden zocht, hoewel hij zich geweldig welbespraakt voelde; hij had zonder adempauze hele lappen in deze trant kunnen uitkramen. 'Onze Károly is in de eerste plaats een heer, in de tweede plaats een zakenman. Ik vind het enorm boeiend te zien dat er in de huidige wereld plaats is voor een type als Károly. Daar mag je op hopen, maar je kunt er niet zeker van zijn.'

'Rustig aan, charmeur', zei Charles, toen Imre zich even excuseerde. 'Doe het een tikkeltje rustiger aan. Je klinkt als een van die Hongaarse hielenlikkers van hem in Wenen.'

'Károly vertelde me dat u met zeer uitgebreide plannen naar Wenen teruggaat', zei John toen Imre terug was.

'We zijn inderdaad met plannen bezig, meneer. Hij en ik waren voor-

afgaand aan uw komst verschillende mogelijkheden aan het bespreken.'
Hij sloeg zijn armen over elkaar en boog zich iets naar John toe. 'Ik vermoed dat de geschiedenis en de toekomst van ons bedrijf heel interessant
zullen zijn voor uw lezerskring', zei hij met een ernstige uitdrukking op
zijn gezicht, en John zwoer innerlijk om het oogcontact niet als eerste te
verbreken, hoewel het vrijwel onmogelijk werd om niet voor die blauwe
starende blik terug te schrikken. De drie mannen verlieten Gerbeaud, liepen Andrássy út in en bleven intussen hun dwars door elkaar lopende
doelen nastreven: Imre probeerde de Amerikaanse journalist het boeiende verhaal over zijn bedrijf te vertellen; John probeerde een opgepoetste, compagnon-waardige versie van zijn pas gehongariseerde vriend te
slijten aan de oude zakenman terwijl hij zich toch nog een beetje amuseerde; Charles hielp hen alle twee.

Tot zijn opluchting voelde John dat zijn hardnekkige ontzag voor Horváth al snel volledig werd verjaagd door een verfrissende, felle bries van
onvervalste afkeer, hoewel John het helderheid noemde. Hij ontdeed zijn
geest van de verontrustende rook en het stof van Imres tragische leven
en zelfingenomen morele waarden en begon hem in plaats daarvan te
doorzien. De verhalen van de man waren zelfzuchtige parabelen, tactloos,
opzichtig en getuigend van eigenbelang. Horváth had kennelijk een bepaald idee van zichzelf ontwikkeld en drong dat nu iedereen op: 'Oooo,
meneer, als me één ding duidelijk was, was het wel een verantwoordelijkheid. Sinds ik een klein jongetje ben, werd me verteld over de verantwoordelijkheid van mijn familie voor ons land en de last die ik zou dragen. "Het geheugen van het volk", noemde Boldizsár Kis onze
uitgeverij, en mijn vader herhaalde dat vaak tegen me. Op een dag zou
ik verantwoordelijk zijn voor het onderhouden van dit geheugen, dat
wist ik. Kent u Kis? Nee? Een groot revolutionair leider voor democratie.
Kis schreef een gedicht om te zeggen dat onze uitgeverij het verhaal van
het Hongaarse volk vertelde, aan henzelf en aan de wereld. We herinneren
ons voor een land. Zoals jullie joden met jullie Pascha, geloof ik. Maar
ons verhaal wordt nog steeds geschreven, het is geen oude geschiedenis
over farao's.'

Met als resultaat dat de oude man, nog voordat ze tijdens hun wandeling op Andrássy langs de opera waren gekomen, bij John al te boek stond
als een stereotype, precies zoals Charles hem had beschreven: pompeus,
opgeblazen, trots op het insigne van rechtschapenheid dat de tombola

van de geschiedenis hem toevallig had uitgereikt, en (dat was Charles vergeten te vermelden) vermoedelijk een regelrechte antisemiet.

Twee avonden daarna zat John echter links van Imre aan een diner dat
Charles had georganiseerd en waren zijn gedachten veel moeilijker op
een rijtje te zetten. 'Meneer Horváth, dit is mijn vriend Mark Payton, de
bekende Canadese sociaal-theoreticus en historicus', waren de woorden
waarmee Gábor de laatst aangekomene had voorgesteld, en vanaf het moment waarop ze met hun vieren hadden plaatsgenomen in de besloten
eetzaal van een Zwitsers restaurant in het Stadspark, viel het John op in
wat een hoog tempo zijn afkeer van Horváth plaatsmaakte voor fascina-
tie, afgewisseld met rustige perioden van puur respect, en ook merkte
hij dat hij niet in staat was Imre definitief niet serieus te nemen. 'Als je goed
oplet, kun je veel over jezelf leren in een werkkamp', zei Horváth op een
gegeven moment tegen Mark, en John voelde zich klein en nutteloos in
de aanwezigheid van een man die zo'n leven had geleid. 'Mijn uitgeverij
speelde een centrale rol bij de revolutie van 1956', zei Imre slechts een paar
minuten later tegen de sombere Canadees, en John rolde met zijn ogen.

Het restaurant lag in de schaduw van Vajdahunyad, het negentiende-
eeuwse kasteel in het park, en het besloten vertrek had ramen aan twee
kanten: door het ene doemde de kasteeltoren op, en door het andere zag
je dat de maan net met een brede lach aan zijn langzame, maandelijkse
geeuw was begonnen. Charles ging op een gebiedende, imponerende
manier met het bedienend personeel om, elk gebaar een demonstratie
van zijn leidinggevende vaardigheden. De dag tevoren had hij met zorg
de wijnen uitgekozen en hij hief nu zijn eerste glas Meursault voor een
heildronk op uitgeverij Horváth en op het geheugen van het Hongaarse
volk. Vier glazen kwamen bijeen en zongen onder de schitterende pris-
ma's en het elektrische gezoem van de kroonluchter.

Hoewel John zijn twijfels had over de stabiliteit van de Canadees onder
druk, had Mark de rol van Charles' vertrouwde cultureel adviseur toebedeeld gekregen. Hij vatte deze rol bijna op als een mimespeler; hij sprak
weinig, maar hij liet zich met een voorspelbare, schrokkerige gretigheid
informeren over Imres eigen geschiedenis. 'Na de oorlog kwam er een
schrijver naar me toe.' Imre sloeg zijn armen over elkaar en boog zich naar
Mark toe, maar keek over zijn hoofd heen, zoekend naar het verleden.
'Zijn werk was in de tijd van mijn gróótvader door ons uitgegeven, als u
zich zoiets kunt voorstellen. Mijn vader was echter genoodzaakt zijn con-

tract te beëindigen omdat zijn werken echt helemaal niet verkochten, ofschoon ik weet dat mijn vader hem had willen houden, ondanks de verliezen. Deze man verkeerde tijdens zijn leven in heel indrukwekkende
kringen, behoorde tot genootschappen van schrijvers en kunstenaars,
was van een erg invloedrijke, belangrijke generatie…' Met de vingertoppen van zijn rechterhand raakte Mark even zijn linkerhandpalm aan en
knikte langzaam.

Vier kelners kwamen de eerste gang opdienen, gefileerde en gesmoor-
de Balaton-fogas *en pipérade*, zoals Charles de dag ervoor in overleg met
de kok had bepaald. De bediening zette borden met cloches gelijktijdig
voor het viertal mannen neer, en op een teken werden de cloches zwierig
weggenomen. In de drieënhalf uur die volgde veranderde de wijn keer
op keer van kleur, werd zwaarder, toen rokeriger en vervolgens stroperig
en zoet. De ene gang volgde op de andere, totdat het voorgerecht van
vis even ver in het verleden lag als de jeugdherinnering aan een picknick-
lunch, een vleugje saus en een herinnerd fragment van een gesprek, een
moment waarop er licht over het gezicht van een metgezel streek. Van
vis tot groente, van soep tot vlees, van taart tot kaas en fruit probeerde
John overeind te blijven onder Imres ronkende verhalen, totdat de lezin-
gen, imponerende geschiedenissen en prikkelende retorische vragen zich
samenbalden tot één lange monoloog, die de volgende dag in Johns ogen
eerder weken dan uren leek te hebben opgeslokt en die alleen tot hem
was gericht, een lange onderdompeling in Imre, die John onmogelijk
kon hebben weerstaan.

'Een kunstwerk, meneer Price. Dat is ons leven, ieders leven kan dit
zijn. Ik denk dat u misschien ook zo bent. Ik geloof niet dat wij zo heel
erg van elkaar verschillen, u en ik.' John hoopte stilletjes dat dit waar
kon zijn. 'Een leven moet iets betekenen, het moet een begin hebben
waarin het doel wordt onthuld, een midden waarin dat doel wordt bereikt, en een eind waarbij dat doel duidelijk wordt gemaakt voor een ander, voor de volgende generatie, die dat doel in stand kan houden en het
kan overdragen.' John vermoedde dat de man dit al eerder had gezegd,
wist dat hij nu alleen zo sprak met het oog op de berichtgeving in de pers,
maar tegelijkertijd kon hij het onwelkome, beschamende en gekke gevoel
niet van zich afzetten dat Imre iets van het allergrootste belang onthulde,
een moment waarvan John zwoer dat het hem altijd zou bijblijven. 'Er
zijn grote machten aangewend om mijn doel te bemodderen. Maar ik

was er niet van af te brengen. Ik zeg dit niet als trots. Ik schep niet op,' zei hij opschepperig, 'maar ik zeg dit als wonder: Het leven is zo dat ik simpelweg volgde wat ik wist dat waar was, en ik kreeg er de kracht voor.' De ene gang na de andere was opgediend, maar de heropvoeding ging onafgebroken door; John boog zich nu dicht naar hem toe en met de nagel van zijn duim duwde hij zijn voortanden uit elkaar. 'Ik vertel je mijn eigen verhaal. Ze hebben geprobeerd het van me af te nemen en in plaats daarvan hun eigen verhaal te vertellen, maar ze werden verslagen. Dat is het ergste geweld dat een mens een ander kan aandoen, jongeman. Begrijp je dat? Er bestaat marteling, maar dat kun je verdragen. Er is de gevangenis, maar dat is ook niet te erg. Maar het verhaal van een mens stelen, is zijn leven stelen, zijn doel.' Hij draaide in een kringetje rond, viel John op, die zijn best deed om zich los te maken uit Imres greep en zich weer een volwassene te voelen.

'De jeugd kan zo'n maaltijd verdragen', zei Imre. 'Meneer Payton hier kan vier verschillende wijnen drinken en zijn gelaatsuitdrukkingen blijven even kalm en ernstig als toen hij begin. Ik heb een heel ver familielid dat in een kluister is gegaan, en hij – nee, dit is niet het woord, wel?' vroeg hij, en lachte luidkeels met de anderen mee terwijl hij zijn ogen afveegde. 'Dank je, Károly. Die in een klooster is gegaan,' hij sprak het woord met nadruk uit, 'en hij heeft gezweerd om gematigd ascetisch te zijn. Ik geloof niet dat een van jullie dat zou bevallen, behalve u misschien, meneer Payton', waarop iedereen weer moest lachen.

'Gematigd ascetisch? Dat is wel een beetje extreem, vindt u niet?' vroeg John. 'Als je er lol in hebt jezelf dingen te ontzeggen, en je je vervolgens zelfs het plezier ontzegt om je dingen te ontzeggen, dat moet een kwelling zijn.' Imre lachte het hardst, en John voelde een golf van trots.

'Wat is het woord in Engels, John–' vroeg Charles met een licht Hongaars accent, toen de met kruimels bezaaide dessertborden wegzweefden en een derde ronde zoete tokayerwijn in glaasjes verscheen – 'voor...' Charles gebaarde met zijn hand in de lucht om het woord te vangen en elke afleiding af te weren. *'Mi az angolul, hogy megelégedettség?'* vroeg hij aan Imre, en Imre knikte en zei in het Engels: 'Precies, precies zo, Károly.'

'Ik dronk voor het eerst tokayerwijn in Gerbeaud met mijn moeder. Dit herinnerde ik me toen jij en ik elkaar daar voor het eerst troffen, Károly. Het leven hier in Boedapest was echt heel aangenaam in de jaren dertig. Ik vrees dat ik begin te praten op manieren van mijn vader. Hij zei altijd: "Als je niet voor de Eerste Wereldoorlog hebt geleefd, kun je onmogelijk weten hoe aangenaam het leven kan zijn." Eerlijk gezegd…'

'Het spijt me, maar dat is gelul', zei Mark, en hiermee verbrak hij een broeierig zwijgen, dat bijna half zo oud was als de langdurige maaltijd, terwijl hij zonder dat hij het merkte een leeg glas omgooide. 'Volslagen gelul.'

'Hou je mond, Mark', snauwde Charles.

'Nee, echt. "Je kunt niet weten hoe aangenaam het leven kan zijn als je niet voor de Eerste Wereldoorlog in België hebt gewoond." Victor Margaux, 1922. "Als je voor de Oorlog tussen de Staten niet in Virginia was, kun je je niet voorstellen hoe aangenaam het leven kon zijn." Josiah Burnham, 1870. Talleyrand, twee keer, nog maar liefst. Eerst: "Hij die niet vóór de revolutie heeft geleefd, heeft de schoonheid van het leven niet gekend", en toen, bij nader inzien: *"Qui n'a pas vécu* dans *les années voisines de 1789* – hij die niet *tijdens* de revolutie heeft geleefd, kan niet weten wat met levensvreugde wordt bedoeld." "Meneer, u kunt niet weten wat met een aangenaam leven wordt bedoeld als u niet in het groene Engeland hebt gewoond voordat die Duitsers hier de lakens kwamen uitdelen." De markies van Westbroke, 1735. Gelul, gelul, gelul.' Bij elk voorbeeld werd Marks stem luider; tollend viel er nog een glas, dat met een restje rode wijn van eerder op de avond over de tafelrand verdween, zodat Horváths losgemaakte stropdas onder de spetters kwam te zitten.

'Imre, neem me alsjeblieft niet kwalijk dat…' begon Charles in het Hongaars.

'Nee, nee! Helemaal niet!' Imre staarde de Canadees gefascineerd aan.

'Ik heb je toch proberen duidelijk te maken dat hij een beetje gestoord is', zei John, die moest lachen om Charles' pogingen om kalm te blijven toen Mark stuntelig een glas probeerde te pakken om bij te schenken, terwijl hij gelul-gelul-gelul uitriep.

'Nee, nee.' Imre pakte Mark bij zijn schouder. 'Hij is briljant man en heeft erg gelijk, onze wetenschapper in ons clubje. Hoe kunnen we verwachten volwassen te worden en een betere wereld te maken als we allemaal treurig verlangen naar een andere?'

'Precies wat ik bedoel', zei Mark, die de wijn naast het glas schonk.

Imre werd afgeleid door een wijnvlek op zijn stropdas van Hermès, maar rukte zich ervan los om Charles met een opgetrokken wenkbrauw aan te staren. 'Vuur', zei hij vastberaden. 'Vuur en het hart om "Niet meer!"

te zeggen. Dat biedt de jeugd, en ik denk tegenwoordig de westerse jeugd meer dan welke jeugd ook. Jullie, die zijn opgegroeid met alles, zijn er nu klaar voor om meer te vragen, "niet meer" te zeggen!' Hij sprak tegen hen alle drie, en in Johns ogen had hij nog nooit zoveel op een toneelspeler geleken als op dit moment, en een meesterlijke toneelspeler nog wel, ondanks ontstellend slecht materiaal: 'Ik vrees dat dit land, ons MK, dat moed heeft verloren, maar we zullen thuiskomen, Károly en ik, en we zullen het ze teruggeven. "Hier is jouw moed terug", zullen we zeggen!' Hij hief het eerste het beste glas, een waterglas met een sigarettenpeukduikboot, die onderdook en naar de oppervlakte kwam onder het bevel van een besluiteloze kapitein. 'Op het Hongaarse moed en alles dat jullie het moed kunnen leren, mannen met jeugd, mannen met energie, mannen met Westen!'

Vier glazen werden lichtelijk morsend aangestoten.

'Genoeg', zei Imre, waardiger in zijn dronkenschap dan de anderen. 'Nu gaan we naar huis.' Charles, de gastheer, overwoog te protesteren tegen deze confiscatie van zijn voorrechten, maar liet het idee los toen Imre tegen hem zei: 'Morgen moeten jij en ik nogmaals praten.'

Onvast ter been liepen ze achter elkaar de trap af. Het staan en lopen bracht hen allemaal erg van de wijs, en ze wankelden zwijgend achter elkaar aan door de verlaten eetzaal waar, onder laag gedraaide verlichting en het geluid van zowel menselijke als machinale vaatwassers, vermoeide kelners met hun losgeknoopte, vlekkerige zwarte vest en losgemaakte vlinderdas, die symmetrisch heen en weer bungelde als een stola van vleermuisvel, zittend en staand sigaretten paften. De violist en accordeonist van het restaurant, in zwart met gouden klederdracht, hadden hun instrument weggezet en waren nu aan een hoektafeltje diep in gesprek verwikkeld, de helft van hun gezicht beschenen door een tafellamp. Ze draaiden hun hoofd slechts een klein stukje om, waardoor hun gezicht in schaduwen werd gehuld toen de vier dronkaards struikelend het restaurant uit gingen en het slot achter hen dichtklikte.

Het gevoel in hun hoofd, maag en benen raakte in verwarring door de frisse lucht en de geur van de bomen in het park. De mannen waadden door de vochtige atmosfeer en liepen in de richting van de hoog oprijzende zuilengang van het Heldenplein. Een paar minuten zweeg iedereen nog, totdat Imre een brul gaf in de nacht – geen woord, alleen een jeugdige kreet, die hun allemaal vreemd in de oren klonk na het helse kabaal in het besloten eetzaaltje en de stilte daarna. Charles begon te lachen en stootte ook een onzinkreet uit. 'Gelul!' antwoordde de uitgever luidkeels, met een accent dat het midden hield tussen Boedapest en Londen, en hij woelde Mark Paytons vochtige rode haar door elkaar. De Canadees lachte een vreemde, hijgerige lach. 'Gelul!' riep hij instemmend, zo hard hij kon. Ze kwamen op het Heldenplein, een verlaten, door schijnwerpers verlichte halve kring van reusachtige pilaren en beelden die hoog boven Andrássy út uitstulpten.

John leunde tegen de koele steen van de sokkel van een van de beelden en schurkte er met zijn rug tegenaan. Het gesprek vorderde langzaam, maar hij volgde het niet meer; hij brak er alleen willekeurige stukjes af en hield die even bij zijn oor.

'…hoe vaak willen mensen dit nationale geheugen, die verantwoordelijkheid niet van ons kopen, maar het kan niet gekocht worden, hier komen we allemaal voor te staan, voor die verleiding, Károly, ja…' Imre boog zich achterover en keek naar het hoogste deel van de Magyaarse koning te paard, die midden op het plein stond te steigeren, beet op zijn mondhoek en barstte ineens los in een keiharde nies.

John liep langzaam achteruit over de doolhofachtige tegels van het plein tot zijn voet de stoeprand achter zich voelde; hij draaide zich met een ruk om en keek naar de auto's die vlak langs hem heen raasden, zo dichtbij dat hij de afgeronde buitenspiegels, die hij maar wazig zag, kon aanraken.

Een poosje later ging hij in zijn eentje de Blue Jazz binnen, nadat hij nog een laatste blik had geworpen: vanaf de overkant van de straat zag hij dat Imre, Charles en Mark hun armen om elkaars schouders hadden geslagen en achter het verkeer wat ongelijke schuifelpasjes uitvoerden.

Aanvankelijk wilde het beeld van het interieur van de club zich niet scherp laten stellen. Toen het zich eindelijk gewonnen gaf, was hij op slag blij haar te zien. Het moet laat zijn geweest: het was een vrijdag, maar er waren nog maar een paar mensen over: een clubje biljarters, drie rokers, ingesponnen in hun eigen blauwe adem, de bandleden – de kale Amerikanen – aan de bar, die hun gage in eten en drinken kregen, een pas verliefd paar in een hoekje, dat zich als de twee slangen op de staf van Caduceus om elkaars lippen en lichamen draaiden, en in een hoek nog een paartje, maar dat stond op het punt voorgoed uit elkaar te gaan; hun stemmen klonken luid op en stortten zich om de paar minuten in stilte, als de branding 's avonds laat voor een hotel aan zee.

'Vind jij dat mijn leven een kunstwerk is?' vroeg hij, terwijl hij met horten en stoten ontnuchterde, aanschoof op de pianokruk en zachtjes, voor de grap met zijn heup tegen haar heup stootte. Ze had dezelfde jurk aan als op de avond dat hij haar voor het eerst had ontmoet.

'Stoute jongen, ik probeer piano te spelen. Huilerige dronkaards zijn hier vanavond niet welkom.' Ze kuste de wang die het dichtst bij haar was, en hij glimlachte kalm en opgelucht.

VII

'Het is mooi geweest: ik kom hier nooit meer. Het eind van een tijdperk, baby. Tijd om te vertrekken, laat het los. Laat. Het. Los', zei Scott Price in het wilde weg toen de vier mannen en Emily zich naar binnen probeerden te wringen in A Házam tijdens de laatste warme nacht van een ongewoon warme julimaand. In de kelder trad Cash Ass op voor een publiek van niet meer dan normale omvang, maar zelfs boven was er nauwelijks voldoende ruimte om je te bewegen of adem te halen. De sigarettenwalm hing laag vanavond, amper een meter boven hun hoofd; je kon er je hand insteken tot aan je pols. 'Wie zíjn al die mensen?' mopperde Scott. 'Niet ons slag, dit volk. Het kunnen toch niet allemaal toeristen zijn? Dit is gewoon zielig. Weet je dat Mária zegt dat deze tent door de Hongaren nooit serieus is genomen?'

Het kabaal in de bar bestond uit vijf delen Engels en drie delen Hongaars, beide talen verwrongen door allerlei accenten. Mannelijke ellebogen en vrouwelijke decolletés waren even krachtige wapens bij het verwerven van een plekje aan de bar, maar eenmaal daar aangekomen konden alleen vuisten vol gekreukelde, verse forinten de koeltjes verstrooide aandacht van de barkeepers trekken. Efficiëntie schreef voor dat je meerdere drankjes tegelijk moest bestellen, zodat ze alle vijf met verscheidene glazen in hun handen stonden en hun hoofd lieten rondgaan om met een snelle pioniersblik een plekje te zoeken waar ze konden neerstrijken.

'Er zijn grenzen, jongens en meisjes', verzuchtte Scott. 'Wij zijn een uitstervend ras, en de buitenlandse duivels zijn onze grazige weiden binnengevallen.'

De luidsprekers braakten overal Engelse en Amerikaanse dansmuziek uit, en de inspanning die het kostte om door de ruimte naar een pas vrijgekomen bank te lopen (verdorie, te laat), maakte dat het was alsof je je voortbewoog door het nauwe, vochtige spijsverteringskanaal van een beest, het gedreun van de muziek als het gedreun van zijn versterkte, nabije hart. Bij al het wringen en draaien door de menigte werden er flarden gesprek opgehoest en over hun pad gestrooid die luid genoeg waren om te verstaan: *Hongaars, Hongaars, Hongaars... onze sound wordt dé sound... Hongaars... als ik eraan toekom om het op te schrijven, stuur ik het naar studio's... ze is bloedgeil... alsjeblieft zo snel mogelijk terug naar Praag... Hongaars... kan ik een paar dagen bij jou logeren... wat je moet weten van Hongaars en Hongarije is... nee, Fin-de-Vel-ijsjes: ijslollies, maar in de vorm van... Hongaars... de pot op met de* vs... *ga je met me mee naar huis, dan zal ik een tekening van je maken... ga naar Praag, man, dan ben je dit in twintig seconden vergeten... Hongaars... twee dagen hier, twee dagen in Praag, dan de sneltrein naar Venetië, ik weet het niet, een heel eind naar het oosten, zo ongeveer ter hoogte van Moskou... technisch gezien heb ik het dubbel in rekening gebracht, maar hou het voor je... uitgesloten, want het hotel is hoteldebotel!... Hongaars... Cash Ass is de top, je moet ze horen die jongens, ze zijn te gek... het was een stuk, ongelofelijk, en ze had me toch een bos hout voor de deur... hoe zeg je 'kus me' in het Hongaars... Hongaars... ik ben een dichter, dichter vagyok, net als Arany János... Praag is te gek, meid... csókolj meg!*

Vanuit de kakofonie en het gedrang zag Mark een bank en een tafeltje die langzaam, treuzelend vrijkwamen, en met een duiksprong wist hij ze als eerste te bemachtigen. 'Wie zíjn al die mensen?' zei Scott onbeheersbaar slecht gehumeurd tegen Emily. 'Wie heeft ze gezegd hier te komen? Onze mensen zouden niet...' Charles zei dat hij zijn mond moest houden.

'Nee, hou zélf je mond.'

Vanaf de bank keek John naar Emily, die op tafel zat en zich voooverboog om met Mark te praten. Hij overwoog of hij over de kus op de brug moest beginnen of moest doen alsof er niets was gebeurd; hij probeerde de aandacht die hij deze avond aan haar besteedde goed in te delen, en toen, omdat hij zelf onzeker was over wat er op de brug was voorgevallen, deed hij zijn best om terugblikkend elke individuele lipspierreactie terug te spelen, te timen en vast te stellen wat de emotionele functie ervan was geweest. Hij luisterde hoe ze een vriendje van Julie beschreef aan Mark, en hij kon zich niet aan de gedachte onttrekken dat haar beschrijving een cryptische weerslag was van haar eigen gevoelens voor John: 'Julie' stond voor Emily, 'Calvin' voor John. Julie was gefrustreerd, Calvin alles wat zij – onmogelijk te verstaan door Charles' getetter over zaken tegen Scott. Maar ik denk hoe Calvin – anderzijds, als Horváth. Ze heeft echt het gevoel dat Calvin eigenlijk de enige manier is om Horváths vertrouwen te winnen om de deal rond te krijgen als ze hem dat vertelt maar waar staat ze dan? Of moet ze? Niet zolang het Staatsbureau voor privatisering door idioten wordt geleid.

Zijn schouders werden van achteren door twee handen vastgepakt, en een stem fluisterde in zijn oor: 'De grootste vreugde in het leven is het onverwachte.' Met gelach en verbazing verscheen Bryon ten tonele – een uitbundige Amerikaan van Koreaanse afkomst die, acht jaar geleden, berucht was geweest op de middelbare school van Scott en John, omdat hij een markies de Sade-feest had gegeven; gehuld in het toeval dook hij uit het halfduister op in de werkelijkheid, en John, die meteen voelde dat degene die een nieuweling aan een groep voorstelt aan status en aantrekkingskracht inboet, stelde hem aan de groep voor. Bryon hield plotseling stil toen John zei: 'En je herinnert je Scott natuurlijk nog wel.'

John genoot van de nauw verhulde blik van schrik op het gezicht van zijn broer toen Bryon deze gespierde, aantrekkelijke knaap probeerde te rijmen met de veel te dikke, hopeloze sukkel van tien jaar geleden. 'Natuurlijk. Je ziet er gewéldig uit, man', was alles wat hij zei, waardoor John zich absoluut bekocht voelde.

Bryon, die voor twee weken met vakantie was in Boedapest, ging op de tafel zitten, naast Charles en de rij drankjes die klaarstonden. Binnen anderhalve minuut had hij verteld wat er was gebeurd in de zes jaar sinds hij John voor het laatst had gezien: na de universiteit had hij in zijn woonplaats een zomer gewerkt in het 'waardeloze M.C. Escher-themapark', waar hij bouwwerkzaamheden deed die voornamelijk bestonden uit trappen op hun kop aan het plafond spijkeren. Daarna was hij teruggegaan naar New York om nog één keer een poging te doen om als acteur aan de slag te komen, maar waar hij alleen modellenwerk kon krijgen en dan nog alleen van het laagste, vernederendste soort: fotolijstmodel. Hij had zich een halfjaar laten fotograferen terwijl hij onder een boom vrouwen omhelsde, kinderen duwde op de schommel, wegkeek in mis-

tige verten, op oudejaarsavond een toast uitbracht met een met sterren bezaaide punthoed op, en had zelfs kostuumopnamen gedaan, waarvoor
hij zich kleedde in 'Chinese kleding' van eind negentiende eeuw, poseerde voor een stoffig zwart gordijn en somber naar een oude zwart-wit-
camera keek, die er tien seconden over deed om een foto te maken – allemaal werk in opdracht van fabrikanten van fotolijstjes, die hun lijstjes in
fotowinkels met aantrekkelijke fantasiesuggesties wilden vullen. Bryon
beweerde tussen neus en lippen door dat hij een keer was uitgenodigd
voor een eerste afspraakje, een zelfgekookte maaltijd, in het appartement
van een 'griezelig eenzame, erg onaantrekkelijke' vrouw in New York,
die op een plank boven haar bed een forse fotolijst (tien bij vijftien) van
geruwd zilver had staan, met daarin de standaardfoto van hém (terwijl
hij in een kabeltrui bladeren uiteen schopte, een weemoedig herfsttafe-
reel). 'Ik lag boven op haar en kwam bijna klaar; ik kijk op en daar sta ik
de herfst te overpeinzen. Dat was echt een hoogtepunt, moet ik zeggen.
Het was van een merkwaardige schoonheid. Die vrouw had, voor één
nacht, echt een foto van haar vriendje boven haar bed, met een kabeltrui
precies zoals een vriendje hoort te dragen, maar dat heeft ze nooit geweten.'

Toen Bryon het acteren eraan gegeven had, kwam hij terecht in de reclame, en dat deed hij nog steeds, met groot succes. 'Als ik je zou vertellen
hoeveel ik verdien, Johnny, zou je bloed gaan ophoesten als een teringlij-
der.' Hij beschreef zijn werk in de creatieve sector bij een van de grootste
bureaus van New York, op een afdeling die zich richtte op 'wat wij in
ons schema van elf groepen de Would-Be Individualist noemen. Het
komt erop neer dat de consumentengewoonten van ieder mens tot elf types zijn terug te brengen. Dat is een wetenschappelijk feit. Iedereen op
aarde. De echte individualisten reageren natuurlijk niet op reclame, maar
daarvan zijn er niet meer dan een stuk of tien op de wereld. Would-Be Individualisten, dat is andere koek. Een erg grote verantwoordelijkheid,
miljarden aan koopkracht.'

John zag Emily's aandacht naar de binnendringer stromen, en zag dat
de binnendringer zich vooroverboog om die aandacht op te slurpen.
'Waar het bij wbi's om draait, is dat je moet appelleren aan rebellie,
buitensporige excentriciteit en aan asociale of zelfs ziekelijke grofheid.
Dat zijn wat wij de "innerlijke kenmerken van de zelfevaluatie van de
wbi" noemen. Voor Pepsi heb ik daarom dat spotje gemaakt – nou, eerlijk

gezegd was het een teamgebeuren – waarin die vent met zijn armen over elkaar tegen een hek leunt, op het hele scherm is geen cola te bekennen, en die jongen kijkt heel geïrriteerd en zegt: "Rot toch op met die gladde praatjes. Ik drink wat ik wil, want ik drink het voor mezelf, niet voor de een of andere lul op Madison Avenue, die denkt dat hij alles af weet van mijn zogenoemde generatie." En hij maakt een gebaar met zijn vingers, zo, om 'generatie' tussen aanhalingstekens te zetten. En dan spuugt hij op de grond, er verschijnt een leeg scherm en dan zie je alleen het Pepsi-logo. Erg trendy.'

Iedereen, zelfs Charles, boog zich naar Bryon toe toen hij aan het woord was, alsof hij een afgezant uit de Oude Wereld was, die zojuist in het eentonige, beboste moerasland van de Nieuwe Wereld was gearriveerd met nieuwtjes over geliefden, steden en het hof.

'Nog steeds maagd?' vroeg Bryon hem waar iedereen bij was.

'Ja, min of meer', antwoordde John vol afgrijzen, met een soort lach die hopelijk het gesprek zou maskeren en zijn vrienden zou hypnotiseren. 'Jij ook?'

'Niet te geloven!' brulde Scott, toen een elleboog uit de menigte, die om de bank heen kolkte, tegen zijn drinkhand aanstootte.

Bryon excuseerde zich om naar de bar te gaan en kwam een paar minuten later terug met een drankje en een jongen die niet ouder dan negentien of twintig was. 'Dit zijn de mensen met wie je moet praten', zei hij. 'Dit zijn je beste bronnen', en hij stelde Ned voor, die drie dagen in Boedapest was om de Hongaarse hoofdstukken bij te werken van een budgetreisgids die werd uitgegeven door studenten van zijn universiteit. Ned had een lui oog, een gebrek dat verergerd werd door zijn jetlag, de rook, het slaapgebrek en door het reizen veroorzaakte overspannen vrolijkheid. Hij droeg een oud, seersucker jasje op een broek met afgeknipte pijpen en een T-shirt met de drie Griekse letters van een studentencorps, die een driehoek vormden rond een afbeelding van drie wolven die sigaren rookten en hun lippen aflikten bij het zien van een lam dat een blauwe baret met kwastjes op had met gaatjes voor haar zwarte oortjes. De wolven droegen alle drie hetzelfde T-shirt als Ned, en zo ging het tot in het oneindige door, of in elk geval tot de fysieke grenzen van de resolutie van zijdedruk. John ontspande zich: Ned was Bryons vriendje en Emily was veilig. 'Hé', riep Bryon naar Emily, alsof het hem net te binnen schoot. 'Heb je zin naar beneden te gaan om te dansen?'

De vier mannen bleven achter met Ned, die als nieuwkomer door Charles werd aangemoedigd om een rondje voor ze te halen, een aanbod waar de mannen gretig op ingingen. Hij kwam terug met de drankjes en riep over het kabaal heen dat hij in een lastig parket zat omdat hij eigenlijk niemand kende die echt in Boedapest wóónde, alleen maar rugzaktoeristen zoals hijzelf, en daarom had hij het daarstraks in een opwelling aan die Bryon gevraagd *(Nee, hè)*, want die zag eruit alsof hij hier thuis was, maar hij was ook een toerist, bleek toen, maar dit was zijn derde van zijn drie dagen, en morgen moest hij snel door naar de grote attractie (Praag); zouden ze het vervelend vinden om hem te helpen bij het bijwerken van zijn boek?

Scott schudde agressief zijn hoofd en riep: 'Er zit altijd wel een gluiperd tussen, Ned. Hij komt naar een onbedorven plek waar mensen gelukkig zijn en doet alsof hij ook gelukkig is, maar dan gaat hij weg en vertelt het door aan al die andere gluiperds en dan komen ze een maand erna met drommen tegelijk en kun je geen adem meer krijgen omdat alles onder de gluiperdstront zit.' Neds goede oog schoot weg op zoek naar medestanders of uitleg, terwijl zijn slechte oog terughoudend boven hun hoofd zweefde. 'Ik wil hier part noch deel aan hebben', zei Scott nijdig, en hij werd meteen achterwaarts opgeslorpt in de menigte.

'Let maar niet op hem', zei Charles. 'Brand maar los. We wonen hier allemaal al jaren. We helpen je wel uit de brand, Neddy.'

De jongen lachte van opgeluchte dankbaarheid. Uit zijn rugzak haalde hij een groot kladblok en een stapeltje gefotokopieerde kaarten en lijsten tevoorschijn en begon toen gretig alle leugens op te schrijven die Charles, Mark en John konden bedenken. 'Homobar', zei Mark over ruim driekwart van de nachtclubs die Ned van zijn lijst opnoemde. 'Homobar. Homobar en agressief. Hetero maar op het hellende vlak. Homo. Bi-nieuwd.' Ned uitte zijn verbazing over de hoeveelheid. 'Elke generatie heeft zijn eigen Sodom', zei Mark schouderophalend. 'Om de een of andere reden is Boedapest in Europa op het moment de homostad bij uitstek.'

'Ik zou niet meer de moeite nemen om de prijzen van hotels nog in forinten aan te geven', zei Charles, die Neds aantekeningen bekeek. 'Over acht maanden stapt het land officieel over op Amerikaanse dollars. Dat is al in kannen en kruiken.'

'Ben je al naar het gebitsmuseum geweest?' John noteerde in blokletters Scotts adres op de pagina met 'Een bezoek waard'. ''s Werelds grootste collectie gebitsafdrukken van beroemde mensen. Gipsmodellen van het gebit van Stalin, Napoleon, dat soort dingen. Gebitsreconstructies, detailvergrotingen. Je kunt levensgrote wasmodellen flossen en bijvoorbeeld zien wat voor troep er tussen Lenins tanden zou hebben gezeten.'

'Veel ervan is tijdens de oorlog verloren gegaan', zei Mark met een zucht, somber zijn hoofd schuddend.

Terwijl Charles beschreef wat voor fascinerend zicht je van de publieksgalerij op de goederenmarkt had, waar keurig in het pak gestoken Hongaarse financiers handelden in echt levend vee (en dat soms ook slachtten) op de beursvloer van een kantoorgebouw in het centrum, en waar ze echte *pork bellies* verkochten, en Mark hem bijviel met een beschrijving van de openbare sekscabines, die de afgelopen zeshonderd jaar waren toegestaan op het Hongaarse platteland, één keer per jaar van zonsopgang tot het middaguur op de dag van de heilige Zsolt, en Ned zich in zijn voorlaatste jaar al in de redactie zag zitten en schreef zo snel hij kon, voelde John dat er weer lichaamloze handen over zijn schouders gleden, die eerst over zijn borst streken en toen zijn buik streelden. 'Zoek jij hier leuke pleziertjes, lieve broer?' werd er in zijn oor gesist, en John zag dat Charles met een schuinse blik van ontluikende vreugde zat te kijken naar hem en zijn onzichtbare, maar onmiskenbare masseuse.

'Ja, inderdaad', zei John luid genoeg voor Charles. 'Hij is net een drankje gaan halen en zei dat hij hoopte dat je er vanavond zou zijn.' Hij wees de kant uit waarheen Scott het laatst was verdwenen.

'Zielig hoor. We moeten beter plannen, lievelingsbroer', klonk het gefluister, dit keer kort vergezeld van een vochtige verrassingsaanval op zijn oor met wat hoogstwaarschijnlijk een tong was. Hij boog zich snel voorover om zich van haar te ontdoen en zich te verbergen voor Charles, die nog steeds met openlijke verwondering en geamuseerdheid toekeek. John draaide zich om en wilde een openlijk gesprek met de rest van Mária beginnen, maar ze was al weer opgeslokt door de wriemelende massa.

Mark vertelde Ned over de ingewikkelde, conflicterende verdragen tussen Gustaaf de Onsmakelijke, Otto van de Larynxieten en Lajos de Onbehouwene (Je kent waarschijnlijk zijn beroemde uitspraak: "Macht is geweldig, en absolute macht is absoluut geweldig")', maar Charles nam een slok van zijn drankje en zat John met dezelfde nieuwsgierige geamuseerdheid op te nemen. 'Wat?' vroeg John, maar Charles gaf geen antwoord en lachte steeds maar zo'n beetje.

Toen Scott terugkwam, zei Charles: 'Mária was hier net.'

'Op zoek naar jou', voegde John eraan toe. Scott ging weg om haar te zoeken. 'Wat is er!' herhaalde John, maar Charles lachte er niet minder om. John verdween naar de bar.

Een poosje later kwam hij terug naar het tafeltje en was Ned vervangen door een rijzige man met lang haar, gekleed in een spijkerbroek, een spijkerhemd en een spijkerjasje. 'Ik op jouw stoel?' vroeg hij John met een Slavisch accent, zonder aanstalten te maken om weg te gaan, en iets in zijn toon maakte duidelijk dat er ook geen aanbod om weg te gaan viel te verwachten. De man boog zich voorover met zijn ellebogen op zijn knieën en draaide op tafel een shagje. 'Jij Amerikaan als deze twee?' Zijn hoofd gebaarde met een rukje naar Charles en Mark, die mompelde: 'Canadees.'

'Branko komt uit Joegoslavië', zei Charles opgewekt. 'Hij wilde zitten. Hij is geweldig.'

'Servië', corrigeerde Branko hem met een harde uitdrukking op zijn gezicht.

'Wat is het verschil?' vroeg John met een lachje.

'Verschil? Verschil is Montenegro, Bosnië, Kroatië, Slovenië, Macedonië', zei de man vol afkeer; hij likte aan zijn vloeitje, maakte zijn shagje af en klopte zijn jasje af op zoek naar een aansteker. 'Dat godverdomme groot verschil.'

'Kom nou', zei John, zich niet bewust van Marks onbehagen en Charles' gretige aandacht. 'Je gaat me toch niet vertellen dat je ze in de verste verte uit elkaar kunt houden? Jullie zien er allemaal hetzelfde uit. Ga maar eens ergens wonen waar je echte rassenproblemen hebt, zoals in New York, waar je elkaar met één blik kunt thuisbrengen.'

'Ik ben een Serviër! Ik ben een Serviër!' Branko sprong overeind, leunde over de tafel totdat zijn neus bijna die van John raakte en sloeg met zijn vuist op zijn eigen borst. 'Ik ben een Serviër!' Er hoopte zich spuug op in zijn mondhoeken. 'IK BEN EEN SERVIËR!'

'Bewonderenswaardige helderheid', wist John uit te brengen voordat hij weer weg zeilde in een zee van mensen.

Afgaand op het geluid baande hij zich een weg naar de trap. Hij stond op voeten, probeerde ellebogen uit zijn ogen te houden en daalde via het nauwe, rokerige trapgat af naar het gedreun en gekreun van Cash Ass. Ergens opzij zag hij Scott en Mária staan zoenen. Met een geïrriteerd gezicht wees Scott op het plafond en zei iets tegen haar, maar hij moest lachen toen ze hem kietelde. John wrong zich door de dansende menigte heen, op zoek naar Emily en Bryon, niet goed wetend hoe hij ze op een fatsoenlijke manier kon ontkoppelen.

Onder gepor en gestoot, wegduikend voor zwaaiende ledematen en hoofden, terugduwend als hij geduwd werd, vervloekte hij het dat Emily zo achterlijk was zich door Bryon te laten inpalmen alsof hij niet de minst acceptabele partner in de geschiedenis van man-vrouw relaties was. In-eens meende hij een vrouwenstem zijn naam te horen roepen. Speurend naar een bekend gezicht wrong hij zich helemaal naar de andere kant van de menigte, hoorde zijn naam nog eens en werd een van de nissen in getrokken die in de muur waren uitgehakt. Ze was helemaal kaal, maar John vond haar erg mooi. De smalle boogjes van haar wenkbrauwen de-den vermoeden dat haar haar zwart was geweest. 'Jij bent John Price', schreeuwde ze boven de muziek uit. Ze was een Amerikaanse. John kon alleen maar beamen dat hij John Price was. Ze lachte om zijn verbaasde glimlach en de openlijke manier waarop hij haar schedel bekeek. 'Ga je gang', riep ze en legde zijn hand boven op haar hoofd. 'Het is een beetje stoppelig omdat ik het sinds gisteravond niet meer heb geschoren. Ik ben Nicky M. Ik maak foto's voor de krant. Daar heb ik je een paar keer gezien. Ik vond je stuk over die mariniers goed. Erg nobel. Of quasi-no-bel. Of hoe je het ook noemen wilt.' John herinnerde zich een naam die verticaal in kleine letters stond afgedrukt langs krantenfoto's van nieuwe restaurants, muziekgroepen, en sovjettanks die Hongarije verlieten: het initaal N en dan iets met een M, iets wat overdadig lettergreeprijk en bui-tenlands was, vol ongebruikelijke medeklinkers.

'Ik heb je foto's gezien.' Telkens als hij iets schreeuwde, boog hij zich naar haar toe. 'Ik dacht altijd dat je een man was.'

'Dank je.'

'Waarvoor staat die M ook al weer?'

'Laat maar. Het is een Poolse naam. Dan vraag je me de hele avond hoe je die klotenaam moet uitspreken terwijl we het over iets interessanters zouden kunnen hebben. Gewoon Nicky M. Zeg, hoe lang ben jij? Onge-veer een meter tachtig?' Ze trok hem mee uit de nis de menigte in. Praten, wat toch al moeizaam ging, bleek nu volslagen onmogelijk, en ze dansten tot ze allebei rijkelijk transpireerden; Nicky trok haar zwarte topje uit haar legerbroek om haar buik koelte toe te waaieren. Tijdens het dansen keek ze hem langer aan dan hij kon verdragen, en hij zocht vaak een excuus om zich even van haar te bevrijden door het zweet uit zijn ogen te vegen, naar de grond te staren, te wijzen op iemand die lachwekkend danste of met zijn rug naar haar toe te dansen. Maar ze stond altijd klaar om hem weer aan te gapen. Ze riep iets wat hij niet kon verstaan.

'Wat?'

'Je bent een en al seks', riep ze nog eens, een vaststelling, geen vraag.

'Wat betekent dat?'

'Je hebt gewoon zoiets over je. Je bent echt een en al seks.'

'Nee, nee', schreeuwde hij. 'Ik ben geïnteresseerd in van alles, zoals, nou ja… van alles.' Hij speelde verbazing. 'Nou, misschien heb je gelijk. Wow! Tjonge, ik ben een en al seks.' Nicky lachte niet om zijn gekdoenerij, trok alleen haar wenkbrauwen op en knikte om te zeggen: 'Zie je wel?' en toen wendde ze eindelijk haar blik af, draaide zich om en danste met haar rug tegen hem aangedrukt en verstrengelde haar vingers met de zijne.

In de buitenlucht gekomen ging hij op het stoepje zitten, vergat Emily en dronk en praatte met Nicky. Ze schoor haar hoofd elke dag met een scheermes met een ivoren handgreep dat ze van haar grootvader had geërfd. Ze sleep het aan een leren scheerriem met haar initialen en een ingebrand profiel van Frida Kahlo. Ze gebruikte haar kleine inkomen van *BudapesToday* om haar 'echte leven' als fotograaf en kunstschilder te bekostigen. Over twee weken maakte ze deel uit van een groepstentoonstelling in de lobby/galerie van de Razzia-filmzaal, en hij moest komen, ze hoopte echt dat hij zou komen.

Ze waren weer terug bij de bank; er werden nog meer drankjes gehaald. Charles sloofde zich nog steeds uit voor Ned. Toen de reisboekenschrijver eindelijk opstond om te gaan, bedankte hij hen uitvoerig. 'En zeg tegen die blonde man dat het me erg spijt als ik hem op de een of andere manier heb beledigd', zei hij tegen John, die ineens medelijden met de jongen had, vanwege de leugens die hij in zijn rugzak had zitten. Hij overwoog om Ned tegen te houden en te zeggen dat ze hem voor de gek hadden gehouden. Maar toen kwamen Emily en Bryon terug, en ook de bleke en bezwete Mark, die kennelijk ergens over in zat, en toen hij dacht aan de horden toeristen die bij Scott zouden aanbellen om Hitlers gebit te zien, voelde hij zich een stuk beter.

'Het wordt hier echt druk', zei Emily. 'Het is moeilijk picknicken in de sprinkhanentijd.'

'O, boerenpraat! Wat charmant!' zei Nicky lijzig op de opmerking van de onbekende voordat ze zich naast haar op de bank liet neervallen, Emily's hand pakte en haar begon te ondervragen alsof ze van een verre planeet of uit een hoofdstuk uit de geschiedenis kwam. John keek naar Emily's gezicht terwijl ze zat te praten met de vrouw die van iedereen op aarde het minst op haar leek, en hij vergeleek hun tegenovergestelde aantrekkingskracht. 'Ben jij echt?' vroeg Nicky haar, toen Scott en Mária terugkwamen, en Scott, die Mária's hand tegen zijn lippen hield, had het tegen iedereen weer over 'de zeer reële bedreiging voor ons', maar niemand besteedde veel aandacht aan hem, en alsof het feit dat iedereen tegelijk op dezelfde plek was te veel instabiliteit opleverde – een kunstmatig, door een deeltjesversneller voortgebracht atoom met een onnatuurlijk toegenomen aantal protonen en neuronen – desintegreerden mensen tot plasma en verdwenen voor de nacht: Mark om te lezen ('Zeg, bel je me, JP? Ik wil die oude pianiste graag ontmoeten'), toen Emily om te gaan slapen ('Erg leuk om je te hebben ontmoet, Nicky'), toen Bryon ('Knap werk, Scott, echt, je ziet er goed uit, houen zo', en een omhelzing voor John, die vermoedde dat zijn oude schoolkameraad wegging voor een stiekeme ontmoeting met Emily), toen Scott en Mária, met de armen om elkaars middel, die vertrokken zonder iets tegen iemand te zeggen. Charles voerde aan dat hij de volgende dag moest werken en zei tegen John dat hij hem moest bellen over misschien een andere klus 'op het Imre-front, en het ziet ernaar uit dat het zowel voor jou als voor mij heel interessant zou kunnen worden', en hij verdween, terwijl John en Nicky onderuitgezakt op de bank achterbleven.

'Wie wáren al die mensen?' vroeg ze, en ze pakte zijn hand en legde hem boven op haar hoofd.

'Ik heb geen idee.' Hij huiverde door het opwindende gekriebel van haar stoppeltjes langs glijdende handpalm.

'Ik denk dat we elkaar nog wel eens tegen het lijf zullen lopen.' Ze stond op, boog zich voorover en kuste hem. Hun neuzen raakten elkaar en ze zette grote ogen op om een beetje de draak te steken met zijn verbazing. 'Maar ik denk dat het wat afgezaagd is om elkaar in een nachtclub te ontmoeten en samen naar huis te gaan', zei ze met een innemende lach, waarop ook zij verdween.

VIII

'Károly, als je plan goed is en je kwaliteiten zijn zoals je beweert, doe je binnen een maand wat je voorstelt en zijn deze condities van toepassing. Redelijk?' Meer dan redelijk. Toen ze elkaar er op woensdagochtend een hand op hadden gegeven, beloofde Imre Charles dertig dagen om de wedergeboorte van Horváth Kiadó te financieren. Charles vroeg zich af welke VC-firma's dezelfde exclusieve belofte hadden gekregen.

Imre hield Charles' hand veel langer vast dan eigenlijk normaal was en keek hem strak aan. 'Ik wil niet alleen een bank', zei hij. 'Ik wil de toekomst.'

'Ik begrijp het heel goed. Daarom doe ik dit.'

De overeenkomst was eenvoudig. Charles, die bij zijn bedrijf verlof had aangevraagd (en heel snel had gekregen) om geld bijeen te brengen voor de uitbreiding, repatriëring en renovatie van uitgeverij Horváth, zou de maand augustus hebben om zijn eerste stap te voltooien. Met de volledige steun van zijn firma (die, had Charles uitgelegd, last had van geografische, statutair vastgelegde beperkingen, maar die Charles erg graag in zijn opzet wilde zien slagen) zou hij contact leggen met een groep westerse investeerders en zich verzekeren van financieringstoezeggingen. De voorwaarden van die overeenkomsten waren helemaal zijn zaak. De minderheidsinvesteerders zouden individuele overeenkomsten met Charles afsluiten, zodat het geld dat hij bij Horváth inbracht in feite één persoon (Charles) vertegenwoordigde en Horváth niet met een groep zou hoeven te onderhandelen. Charles zou dit consortium dan vertegenwoordigen en namens het consortium 49 procent verwerven van een nieuw bedrijf, dat van de grond zou worden getild met Charles' nieuwe geld, Horváth Verlag in Wenen en de symbolisch ontoereikende (of ontoereikend symbolische) kredietcoupons, die de Hongaarse overheid had uitgekeerd als compensatie voor de confiscatie van de oorspronkelijke Kiadó in 1949. Imre zou 51 procent van het nieuwe bedrijf in handen houden, en als eerste transactie zou dat bedrijf een bod uitbrengen op het povere restant van Kiadó, dat eigendom was van de Hongaarse Staat, wat er feitelijk op neerkwam dat ze het losgeld betaalden dat nodig was om Imres verleden weer in handen te krijgen. (De werkelijkheid was nog eenvoudiger. Charles, die met geen woord meer over Imre had gerept nadat zijn firma op briljante wijze had afgezien van de beste transactie die zich dat jaar zou voordoen, had geen verlof aangevraagd en zou zoiets ridicuuls ook nooit doen – een kantoor, een salaris en visitekaartjes opgeven – tot hij een levensvatbare overeenkomst met Imre tot stand had gebracht.)

Er daalde een gegeneerde stilte over de suite neer. De kruimelige, stollende resten van een continentaal ontbijt lagen uitgespreid over een zwartgelakt dienblad bij de openslaande deuren, die zowel het verkeerslawaai van het Szentháromságplein als spastische, stofachtige mijt aantrokken. Op het glimmende, schuin aflopende kopse eikenhout van het tafeltje naast Imres bed lag het nieuwste, ingewikkelde avontuur van Mike Steele – *Inzepen, afspoelen, moorden, herhalen* – opengeslagen, met zijn rug naar boven, en vormde zo een beschermend tentje voor een hoornen leesbril. De open deur van de kledingkast liet vol trots een tiental prachtige kostuums zien, die van tijd tot tijd trilden en schommelden in de wind. Zwijgend verzamelde Charles zijn aantekeningen en de opzet voor het bedrijfsplan. Terwijl de mannen elkaar bij Imres deur zonder iets te zeggen nogmaals een hand gaven, kwam een vrouw van de stomerij zijn waszak met het Hilton-embleem ophalen, en verscheen mevrouw Toldy uit haar kamer aan de overkant van de gang om meneer Horváth voor te bereiden op zijn andere afspraken van die dag. Ze knikte ijzig naar Charles en sloot met plezier de deur achter zowel Charles als de waswouw.

Een paar uur later zat John Price in zijn hoekje van het vrijwel uitgestorven redactielokaal van *BudapesToday*. Karen Whitley had vier dagen vrij genomen om haar ouders bezig te houden die op bezoek waren, en twee andere werknemers hadden onlangs ontslag genomen, de een om terug te gaan naar huis, de ander om een overdreven, zwaartekracht tartende promotie te accepteren als tweede man bij de pas opgezette vestiging in Boedapest van een internationaal tijdschrift.

Terwijl hij de twee overweldigende persoonlijkheden in zijn leven overdacht, keek John naar zijn cursor en probeerde de ernst van Imre te scheiden van die van Emily. | | | |

| | | | *In heel Boedapest, overal om ons heen, lopen de overlevenden van een onderzoek naar moraliteitsbesef. De dapperen dragen het hoofd hoog, de lafaards gaan gebo-*

gen, maar wij zijn zichtbaar anders dan zij, even zeker alsof we decoratieve littekens op onze wangen hebben en een rond schijfje in onze lip. Ons, uit het Westen, zijn bepaalde beproevingen bespaard gebleven, en er zijn er onder ons die God danken voor de | | | |

O God, ze is met Bryon mee naar huis gegaan.

| | | | kennelijk duurzame afkoop van die vreselijke bezoeking. Maar sommigen van ons snakken er misschien wel naar. We weten dat we zouden kunnen falen, zoals velen hebben gefaald die zich met neergeslagen ogen schuilhouden in de straten van Boedapest. We weten dat het geen lolletje is om onder het juk van een tiran te leven. Maar toch zijn er onder ons, uit het verre Westen, het gelukkige Westen, die met een zekere afgunst aan zo'n beproeving denken. Je zou in elk geval weten wie je was. Je zou weten uit welk hout je was gesneden. Je zou de grenzen van je mogelijkheden kennen. En als je slaagde? Als je niet brak? Kunnen we wel met zekerheid zeggen dat er geen enkel genoegen te beleven valt onder dat juk? | | | |

Je leven als een kunstwerk te zien. Emily zou wel begrijpen wat dat betekende. Wat Imre is. Wat Scott nooit zal begrijpen. Ik ben nog niet klaar voor haar, en zij weet dat. Ik ben niet-ernstig genoeg. Niet weet-ik-veelwat genoeg. Ze wacht op me tot ik weet-ik-veel-wat genoeg ben. Ze probeert me te leren hoe ik moet leven zoals zij. Ze wacht totdat ik iets duidelijk zie en haar laat blijken dat ik het zie. Vanuit een ongelijkwaardige positie kon ze me niet kussen.

| | | | En hoewel je bij veel Hongaren een natuurlijke afgunst ziet vanwege onze rijkdom, ons welbehagen, onze begenadiging door de Geschiedenis, is er altijd, zelfs in de ogen van de verslagenen, een bepaalde trots die te rechtvaardigen is. Zelfs degenen die in het stof hebben gebeten, die compromissen sloten, die collaboreerden, die de weg zijn kwijtgeraakt, die dachten dat ze het goede deden terwijl ze het verkeerde deden, of die wisten dat ze het verkeerde deden maar vonden dat ze geen keus hadden, of die misbruik maakten van de omstandigheden en er nu spijt van hebben of alleen met verstikkende woede de represaillemaatregelen ondergaan – zelfs in de ogen van al diegenen zie ik iets wat erg veel op neerbuigendheid lijkt: wij zijn niet op de proef gesteld, en dat weten ze. Niemand heeft ons gevraagd te collaboreren om een vriend te redden, om onderscheid te maken tussen donkergrijs en donkergrijs. Zelfs degenen die hebben gefaald dragen het hoofd iets hoger wanneer ze diegenen onder ons beschouwen die niet eens op de proef zijn gesteld. Ze lachen ook om ons. En ik kan niet zeggen dat ze daar ongelijk in hebben. | | | |

Is ze op dit moment bij Bryon en neemt ze een vrije dag om te luieren en te vrijen onder plakkerige lakens en open ramen en haalt ze loom, naakt iets koels te drinken? Daar heb je dat kale meisje.

En, in deze context, beseft John dat hij Nicky wel degelijk een paar keer op kantoor heeft gezien, haar precies zoals nu het redactielokaal zag binnenlopen met mappen tegen haar borst gedrukt, slank en agressief-chic in een blazer, T-shirt en spijkerbroek en met een baret en een zonnebril op.

'Zoek maar uit', zei ze, en ze liet een reusachtige, afgesleten leren map op zijn bureau ploffen, die bij de hoeken was dichtgebonden met dikke zwarte, rafelige linten. 'Ik moet onze man uit Australië ervan zien te overtuigen dat hij er een paar moet nemen', zei ze en ze tikte op een tweede map voordat ze op de deur van de hoofdredacteur klopte en naar binnen ging.

Wie dit vindt, brengt het terug, zonder mankeren, had ze aan de binnenkant van de map op een postetiket naast haar telefoonnummer geschreven. Hij noteerde het nummer.

De bovenste foto van de collectie was een grote, zwart-witte, vloeiend samengestelde fotocollage met het formaat van de voorpagina van een krant: in een grote zaal zit een publiek van vele honderden Russische overheidsfunctionarissen – dik en fronsend, in identieke kostuums – aandachtig te kijken naar een man op een podium, dat aan de voorkant is versierd met een afbeelding van een rijk bewerkte hamer en sikkel. De spreker is een hoge Russische legerofficier, een veldmaarschalk in een uniform dat op de borst is bezaaid met medailles en lintjes en met rijkversierde epaulettenbloesems. Op het podium rust zijn pet, zo'n overmaatse Russische legerpet, die op een schuin etensbord met een klep lijkt. De officier, op wiens gezicht een uitdrukking ligt van grote, ernstige concentratie, wijst de officier met een aanwijsstok op het reusachtige scherm dat achter hem hangt. Voor de honderden apparatsjiks is daar een muis uit een animatiefilm met menselijke trekjes geprojecteerd, die tweekleurige schoenen en een button-down smokingoverhemd draagt. De korte broek van de muis hangt echter op zijn enkels omdat hij verwoed aan het masturberen is. Er springen cartoonzweetdruppels van zijn voorhoofd en grote zwarte oren. Zijn ogen zijn in opperste extase dichtgeknepen, en terwijl een van zijn viervingerige pootjes als een bankschroef zijn geanimeerde lid omklemt, houdt de andere een foto omhoog van Konstantin Tsjernenko, de overleden, voormalige secretaris-generaal van de Sovjet-Unie.

De tweede foto in haar map, kleiner, ook zwart-wit: een jong stel zit op een puinhoop, de gruizige bakstenen en het kapotte meubilair van een geëxplodeerd gebouw. Ze vlijen zich tegen elkaar aan, met hun lichaam naar ons toe, maar met het gezicht naar elkaar toegekeerd voor een kus. Zijn benen bungelen in een corduroybroek, waarop hij een eenvoudig wit overhemd draagt, zijn voeten steken in werklaarzen met losse veters en hij heeft een kleurige halsdoek om zijn nek geknoopt. Zij draagt een lange jurk met zwarte schoenen, haar enkels zijn gekruist. Ze zien er erg verliefd uit. Hun ogen zijn gesloten. Iets links van hen zijn twee soldaten van een onbestemde nationaliteit in een gevecht verwikkeld. De soldaat rechts heeft net zijn bajonet in de buik van zijn vijand gestoken. Zijn gelaatsuitdrukking is fel en overtuigend, zweet en vuil vermengd met angst en haat. Het slachtoffer tast naar het lemmet dat diep in zijn maag is gestoken. Zijn ogen zijn wijdopen en kijken smekend.

'Dat is mijn echte leven.' Zonder dat hij iets had gehoord was ze teruggekomen.

'Ik vind ze goed. Ik vind deze echt goed.'

'Ja? Echt waar?' Ze leek oprecht heel erg blij met deze bemoedigende woorden, die kirrend over zijn lippen waren gekomen, even diepzinnig als gezever. 'Wat fantastisch om te horen. God, echt waar.' John kon niets intelligents bedenken dat hij over haar werk kon zeggen, maar haar blijdschap was aanstekelijk, en hij genoot van het effect van zijn lof. Ze opende de andere map, met het formaat van een krant, nu vijf foto's lichter, en legde hem op zijn bureau. Ze ging achter hem staan, leunde over zijn stoel heen, met een hand op zijn schouder, en ze draaide de foto's langzaam voor hem om. Zijn hand kwam omhoog, op die van haar, en hij zag de foto's voorbijgaan.

Conventionele journalistieke foto's: leiders die oreerden over onderling verwisselbare onderwerpen, de winkelpui van protserige nieuwe winkels, Russische tanks, die veertig jaar nadat ze waren gekomen Hongarije uit rolden, met de bovenlichamen van lachende, gedag zwaaiende Russen die uit de luikdeksels staken, de leden van een populaire Hongaarse techno-rockband, die zweetten en krijsten onder stroboscoop lichten. Artistieke foto's in de categorie zacht nieuws en human interest: een gestileerde nachtopname van de bewegende neonbillboards, die een van de boulevards van Boedapest verlichtten met dampende koppen neonkoffie en traag knipogende rokers, merken die maar een paar maanden levensvatbaar bleken, de smoezelige gezichtjes van zigeunerkinderen in armoedige omstandigheden, hun vermoeide ogen kennelijk bewust van het feit dat ze zowel de afstammelingen als de voorzaten waren van onafzienbare generaties arme kindertjes die poseerden, of nog moesten poseren, voor onafzienbare generaties meelevende, machteloze persfotografen; ironische tegenstellingen van westerse zakenlieden en Hongaarse boerenvrouwen, die op hetzelfde plaatje waren vastgelegd, terwijl ze in de rij stonden voor McDonald's.

John strooide nog wat complimenten over zijn schouder, alleen om te genieten van de blijdschap waarmee ze die opving, een blijdschap die zo aantrekkelijk was dat hij zich begon af te vragen of het geen trucje was dat ze op afroep kon doen. 'Als je ze echt goed vindt: ik heb er nog meer in mijn studio', zei ze. 'Hoe lang hadden we ook al weer gezegd dat je was? Een meter tachtig? Een meter tweeëntachtig?'

Charles bracht de middag door met het uittypen en herformuleren van zijn aantekeningen tot een briefing voor investeerders, en van de bedrijfsplannen voor Horváth Holdings. Hij hield zijn deur dicht en zei tegen Zsuzsa dat hij niet gestoord wilde worden. Tegen vijf uur liep hij langs het kantoor van de vermoedelijk slaperige Presiderende Verdorvenheid en liet zich binnen noden voor een inhoudsloos gesprek.

'Ik heb een vijfdaags weekend, Charlie, dat over achttien minuten ingaat. Ik ga tot dinsdag de bloemetjes buiten zetten. In Wenen. Met Weense meiden. Het enige voordeel van het werken in dit gat.'

'Dat en uw salaris.'

'En de aandacht van de pers', gaf zijn chef toe.

De speelse zon sprong van wolk naar wolk en scheen heel even op de koperen onderdelen en de glazen stolp van zijn gekoesterde antiquiteit, een ticker tape-apparaat uit 1928. 'O, er schiet me net iets te binnen wat ik u wilde vragen', zei Charles terwijl hij zich al omdraaide om weg te gaan. Hoe vager zijn woorden nu waren, hoe breder en blijvender hij zich later zou hebben ingedekt voor het geval alles misliep: 'Die uitgeversdeal, weet u nog? Met die Oostenrijker? Nu wij hem hebben afgewezen, wilde ik hem wat andere financiële mogelijkheden aan de hand doen, en hem misschien introduceren bij wat mensen die ik ken. Ik vind het wel een aardige vent en wil hem een beetje helpen, snapt u. Hebt u daar bezwaar tegen?'

'Je doet maar', zei zijn baas, en hij stond zestien minuten eerder op dan gepland en pakte lukraak wat paperassen en mappen bij elkaar, die in een tijdsbestek van vijf dagen ongelezen naar Wenen heen en terug zouden reizen. 'Zin om mee te gaan naar Wenen, kerel? Dan nemen we nylons mee voor de Fräuleins.'

In de lange, doorlopende, rechthoekige ruimte stonden op ezels een stuk of vijf onvoltooide schilderijen, afgedekt met een juten lap, in blijde verwachting te zijn, terwijl andere met hun voorhoofd verlegen tegen de wanden leunden – gestraft, berouwvol; van hen werd verwacht dat ze hun tekortkomingen in kleur of compositie zouden overdenken. Ze draaide er een of twee om zodat hij ze kon bekijken en koesterde zich in zijn verbaasde loftuitingen. Ze opende nog een map met foto's. Achter gordijnen liet ze hem haar donkere kamer zien, en een waslijn met drogende, nieuwe ontwikkelingen. Ze zei weinig en noemde alleen de titels. 'Bijbelse Extrapolatieserie', zei ze toen ze voor drie geschilderde paneeltjes stond, die naast elkaar op een oude, splinterige, met verf bespatte tafel lagen. Ze liep evenwijdig met hem mee, aan de andere kant, en ze keek hoe zijn gezicht steeds op elk nieuw schilderij reageerde, ze keek hoe haar werk op zijn gezicht weerspiegelde en terugkaatste zodat zij er zelf nog eens de waarde van kon bepalen.

'Johannes 19:38 en ½'. Op de berg Golgotha, maanverlicht en mysterieus in clair-obscur, zie je in de verte allemaal kruisen op de zilverkleurige heuvels in het met zonde bezoedelde landschap. Er staat een ladder tegen het dichtstbijzijnde kruis, dat leeg is; Jozef van Arimathea en Nicodemus, van onderaf beschenen door een bronloze gloed, zijn het lichaam van Jezus naar beneden aan het brengen. Jozefs handen en een opgeheven knie doen een verwoede poging het ene onhandige uiteinde van het in linnen gewikkelde lijk goed vast te houden. Het andere uiteinde hangt al zwaar op de aarde, en Nicodemus, zijn handen uitgestrekt, vastgelegd precies op het moment dat hij zijn last op de grond had laten vallen, kromt zijn schouders, spert zijn ogen open en krimpt ineen van schaamte. Jozef kijkt over zijn schouder, bijna recht naar de toeschouwer, om te zien of een toekomstige evangelist getuige is geweest van dit duivelse ongeluk.

'Genesis 2:25 en ½'. Een pezige, krachtig gespierde Adam, met maniëristische musculatuur, staat met zijn rug tegen een boom. Zijn vingernagels klauwen in de bast, zijn armen zijn verstrengeld, aderen en pezen opgezwollen, zijn gebeeldhouwde benen wijd uit elkaar, zijn hoofd achterover geworpen. Zijn lange, donkere haar valt over zijn schouders, zijn ogen draaien omhoog, zijn mond is wijdopen, zijn lippen verbonden door een sliert speeksel. Eva staat achter hem, haar handen onzichtbaar, daar waar ze bij elkaar komen op het punt dat door zijn buitenste dijbeen aan het zicht is onttrokken. Haar hoofd is helemaal opzij gedraaid, zodat je haar verlekkerde blik kan zien. Ze trekt haar ver uitgestoken tong over de knobbels van zijn ruggengraat.

'Het evangelie volgens Mattheus 12:50 en ½'. Aan de linkerkant verdringt zich een brullende, adorerende mensenmenigte in de stofwolken die ze heeft doen opwaaien rond Jezus, die een hoofd boven zijn langste volgeling uitsteekt. Ze bewegen zich van hem af en laten een door de zon gebleekt, door de Messias verlaten plein achter, leeg, op zijn moeder na, die alleen achterblijft in de hitte (wat te zien is aan de trillende lucht in de verte). Maria staat er met bezwaard gemoed bij; het lijkt erop dat ze is afgebeeld op het moment vlak voordat ze niet meer verder kan. Niemand bekommert zich om haar. Haar kind loopt van haar weg, tijdens het lopen één hand op het hoofd van een volgeling; hij kijkt recht voor zich uit in de tegenovergestelde richting van zijn bezwijkende moeder. Hij weet dat ze daar staat, alleen achtergelaten.

'Zijn laatste uitspraak kwam voort uit een politiek-spirituele noodzakelijkheid. Hij is een revolutionair. Van het volk. Hij kan niet gebonden zijn aan een louter biologische toevalligheid.'

'Nou, je kent je bijbel wel, zeg.' Hoe meer haar werk hem in verwarring brengt, hoe meer zij iets lijkt te begrijpen, iets onbenoembaars lijkt te bezitten dat hij begeerde.

'Ga eens liggen.' Ze wees op de roerloze witte golven van het onopgemaakte eenpersoonsbed. John drukte zijn hoofd tegen het kussen. Hij rekte zich uit, sloot zijn ogen en wist voor één verrukkelijk moment niet wie er bij hem was; in de zelfopgelegde duisternis voelde hij het schilferige oppervlak van Scotts T-shirt tegen Mária's lichaam, de onmogelijk zachte, gladde kaaklijn van Emily, de lichte duizendvoudig gefacetteerde rasperigheid van de stoppels op Karens kuit, het opwindende van Nicky's kale hoofd. En hij vroeg zich af waarom hij zich zoveel jaar zorgen had gemaakt over de mogelijk demoraliserende gevolgen van dit onschuldige tijdverdrijf.

Nicky ging naast het kussen zitten, met haar gezicht naar het voeteneind van het bed, dat haar tweetonig piepend begroette. 'Ik heb je al door', zei ze en ze streek met haar lippen ondersteboven over de zijne. 'Ik kijk dwars door je heen. Ik weet precies wat je wilt.' Toen hij zijn ogen opendeed bij die dreigende, op een erotische toon uitgesproken woorden, hing haar omgekeerde gezicht boven hem, maar met vingertoppen die hij geen moment heeft gezien, sloot ze zijn oogleden weer.

'Vertel eens wat je denkt te weten.' Hij stelde zich alle vrouwen voor van wie die zachtjes over zijn voorhoofd glijdende vingertoppen zouden kunnen zijn.

Ze liet de woorden in zijn oren glippen: 'Ik weet dat je míj niet echt wilt.' Haar rechterhand hing vlak boven zijn riem en vuurde knetterende blauwe bliksem af.

'O nee?' fluisterde hij.

'Ik ken je droomvrouw. Hé, ik had gezegd dat je je ogen dicht moest houden. Doe dicht. Doe dícht. Zal ik je over haar vertellen?' Het bed kraakte, en hij hoorde haar door de kamer lopen.

Hij bewoog zijn hoofd als een blinde die ineens een nieuwe aanwezigheid voelt. 'Oké, vertel me alles maar over haar.'

Het bed begroette haar terugkomst. Ze ging tegenover hem zitten, kuste hem op de mond en drukte haar handen tegen zijn borst. 'Dat doe ik als je je ogen dichthoudt.'

'Vertel me wie ze is, als jij het niet bent', zei hij.

'Niet doen', zei ze fronsend met ongeveinsde afkeuring. 'De eerste huisregel: dat moet je niet doen. We weten allebei dat ik haar niet ben. Doe je ogen dicht.' Nicky streek het haar weg van zijn voorhoofd en bewoog haar vingers over zijn schedel. 'Haar haar, eens even kijken, is als dat van de vrouw op Vermeers *Vrouw met waterkruik*.' John deed zijn ogen open, begon te zeggen dat hij niets van schilderijen af wist en of ze hem misschien een afbeelding kon... maar Nicky legde haar vinger tegen zijn lippen. 'Ssst. Gewoon je mond houden en luisteren.' Hij knikte langzaam en zijn ogen sloten zich terwijl zijn mond zich iets opende, alsof ze aan hetzelfde katrolsysteem zaten. Ze legde haar mond tegen zijn voorhoofd en fluisterde toen: 'Haar gezicht is precies zoals je altijd hebt gedroomd.' Haar lippen trokken zachtjes aan zijn wimpers. 'Ze heeft de ogen van de *Madonna* van Munch.' Ze beet in zijn oor. 'En de oren van *La Gioconda*.' Hij wilde weer iets zeggen, maar zijn mond werd gesnoerd. Hij probeerde zich een voorstelling te maken van het gezicht dat ze beschreef. Hij haalde zich gezichten die hij kende voor de geest; hij bekeek en verwierp eerst Karen, toen Mária en vervolgens zelfs Emily.

Nicky begon zijn overhemd los te knopen. Ze streek met haar knokkels over zijn lippen. 'Haar mond is beter dan de mijne, veel beter, zoals die van het meisje in Doisneaus *Kus* of *Christina's wereld*.' Haar vingers liepen achter zijn nek. 'En haar nek zie ik als die van het meisje in *De kus* van Klimt. Of lijkt ze meer op Bonnards *Naakt in tegenlicht*? Nou, John?' Hij knikte langzaam. Ze knoopte zijn overhemd los en liet haar lippen over zijn borst dartelen. 'Kun je haar borsten zien, John?' Ze tilde zijn zware arm op en legde zijn hand tegen haar T-shirt, waarop hem een geluidje ontsnapte. 'Zoals Ingres' *De baadster van Valpinçon*?' Hij knikte, waarna ze zijn hand stevig tegen zich aan drukte. 'Haar armen zijn voor jou gemaakt. Om je te omhelzen. Als een zekere Venus die ik ken.'

Ze trok zijn armen uit zijn mouwen, als een moeder die handig een zuigeling met slappe ledematen ontkleedt, en haar nagels lieten bleke sporen achter in de harige driehoek op zijn borst, roetsten toen omlaag over zijn ribben en zwenkten af naar zijn zij. 'Wil je nog meer weten?' Weer een soort geluidje, zijn ogen nu stijf dicht. Er kwam John een vrouw voor ogen zoals Nicky haar schilderde, alsof er een mistsluier van haar optrok, maar langzaam, pijnlijk langzaam, vanaf haar kruin naar beneden, centimeter voor centimeter, onverdraaglijk langzaam, haar, ogen, oren, mond, nek, borsten, armen. 'De buik' – zijn handen waaierden uit over Nicky's gladde schedel terwijl haar tong over de kronkelende slangen van zijn onderbuik gleed – 'van Chardins *Jonge schooljuffrouw*.' Johns spijkerbroek vloog door de kamer, als een ambitieuze verspringer, en kwam glijdend tot stilstand in een stevige omhelzing met een tafelpoot. 'Haar benen als de serveerster van Manet in *De bar van de Folies-Bergères*.' Een windvlaag verjoeg de laatste slierten mist, en de nieuwe vrouw werd hem geheel onthuld.

Hij voelde dat haar lichaam naast hem kwam liggen. Zijn ogen lieten geen licht toe; achter gesloten oogleden keek hij met een intense blik naar zijn grote liefde, en terwijl deze vrouw hem met haar handen betastte, terwijl ze hem op haar trok, terwijl ze hem tegen de muur drukte, terwijl ze het uitgilde en onder hem schokte, wist hij dat hij voor het eerst deelnam aan zijn echte leven, een kunstwerk. Er waren flitsen helder licht, maar hij bedwong zich, hield zijn ogen stijf dicht en liet niet toe dat iets hier een einde aan zou maken, zou nooit meer toelaten dat de geliefde zou weglopen en zich zou verstoppen, buiten zijn bereik zou dansen, hem van een bedrieglijke korte afstand zou uitdagen, net aan de overkant van onzichtbaar drijfzand, om slechts één brug verderop te blijven zweven. De lichtflitsen kleurden het zwart geel en blauw, maar hij weigerde zich een rad voor ogen te laten draaien door deze dwaallichtjes van het netvlies, en zijn ogen open te doen en haar te laten ontglippen.

IX

Ze waren vluchtig, natuurlijk, die gevoelens van helderheid en thuiskomst. In weerwil van haar lichamelijke vrijgevigheid was Nicky op haar eigen manier even onbereikbaar als Emily. In haar met verf bespatte woning voelde hij zich als een zeer gewaardeerde getuige van haar leven, zelfs als een belangrijke bijfiguur, terwijl hij opnieuw vermoedde dat zijn eigen echte leven zat opgesloten in Emily's bungalow, op een heuveltop in Boeda. Het maakte hem razend: al die tijd verkwist met een onstilbaar onbeantwoorde liefde. Hij keek zichzelf aan in de lange spiegel van de bar. Dit was te erg, het ergste soort gekte, en het bleef niet eens beperkt tot romantiek: zijn avonden met Nicky terwijl hij zich Emily voorstelde, ontmoetingen met Imre terwijl hij verlangde naar Scotts spontane vergiffenis, nachten met Nádja terwijl hij wilde dat ze jonger was, en hier nu met nog een drankje terwijl hij deed alsof Scott nog een keer een heel andere broer zou worden. Dit moest ophouden.

Nu riep Scott iets tegen John, ook al zat hij maar twee barkrukken rechts van hem. Hij riep iets, maar dat had erg weinig zin, want tegen deze muziek moesten zelfs zijn roze longen het afleggen. Slechts een paar onsamenhangende flarden ploegden zich door de herrie heen en vonden toegang tot Johns tuitende rechteroor: ...*gaan... touwen... lijksrei... Roemenië*. John keek recht voor zich uit, knikte en verbrijzelde een ijsblokje. Hij had een paar minuten geleden besloten zich niet de longen uit zijn lijf te schreeuwen om een zinloos gesprek te voeren bij deze mix van sirenes, basgitaar en keyboard. Achter de bar, achter de barkeeper, achter de glazen planken vol drankflessen die rinkelden uit waardering voor de muziek, liep over de volle lengte van de achterwand een lange paarse neonbuis, verdubbeld door de spiegel die daar meteen achter zat, zodat John zichzelf kon zitten aanstaren en tegelijk twee paarse neonstrips zag, vlak onder zijn neus, een dikke, gloeiend paarse snor, zo lang als de bar. En terwijl hij zich met dit soort spelletjes bezighield, brulde de studio-staccato-stem van een Australisch dance-popfenomeen: *When ya gonna dance are ya gonna gonna dance gonna dance gonna gonna dance dance dance?* en in de spiegel zwollen de aderen in Scotts weerspiegelde nek nu op tot pulserende koorden, en hij schreeuwde zichtbaar (maar onhoorbaar) tegen John: 'Klootzak, klootzak, klootzak.'

Buiten – later, beschonkener – in de zich verplaatsende menigte met de onderling concurrerende geurtjes, vond John ze allemaal in een gesloten kring terug, één mens dik, met uitzondering van de uitstulping waar Scott meteen achter Mária stond met zijn armen om haar middel en zijn hoofd op haar schouder, haar hand omhooggebogen om door zijn haar te strijken. De kring: Mária, Emily, Bryon, Mark, Zsolt, Charles en een nieuwe jonge vrouw (tijdelijk), met vier vingers van haar rechterhand ontspannen in de rechter kontzak van Charles' spijkerbroek; ze was een vreemde voor John, maar ze werd door haar parfum onmiskenbaar als een Hongaarse gekenmerkt. 'Dank je, dank je', zei Scott. 'Dank je, dank je', echode Mária. Charles glimlachte loom, geamuseerd. Mark maakte een geërgerd geluidje; John kon zien dat hij zweette. 'Ach, het is zoiets geweldigs, het is zo leuk. Vind je het niet geweldig?' vroeg Emily aan John, die als laatste was gekomen. 'Ja, zeker', antwoordde hij om haar een plezier te doen, zonder dat het hem kon schelen wat 'het' was. Pas toen Scott en Mária arm in arm waren vertrokken, zei Charles: 'Om ze daarmee te feliciteren grenst aan het onnatuurlijke', en hij beschreef hoe het echtpaar op de eerste ochtend van hun huwelijksreis wakker zou worden voor een 'gezond, berouwvol ontbijt'. *Touwen*, begreep John nu pas, was natuurlijk *trouwen*. *Het*, zo leuk en geweldig, was een verloving, waarvan de aankondiging John weinig meer had ontlokt dan wat knikjes, stuk gekauwd ijs en een paarse neonsnor zo lang als de bar.

Hij vroeg zich af wat hij zou hebben gezegd als de Australische dansmuziek die ene medeklinker niet had weggedrukt, en als *touwen trouwen* was gebleven. Had de muziek John eigenlijk niet de kans geboden om eindelijk eens oprecht te reageren? Hij hield zich voor dat hij zijn laatste poging had gedaan.

X

Nicky klauterde atletisch van hem af, nadat ze een indrukwekkende hoeveelheid Latijnse termen had gebruikt. 'Ik moet nu aan het werk.' John begreep niet meteen wat ze bedoelde. 'Je kunt er niet van uitgaan dat er altijd een hotelovernachting in het pakket zit, vriend.' Ze gooide zijn ondergoed naar zijn hoofd. Ze ging voor een van haar tientallen spiegels staan, een gebarsten, vieze passpiegel die op een antiek houten onderstel stond, om haar rode fez met een kwastje in de juiste schuine stand op haar hoofd te zetten. 'Van tijd tot tijd een wilde nacht is prima, maar als ik niet genoeg slaap krijg, bezoeken de muzen me niet meer en dan ben ik niets meer waard.' Ze stelde de fez nog een tikje bij en bekeek haar profiel.

'U zult geen last van me hebben, mevrouw. Dat verzeker ik u.'

'Hou daarmee op', zei ze tegen Johns spiegelbeeld ver in de spiegel. 'Als we doorgaan met dit projectje mag je sóms blijven.'

John leunde op een elleboog en keek hoe ze de doeken wegtrok van de onvoltooide schilderijen. 'Kun je niet werken als ik er ben? Het is bijna klokslag twaalf. Ik zal doodstil zijn.'

'Ik heb het je net gezegd. Huisregels: kunst op de eerste, al het andere op de derde plaats. Gasten wordt aangeraden die regels nog eens na te lezen als ze tenminste willen binnenkomen.'

'Maar ik hou van je werk', probeerde hij zwakjes.

'O, dank je, dank je', zei ze, even oprecht verheugd als altijd bij prijzende woorden. Ze streelde zijn gezicht en kuste hem zacht. Ze fluisterde in zijn oor: 'Maar je hebt drie minuten om op te sodemieteren, zodat ik aan het werk kan.'

'Ik denk dat je liever hebt dat ik blijf.'

'Hou op', snauwde ze. Ze stond op en ging terug naar haar ezels. 'Kom alsjeblieft niet met van die lulkoek aan. Regels zijn regels, anders krijg je geen speeltijd meer. Zo zit dat.'

En zodoende zat hij, iets na middernacht, op een plekje aan een hotelbar en keek naar de Engelstalige journaalbeelden die elk halfuur werden herhaald. Irak bleef Koeweit maar binnenvallen, en geanimeerde pijlen ontvouwden zich in zwierige bochten over grenzen op de kaart. Bij de tweede herhaling zat John zachtjes te lachen om dit snel verouderende nieuws, en een echte, niet-uitgezonden stem vroeg: 'Wat is er zo leuk? Wat is de grap? Wat is er zo geestig?' John keek naar rechts. Er zat een man van een jaar of vijfenveertig met een bruin, van canvas-en-nylon gemaakt vest met een stuk of tien zakken die sloten met een rits of met klittenband. Zijn bruine haar dunde uit op de gebruikelijke plekken en was in vochtige richeltjes recht achterovergekamd. 'Serieus. Wat is de grap? Rottigheid in het Midden-Oosten, soms?'

John schudde wat plakkerige pinda's in zijn mond. 'De grap? Ik weet het niet. Ik had heel even het idee dat het misschien bedotterij was. Vind je het niet een klein beetje geestig? Een oorlog tussen weet-ik-veel-wie, en de een valt binnen bij de ander, en dan zijn er tanks, een woestijnstrategie en een wereld in crisis, en de verslaggevers klinken gespannener...' John kwam woorden tekort; de man luisterde en knikte, maar vatte het duidelijk niet.

'Ted Winston. De *Times*.' De man klemde zijn kaken op elkaar en stak hem zijn hand toe over zijn onbeweeglijke lichaam.

John stelde zich voor, nadat hij vergeefs had gewacht op de thuishaven van de *Times*. '*BudapesToday*, vermoed ik.' Hij wachtte erop dat de echte journalist zou gaan lachen.

'*BudapesToday*? Ach ja, natuurlijk, die plaatselijke Engelse krant. Ik benijd je. Ik zag zo dat je een journalist was. Je eerste standplaats? Inzicht krijgen in het land? Dat is dé manier.' Ted Winston tikte twee keer tegen zijn glas met een zwart plastic citroenstampertje, klakte toen met zijn tong en wees met het stampertje op de gespierde, dik besnorde Magyaar met zijn zwarte vest en zijn vlinderdas, die traag vochtkringen van de bar aan het weg lappen was. Toen zijn glas opnieuw was gevuld, vroeg Winston aan John: 'Beschrijf het land in niet meer dan zestig woorden.'

'In niet meer dan zestig woorden?'

'Da's een goede training. Daarvoor ben je hier.'

John tikte twee keer tegen zijn eigen glas en klakte met zijn tong, maar zijn toverkunst liet het afweten. 'De meisjes zijn mooi. Hoeveel zijn dat er: *de-meisjes-zijn-mooi*: vier? Goed, nog zesenvijftig woorden...'

'Je maakt er een grapje van, oké, dat kan ik waarderen. Gevoel voor humor, dat mag ik wel. Dat is prima', zei Ted Winston. 'Maar toen ik zo oud was als jij, Price, heb ik iets geleerd. Ik leerde het van Tsjoe En-Lai, de Chinese premier. Ik was groen, Price, erg groen. Ik had wel wat van Vietnam gezien, maar ik was nog een jonkie. Dat je een man hebt zien

sterven, maakt je nog geen man. Dat heb ik door schade en schande geleerd. Maar goed, ik was in Peking, met Nixon mee, Peking toen, een belangrijk moment, erg gewichtige gebeurtenissen.' Winston tikte tegen
zijn glas, klakte en wees nog eens. 'Ik ben even met Tsjoe alleen geweest.
Knappe kerel. Maar hij rook naar jasmijn – zoiets geks, dat vergeet ik
nooit meer. Knappe vent, maar ik val niet op mannen, moet ik er nu even
bij zeggen. Maar goed, de premier was een van mijn vragen aan het beantwoorden en keek me strak aan. Weet je, als ze er zin in hebben, dat
soort mensen, kijken ze met zo'n doordringende blik dwars door je heen.
De sterken kunnen je gewoon aankijken. Hoe kun je anders verklaren
dat een miljard mensen vorig jaar het communisme níét omver hebben
geworpen? Waar het om gaat is dat de premier me uitlegde dat het Chinese teken voor *kans* uit twee aaneengeschakelde tekens bestaat, dat voor
dwerg en dat voor *reus*, in die volgorde. De dwerg wordt een reus. Snap
je? Dat is een *kans*. Zo zien de Chinezen het in elk geval, en ik denk dat
ze het goed zien. Fascinerende luitjes.'

De tv herhaalde de belangrijkste punten van een halfuur en een uur geleden, en omdat de oorlog nog niet erg was opgeschoten, kwamen de verslaggevers met dezelfde berichten uit Bagdad, Washington, Koeweit en
elders. 'Maar als één ding in Brussel duidelijk is geworden, is het dat er
nog geen eind aan de crisis is gekomen.'

'Dat kun je wel zeggen', bevestigde Ted Winston. 'Beslist niet. We hebben om de dooie dood het eind van de crisis nog niet gezien.' Tik, tik,
tik, tik, wijzen. 'Hoelang ben je hier al? Weet je al wat hom en kuit is?'

'Nee, maar in een land zonder kustlijn heb ik weinig vertrouwen in de
vis die ik er voorgeschoteld krijg.'

Winston knikte alsof hij het antwoord had gekregen dat hij verwachtte. 'Je moet in de huid van die mensen proberen te kruipen. Dat is wat ik
zou doen als ik in jouw schoenen stond. Dit land verdient verdomme toe-
lichting, nu meteen, en daarvoor zit jij op de juiste plek. Pak het land bij
zijn kladden. Schud het heen en weer. Bekijk het vanuit alle mogelijke in-
valshoeken. Als je schrijft wat je weet – en alleen dat – kun je dit land
vorm geven. Mensen richten hun hoop op ons – op jou – om iets te begrijpen van een redeloze wereld. En wat betekent dat voor jou?'

'Sorry, wat betekent wat voor mij?'

'Van dwerg tot reus. Niet vergeten. Van dwerg tot reus.'

Twee geblondeerde hoertjes kwamen aan de rechterkant van Winston

zitten en begonnen rad, melodieus Hongaars te praten tegen de barkeeper. De geur van hun parfum was overweldigend, en John verborg zijn
neus discreet in zijn lege glas. 'Ik ruik veel van jou in mezelf', zei Winston
tegen John. 'Als je laat zien wat je in huis hebt, komen de grote jongens
vanzelf bij je aankloppen. Zo werkt dat. Kansen.'

   'Wat het emiraat van Dubai betreft,' zei een jonge vrouw voor een
zwart metalen beveiligingshek, dat werd geflankeerd door palmbomen
en bewakingscamera's, 'is het alleen maar afwachten. Op dit moment is
er alleen maar sprake van gissingen en nog meer speculatie. De mensen
in Dubai kunnen alleen maar afwachten. Afwachten en kijken wat er gaat
gebeuren. En dan? Het is nog te vroeg om er iets over te zeggen, maar
men vreest dat het niet lang meer zal duren. Terug naar jou, Lou.' De barkeeper likte discreet aan zijn wijsvinger en begon de grote stapel geld te
tellen die de twee hoertjes hem hadden gegeven; hij maakte aparte stapeltjes op de bar van elke nieuwe buitenlandse geldsoort die hij tegenkwam,
af en toe tikte hij iets in op een rekenmachientje, maakte met een stuntelige linkerhand potloodaantekeningen en vuurde soms zachte, dreigend
dubieuze vragen op hen af. Ted Winston onderging een korte periode
van eenzaamheid.

   John legde wat forinten op de bar en stond op om weg te gaan. De verslaggever bleef zitten toen hij hem een hand gaf. Hij klemde zijn kaken
op elkaar en knipperde een paar keer met zijn ogen. 'Geweldig om je te
hebben ontmoet, Jim. Bel me hier morgen. Ik blijf hier een week.'

   Omdat hij het nog te vroeg vond om zijn vrouw en kind onder ogen te
komen, kwam John weer op het vertrouwde pianobankje terecht. Hij
zat eigenlijk maar wat tegen Nádja aan te ouwehoeren, zweefde als een
trapezekunstenaar van de ene naar de andere schakelplaats: de verbijsterende verloving van zijn ergerniswekkende broer, een bevriende kunstenares die te hard werkte, dronken, dikdoenerige journalisten, de eeuwige
Emilistische raadselen, de hulp die Charles Gábor van hem verlangde,
waarvan hij niet zeker wist of... 'Imre Horváth?' onderbrak ze hem, toen
John zijn onbestemde, aarzelende aarzeling over Charles' zaken schetste.
'Echt waar? Jouw vriend doet een zaak met Imre Horváth? Ik heb een
Imre Horváth gekend. Dat was naar mijn idee nogal een schavuit.'

   Ze vergeleken hun Imre Horváths met elkaar en probeerden, zonder
volmaakte uitkomst, tot een conclusie te komen. Het was onmogelijk
de twee met enige zekerheid te laten samenvallen of te onderscheiden.

Nádja kon zich niet herinneren dat haar Horváth een connectie met een uitgeverij had, maar in die tijd had iedereen geprobeerd zijn baantje te houden, wat voor een het ook was, en ze kon die mogelijkheid beslist niet uitsluiten. Terwijl ze pianospeelde voor de vrijwel verlaten ruimte, beschreef ze de man die zij zich van ruim veertig jaar geleden herinnerde, de man die haar nichtje zwanger had doen opzwellen, een beruchte verleider, maar ook een beetje een clown. Op een gegeven moment had hij geld verdiend met jongleren en goocheltrucjes op kinderpartijtjes, soms trad hij op een straathoek op voor wat kleingeld, en als het nodig was kon hij zelfs redelijk zingen en dansen. Ze had iemand eens horen zeggen, maar dat was wel jaren en jaren geleden, dat hij zich als pornograaf in Bonn had gevestigd. Een imponerende man? De man die zij kende was dat beslist niet. Gemarteld en gevangengezet door de communisten? Niet voorzover zij zich kon herinneren, maar zoiets was in die tijd beslist geen typerende karakteristiek. Chic gekleed? Nee, deze was net als iedereen geweest, spullen moesten lang meegaan, afdragertjes die je oplapte in die tijden van schaarste, eerst tijdens de oorlog, toen erna, daarna onder de communisten.

John merkte dat hij zijn best deed om van beide Imres één te maken. Hij wilde erg graag dat de reus een dwerg was geweest. 'Verstond jouw Imre de kunst je het gevoel te geven dat je hele leven heel erg onbenullig is geweest?' ontschoot hem voordat hij het kon inhouden, en de linkerkant van zijn mond klom omhoog tot een vreemd lachje toen ze hem met een opgetrokken wenkbrauw aankeek. 'Poe poe', zei hij, en hij liet zijn hoofd op zijn handen rusten. Door de kiertjes tussen zijn vingers zag hij haar gerimpelde pootjes met verrassende snelheid over de toetsen gaan tot ze het tempo en de melodie beu werd, en toen reikten en klauwden haar vingers zich soms over elkaar heen naar ingewikkelde akkoorden, en speelde ze alleen harmonieën in een langzaam, dwingend ritme.

'Steek nog eens zo'n kankerstokje voor me op, John Price.' Hij stak er twee op en plaatste een ervan tussen haar lippen. 'Je vriendinnetje van laatst', zei ze terwijl ze de sigaret naar haar mondhoek rolde. 'Zij biedt geen oplossing voor jouw ontzettend onbenullige bestaan, althans, niet volgens mij. Als dat tenminste je bedoeling is. Ze is niet voor jou weggelegd.'

'Daar lijkt iedereen het over eens te zijn.'

'En daar word je ongelukkig en eigenaardig van? Waarom? Je zult

andere krijgen, denk ik. Waarom een meisje met zo'n vreselijke, zo'n heel
rare, forse kin?'

'Ja, het is wel een grote kin, hè?'

'Behoorlijk. Erg groot, ja. Weet je, op dit tijdstip, speel ik geen hele
liedjes meer als mensen zo moe zijn.' Met de sigaret tussen haar tanden gebaarde ze naar de slaperige gezichten in de hoek. 'Ze zullen zich dit geluid
nog herinneren als ze de melodieën zijn vergeten.' Ze spreidde haar was-
achtige tengels en bracht een onheilspellend, terughoudend geluid voort.
'Ik ben ooit verliefd geweest op een Amerikaanse astronoom, John Price.'

Hij schoot in de lach. 'Dat lieg je. Je bent een notoire leugenares. Dat
zegt iedereen.'

'Nee, nee, niet iedereen. Alleen domkoppen als jouw donkere broer en
je vriendinnetje met de reuzenkin zouden dat zeggen. Dat heeft ze gezegd, nietwaar? Kijk niet zo verbaasd en vraag niet hoe ik dat weet. Natuurlijk moest ze dat zeggen. Dat snap je wel, nee? Nee? O, dan ben jij niet
met de aandacht erbij zoals ik hoop van jou. En ja, ik ben verliefd geweest
op een gevierd astronoom. Twijfel nooit aan wat ik je zeg. Ik zal nooit tegen je liegen.'

'Het spijt me', zei John zacht.

'O hemel, je belooft vanavond vreselijk onamusant te zijn. Probeer me
te amuseren, lieverd. Kop op, kerel. Ik ben echt verliefd geweest op een astronoom en het was een erg saaie man. Zoals jouw mevrouw Oliver
was hij bewonderenswaardig, maar niet erg interessant, als een grap die
je moet uitleggen. Geloof je me nu?'

'Wacht even', zei John, en hij schuifelde naar de bar voor zijn Unicums
en haar Rob Roy. Hij groette de saxofonist van Harveys kantoor en de
kale, zwarte zanger, die hun gage van die avond verorberden. Ze vroegen
hem hoe hij Nádja kende. 'Ze is mijn grootmoeder.'

'Op een avond waren mijn astronoom en ik aan het vrijen in zijn observatorium op een bergtop in Chili. Voor de gelegenheid deed hij het
dak van het observatorium open en legde een matras op de grond.' De akkoorden veranderden sneller, werden vrolijker. Door luid gelach heen
klonk het tikken van de biljartballen. 'We lagen op onze rug, naakt, door
het dak omhoog te kijken naar deze avondhemel, ver weg van steden.
Er waren natuurlijk meer sterren dan ik ooit ergens elders heb gezien.'

'Daarom zetten ze daar een observatorium neer.'

'Precies, slimme jongen. We lagen daar, en ik vroeg hem waarom het zo was dat een ster verdwijnt als je er rechtstreeks naar kijkt. "Wat is dit voor wetenschap," vroeg ik, "waar je niet naar je onderwerp kan kijken zonder dat het verdwijnt?" En hij zei – altijd de onderwijzer, die man, doodsaai: "Je moet leren om er *indirect* naar te kijken." Ik had dit woord nog nooit gehoord. Hij zei: "Je kunt er niet rechtstreeks naar kijken. Je moet er vlak langs kijken, niet naar de ster zelf, dan wordt hij bang en verjaag je hem." Dat wist ik natuurlijk al – ieder klein kind weet dit – maar ik hield van dat nieuwe woord, dit *indirect*. Ken je dat woord?' John zag dat ze koos voor een bepaald akkoord dat ze gewoon zou blijven doorpingelen, waarbij ze per keer de positie van slechts één vinger varieerde, telkens het licht in de ruimte veranderde. 'Ik denk dat jij misschien iets aan die vaardigheid zult hebben. Je kunt bijvoorbeeld iets indirecter kijken naar je vriendin met de monsterkin.' John had allang zijn pogingen gestaakt om iets van deze avond te begrijpen en hoopte alleen dat ze zou blijven doorspelen. 'O, dwaze jongen. Waarom wil je met een van hen omgaan? Ze is er niet eens goed in. Ze heeft alles opgegeven waarvan je in het echte leven kunt genieten, en wat heeft ze ervoor teruggekregen? Heel weinig, denk ik, niet omvattend jouw treurige hart dat, ik moet het toegeven, niet zonder waarde is. Het maakt niet uit hoe ze haar geld verdient, maar wat wíl je precies met haar? Dit is geen interessant persoon met een leven vol verhalen voor zich. Je wilt zo'n type niet. In een oorlog keur ik het misschien goed, maar ik zie nu geen spatje oorlog. En dan nog, haar vaardigheden! Vreselijk! Dat is, wanneer gezegd en gezwegen, de helft van hun charme, om ze voor je te zien dansen, en voor het voetlicht te zien denken, manoeuvreren en lachen. Maar zij! Ze wilde zich niet eens verdedigen toen ik met haar speelde in jouw bijzijn; ze ontweek het en deed alsof ze me niet begreep. Waarom zou je iemand willen die zo zwak en dom is? Kijk niet als een zielig hondje. Ze ís zwak. Jij liegt in elk geval niet tegen me. Geef toe, haar lichaam, je wilt haar lichaam, hoewel ik haar heb gezien en er zijn beslist mooiere lichamen te krijgen. Lieve hemel, die kin – jullie zouden met zijn drieën in bed liggen. Wil je echt het hart van deze vrouw, John Price? Wil je dat zij het jouwe neemt en alles goed maakt? Wil je dat zij diep in je kijkt en ziet hoe wonderbaarlijk je bent? Moet zij jou nou redden? Ik denk niet dat ze dat kan. Dit is heel onwaarschijnlijk, denk ik…'

Nádja plaagde hem en lachte terwijl John, die sloom in een klapstoel hing, rookkringels uitblies en met één oog stevig dichtgeknepen met zijn

vinger door alle grillige en trillende nevelwolken prikte, probeerde te begrijpen wat Nádja zei, het onwaarschijnlijke idee dat Emily een… dat ze
had gelogen over alles wat ze ooit had gezegd vanaf de dag dat hij haar
had ontmoet… die vrouw was niet te geloven… ze benaderde de wereld
volkomen vanuit zichzelf, was in staat alles wat ze wilde, wanneer ze maar
wilde, op een ander te projecteren, ze kon alles verbergen, had niets en
niemand nodig, volledig de baas over elk aspect van zichzelf en haar omgeving. Geen wonder dat ze hem niet wilde accepteren; geen wonder
dat hij zich niet met haar kon meten. Op dat moment hield hij meer
dan ooit van Emily Oliver, maar hij vroeg zich niet af hoe hij haar zou
kunnen krijgen, omdat ze niet te krijgen was. Ze trok zich van hem terug,
buiten zijn bereik, als een rookkringel. Hij sloeg zijn armen over elkaar,
sloot zijn ogen en legde zijn voeten op de steunen van Nádja's wrakke
pianobankje.

'Spelen, opoe!' riep een stem vanaf de bar.

Toen bromde – kreunde bijna – een zanger een liedje dat John nog
nooit had gehoord:

> *You're common, you're beneath me*
> *You've nothing of value to bequeath me*
> *I've better choices for my bed*
> *Yet I can't get you out of my head.*
>
> *Your crimes no one could defend*
> *I often hope you'll meet a ghastly end*
> *Still, every night I think of better lines I might have said*
> *Because I can't get you out of my head.*
>
> *I have some sort-of friends who still insist and sing your praises*
> *They scold me and say I've misunderstood you*
> *They shake their heads at all my cool, cruel practised phrases*
> *Then look away and sigh, 'Oh, how could you?'*
>
> *But I don't bother with them anymore*
> *No friends of mine could defend such a…* (onverstaanbaar gekreun)
> *Surely I can face the future without dread,*
> *If only I could get you out of my head.*

John werd wakker geschud door de barkeeper, de enige overgeblevene in de schone, goed verlichte club, de man die verantwoordelijk was voor het afsluiten van de zaak en het uitzetten van de stereo, met zijn klanken die John zich in zijn droom als zijn eigen compositie had toegeëigend; ze liepen samen naar buiten en betraden de eerste grijze voorboden van de dageraad.

XI

Maanden later, tijdens een vlekkeloze vlucht naar huis waarbij haar maag zich niettemin omkeerde, vond Emily, toen ze op een geplastificeerde kaart van Boedapest keek, die uitgevouwen op haar klaptafeltje lag, twee mogelijke symbolen voor die dag, maanden geleden, die niet helemaal onverenigbaar waren. Een: het was 20 augustus 1990 geweest, de eerste keer sinds 1950 dat de nationale feestdag van Hongarije onder zijn juiste naam (het feest van de heilige István) was gevierd, een verklaring van onafhankelijkheid en zelfbeschikking. Twee: als je haar route van die avond, tussen vijf uur 's middags en drie uur 's nachts, naging op deze plattegrond van de stad, had ze zeven plaatsen aangedaan in de vorm van een spiraal, cirkelend om een afvoerput.

5.00 uur, de bovenste verdieping van het Vrijheidsplein. In het zeer ruime kantoor hield ze drie verschillende stropdassen bij het jasje dat de ambassadeur had uitgekozen voor de festiviteiten van die avond in het parlementsgebouw. 'Volgens mij is dit precies wat u zoekt, meneer.'

'Bedankt, Em, wat zou ik zonder jou moeten? Hoor eens, we hebben heel wat late avonden achter elkaar gehad. Waarom neem je vanavond niet vrij, ga het met vrienden vieren in plaats van met mij. Ga bij de rivier naar het vuurwerk kijken. Je hebt wel wat vrije tijd verdiend.' Een simpele blijk van grootmoedigheid van haar werkgever, hoewel ze het natuurlijk niet kon laten zich af te vragen of ze zich had beklaagd of, erger nog, ongewild uit haar gedrag had laten blijken dat ze behoefte had aan zijn vriendelijkheid.

'Dat is heel aardig van u, meneer. Ik zal het met Ed opnemen.'

'Ed is de ambassadeur niet, Emily. Neem vanavond vrij.'

'Natuurlijk, meneer. Het spijt me. Dank u.'

5.45 uur, de verantwoordelijkheden boven afgerond, activiteiten geregistreerd, één trap af, het kantoor van haar andere baas. 'Zijne Excellentie heeft gezegd dat je vanavond vrij moet nemen?' vroeg Ed terwijl hij zijn stropdas losmaakte en zich klokkend een enorme wodka-tonic inschonk ter omschakeling naar de festiviteiten van die avond in het parlement. 'Dat komt wel een beetje slecht uit, meisje. En erg frustrerend voor mijn universum, want ik had een uiterst chagrijnig kijkende Jordaniër naar wie je vanavond met je onschuldige wimpers had moeten knipperen.' Hij trok zijn kantoorgezicht weer. 'Heb je de ambassadeur gezegd dat je…'en daar komt weer een berisping. Waarschijnlijk haal ik verkeerd adem, heb ik onvoldoende ervaring, val ik uit de toon, ben kennelijk nog steeds geen Ken… maar nee, terwijl hij zijn citroenschijfje rechtstreeks in zijn mond uitkneep, praatte Ed al weer verder: 'Nou, het doet er niet toe. Neem vanavond dan maar vrij. Ik praat zelf wel met Z.E. Zo – morgen is de grote dag! Ken Oliver in levenden lijve, hè? Ik weet dat je met hem langskomt. Er zijn heel wat mensen in deze tent die graag willen kennismaken met de held.'

Twee uur later, beschaamd over haar niet meer te loochenen verlangen dat haar vader niet op bezoek zou komen, liep ze door de aangroeiende mensenmenigte en het geknetter van voetzoekers tot ze voldoende trek had om te gaan eten, en ze kwam terecht bij een tentje met zes tafeltjes vlak bij de Elizabethboulevard, voornamelijk omdat ze benieuwd was wat de rechtvaardiging was voor het bord dat boogde op een Tex-Mex-keuken. Ze at paprikás met kidneybonen en *jalapeños* uit blik, dronk Bulgaars bier en probeerde zich te concentreren op haar leeswerk van die avond, *Tactische en strategische aspecten van de overwinning van de Mujaheddin op het Rode Leger,* door kolonel Keith Finch van het Amerikaanse Oorlogsinstituut. Ze veegde gruisjes van maïschips uit het verrassend ontoegankelijke midden van het boek, bestelde een tweede biertje en begon toen maar een lijstje te maken van alle bezienswaardigheden van Boedapest die ze haar vader de komende week wilde laten zien. Ze had er drie bedacht die hij wel leuk zou vinden, toen ze zich realiseerde dat hij, hoewel hij dat nooit had gezegd, waarschijnlijk tijdens zijn ondoorzichtige loopbaan wel eens in Boedapest zou zijn geweest en de stad vermoedelijk beter kende dan zij, en dat hij alles gemakkelijk zou vinden wat zij diep in haar hart moeilijk vond.

In Gerbeaud zag ze dat de Julies al dolblij beslag hadden gelegd op een schemerig hoekje van het terras, en ze ging bij hen zitten voor de tachtigste heranalyse van Calvins mogelijkheden als Julies zielsverwant. Toen dat uitgemolken onderwerp eindelijk op sterven na dood was, zei de andere Julie tegen Emily: 'Eric van Consulaire Zaken vroeg vandaag weer naar je. Maar ik vind hem echt een griezel, dus ik heb maar gezegd dat je met John Price uitging.'

'O nee, nee. John is mij een beetje te wereldvreemd. Mijn familie zou denken dat hij van Mars kwam.' En toen praatten ze over hoe Emily meneer Oliver de komende week zou bezighouden. 'Wil hij veel, eh, agrarische dingen bekijken?' vroeg een Julie.

Verzadigd van cafeïne en taart wandelden ze naar de rivier om het vuurwerk te zien losbarsten boven het paleis. 'En ter ere van wat eigenlijk precies?' vroeg Julie, en Emily ratelde moeiteloos de geschiedenis af van de gewelddadige, zeer geliefde heilige István.

11.00 uur, A Házam. Terwijl ze troost putte uit het overdonderende kabaal bij de bar, herinnerde ze zich een flard van de verplichte leesstof van vorig jaar: *Een drukbezochte nachtclub biedt zowel het voordeel van lawaai — omdat het moeilijk is om er toevallig iets op te vangen of iemand af te luisteren — als van een goed excuus, aangezien er tal van mensen kunnen zijn die je daar met een goede reden zou willen ontmoeten.* Ze danste gewillig met een eikel van de Commerciële Afdeling, die door zijn oogbewegingen en verkeerd getimede grapjes gemakkelijk was thuis te brengen als een pseudo-prutser (daar: niet zo'n motivatie-analyse van een beginneling, graag), die haar (nu ze hem zag zweten onder de dampende spots) deed denken aan de voetballer/aankomend drummer van de juniorenploeg, die haar snel van haar meisjeslast had bevrijd in de herfst van haar tweede jaar op de universiteit van Nebraska.

Moeiteloos wees ze het aanbod van de sukkel af om een stukje te gaan wandelen, schatje, en zei dat ze zich verantwoordelijk voelde voor Julie, die gedeprimeerd was, en gebruikte dat als excuus om boven te blijven, op een bank. Ze zag dat de Calvinloze Julie aan het flirten was met een Amerikaanse hoge PR-functionaris die een sikje had, terwijl zij in haar eentje nog een uur van Julies Calvinomica kreeg te verduren. En toen, bijna om middernacht, met nog negen uur te gaan voordat haar vaders vliegtuig zou landen op de luchthaven Ferihegy, stond ze op om weg te gaan, hoewel ze opzag tegen het dreigende vooruitzicht dat de kwestie

Calvin nog eens dunnetjes zou worden overgedaan als ze thuiskwam, toen: 'Hé, daar is eindelijk de boerendochter. Je komt hier niet vaak genoeg.'

'O nee?'

'Sinds onze ontmoeting hoopte ik steeds je tegen het lijf te lopen.'

'O ja?'

'Wat drink je?'

'Waarom zou je me tegen het lijf willen lopen?'

'Omdat ik aan je bleef denken. Je roept vragen bij me op.'

'Ik? Dat is om te gillen. Ik roep nooit vragen bij iemand op.'

'Oké, kijk eens aan. Zie je, dit kan leuk worden, want ik weet wanneer je liegt. En, wat drink je?'

'Mijn vriendinnen wilden net weggaan.'

'Mooi. Wil je met ze meegaan of heb je zin om met me te praten?'

En de Julies vinden het helemaal niet erg, we zien je straks wel, en er gaat twee uur voorbij met een onverklaarbaar perfect vlottend gesprek, dat nooit de kant van werk of iets anders bedreigends opgaat. Prettiger nog dan dat er aandachtig naar haar wordt geluisterd (wat op het moment al aangenaam genoeg is na weken geklets over Ed en Calvin, en de avances van die sukkel van vanavond en zijn kornuiten) is dat ze geniet van de pittige mengeling van klachten, hartstochten, zelfkritiek, eigenliefde, eigenbelang en de plotselinge spontane complimenten voor dingen die nog nooit iemand aan Emily zijn opgevallen. Zo hoort een compliment te voelen, denkt ze, bijna met de tranen in haar ogen: volledig zonder motief.

Eén uur 's ochtends. Weg van het lawaaierige plein (nog meer knetterende zevenklappers voor de heilige István) en ineens opgeslokt door de betovering van de donkere, vervallen straatjes van Pest, zou Emily er alles voor willen doen om het gesprek gaande te houden, maar haar inspanning is overbodig: het gesprek kabbelt op eigen kracht verder. 'Maar hoe komt het dat jij bent wie je bent?' vraagt Emily, want dat wil ze het allerliefste weten, omdat ze gefascineerd is door de grillige persoonlijkheid van het meisje, die zich niets leek aan te trekken van functionele eisen, maar juist de zuiver ornamentele, vrijmoedige uiting was van wat een weldenkend mens niet anders dan egoïsme kon noemen. Maar in dit ene geval was egoïsme ineens – er was geen ander woord voor – aantrekkelijk. 'Alles aan jou is zo… ik geloof niet dat ik ooit iemand zoals jij heb gekend.'

'Nou, dat is omdat ze ons in de regel niet toelaten in Nebraska.'

'O, alsjeblieft, alsjeblieft, laten we het niet over Nebraska hebben.'

'O ja, laten we dat wel doen. We moeten het beslist over Nebraska hebben. Als Nebraska je zo'n onbehaaglijk gevoel geeft, gaan we het zeker over Nebraska hebben. Nebraska, Nebraska, Nebraska.'

'Mijn vader komt morgen op bezoek.'

'Is dat goed of slecht? Want als het om mijn vader ging, zou ik je vragen of je een pistool voor me kunt meesmokkelen uit de ambassade.'

Twee uur 's ochtends, te moe om nog rondjes te lopen. Een donker barretje van twee tafeltjes breed. Drie smalle houten treetjes op naar het opkamertje achter de gordijnen, het vertrekje verlicht door lampen met groene kapjes, de fluwelen muurbankjes de enige zitplaatsen, zodat ze naast elkaar moesten zitten, dicht tegen elkaar aan gedrukt om bij de slivovitsj te kunnen die op het bewerkte houten tafeltje stond. (*Stille, intieme eetgelegenheden kunnen het beste worden gemeden, omdat ze eenvoudig te observeren en af te luisteren zijn, en er is geen excuus voor uw aanwezigheid daar als er geen duidelijke rechtvaardiging voor de ontmoeting bestaat*).

'Wanneer wist je dat je kunstenaar was?' vroeg Emily.

'Toen ik een jaar of vier was. Ik ging huilen als mijn moeder me niet meenam naar het museum. Toen ik negen was kon ik alles natekenen wat er hing.'

'Ik zou je schilderijen graag eens zien.'

'Echt waar? Ik laat ze je met plezier zien. We zijn nu vlak bij mijn huis, dus als je wilt?' En toen pas werd Emily het zich bewust: ze zwierf uitgeput door de kleine uurtjes van de nacht, had voor het eerst sinds tijden weer eens onmiskenbaar plezier, was doodmoe, zag op tegen de komst van haar vader, was geïrriteerd over de zelfopgelegde beperkingen van haar werk, en dus had ze wel een verzetje verdiend – maar ze stopte met het bedenken van valse rechtvaardigingen. Die waren oneerlijk, berispte ze zichzelf. Beter gezegd: ze waren irrelevant, omdat ze geen enkele reden kon bedenken om deze aantrekkingskracht te weerstaan (Ze slaagde er vrijwel moeiteloos in alle risico's te negeren – voor haar werk, haar familie, haar zorgvuldig geconstrueerde publieke persoonlijkheid, zelfs voor wat ze zo lang als haar echte privé-persoonlijkheid had beschouwd).

Om drie uur 's ochtends maakt een kunstenaarsatelier een overweldigende indruk op een buitenstaander, zelfs op mensen die over het algemeen niet van kunst houden of niet van het werk van die specifieke kunstenaar: de ongewone geuren, de tastbare bewijzen van frustratie, de onverhulde aanwezigheid van weliswaar enig succes, maar daarbij ook van een massa mislukkingen, de in het oog springende opoffering van conventionele waarden (reinheid, orde, luxe) in ruil voor andere (ruimte, ventilatie, licht), het bespetterde en gescheurde, niet meer dan functionele meubilair. Het onopgemaakte, piepende eenpersoonsbed.

'Ik heb dit nog nooit gedaan', zei Emily.

'Dat weet ik. Anders had ik het wel onthouden.'

'Je weet wel wat ik bedoel.'

'Ik moet zeggen dat ik dat niet zo'n interessant verhaal vind.'

'Je mag het aan niemand vertellen.

'Goh, wat origineel, zeg.'

'Ik ben absoluut niet origineel. Waarom heb je geen hekel aan me? Geef maar geen antwoord. Het spijt me. Het is gewoon... niets voor mij.'

'Is dít niets voor jou?'

'Je weet wat ik bedoel. Ik weet niet eens hoe ik hier verzeild ben... Wat is er? Wat heb ik gezegd? Ik bedoelde niet dat je moest ophouden.'

'Doe niet zo tuttig. Je gedraagt je als een schijtlijster. Ik heb je hier niet mee naartoe gesleurd. Je bent niet dronken. Als je er geen zin in hebt, kun je nu naar huis gaan.'

'Je hebt gelijk. Het spijt me.'

'Natuurlijk heb ik gelijk. Dit is overduidelijk wel iets voor jou. Alleen heeft niemand dat ooit tegen je gezegd.'

En toen pas liet ze de herinnering toe dat dit roekeloosheid was, een misslag die, als het uitkwam, een eind aan haar loopbaan kon maken, maar daar schrok ze niet van. Waar ze van schrok, was hoe weinig het haar kon schelen, hoe graag ze haar eigen schepping en rechter wilde zijn, hoe graag ze als Nicky wilde zijn.

En tijdens die vreselijke vlucht naar huis, maanden later, toen ze met een schok op luchthaven Lincoln landde en nog steeds niet wist wat ze tegen haar vader moest zeggen, zelfs niet zeker wist of ze ontslag had genomen of gekregen, en de last van zijn hart en haar moeders dood op haar schouders voelde, vond ze nog steeds (in elk geval voorlopig, tot ze zijn gezicht zag) dat de van het communisme bevrijde heilige István een passender symbool was dan een afvoerputje.

XII

Op een nevelige ochtend, niet lang nadat Nádja hem uitleg had gegeven over de vrouw van wie hij hield, zat John in de lobby van het Forum Hotel. Hij dacht na over Emily's geheime bestaan, hij bedacht hoe hij de waarheid voor haar zou bewaken tot hij van die taak misschien iets zou hebben geleerd waardoor hij meer op haar zou gaan lijken, in haar ogen aantrekkelijker werd. Hij begreep dat dit behoorlijk pathetisch was.

'...Dat is wat de joden voor Hongarije hebben gedaan.' Imre haalde zijn schouders op en veegde zijn voorhoofd af met een zijden pochet met een paisleymotief. John bekeek zijn aantekenblok om te zien of Imres ijzige opmerkingen aan de hand van het Chinese gekrabbel daar voorzichtig in een warmere context kon worden ingebed. Omdat zijn aandacht was afgedwaald, waren hele lappen van het interview verloren gegaan, en zijn aantekenblok had niets anders te bieden dan de onleesbare hanenpoten uit een reeds lang ter ziele gegane beschaving. *Misschien citeerde hij iets. Hij gaf misschien minachtend uiting aan de mening van anderen. Misschien maakte hij een ironische opmerking. Misschien heeft Charles hem ervoor betaald iets vermakelijks te zeggen.* Deze mogelijkheden kwamen allemaal tegelijk in hem op, de een boven op de ander, tot hun verwarde massa zo groot was dat John – die terugdacht aan Imre de jonglerende straatartiest en pornograaf voor de brave, geile burgers van Bonn, en zich in herinnering bracht hoeveel geld er voor hen alle drie op het spel stond – de opmerking aan zijn eigen falende concentratie toeschreef en die als niet-serieus afdeed.

Imre depte zijn voorhoofd nog eens en draaide zijn stoel weg van het felle namiddaglicht van het panoramavenster met het uitzicht op de rivier. 'Ik heb vreselijke hoofdpijn', mompelde hij, en met zijn vochtige pochet wuifde hij naar de grote televisieschermen, die de lobby waren binnengereden zodat je voortdurend de vechthonden in de woestijn kon zien grommen en pissen. Aan de balie betwistte een Duitse toerist zijn rekening, omdat hij boos was over de extra telefoonkosten en de extra belasting voor de kabeltelevisie. Zijn zoontje begon eerst te huilen en zette het toen op een brullen. De moeder van het jongetje pakte hem vast bij zijn middel en zei luid dat hij stil moest zijn. Het kind brulde nog harder. 'Het is echt te gek', zei Imre tegen zijn beide jonge metgezellen en

hij worstelde met de knoop van zijn stropdas alsof die hem de adem benam. 'Bizar.'

'*Nein! Nein!*' schreeuwde de toerist.

'Het vooruitzicht: onzekerheid, maar in staat van paraatheid', brulde
een jonge vrouw die op het landingsdek van een vliegdekschip stond en
zich boven het gekrijs van straaljagers en het bulderende water ergens op
een geheime plek in de Middellandse Zee verstaanbaar probeerde te maken.

'*Bitte, mein Herr*', probeerde de aan de balie gekluisterde portier.

'Nee! Nee! Nee! Laat me los!' krijste het jongetje in het Duits, terwijl
zijn moeder hem tot bedaren probeerde te brengen door met haar vlakke
hand tegen zijn billen te slaan.

'Károly, zaken misschien later', mompelde Imre.

Charles stond op van de koffietafel in de lobby, liep met grote passen
naar de balie, sprak Duits tegen de toerist en Hongaars tegen de portier,
lachte naar het jongetje en had het gezin binnen twee minuten de deur
uit, waarna de portier hem hartelijk de hand drukte. Hij gaf een fooi aan
een piccolo, die het geluid van de televisie zachter zette, waarmee de vrede
de herovering van de lobby van het Forum voltooide. John zag bewondering opflakkeren op Imres gezicht en verbaasde zich erover dat er maar
zo weinig voor nodig was.

Na afloop van zijn interview en hun gezamenlijke maaltijd hield Imre
hof in de lobby van het hotel: in vijfenhalf uur stelde Charles zes potentiële investeerders die nog vragen hadden aan zijn partner voor. De investeerders – die allemaal Johns ironische en kennelijk schoorvoetend bewonderende portret van Charles in *BudapesToday* hadden gelezen –
namen om de beurt deze investeringsmogelijkheid onder de loep en
praatten over zichzelf, terwijl Imre knikte en Charles en John telkens
een blokje om gingen. Ze gingen wat drinken in de John Bull English
Pub en stonden toen een poosje voor het hotel bij de rivier, die werd beschenen door het licht van de ondergaande zon; ze hingen tegen de leuning en keken toe hoe er geluidloos zaken werden gedaan aan het tafeltje
in de lobby achter het grote panoramavenster en achter hun eigen drie
meter lange schaduw, zagen hoe Imre de zouterfgename charmeerde, indruk maakte op een fabrikant van apparatuur die de effectiviteit van spo-
renelementen mat, en met zichtbare belangstelling luisterde naar de mag-
naat in goedkope tuinproducten.

Toen deze audiënties waren afgelopen, nam John de lift naar de derde verdieping en kwam terug met zijn collega van de *Times*, die hij voorstelde aan het onderwerp van zijn volgende inzichtelijke artikel dat als een weerklank van Johns eigen column over Imre drie dagen later in de *Times* zou verschijnen en de dag daarna werd overgenomen door de *International Herald Tribune*.

'Mag ik nu alsjeblieft gaan?'

'Je mag gaan, Hebreeuwse samenspanner', zei Charles. 'Uitstekend werk, trouwens. Heldhaftig zelfs.' En terwijl Ted Winston en Imre Horváth zich achter de glazen wand over het glazen tafelblad naar elkaar toe bogen, nam John op het Corsó afscheid van Charles en kuierde door de invallende avond op zijn gemak naar een kleurloos pand met scheuren, in een verrukkelijk onaantrekkelijk straatje dat niet meer in zwang was, in de buurt van A Házam.

'Ja, je mag blijven', zei ze bij de deur toen ze hem kuste en met een pluizige, veelkleurige doek de terpentine van haar handen veegde. 'Je bent een schatje, en ik moet zelfs toegeven dat ik je de laatste tijd heb gemist. Maar morgenochtend vroeg moet je weer weg, want overmorgen begint de tentoonstelling en morgen ben ik de hele dag bezig dingen op te hangen. Geen gemopper.' Hij liep van het felle lamplicht de schaduw in, liet zich op haar bed vallen, keek toe hoe ze haar kwasten schoonmaakte en vroeg zich af of hij misschien verliefd op haar was. 'Maar kom je wel naar de tentoonstelling?' vroeg ze hem op een heel andere toon. 'Ja? Ik wil heel graag dat je er bent. Alsjeblieft?'

XIII

Zichtbaar niet op hun plaats tussen de zomer-van-'90-oogst van hippe types uit het buitenland bij de openingsavond van 'De nieuwe Amerikanen' schuifelden John en Mark langzaam door de galeriepassage van het oude filmhuis, langs kunstfoto's die op borden van golfkarton hingen, terwijl uit de stereoluidsprekers op de asbakvloer het duet van Stan Getz en Astrud Gilberto de herinnering koesterde aan een lange, gebruinde, jonge, lieftallige, onbereikbare vrouw, die in de jaren zestig over het strand in Brazilië had gelopen. De mannen sloegen wrange witte wijn uit een plastic bekertje achterover, rookten en stapten af en toe opzij, zodat de Hongaren bij het kraampje of het kaartloket van het filmhuis konden komen. (De dubbele voorstelling van die avond verkocht goed: *Battleship Potemkin* en *Battlestar Galactica* met begeleidende muziek die was gecomponeerd en live werd gespeeld door een Hongaarse rockband). De tentoongestelde foto's vormden over het algemeen een redelijk goede weergave van algemeen gangbare, moderne thema's, vergelijkbaar met wat er in New York zoal werd tentoongesteld: zwart-wit close-ups van geslachtsdelen, tatoeages, oude mensen, fabrieken. Tegen deze grimmige achtergrond sprongen de twee bijdragen van Nicky er echt uit.

Haar eerste was van heroïsch formaat, makkelijk twee meter hoog en een meter twintig breed; het prijskaartje naast het werk vroeg stilletjes om een koper die behoorlijk in zijn slappe was zat. Het complexe zelfportret was ingelijst in glanzend zwart plastic. Nicky zelf poseerde levensgroot als een bepaald soort kunstgeschiedenisdocent: een tweedjasje met leren elleboogstukken over een zwarte coltrui met ribbeltjes, een corduroybroek, mocassins. Ze had een dikke bruine snor, een ovale bril, donkere, rebelse wenkbrauwen, en haar eigen kale schedel. Er lag een pedante uitdrukking op haar gezicht. Zich niet bewust van de fotograaf stond ze in wat een museumzaal leek. Ze was midden in een college en wees met een stok op een groot schilderij in een erg barokke lijst, dat links van haar hing aan een wand met een lambrisering van donker hout. Dit schilderij (Holbein? Dou? Teniers?), waarover ze kennelijk uitleg gaf aan onzichtbare studenten, was een portret van een zeventiende-eeuwse hoveling: een jongeman die schoenen met gespen droeg, een donkere pofbroek, een jak met splitten en pofmouwen, een riem met een met edelstenen bezette dolk, een wambuis, een plooikraag, een puntige baard en een smal snorretje. Hij, op zijn beurt, stond met één been naar buiten gedraaid, stijfjes, in de stijl van die tijd. Het donkere craquelé dat bij de ouderdom van het schilderij hoorde, was het meest zichtbaar op zijn gezicht, kraag en handen. In tegenstelling tot de hoogleraar die hem beschreef, keek hij de toeschouwer recht aan. Met zijn linkerhand maakte hij een beeldend, gestileerd gebaar van oprechtheid, zijn vingers rustten op zijn hart, en met zijn rechterhand en een uitdrukking van zelfingenomen trots dat hij zoiets waardevols bezat, nodigde hij de toeschouwer uit om te genieten van een ander ingelijst kunstwerk, en dit derde object stond rechts

van hem op een rijk bewerkte schildersezel. Dit doekje – op even grote afstand van de hoogleraar en de hoveling – had een lijst van donker hout,
die tegenwicht bood aan de vergulde lijst waarin de hoveling zelf was ge-
vat, en het glanzend zwarte plastic dat het geheel omlijstte. Dit tweede
schilderij – het schilderij binnen het schilderij binnen de foto – was in feite duidelijk een foto, en ongegeneerd, vreugdeloos pornografisch: een
stel, dat van voren was gefotografeerd, was bezig met allerlei vormen
van anaal-ruggelings contact; de man zat geknield achter de vrouw, die
op handen en knieën zat. Ze keken allebei naar de camera en de toeschouwer, alsof ze gehoorzaamden aan hun zeventiende-eeuwse eigenaar. De
man was met open mond, halfgesloten ogen en een schuin hoofd aan
het neuken, met een geëxalteerde uitdrukking van extatische verlichting
op zijn gezicht; de vrouw keek uitdrukkingsloos, met anti-gekittelde verveling. Haar lange rode haar, dat een scherpe scheiding in het midden
had, omlijstte de armen waarop ze steunde die, op hun beurt, haar blote
borsten omlijstten. De man die met haar copuleerde – zijn bovenarmen
en bovenlichaam achter en boven haar heupen, zijn benen slechts zichtbaar tot de knie achter en tussen haar ondersteunende dijen, zijn handen
op de plaatsen waar haar billen overgingen in haar verkorte rug – had
een diabolisch baardje en een snor, die identiek waren aan die van de
trotse zeventiende-eeuwse 'eigenaar' van de foto, maar hij had ook een
weelderige bos geföhnd blond haar. Onder een speelgoeddiadeem.

Door deze foto binnen het geheel – zo in tegenstrijd met de verwachte
retrograde voortgang (van hoogleraar naar hoveling naar een nog ouder
portret) – kreeg het werk meestal meer aandacht dan een blik in het voorbijgaan. Terwijl Mark het opgetogen bekeek, realiseerde hij zich dat de
zeventiende-eeuwse geschilderde hoveling net als de twintigste-eeuwse
gefotografeerde hoogleraar in feite Nicky was. Mark begreep dit als eerste, maar op hetzelfde moment dat hij vroeg: 'Is dat ook niet die vriendin
van je?' zei John: 'O man, dat is Nicky, ik kan het niet geloven', alleen wees
John op de mistroostige roodharige vrouw die van achteren werd geneukt.

'Tjonge', zei Mark.

'Hallo, knappe vent van me', zei haar stem achter hem, en haar hand
gleed Johns kontzak in en gaf hem een kneepje. Ze kuste hem lang op
de mond. 'Vinden jullie het goed?' vroeg ze met haar gretige, niet-ironische zucht naar complimenten, ietwat manisch versterkt door het evene-

ment-achtige van haar vernissage. Johns hand gleed over haar schedel, en ze keek beide mannen gespannen aan, zonder met haar ogen te knipperen, haar grote, ronde zwarte ogen openlijk hopend op liefde.

'Zeker. Natuurlijk', zei John. 'Dat kan toch niet anders.'

'Je bent hoogst origineel', zei Mark. 'Ik vind het prachtig.'

'O, Johnny, wat een schatje, die vriend van je! Dank je! Het is natuurlijk pas helemaal rond als het verkocht is. Wil het helemaal af zijn, dan moet je je nog een vierde persoon voorstellen: een trotse eigenaar die hier staat, zo, en er voor zijn vrienden met dezelfde trots op wijst als die zeventiende-eeuwer.'

'Ja, geweldig, geweldig', zei John. 'Maar, o ja, zeg, wie is dit?' Hij wees op de extatische man met het diadeem, die lekker tegen zijn vriendin met de rode pruik zat aan gedrukt.

De kunstenares sloeg haar arm om Johns middel en lachte samenzweerderig naar Mark, die duidelijk weg van haar was. 'Moet je dat preutse ventje eens horen', zei ze zangerig tegen de Canadees. 'Ik weet toevallig dat hij naar bed gaat met mij én met Karen, de kantoorbimbo, maar hij is jaloers op een schilderij.'

Door die opmerking bleef John een paar passen achter in het gesprek. 'Het is een foto', zei hij, bij gebrek aan betere opties.

'Kijk eens goed. Denk die baard en dat kapsel weg en het is…'

'O, hé, jij bent het, hè?' Mark klapte in zijn handen.

'In elk geval het hoofd.'

'En het lichaam?' vroeg John, niet-overtuigend nonchalant.

'Heren!' zei ze op docerende toon. 'Kijk eens goed! Gebruik je onderscheidingsvermogen.' Ze wees op de borstkas van de dekhengst: 'Let op de geometrisch gelijkzijdige driehoek borsthaar.' Ze wees op de twee handen, die net zichtbaar waren boven de welving van haar heup: 'Let op de smalle, bijna journalistieke vingers die mijn kont vasthouden.'

'O', zei John.

'Ja, mijn lief.' En met haar tanden trok ze aan Johns oorlelletje.

'Het zijn erg smalle vingers', beaamde Mark.

Ze vertelde Mark blijmoedig over 'het aangename bezoek' van John, een paar weken geleden. Ze had dat ene deel van het kunstwerk nog niet klaar, en tot haar blijvende frustratie kon ze het niet vullen met haar eigen gestalte. Maar ze wilde dat het gebeuren er natuurlijk zou uitzien, zodat ze met een timer wat foto's had genomen en vervolgens nieuwe hoofden op beide lichamen had gemonteerd. ('Zo erg verveelde ik me nou ook weer niet'.) John liet een handjevol emoties de revue passeren: hij kon niet kwaad worden (het was in feite zijn gezicht niet); hij kon zich niet gecomplimenteerd voelen (het was in feite zijn gezicht niet); hij kon zich niet gegeneerd voelen (et cetera); natuurlijk zag hij er de humor van in, het artistieke statement, en wat al niet.

'Ik heb veel over je gehoord van onze gemeenschappelijke vriend', zei ze tegen Mark, terwijl ze een arm om hun middel sloeg. 'Jij bent de koning van de nostalgie, is het niet?'

Nicky loodste hen langs foto's van anderen (waarbij ze mompelend uiting gaf aan haar heimelijke minachting), tot ze hen liet stilstaan bij haar tweede inzending voor de tentoonstelling. Deze, vrij klein, toonde duidelijk de kenmerken van een fotocollage. Een vrouw met een zonnejurk en strohoed leunde achterover in een wit houten prieel, en koesterde zich in de zon en de schaduw van een groene, volmaakte Engelse tuin. Zij en het prieel waren beslist uit een of andere catalogus geknipt, een kledingzaak die goede zaken deed met de immer levensvatbare droom van een Engels landhuis. Ze rekte zich loom en uitgebreid uit op het met kussens bedckte bankje van het prieel en keek door het latwerk van de prachtig bewerkte wanden uit op het park en de tuin. Haar gelaatsuitdrukking liet zich interpreteren als commercieel aantrekkelijke verveeldheid. Ze bekeek twee schurftige straathonden, die op een meter afstand bezield aan het copuleren waren. De bovenste hond was bijna dubbel gebogen en een van zijn achterpoten was in zijn gretigheid van de grond gekomen. Zijn ogen waren naar boven gedraaid (waar ze zich verlangend leken te richten op de vruchten van een appelboom die zich over het rode, kegelvormige dak van het prieel kromde. Zijn zwarte, kwijlerige lippen waren hitsig, ongelijkmatig opgetrokken, zodat je wit-gelige snijtanden, schuimend speeksel en roze met zwart gevlekt tandvlees zag. Het teefje keek echter net zo verveeld als Nicky met haar rode pruik, en leek oogcontact te maken met de Britse dame in het tuinhuisje. Je kreeg het onweerstaanbare gevoel dat de twee vrouwen een moment van sympathie en gemeenzaamheid beleefden. Voor dit werkje had Nicky een bewerkte, vergulde houten lijst gekozen, die geschikt zou zijn voor een gewaardeerde oude meester in een museum. Ze had hem gekocht in een antiekzaak in Boedapest en had het schilderij dat erin had gezeten versneden tot stukken collagemateriaal.

'Ik vind je werk prachtig, ik vind je werk prachtig', zei Mark een paar keer, en hij werd beloond met Nicky's toenemende blijdschap.

'Ik was foto's aan het maken van het terugtrekken van de Russische troepen. Die gaan nu weg, weet je, en dragen die smerige bases over waar ze veertig jaar gezeten hebben. Die Russische jongens waren aan het fluiten en joelen toen ik foto's van ze nam, en ik dacht dat het voor mij was, maar toen wees een van die Russen achter me en toen ik me omdraaide zag ik dat stel honden tekeergaan. Ik was gewoon helemaal weg van die twee die lekker aan het neuken waren terwijl die treurige parade van oude tanks voorbijtrok.'

Ze excuseerde zich om andere mensen te begroeten – concurrerende kunstenaars, potentiële kopers die voor haar werken bleven staan, vrienden die John niet kende en die niet aan hem werden voorgesteld, een hele gemeenschap en een leven waar hij niets vanaf wist en waarvan hij was buitengesloten door haar steeds uitgebreidere huisregels. Ze voorzag haar werk kwistig van commentaar met obscure verwijzingen en uitdagende, fantasierijke godslasteringen voor wat semi-begrijpende Hongaarse kunstcritici, en nam toen afscheid van de organisatoren van het evenement. Ze richtte zich tot de mannen: 'Kom op, we gaan ons bedrinken en neuken, jongens.' Haar hand schoof Johns heupzak weer binnen en al liefkozend loodste ze hem naar de uitgang van het filmhuis, terwijl Mark hen op de voet volgde. Ze koersten over de Bajcsy-Zsilinszkyboulevard, langs het Cubaanse staatsrestaurant waar je zwarte bonen en rijst bij de goulash kreeg, langs de nieuwe disco's die met een flagrante schending van internationale handelsmerken naar trendy Amerikaanse kledingmerken waren genoemd, en ze streken neer aan een terrastafeltje van een café-bar. John bestelde zes Unicums.

Toen hij zijn tweede bijna op had, begon hij zich weer te ontspannen. Nicky reageerde met zusterlijke tederheid op Marks herhaalde complimenten, dezelfde vrouw die minuten geleden nieuwe godslasteringen moest verzinnen om uiting te geven aan haar gedachten, en John voelde een grote genegenheid voor haar. Het voelde anders in Nicky's handen te zijn dan je toe te vertrouwen aan die van Nádja, maar het waren goede handen, betrouwbare gidsen, die levensechte opwinding verschaften. 'Ik begrijp waarom je me niet in de buurt wilde hebben bij je laatste voorbereidingen', zei hij. 'Ik had kunnen protesteren tegen het ongeoorloofde gebruik van mijn beeltenis.'

'O, maak je maar geen zorgen over je dierbare privacy. Niemand zal ooit weten dat jij het bent.' Nicky gebaarde dat ze nog drie drankjes wilden, en ineens begeerde hij haar met een rammelende honger, zo snel als mogelijk was, zo lang als ze hem wilde hebben.

'Je zou je vereerd moeten voelen,' zei Mark, 'dat je model hebt gestaan voor grootse kunst. Ik zou die kunst met bakken tegelijk kopen. Hoe meer ze maakte, hoe meer ik zou kopen. Ik zou hartstikke modern zijn.'

'Mark, de eerste keer dat ik met John naar bed ging, piepte hij. Letterlijk. Als een muis. Ik dacht dat hij een grapje maakte. Ik heb nog nooit een man laten piepen, voorzover ik me kan herinneren.' Die opmerking ontlokte enorme bilaterale vrolijkheid.

'Misschien piepte het bed wel. Ik weet zeker dat ik niet echt heb gepiept. Waarschijnlijk kreunde ik, weet je.'

'Je piepte, Johnny.'

'Pieper', gniffelde Mark, hoofdschuddend. 'Pieper.'

John ging naar binnen, naar de wc.

'Hou je van hem?' vroeg Mark kinderlijk onbeschroomd, toen John naar binnen ging.

'Niet bepaald mijn type levensgezel.' Ze zweeg en nam een slokje. 'Iets te sentimenteel. We hebben gewoon plezier samen. Wil je het echt weten? Ik geloof dat mijn hart ergens anders is. De laatste tijd. Geloof ik.' Ze lachte en rolde met haar ogen. 'Mijn god, dit is geloof ik het saaiste dat ik ooit heb gezegd. En jij? Hou jij van hem? Oké, laat maar zitten. Dit gesprek is zo stompzinnig dat ik zo nog in slaap val – wij met onze geheimpjes. Maar vertel eens: hoe wordt een leuke jonge Canadees de koning van de nostalgie?'

'Wat deden jouw ouders toen ze je voor het eerst op roken betrapten?'

'Dat weet ik niet meer precies. Huisarrest. Foto's van aangetaste longen. Hoe kon ik toch zo dom zijn, enzovoort.'

'Precies', zei Mark. 'Mijn ouders gaven me een sigarettenpijpje. Van ivoor en ebbenhout. Antiek. Toen ik veertien was, rookte ik elke avond mét mijn ouders, en ik droeg een roodfluwelen smokingjasje, slobkousen en een monocle. Dat soort mensen waren ze. Zij hebben me ermee opgezadeld.'

Er kwam nog een blad vol Unicum, aangeboden door een ongeduldige John, die op weg naar het toilet langs de bar was gekomen. 'Dat lieg je zeker, hè?' zei ze. Toen John terugkwam, lachten ze zo hard dat Nicky de tranen over de wangen stroomden en Mark vreselijk moest hoesten.

'Maar als je het echt wilt weten, zal ik het je vertellen. Het korte antwoord is dat ik niet weet hoe het is begonnen. Ik zou er graag iemand de schuld van willen geven, maar eigenlijk ligt het gewoon aan mij. Ik weet nog wel wanneer het me voor het eerst opviel. Wil je het echt horen? Maar het is meelijwekkend.'

'Meelijwekkend', zei Nicky. 'Kom maar op.' John, die niet wist over welk onderwerp het ging, wist dat ze onzin verzamelde om haar uitgehongerde, watertandende muze te voeren, en hield van haar omdat ze mensen zo openlijk gebruikte, ook hem.

'Ik herinner me nog heel goed dat ik, toen ik een jaar of vier, vijf was, in onze huiskamer paardjereed op mijn vaders rug. Hij kroop op handen en knieën. Dat deden we elke avond als hij uit zijn werk thuiskwam. En op een avond zei hij, heel vriendelijk, als een terzijde, lachend en heel aardig: "Tjonge! Wat word je al groot. Binnenkort ben je te groot om dit nog te kunnen doen!" Dat was alles. Ik kon het gewoon niet geloven: er zou een tijd komen – snel al – dat het afgelopen zou zijn met het paardjerijden dat we elke avond deden, dat het alleen nog een mooie herinnering aan betere tijden zou zijn. En toen wist ik gewoon: alles wat goed is sterft. Het is nog maar amper begonnen, of het is al voorbij. Een natuurwet.'

'Wat zielig.'

'Ik had je gewaarschuwd, maar oké, dit is een beter verhaal. Van toen ik zeker wist dat ik anders was dan de rest van de wereld.'

'Nee, alsjeblieft,' protesteerde John, 'niet nog een gevoelige jonge homo die uit zijn cocon komt.'

'Nee', zei Mark instemmend. 'God nee, niet dat. Dat stelt niets voor. Dit was veel belangrijker. Herinner je je de affiches van Maurin Quina uit de jaren dertig? Nee, dat zal wel niet. Het waren reclameaffiches voor dit Franse aperitief. Ik geloof dat het drankje al tientallen jaren niet meer bestaat, maar de affiches waren min of meer legendarisch. Maar goed, waar het om gaat is dat ik dat affiche voor het eerst zag toen ik elf of twaalf was, en dat ik er verliefd op werd. Halsoverkop. Ik zat te bladeren in een boek met oude affiches, en deze sloeg in als een bom. Op dat affiche staat een groene duivel, en hij worstelt met een kurkentrekker om een fles Maurin Quina te openen. Hij is helemaal groen, op een lange, dunne rode mond na en knalrode ogen. Hij heeft woest groen haar dat alle kanten op staat, en een groene staart met een uiteinde als een schepje. En hij grijnst en huppelt een beetje en zweeft door de lucht terwijl hij die fles probeert te openen. En dan zie je zijn voeten: hij lijkt groene balletschoentjes te dragen. Je moet toegeven: dat is niets voor een duivel. Dan valt je op dat hij nogal corpulent is. En dan besef je dat het geen echte duivel is. Dit is een tekening van een dikke vent die zich als duivel heeft verkleed, waarschijnlijk voor een gekostumeerd feest of iets dergelijks, en nu probeert hij voor het feest de Maurin Quina open te maken. Ik was dol op dat affiche. Ik kon er soms niet van slapen, zo weg was ik ervan. Ik moet er nog steeds op letten dat ik niet vlak voor het slapengaan naar een reproductie kijk. Het was een tekening van een goede tijd, toen je gekostumeerde feesten had en mensen zich uitsloofden om zich als een bizarre groene duivel te verkleden, een tijd waarin mensen veel plezier hadden. Ja, oké, het draaide er in het leven eigenlijk alleen om dat je dronken werd en iemand het bed in probeerde te krijgen, maar doordat ze er zoveel moeite voor deden, leek het belangrijker, mondainer. Ik weet dat dit allemaal niet meer bestaat, dat al het goede eigenlijk in het verleden ligt. Maar toen ik twaalf was, koesterde ik nog de hoop dat ik die goede tijden misschien zou meemaken. Oké, 1975, het wordt Halloween. In het geheim ben ik ijverig aan het werk. Mijn ouders vragen me: "Hoe ga je je verkleden?", maar ik hou het geheim. Ik verzamel de spullen die ik nodig heb, ik schilder en naai veel, verf stoffen enzovoort, ja? Dus, oké, ik begin de avond op een kinderpartijtje. Ik ga daar naar de badkamer boven en ik ben echt een halfuur of zo bezig om mijn haar groen te maken en alles voor elkaar te krijgen. Ik doe het perfect. Groene balletschoenen. Een buikje had ik al. Ik heb een kurkentrekker en een colaflesje dat ik heb beschilderd als de oude Maurin. Ik zweef en huppel naar beneden, en geen mens heeft ook maar een flauw idee wat ik ben. "O, kijk, Marky Payton is een klein monster!" zegt een moeder. "Mamma, Mark is griezellig!" zegt een klein meisje, en ze begint te huilen. Ik probeer het ze uit te leggen: "Ik ben niet griezelig, ik ben een en al plezier, fantastische feestjes, te gekke oude reclame." Geen reactie. "Hé, kijk! Conrad Davis is een coureur! Jean MacKenzie is een astronaut!" Ik bleef maar denken: een astronaut? Zijn ze nou helemaal gek? Maar ik bedacht dat het hoofdzakelijk kinderen waren. Ik ga vanavond naar huis, naar mijn ouders, en ze hebben een etentje, en dan maak ik een groot entree...'

'En iedereen zal zeggen: "Kijk, dat is de dikke groene duivel van die prachtige affiches van vijftig jaar geleden"?'

'Eh, ja', gaf Mark toe. 'Ik was twaalf. Ik werd thuis afgezet en terwijl ik
naar het huis liep, dacht ik: er zit een mondain gezelschap, schitterend gekostumeerde, knappe mensen die champagne uit hoge glazen drinken.
Ik weet niet precies waarom ik dat dacht; mijn ouders waren nogal saai,
erg conventionele, kleinsteedse, burgerlijke mensen zoals je die in Toronto hebt. Hoe dan ook, ik zag een tafel met daaromheen mensen in slechte
pakken en bloemetjesjurken, die vroegen: "Als wat ben jij verkleed, lieverd? Welke affiche is dat, schat? Malcolm (mijn vader), Malcolm, afgaand op zijn obsessie is die jongen van jou een alcoholist in de dop, haha-
hahaha." En zo ging het maar door. Mijn moeder vroeg me hoe de
andere kinderen zich hadden verkleed, en ik zei: "Als afschuwelijke, moderne dingen. In een ruimtevaartpak, of zoiets." "Echt waar?" zei ze. "Als
astronaut! Wat spannend!" Ik walgde zo van ze. En toen wist ik het. Ik
wist dat er iets mis was met me, of dat er iets mis was met alle anderen.'
Mark dronk een glas leeg en lachte in een reflex, genoeg om de andere
twee weer op hun gemak te stellen, en hij zag dat John Nicky's hand vasthield.

Maar dat was aan Nicky niet besteed; ze had aan de overkant van de
straat iets gezien en zat heel stil, kneep alleen haar ogen iets samen en
volgde iets op zo'n dertig meter afstand, met zojuist ontstane woede op
haar gezicht. 'Wacht even.' Ze schoof haar stoel naar achteren, rende de
boulevard over naar het trottoir aan de overkant en stak haar hand op
om het verkeer tegen te houden.

'Ik moet je zeggen dat ik helemaal weg van haar ben. Ik ben zelfs compleet verliefd op haar. Echt, John.' Mark zuchtte en wreef in zijn ogen.
'Ik denk dat je juist voor haar moet kiezen.'

'Verliefd op wie?' vroeg John, die afgeleid was. Tussen het drukke verkeer en de geparkeerde auto's door zag hij Nicky af en toe, die op het trottoir aan de overkant voor een winkel stond met een kapot neonbord dat
haperend en knipperend in groen een woord vertoonde dat zelfs onlees-
baar zou zijn geweest als hij Hongaars had gekend. Nicky stond opgewonden te praten en te gebaren tegen een jong stel. Na een paar tellen
gaf ze de man een harde duw; hij stapte achteruit met een gezicht dat verrassing, woede en enige geamuseerdheid uitdrukte. Het meisje naast
hem gilde iets wat John niet helemaal kon verstaan, toen greep ze de re-
vers van Nicky's jasje vast en gaf de kunstenares een harde klap in het gezicht.

'Hallo zeg', fluisterde John, en Mark ging meteen rechtop zitten. 'Wat krijgen we nou?'

Nicky verstijfde even door de klap, maar toen gaf ze het meisje een stomp in haar maag, waardoor ze dubbel klapte, zodat het vanaf de plek waar John zat net leek of Nicky haar tegenstandster had laten leeglopen door aan een stop bij haar navel te trekken. Nicky spuugde naar de verbijsterde man, die een hand op de rug van zijn metgezel had gelegd, toen draaide ze zich om en stak langzaam de straat over, terwijl er weer een vuurwerk van fantasierijke godslasteringen uit haar mond opbruiste. Staande riep ze de serveerster en bestelde nog drie Unicums. Toen ze ging zitten kneep ze in Marks wang en in Johns kruis. 'Sorry van daarnet, jongens. Ouwe koek.'

'Wie was dat?' vroeg John.

'Zoals ik net geloof ik al zei: ouwe koek, goed?' De wang aan Johns kant vertoonde een heel duidelijke afdruk van vier witte vingers, als van een spookbewonderaar die zich verbaasde over de zachtheid van haar huid, en ze dronk haar deel van het volgende dienblad snel op. 'Het is niet goed om te zwelgen in het verleden, vind je wel, Marcus?'

Mark knipperde hevig met zijn ogen om de zomerse wazigheid te verdrijven en het nachtelijke uitdrogen van zijn contactlenzen te verhelpen. 'Mag ik je interviewen voor mijn volgende onderzoek? Jij bent mijn nieuwe held.'

'Dat zal niet gaan', zei ze, en ze stond op en trok John aan de hand mee. 'Want na een vechtpartij, Mark, wil ik geneukt worden. Johnny hier moet dus met me mee naar huis. Ik zou je wel willen vragen om mee te gaan, maar ik heb vanavond niets aan een afvallige hetero.' Ze begon forinten op tafel te leggen, maar Mark protesteerde en zei tegen haar dat hij ook de grootste van haar twee foto's wilde kopen, dat hij morgen contact zou opnemen met de organisatoren van de tentoonstelling om het te regelen. Ze sprong letterlijk twee keer op en neer en klapte in haar handen. Ze gaf hem een kus op zijn voorhoofd, zichtbaar ontroerd, streelde zijn wang en keek alsof ze in tranen zou kunnen uitbarsten. Ze bedankte hem telkens weer, pakte haar vriendje toen bij de hand en liep met hem richting Andrássy út.

Toen ze zwijgend naar zijn huis liepen, waar geen verborgen camera's op hem wachtten, begreep John voor het eerst dat Mark van rijke afkomst was, mogelijk van heel rijke afkomst. Al maanden had de Canadees vele rondjes voor iedereen betaald en vele maaltijden, hij had John elke week cadeautjes gegeven, en nu was hij van plan een kunstwerk te kopen met een prijskaartje van negen keer Johns maandsalaris, ook al had Mark als wetenschapper geen duidelijke middelen van bestaan. 'Dat is ontzettend triest', mompelde John, waarmee hij bedoelde dat hij dit niet had geweten terwijl Mark waarschijnlijk zijn beste vriend was in de stad, maar in het veranderlijke, emotioneel onbestendige landschap dat drank – en vooral Unicum – kan creëren, was John al snel over die heuvel van droefenis heen en in een nieuw land aangekomen, een groene, aangename vallei, waarin hij blij was zo'n interessant leven te leiden, blij dat zijn vriend kunst kocht waarvoor hij model had gestaan, blij Nicky te volgen, die kennelijk over een geheim beschikte om een vol en rijk leven te leiden, blij dat hij zo duidelijk los van Emily was, vreselijk verdrietig niet Emily's vriendje te zijn, hoewel hij besefte dat hij na een misleide strijd weer terug was op het punt dat hij haar nauwelijks kende, en hij vroeg zich af hoe het voor haar moest voelen om volledig in geheimenis te leven, alleen haar eigen beste oordeel te volgen, maar toen was hij weer heel blij dat hij tegen deze bakstenen muur werd gedrukt en deze zachte, knabbelende mond voelde die zich tegen de zijne drukte, de smaak van sigaretten en drank op zijn lippen, en toen het gevoel van haar schedel tegen zijn gezicht en haar gezicht tegen zijn hals.

'Weet je wat ik zo leuk aan je vind, jochie?' Ze likte zijn oor. 'Jou ontgaat van alles. Jij glijdt overal gewoon doorheen, volkomen vredig.'

Een eenzaam drankje of twee later verliet Mark het terrastafeltje, keerde meteen terug naar de galerie en zegde plechtig toe de foto te kopen van het vrijende stel, dat juist op dat moment aan het vrijen was (nadat Nicky een cadeautje uit haar rugzak had gepakt: een vel met contactafdrukken waarop zijn gedraaide lichaam nog steeds zijn eigen hoofd droeg, een hoofd dat op twaalf foto's een klein scala van beurtelings runder- en vosachtige uitdrukkingen vertoonde, die hun eigenaar een paar minuten later slechts vergeefs kon proberen te vergeten, ook al wist hij dat hij ze voortdurend voor zich zag.)

Toen Mark zijn transactie bij de galerie-filmhuis-disco had afgerond (er stond nu in twee talen een kaartje bij: VERKOCHT), ging hij door de nacht op weg naar de lobby van het Forum Hotel, waar gemakkelijke stoelen en grote glazen tafels op hem wachtten, die een goede voedingsbodem vormden voor een tuin van schaaltjes waarin zoute pinda's ontluikten, waar westers-beleefde obers met een zwart vest hem cola in flesjes zouden brengen en waar, dat was het allerbeste, CNN met het laatste nieuws over de crisis in de Perzische Golf zou komen, en waar hij tot het ochtend werd kon zitten kijken hoe het verslag over de naderende oorlog zich ontwikkelde en hij eindelijk eens een keer nergens aan hoefde te denken. Hij snakte er zo naar, dat hij een of twee keer een sukkeldrafje inzette, wat snel uitliep op de hijgende zelfspot van iemand die duidelijk uit vorm was en het heerlijke besef dat hij helemaal niet hoefde te rennen omdat het vierentwintig uur per dag werd uitgezonden, het aller- allerlaatste nieuws op elk uur.

XIV

Het grootste deel van augustus 1990, voor het eerst sinds hij zich groen had geschminkt en zich had afgevraagd waarom zijn Canadese wereld hem niet begreep en niet van hem hield, vond Mark dat hij in het heden leefde, en daar was hij buitensporig trots op. Tot drie weken geleden had hij nog nooit van CNN gehoord, maar nu was hij er niet alleen helemaal verzot op, maar hij was er ook verzot op dat hij er verzot op was, dat hij oprecht genoot van iets wat zo ontzettend modern was. Deze bevlieging toonde aan dat het wel goed zou komen met hem; het leidde hem af van zijn angsten, die steeds talrijker werden. Hij prentte zich snel de namen van de Amerikaanse generaals en defensieambtenaren in, alle stellige woordvoerders van de nieuwszender, en de titels en de relevante invloed van de verschillende vertegenwoordigers van de coalitie. In zijn woning hing hij een meterbrede kaart van het Midden-Oosten op en versierde die dagelijks – na raadpleging van de nieuwste *International Herald Tribune* voor de juiste coördinaten – met papieren figuurtjes waar hij de hele ochtend aan had gewerkt: bootjes voor de vloot van de coalitie, tankjes voor de artillerie en de pantsereenheden, helmpjes voor de infanterie, vlaggetjes van de snel in aantal toenemende strijdende partijen, en rode, gebogen, van datum voorziene pijlen om de troepenbewegingen aan te geven.

Nieuws, en zo letterlijk *nieuw*: een oorlog op tv met rechtstreekse, doorlopende verslaggeving. Wat kon er nu moderner zijn dan de hele tijd naar het nieuws te kijken, naar de berichtgeving over gebeurtenissen die zich overal ter wereld afspeelden; die moest er vroeger dagen, weken of maanden over hebben gedaan om je te bereiken. Hij leefde met heel zijn hart in de jaren negentig – van de twíntigste eeuw. Een vreugdevolle verwachting zoals hij nooit eerder had gevoeld: wanneer op het halve uur de hoofdpunten weer voorbijkwamen, zouden het dan slechts herhalingen zijn van de hoofdpunten die hij net om drie uur had gehoord of zou er intussen iets nieuws zijn gebeurd? De complete wereldgeschiedenis voltrok zich voor zijn ogen, elk halfuur, een tussenpoos die aangenaam genoeg was om van Mark een olympische toeschouwer te maken, lui onderuit hangend op zijn wolk terwijl gehoornde, ruig behaarde saters hem met hun vingers lekkernijen toestopten uit gouden bokalen en van zilveren presenteerbladen.

Drie weken lang gaf zijn wankele geluksgevoel hem het strijdlustige, koortsachtige zelfvertrouwen om zijn onderzoek met een schijn van persoonlijke afstandelijkheid en evenwichtigheid voort te zetten, want het hoogtepunt van zijn dag – waarnaar hij verlangde in bibliotheken, antiekzaken of achter zijn bureau – bevond zich ontegenzeggelijk in de tegenwoordige tijd, waarin het Forum Hotel bij wijze van welkomstgroet zijn moederlijke armen voor hem zou spreiden en hij kon zien wat voor capriolen de stervelingen maakten.

Tot zijn avond met John en Nicky toen hij zich, drie uur nadat ze hem alleen aan het tafeltje hadden achtergelaten, precies realiseerde waarom hij zo blij was met CNN: het deed hem denken aan oude journaalbeelden. Hij had net vier herhalingen bekeken van Amerikaanse soldaten die voorbij marcheerden met het baritonale commentaar van een verslaggever. Vier keer, en elk halfuur keek die ene geschifte soldaat recht in de camera en zei met geluidloze lippen: *hallo, mam!* En elke keer als de troepen langs de camera liepen, leken ze steeds minder eigentijds, steeds meer een toekomstig historisch document of een boeketje toekomstige persoonlijke herinneringen – *toen ik in het leger zat, ben ik op* CNN *geweest, mijn zoon groette me op* CNN, *mijn overleden zoon, mijn zoon die is gesneuveld in de woestijnoorlog, mijn maatje zei: 'Hallo, mam' op* CNN, *ik weet nog dat onze sergeant ons op onze donder gaf omdat een of andere grapjas die ik niet eens kende 'Hallo, mam' had gezegd toen* CNN *ons filmde, op alles voorbereid, je vader was een soldaat, hier is een videoband van hem, je grootvader zat in het leger en heeft in de eerste woestijnoorlog gevochten, de beelden kun je op de computermonitor bekijken, wat een rare film, mam, waar-*

om zien de soldaten er zo uit? En bij de vijfde keer dat ze aan een inspecterende Mark waren voorbijgetrokken, hechtte zich een fijn sepiakleurig laagje aan deze jonge mannen, aan de journaalbeelden waarin marcherende soldaten er weer opuit werden gestuurd om de wereld te redden; het had net zo goed in schokkerig, versneld zwart-wit kunnen zijn, en door deze ontdekking geschrokken stond Mark op van het tafeltje in de lobby, waar hij om 3:37 uur in de ochtend was terwijl hij een handje pinda's in zijn mond schepte en de lauwwarme cola zo uit het flesje dronk (en uit die glazen speen smaakte het net zo als in de tennisclub in Toronto, waar hij eens per week – van zijn zesde tot zijn negende – naar het slechte tennis van zijn vader had zitten kijken), en hij besefte diep ellendig dat hij bedrogen was. Mensen beseften nooit dat ze ouderwets waren; iedereen dacht altijd dat hij supermodern was: gammele T-Fords waren niet gammel toen ze werden uitgevonden, krakerige radio's werden pas krakerig toen er tv kwam, en stomme films waren geen zwakke voorlopers van de geluidsfilm tot er geluidsfilm was. Je tweedelige telefoontoestel, dat vereiste dat je een cilinder tegen je oor hield terwijl je in de muur stond te gillen, en waarvoor de speciale tussenkomst van een gekwelde, met verbindingsstekkertjes goochelende telefoniste nodig was, was het summum van technologie. Weten dat het een stuk minder was, zou net zoiets zijn als erkennen dat je zou gaan sterven en dat het leven vluchtig was en dat je al half op weg was om een herinnering of erger te worden. De ware en ergste tragedie van Oost-Europeanen in de twintigste eeuw: ze hadden geweten dat ze ouderwets waren voordat ze er iets aan konden doen. Hun politiek, hun cultuur, hun technologie en hun leven waren achterhaald, wat geen probleem was zolang ze het niet wisten, maar ze wisten het wel. Ze wisten dat het leven sneller, welgedaner, rijker én in kleur was, iets voorbij die wrede Muur, vlak achter dat IJzeren Gordijn (het allesbepalende element in hun leven, gebouwd en van een bijnaam voorzien in de jaren veertig, vervaardigd uit prikkeldraad en mijnen waarvan het ontwerp tientallen jaren lang niet was veranderd).

Hij wendde zich af van het scherm en keek uit het raam met het weidse uitzicht op het vrijwel verlaten Corsó (een pooier, een dronkaard, een slaperige rugzaktoerist zonder pension). CNN was het bioscoopjournaal van zijn tijdperk, dacht hij. 'Mijn tijdperk', zei hij hardop, en de serveerster hield op met het aflappen van dezelfde halve vierkante meter cocktailtafel die ze al minuten langzaam en afwezig aan het schoonmaken was en keek op. Mijn tijdperk: dat op zich wekte al treurnis op. Overal om hem heen en in hemzelf werd gestorven. Sneller dan hij kon leven en groeien, was hij aan het doodgaan en verschrompelen. Kon het zo zijn – nieuwsgierig bekeek hij het nachtpersoneel van het Forum (de portier, het kamermeisje dat een rolemmer voortduwde, de serveerster) – dat sommige mensen nog leefden en zich ontwikkelden, niet beseffend dat alles al oud was en op sterven lag? Was het beter om hun dat te vertellen of was het beter om zijn mond te houden?

Twee uur later, toen de zon net opkwam, sijpelde hetzelfde gif zijn bloed binnen. Hij zat midden in de Saoedische territoriale wateren, krabbelde met vermoeide ogen datums op gekromde pijlen en herschikte zijn papieren scheepjes, toen hij besefte dat het hele gedoe zinloos was, een ijdele poging om het kabaal te negeren. Wie hield hij eigenlijk voor de gek? Boos scheurde hij de landkaart doormidden, zodat er twee nietszeggende stroken West en Oost aan de wand bungelden, en hij versnipperde langzaam alle met zorg en aandacht uitgeknipte scheepjes, helmen, tanks en afbuigende pijlen, maakte er een hoopje van en sloeg zijn zwaarden tot confetti. Rond het middaguur bonkte het onheilspellende gevoel nog heviger, toen de mensen van de galerie hem wakker maakten uit een zweterige, woelerige slaap om zijn aankoop te bezorgen en zijn enorme stapel forinten in een schoenendoos aan te nemen; hij zette het reusachtige, in pakpapier en touw verpakte werk tegen de afbladderende kledingkast van namaakhout. Niet eens de moeite waard om uit te pakken: deze kunst was al oud. Nicky was het onwaarschijnlijke, excentrieke personage in iemands toekomstige memoires van het bohémienachtige Boedapest tijdens het fin de siècle, en de toekomstige lezer zou geschokt zijn haar te zien zoals ze eruitzag ten tijde van het verschijnen ervan, tachtig jaar oud, en zou liever het beeld vasthouden van de korrelige oude foto's waarop ze was afgebeeld als een kale, mooie jonge vrouw. Hetzelfde gevoel drong zich telkens aan hem op bij het invallen van de schemering, toen John hem kwam ophalen en ze samen naar het feest van die avond liepen (ten huize van de jurist van Charles Gábor, een elegante Hongaar van Amerikaanse afkomst, die leden van de opera van Boedapest had ingehuurd om in zijn tuin te zingen terwijl zijn gasten transacties afsloten, flirtten en dronken); de twee vrienden praatten over de Perzische Golf, en John lachte toen Mark moedeloos zei dat er oorlog zou komen.

'Een oorlog? Over dat gedoe?'

'Niet een oorlog. Dé oorlog. Onze oorlog. De hele sfeer in deze stad zal veranderen; hij is al aan het veranderen. Dit is niet alleen het einde van augustus 1990. Dit zijn de laatste maanden van onze vredestijd, het eind van de zomer voorafgaand aan de oorlog van onze generatie. "Hoe voelde het, die zomer voor de oorlog? Wist je dat het op zijn einde liep? Kon je merken dat het allemaal zou worden weggevaagd?" De zomer ervoor.' Al lopend draaide John zich om zodat hij zijn vriend goed kon aankijken.

Mark voelde dat hij taxerend werd bekeken, wist hoe hij klonk en wilde iets zeggen om zijn vriend op zijn gemak te stellen, maar hij wist niet wat hij moest zeggen en wist niet hoe hij moest uitleggen dat híj – Mark zelf – de zomer was, de stervende vrede. Hoewel ze langzaam door een rustige, aangename avond liepen, voelde Mark de tijd langs zijn oren voorbij suizen als dronken verkeer, als een supersonische trein, als een kudde kwijlende beesten die met hun ogen rolden en stofwolken opjoegen. Hij was niet op zijn hoede geweest. CNN! Om de een of andere reden had hij de tijd niet meer zorgvuldig in het oog gehouden, en nu moest hij boeten voor zijn onoplettendheid. Nu moest hij zitten, meedogenloos vastgebonden aan een paal, zijn oogleden wijd opengesperd. Eén idee troostte hem, een nieuwe gedachte: misschien snelde de tijd minder pijnlijk voorbij in een stad die er niet oud uitzag, die geen geschiedenis had. Toronto, bijvoorbeeld.

'Heb je nog steeds een kater?' vroeg John.

Toen ze bij het eerste frisse vleugje van de avond, toen de broeierigheid plaatsmaakte voor een koel zuchtje wind, langs hotel Gellért kwamen (dat in elke reisgids werd bejubeld vanwege zijn 'vergane glorie', waardoor het halverwege mei een paar weken Marks favoriete trefpunt aan de Boeda-kant was geworden), beet Mark op zijn lip en zei dat hij zich niet goed voelde, en voordat John iets had kunnen zeggen, had de Canadees zich omgedraaid en kuierde hij zwetend de Gellértheuvel weer op in de richting van zijn huis.

XV

Voor hun bijeenkomst koos Imre een klein, groezelig koffiehuis uit waar het naar bleekmiddel en natte kat rook, in de ogen van Charles een raadselachtige, opzettelijk vreemde plaats van handeling. 'In dat gebouw daar heb ik vergelijkbare papieren getekend', legde Imre uit. Hij wees op de pokdalige kantoorgebouwen aan de overkant van de eenrichtingsstraat, die hij op de middag van zijn vaders begrafenis was binnengegaan om de roestige sleutels van zijn afbrokkelende koninkrijk in ontvangst te nemen.

'O ja? Nou, ik verwacht niet dat u vandaag iets zult tekenen.' Uit zijn leren tas haalde Charles het stapeltje papieren tevoorschijn dat zijn jurist de avond ervoor op het tuingala had afgegeven. Hij legde ze op het met kringen en brandplekken bezaaide namaakmarmer. 'Waarom bekijkt u deze niet op uw gemak, om daarna uw paraaf te zetten bij al die gele plakkertjes: hier en hier, en onderteken dan daar. U zet er een datum bij, en dan nog een paraaf hier, en dan nog een handtekening onder de aanvraag om een bod uit te brengen, daar en daar. Krisztina kan ze op Nevilles kantoor afgeven.'

'Mijn vaders advocaat werd die dag mijn advocaat, begrijp je. Het was een heel raar moment.' Imre nam een slokje koffie en haalde, tot Charles' verrassing, peinzend zijn sigaarachtige vulpen uit zijn binnenzak. 'Ik had altijd geweten dat dit moment zou komen, natuurlijk. Ik moet jaren hebben gewacht tot deze dag zou komen. En toch ben je altijd een beetje verbaasd als het zover is.'

Charles was het blindelings met hem eens. 'Maar wilt u niet wat meer tijd om dit door te nemen?'

'Ja, ja.' De oude man tikte met zijn pen, zonder de dop los te schroeven, op de papieren, maar hij keek nog steeds door de door de zon beschenen, stoffige ramen naar de overkant van de straat. Hij prikte met zijn vork in zijn gebakje, zodat er een barst in de bovenlaag van de amberkleurige karamel verscheen. 'Jij verkeert nu in dezelfde positie als ik toen; het is merkwaardig.'

'Ja, zeker.' Charles trok een gezicht dat paste bij Imres melodrama.

'Hoe ik blij kon zijn op zo'n dag, weet ik niet meer nu. Maar ik was het zeker. En deze stad, dit wrak van een schip dat ooit trots was – ik was blij een hulp te zijn bij de wederopbouw van dit schip. Het was een prachtige tijd om hier te wonen, als ik eerlijk ben. Nu is het niet zo anders. Wederopbouw. Je rol te weten.'

Door het raam keek Imre peinzend naar het gebouw waarin voorheen het familiebedrijf was ondergebracht, en hij kreeg een beeld voor ogen van de schaduw van die ochtend in juli, veranderd na zijn jarenlange omzwervingen. Hij herinnerde zich de duidelijke gewichtigheid waarmee de kamer was vervuld. De jurist van zijn vader had geaarzeld: zou deze jongeman tegen de situatie zijn opgewassen? Alleen al door het zetten van zijn handtekening was Imre merkbaar veranderd; zijn handtekening was op zich al een reis waardoor een onzichtbare grens was overschreden – de reis van de linkerkant van de onbeschreven regel naar de rechterkant – en liet een krullerig zwart spoor achter. Een werveling van zwarte inkt en de beslissende priemende haal van het accentteken op Horváth – ´ – bestempelde hem tot een symbool van iets groots en belangrijks. Dat was iedereen in het vertrek duidelijk geweest.

Charles ergerde zich, niet voor het eerst, aan de overeenkomst tussen de kostuums van Imre en hemzelf, deze ochtend allebei van lichtbruine keperstof, hoewel dat van Imre een dubbele rij knopen had. Het irriteerde Charles als hij bijna hetzelfde aanhad als iemand anders in een vertrek. Het duidde op een afnemende marktwaarde van zijn uniciteit, en het gaf hem het gevoel dat hij praatte met een kind dat net had geleerd dat het mensen kon tergen door ze na te doen.

Imre stond op van de tafel en liep naar het raam, waar letters in spiegelbeeld, oude spinnenwebben en plukken stof schaduwen op zijn gezicht wierpen. Afwezig nam hij zijn vork mee en liet zijn pen op tafel liggen bij de vennootschapsovereenkomst en de aanvraag voor privatisering. 'Het weer komt weer helemaal bij me terug, heel duidelijk. Zon, wat wolken, vreselijk warm. Ik rook iets smerigs op de binnenplaats van dat kantoorgebouw, oud vuilnis in de warmte. Mijn vaders jurist had een broek aan die van oude lappen was gemaakt. Dat deden we toen allemaal, maar sommigen van ons droegen ze beter dan anderen, dat kan ik juist tegen jou wel zeggen. De belangrijkste dag van je leven, een prachtig moment, maar dat te beseffen terwijl het gebeurt, dan voel je je alsof God zelf je in Zijn hand heeft. Ik besefte hoe belangrijk het was dat Imre de man nu ondergeschikt was aan de toekomst van deze…. Jij bent net zo. Jij bent

dit aan het leren.' Hij sprak met zijn rug naar de jongere man toe, staarde
naar de grote, donkerbruine bakstenen aan de overkant van de straat. 'Ieder van ons samen – oooo, hoor mij nou toch. Wijs maar waar ik moet tekenen, anders schiet het niet op.' Maar hij wendde zich niet af van het
raam.

'Godallemachtig, er zaten heel wat haken en ogen aan, maar het is voor
elkaar', zei Charles later die dag tegen John, toen hij hem een lichtblauwe
cheque overhandigde, het flodderig dunne equivalent van zeven maanden salaris van *BudapesToday.* 'Na al dat gedoe las hij amper wat hij ondertekende. Hij vroeg alleen uitleg bij willekeurig gekozen paragrafen. Maar
als ik zei waar hij zijn paraaf moest zetten, verloor hij zich steeds weer in
herinneringen. Ik kan er met mijn verstand niet bij dat hij er veertig jaar
in geslaagd is überhaupt ergens leiding aan te geven. Trouwens, had ik verteld dat twee van mijn investeerders jouw artikel over mij hebben aange-
haald toen ze akkoord gingen?'

John kneep zijn ogen tot spleetjes en hield de cheque omhoog naar de
regen van verblindend felle pijlen van goud, die weerkaatsten van de rivier en Charles' kantoor binnenstroomden. Het papier wierp een lichtblauwe, rechthoekige schaduw over Johns ogen en neus. Het watermerk
– twee sirenen die de wangen van een verbaasde zeeman kussen, zijn
mond en ogen volmaakte O's van verbazing – verdwenen en verschenen
opnieuw als John het strookje papier tussen hem en het licht heen en weer
bewoog.

'Ik zal dit uitzicht missen.' Charles sloeg zijn handen tegen het reusachtige raam. Hij was succesvol geweest, zou binnenkort ontslag nemen en
zijn stomverbaasde, ondoelmatige bedrijf onthullen dat hem in zijn vrije
tijd was gelukt wat zij tijdens kantooruren nog niet voor elkaar kregen.
Hij had diverse financiële zendelingen voldoende geld uit de zak weten
te kloppen, en met Imres onverwachte parafen van die ochtend was dat
consortium voor 49% aandeelhouder geworden (waarbij de volle 49%
van het stemrecht in handen van Charles was) van een nieuw Hongaars
bedrijf, dat was opgebouwd uit Horváth Verlag (Wenen), Charles' aanzienlijke injectie met de investeringen van anderen, en Imres privatise-
ringscoupons (niet bepaald een meevaller, slechts het gebaar van een
trotse, maar verarmde overheid). Gábor had zijn jurist op het laatste moment opdracht gegeven het bedrijfskapitaal te vermeerderen met de vrijwel waardeloze coupons die zijn ouders hadden gekregen voor de wonin-

gen uit hun jeugd. Hij was nu de zeer invloedrijke juniorpartner van iets heel tastbaars.

Twee dagen stelde John het echter uit om zijn cheque – betaling voor 'consultancy persrelaties' – te innen of op te sturen naar zijn bank in Amerika. Er was iets met het innen van het geld wat hem tegenstond; het was een te abrupt afscheid van het watermerk, grapte hij inwendig, een afscheid waar hij nog niet aan toe was. Twee avonden kusten de sirenen hun zeeman, terwijl John nadacht. Twee dagen hield hij het papiertje in zijn portefeuille, en op rare tijden – terwijl hij zat te typen op de redactie, iets dronk in Gerbeaud of met Nicky lag te neuken – stelde hij zich voor dat het watermerk, tweedimensionaal, bleek, veranderlijk, tot leven kwam in zijn zak: het wapperende haar van de sirenen, de zachte lippen op de wangen van de verbaasde zeeman, het verlangen van de zeeman om hen allebei in een aqua-vleselijke omhelzing te bezitten, ondanks zijn besef van hun macht en zijn onvermijdelijke overgave. 'Kus me, mijn sirene', fluisterde John tegen de kale, naakte vrouw, die tijdens de derde nacht bij het lamplicht van drie uur 's nachts aan het schilderen was. Ze had gedacht dat hij sliep. Licht huiverend door zijn stem zei ze koel dat hij moest weggaan en thuis moest gaan slapen. De volgende ochtend liquideerde hij zijn gekwelde zeeman.

XVI

Tien dagen later, na zes onbeantwoorde boodschappen op zijn antwoordapparaat te hebben achtergelaten, diagnostiseerde John Marks afwezigheid als onmiskenbaar het tweede stadium van het Familiebezoeksyndroom. De symptomen waren inmiddels gemakkelijk herkenbaar in deze door de pest geteisterde gemeenschap. Het eerste stadium: gemompelde verwijzingen naar 'een drukke week voor de boeg', steeds stiller worden, sporadisch optredende persoonlijkheidsstoornissen (geïrriteerdheid, kinderachtigheid, hysterie, isolement). Het tweede stadium: vijf tot veertien dagen volledig van het toneel verdwijnen, behalve (mogelijk) de gehaaste introductie van vrienden aan verlegen, oudere mensen met een jetlag en een merkwaardig of geheel ontbrekend gevoel voor humor. Het derde stadium: een plotselinge, onstuimige terugkeer in de maatschappij met een overdreven alomtegenwoordigheid, een gulzige zucht naar drank, dansen en romantiek, en nerveuze, buitengewoon enthousiaste praatzucht over de geneugten van het alleen wonen in Boedapest.

John zou heel wat te melden hebben als Mark was opgeknapt. Charles Gábor had zijn baan opgezegd, tot de sprakeloze verbazing van de Presiderende Verdorvenheid, en had nu vijftien dagen om de bungalow te ontruimen die zijn bedrijf voor hem had gekocht. Door zijn cheque te innen had hij zijn jaarinkomen aardig verhoogd, maar hij kon niets bedenken om aan te schaffen, behalve misschien een rugzakraket waarmee hij hoog over Boedapest kon vliegen, op zijn komeetachtige weg voortgestuwd door oranje vlammenkegels – een legende in de wereld van de expat-journalistiek. Hij zou Mark raadplegen hoe je het beste rijk kon zijn, omdat de Canadees dat met zoveel aplomb wist klaar te spelen. En Mark zou te horen krijgen dat Charles ook hoog boven de daken was uitgestegen, dankzij John, Ted Winston, een eskadron criminele heren in Wall Street en de onstilbare honger en halfgare logica van het Amerikaanse nieuwsapparaat dat in dit geval door John tot actie was aangezet met een reeks artikelen in de tijd dat de transactie werd bekokstoofd.

… Tot slot, voor degenen onder u die mijn doorlopende verslaggeving volgen over de kapitalist die de Hongaarse cultuur heeft gered: mijn bronnen laten weten dat het bod van Gábor-Horváth om de voorouderlijke institutie terug te krijgen bij de overheid is ingediend en dat de naar geld hongerende Maggies het uiterst aanlokkelijk vinden. Andere bieders moeten zich twee of drie keer bedenken voordat ze de moeite nemen om het tegen deze fanatiekelingen op te nemen. 'Er zijn tal van andere prachtige bezittingen die biedenswaardig zijn', werd mij medegedeeld door een hooggeplaatste vertegenwoordiger van het Staatsbureau voor privatisering, die nogal klonk als een grammaticaal gehandicapte tweedehandsautoverkoper die opschakelt naar een vakantieweekend…

…De berichten over een aantal van hun buitenlandse ondernemingen zijn nog vernederender, als zoiets tenminste mogelijk is. In Boedapest bijvoorbeeld, na verscheidene maanden van verlamming waarin het bedrijf niet in staat bleek ook maar één project van de grond te krijgen, heeft een juniorpartner van het bedrijf uit onmiskenbare frustratie over zijn duimendraaiende werkgevers ontslag genomen en doet zelf pogingen om een oude Hongaarse uitgeverij nieuw leven in te blazen. Dit verhaal, dat wekenlang aandacht kreeg in de plaatselijke Engelstalige krant, kwam internationaal

in de belangstelling te staan in het licht van recent onderzoek naar het Amerikaanse
reilen en zeilen van het bedrijf door de federale aanklager, onder leiding van een jurist
die zijn politieke ambities bepaald niet onder stoelen of banken steekt…

…En nu iets positiefs: Een van onze jongemannen uit Cleveland laat zien wat er
mogelijk is met een tikkeltje fantasie, wat geld, een vleugje moed en een heleboel idea-
lisme in de Amerikaanse stijl en met de ondernemingslust die zo typerend is voor de
bewoners van de oevers van het Eriemeer. Carl Maxwell doet verslag uit de prachtige
oude stad Boedapest, de hoofdstad van Hongarije, gelegen in het verre Oost-Europa.
Carl, ga je gang…

En John, die hoopte op verdere betalingen, streefde er zowel in als buiten zijn column naar dat Charles' succes zou voortduren. Hij slikte stevig,
speelde omwille van Charles de joviale netwerker en haalde rijke mensen
en Hongaarse overheidsambtenaren binnen, die hij opdiepte tijdens in-
terviews en reportages. Om de leuke kant van de zaak te benadrukken
probeerde hij voor Mark beschrijvingen van deze inhoudsloze introduc-
ties en standaard gesprekken, over het gespeelde machogedrag en zijn
voorgewende terughoudendheid te bedenken. 'Ik blijk een zeer getalenteerde pooier te zijn', wilde John zijn vriend vertellen. 'Het is een eerzaam
beroep, met een rijke geschiedenis.'

Toen brak echter Scotts trouwdag aan, en die avond vertelde Charles
aan John, die er niet voor was uitgenodigd, dat Mark tijdens die bescheiden plechtigheid had geschitterd door afwezigheid. Met een vlaag van
gevoeligheid die John bijna grappig vond, bracht Charles Johns afwezigheid niet ter sprake, maar kwam daarentegen met een geestige versie
van het huwelijk, hoogtepunten die hij speciaal voor hem had uitgekozen: Emily had een grote ronde strohoed gedragen, een zonnejurk en
sandalen met kruisbandjes om haar bruine enkels. 'Met andere woorden:
ze zag er dus uit alsof ze auditie deed voor een maandverbandreclame.'
De kerk was slecht bezet: Charles en Emily, een paar docenten Engels,
een handjevol van zijn studenten, een viertal wulpse vriendinnen van
Mária en zeven van haar familieleden. De bruidegom, die traditionele
Hongaarse avondkleding droeg, stond tussen de broers van Mária in,
twee brandblussers, gehuld in het groot-tenue van het Hongaarse leger.
'Het leek net een proces waarbij de doodstraf werd geëist.' De katholieke
plechtigheid duurde militant lang. De gezangen dijden uit en gingen
als symfonieën eindeloos door, de preken zeurden door als een college,
de zegeningen leken wel fusie- en overnameonderhandelingen. De goe-

gemeente verhief zich en bleef staan tot Charles' benen er pijn van deden en gingen trillen, en hij moest moeite doen om zijn rug recht te houden. De goegemeente bleef roerloos zitten tot zijn billen wegsmolten tegen de gladhouten bank, die in loeiheet beton leek te zijn veranderd. Een paar uur en een kus later werden ze meegetroond naar de binnenplaats van het Hilton, pal naast de deur. Onder een geel gestreepte markies, die steunde op metalen staanders waar de witte verf van afbladderde en waar bovenop Hongaarse vlaggetjes prijkten, waren vier tafels gedekt voor de lunch, iets afzijdig van soortgelijke tafeltjes waar soortgelijke lunches werden opgediend voor toeristen, die geïmponeerd en opgeto-gen waren door de plotselinge verschijning van verifieerbaar niet-toeris-tisch leven.

En dat was alles wat John ooit over het huwelijk van zijn broer te horen kreeg. Sinds de verloving een maand geleden was aangekondigd, had hij de bruidegom niet meer gesproken of gezien. Hij had in elk geval geen schriftelijke uitnodiging gekregen zoals de anderen. Maar na het paarse-snor-fiasco had hij ook nagelaten zijn broer te feliciteren, en misschien was dat het enige geweest wat hij had hoeven doen. Maar nadat hij zijn broer zoveel jaar had nagejaagd, was dat nu meer dan hij kon opbrengen. Het deed er niet toe. Hij kon het echt niet meer serieus nemen.

Toen Marks afwezigheid tot in de tweede week van september voort-duurde, concludeerde John dat de Canadees vermoedelijk op reis was voor zijn onderzoek. Mark had er voor zijn vertrek best iets over kunnen zeggen, maar het stond hem vrij om zijn eigen gang te gaan. John was vaak genoeg langs geweest en had genoeg boodschappen achtergelaten. Intussen had hij wel betere dingen te doen.

Die middag ging hij bij Mark langs om te zien of zijn vriend terug was. Nu Scott voorgoed een verloren zaak was, nu Emily nog te intimiderend was om te benaderen, nu Charles heen en weer pendelde tussen Boeda-pest en Wenen, nu Nicky op een rare manier niet beschikbaar en meer dan gewoonlijk afhoudend was, en het nog ruim twee uur zou duren voordat Nádja ging spelen, liep hij met zijn ziel onder zijn arm. Eerlijk gezegd snakte hij naar gezelschap. Hij schudde de vroege herfstregen van zijn paraplu, klopte op de niet-reagerende deur, rammelde aan de ver-bolgen deurknop en tuurde door de opstandig weerspiegelende ramen, toen er uit de naburige woning een grote Hongaar met een baard naar buiten kwam. De verschijning van deze beerachtige nieuwkomer ging gepaard met een lange stroom buitenlandse woorden – John ving *az ame-rikai* op. John wees op Marks woning en verbeterde de baard die iets boven ooghoogte hing: '*Kanadai.*' Daarop volgde nog meer buitenlands geratel. Ten slotte wreef de man met zijn rechterduim over zijn vingers en bonkte twee keer op Marks deur: kennelijk was hij achter met de huur. 'Ahhh', zei John. 'Oké, oké.' Met nog meer gebarentaal haalde hij de man – kennelijk de huisbaas of een conciërge – over om Marks deur open te maken, en toen gingen ze samen naar binnen, ieder met de toestemming van de ander.

De conciërge bleef staan voor de reusachtige foto die tegen de wand stond, met Johns copulerende romp in het midden. Terwijl hij op zijn baard kauwde en met bekommerde concentratie naar het werk staarde, knikte hij langzaam. John liep van kamer naar kamer en trok kasten en laden open. Marks kleren waren weg, zijn bagage was weg en zijn toiletspullen waren weg. Hij was wat wasgoed vergeten, dat nu stijf en stinkend in de wasmachine zat, en zijn jumbo grammofoon stond in een hoek. Zijn boeken en aantekeningen waren er nog, allemaal van de planken gehaald en netjes opgestapeld op de keukentafel, met daarbovenop een envelop waar Nicky's naam op stond. Een paniekerig openscheuren – maar John trof er geen zelfmoordbrief in aan (en had al snel de pest in dat hij zich even tot paniek had laten verleiden), alleen een onduidelijke polaroidfoto: een halve Mark, die naast Nicky's grote werk stond en er met dezelfde trotse bezitterigheid op wees als de Elizabethaanse hoveling. Nicky's werk stond in spiegelbeeld op de foto (hoogleraar rechts, hoveling links), en de onzichtbare helft van Marks gezicht ging schuil achter een polaroidcamera: de foto was, klunzig, door Mark zelf genomen, met behulp van een spiegel.

Wat het tafereel ook mocht voorstellen, het kwam John eerst een beetje onwerkelijk voor, of gewoon als weer de nieuwste eigenaardigheid van de merkwaardige wetenschapper – niet zozeer iets wat hij had gedaan, maar iets wat hij niet kon laten. Mark had geen zelfmoord gepleegd en was niet ontvoerd: hij was gewoon weggegaan en had ostentatief van niemand afscheid genomen, nu voelde John zich kinderlijk boos om deze belediging en kreeg hij al snel medelijden met zichzelf. Hij belde Charles op: 'Heeft Mark jou verteld dat hij wegging?' Hij voelde zich opgelucht dat hij niet de enige was. 'In dat geval heb ik hier iemand met wie je moet praten als je nog steeds woonruimte zoekt. En zeg tegen hem dat ik hier in mijn eentje wil blijven wachten tot je er bent.' Hij gaf de hoorn aan de huisbaas (die geen zin had zijn blik van Nicky's grote, stimulerende werk af te wenden).

Toen hij alleen was, besefte John dat hij werd geacht actie te ondernemen, iets van dit alles te begrijpen. Hij zette water op voor de Tsjechische aardbeienthee die bij onderzoek van de karige keuken tevoorschijn was gekomen. Hij beluisterde en wiste drie weken van zijn eigen eenzame stem op het verder ongebruikte antwoordapparaat en vond de smekende toon van zijn boodschappen zowel fascinerend als weerzinwekkend. Hij ging aan Marks tafeltje zitten, onder de affiche van Sarah Bernhardt en de nutteloze randen van de landkaart. Hij begon Marks notitieboekjes van het begin tot het einde te lezen, bereid om het te begrijpen telkens als hij een bladzij omsloeg, verwachtte hij uitleg, hij stond open voor alle boodschappen die Mark of het lot hem wilde zenden, ook al begon hij zich al voor te houden dat Mark weliswaar was weggegaan zonder afscheid te nemen, maar dat het niet erg was, dat het er niet toe deed, niet van invloed kon zijn op iets reëels...

De gedateerde dagboekaantekeningen begonnen in maart, zes weken voor Johns komst naar Boedapest, en ze bestonden een paar maanden lang uit compacte, efficiënte, formele onderzoeksverslagen: getallen, citaten, verwijzingen en passages, opzetten voor hoofdstukken, half voltooide essays, beschrijvingen van antiekzaken, doorspekt met bibliotheeknummers tussen accolades. Verhandelingen over bepaalde periodes van de geschiedenis van Boedapest en het effect van die periodes op de aanblik van de stad vond John slaapverwekkend; hij schonk nog een kop thee in en zette het raam open. Hij begon eraan te twijfelen of hij er een boodschap in zou aantreffen, verloor uit het oog wat hij verwachtte te vinden en stelde zich voor dat hijzelf – ergens in de onbepaalde toekomst, op een betere plek – ontdekte dat er een vriend was verdwenen, en dat hij op zoek naar een verklaring de achtergelaten dagboeken van zijn vriend intensief naploos.

...met inzicht noch belangstelling, het parlement liet de kwestie vallen, en blijvende vragen over verantwoordelijkheid voor het verleden genegeerd door de bevolking die graag (selectief) wilde vergeten... verwijzing: Pruth over collectieve nostalgie in perioden van hervorming...

...procent van pop. die goed geïnformeerd is en woedend over verdrag van zeventig jaar geleden opmerkelijk – vergelijken met belangrijke datums Westen. Kruiscontrole

landelijke mythes die om verraad draaien met meetbare intensiteit van voorliefde voor pre-verraad gebruiken, etc…

Hoelang nog voor het land, of bepaalde sectoren (bejaarden bv.), gaan verlangen naar een niet-tastbaar element van het pas afgeworpen communistische verleden (stabiliteit, veiligheid, etc.)? De moeite waard om het doordringen en de duurzaamheid van deze 'nostalgie de la misère' te meten en te vergelijken met het doordringen en de duurzaamheid van ironische faux-nostalgie naar het communisme (dwz: foto's in A Házam, V.I. Lenins Pizza Shack, deelname in de studentenleeftijd aan kitscherige parades tgv de Oktoberrevolutie, etc.)…

Denk eens na over het volgende: een tiener in het Hongarije van 1953 rebelleert tegen de idioten die hem lesgeven en de domme leeftijdgenoten die als makke schapen de Partijlijn volgen. Zesendertig jaar later blijkt dat de rebellerende tiener ethisch was, een held van het geweten. Vraag: Als hij in Canada was opgegroeid, zou hij dan toch hebben gerebelleerd, alleen omdat hij een tiener was? Gedachte voor onderzoek: bestaat er een hogere graad van nostalgie naar de puberteit onder mensen die, achteraf gezien, pubers waren onder een systeem dat later als immoreel wordt beschouwd?

In deze eerste semi-wetenschappelijke pogingen werd al snel afgedwaald van de academische wereld. Eind mei al handelden de meeste essays over Marks reacties op zijn onderzoek en werd het onderzoek zelf maar de achtergrond gedrongen. Het geschrevene werd introspectief, bijna puberaal: beschrijvingen van eenzaamheid en verlangen die John gênant vond, lange lijsten met vragen over de betekenis van leven en werk, tirades tegen familieleden en kennissen, merkwaardige essays: *Is het geheugen een stof, een vloeistof die, ontlokt door geuren, wordt afgescheiden uit kronkelige knopen met glibberige hersendril? Raakt dit mnemonische drab verstoord door een klap op het hoofd? Of is het geheugen een elektrische kracht die wordt geprikkeld door onzinnige of wijze beoefenaars van de alternatieve geneeskunde, die in kaart te brengen mnemonoden beroeren en een plotselinge vloed ontlokken? Of is het geheugen een stoffige bibliotheek, die alle logica tartend is volgepropt, een chaos die door de deskundigheid van geen enkele taxonoom meer valt veilig te stellen, waar het ene na het andere boek wordt gedumpt, waar duizend dikke delen per dag de hal van de bibliotheek binnenstromen en de trap op klimmen, de liftschachten stremmen, de toiletten en wasbakken verstoppen, metalen planken verpletteren als waren ze van papier, uit de verbrijzelde ramen in een slonzige hoop op de trottoirs vallen, en waar een paar oude, gescheurde exemplaren, langgeleden gedeponeerd, ineens weer beschikbaar zijn, zodat oude mannen blijven staan, zich bukken en verwonderd bladeren door bladzij-*

den die onder hun aanraking en tranen uit elkaar vallen als ze over het troeteldier uit
hun jeugd lezen en hun moeders recepten, over buren die onbegrijpelijk bedreigend wa-
ren, en de geur van hun vaders gezicht na het scheren…

 De derde primaire behoefte van de mens. In tegenstelling tot Thanatos, die de mens
ertoe drijft naar het einde te verlangen, en Eros, die de man ertoe drijft recht omlaag
te kijken, zet Retros ons ertoe aan achterom te kijken.

Mark had een paar maanden helemaal niet gewerkt, en misschien niets
van enige betekenis gedaan na de eerste paar weken sinds zijn aankomst.
Te midden van deze ontboezemingen had de wetenschapper geprobeerd
zijn aandacht ergens op te richten en dan produceerde hij een dag of twee
dezelfde serieuze stukjes als in het begin, maar dat duurde niet lang.

 Er bestaat een oude Canadese denkwijze die als volgt luidt: Als je er niet over praat,
verdwijnt het wel, en daar zit iets in. Niemand houdt van problemen. Kijk in hun
ogen wanneer ik me ontspan – ze verstrakken. Waarom is dat? Omdat ik een homo
ben. Ik ben de gehangene. Ik loop achteruit en daar moet ik niet langer trots op zijn.
Het is verkeerd om in het bijzijn van andere mensen achteruit te lopen. Het zou alle-
maal veel erger kunnen zijn. De pijn van anderen die slechter af zijn dan jij. Geval-
lenen in de oorlog, uiteraard. Bij Dieppe hebben ze heel veel Canadezen gedood,
een heleboel jongetjes met een verleden, veel lievelingszeepjes, veel avonden doorge-
bracht bij de radio, heel veel andere herinneringen. Ze beginnen te lachen als ik ze
vraag alles op eenzelfde manier te bekijken als ik. En ze hebben gelijk: ik moet ophou-
den. Een virus vereist quarantaine. Ik ben eraantoe, ik verzeker het je, het is nu alle-
maal gereed, het is aangeplempt en aangeplempt en aangeplempt, ik stamp en plemp
en stamp, ik ben gereed, ik zal lief zijn, alsjeblieft, ik ben het zat om ver weg te zijn
van iedereen, ik ben er zo klaar voor, toe, toe, toe, ik zal lief zijn.

De dagboeken eindigden niet bij deze onsmakelijke cocktail van het
pathetische en het gestoorde. In plaats daarvan – en dit stoorde John meer
dan al het andere, meer dan de langdradigheid van het onderzoek, meer
dan de op zijn zenuwen werkende angst of de steeds aannemelijker en
toch wat ongeloofwaardige gedachte dat Mark letterlijk 'ziek' of 'in gevaar' was – in plaats daarvan eindigde het laatste aantekenboekje ermee
dat Mark besefte hoe hij klonk en dat hij daarvan terugschrok. John zag
dat Mark er een afkeer van kreeg en zich in ironische geamuseerdheid
hulde:

 Ho! Dit is de getuigenis aan het worden van iemand die zich 'niet lekker' voelt.
Wat saai. Ik ben helemaal onwel geworden. Ik zie dat ik uit de buurt van schadelijke
stimulerende middelen moet blijven en dingen moet opzoeken die veilig neutraal zijn.

Ben je het ermee eens? Oké. En dat is vervelend, die ontregeling van me, want die overschaduwt uiteraard waar het echt om gaat; ziekte is saai. Het interessantste aan Einstein was niet dat hij geen lactose kon verdragen. Alleen het feit dat ik niet helemaal tiptop in orde ben, betekent niet dat ik het bij het verkeerde eind heb. Ik zou volkomen gezond kunnen zijn en toch gelijk kunnen hebben over al het andere. Er zijn miljarden mensen die gezond zijn en het met me eens zijn. Ik weet dat ze er zijn; ik kan het bewijzen; lees mijn proefschrift; ik héb het bewezen. Ik kan er natuurlijk niet tegen om met ze te praten, net zomin als jij ertegen kunt met mij te praten. En waarom zou je? Je moet dit natuurlijk wel goed voor ogen houden: een onbeantwoorde liefde is niet dodelijk, het is gewoon een tijdelijke indigestie, die geen zichtbare sporen nalaat, alleen een nieuw verworven, maar blijvend onvermogen om ooit nog bepaalde, onnodige dingen te eten zonder weer van die afschuwelijke spijsverteringsproblemen te krijgen. Van garnalen ga ik winden laten, dus eet ik geen garnalen. Ik zit immers ook niet avonden te huilen om garnalen? Nou, kijk aan. Neem twee aspirientjes en een vol glas water, weet je nog? Nu moet ik echt ophouden. Ik ben '!' en een beetje 'gatsie' en een tikkeltje 'o, op die manier…' geworden. Dat heb je met die dikke Canadese homo's.

Zo eindigden de pogingen van Mark Payton om zijn dissertatie uit te breiden tot een populaire geschiedenis van de nostalgie. En John bedacht met spijt dat hij Mark nooit aan Nádja had voorgesteld, hoewel Mark daar een paar keer om had gevraagd.

Hij wist niet waar hij moest kijken, gegeneerd, beschaamd zelfs door alles wat hij zag: de twee stroken ongelijksoortige geografie met zachte witte afgescheurde randen, de affiche van Sarah Bernhardt, vergeeld waar hij de wand raakte, en bevlekt met iets bruin-oranjes dat uit een koekenpan was opgespetterd, de stapel spiraalschriften en dikke edities: *Flarden glorie, restjes trots: hoe keizerrijken ten onder gaan en worden herinnerd. Was Sade een sadist? Was Christus een christen?: een verkenning van de naamgevingsproblematiek van charismatische leiders. Boedapest 1900. Bent u mijn sergeant?: mnemotemporale dysfunctionaliteit bij oorlogsveteranen.* Er streek een vlieg neer op het omslag van het bovenste boek: *De eindfase van een eeuw: culturele transformaties in de jaren negentig, 1290-1899* door Lisa R. Pruth. M. Phil. Hij liep een paar centimeter, rustte en wandelde toen verder. De tweede keer bleef hij staan op de verzonken zwarte titel die op de rode stof was gedrukt. Hij wreef zijn handjes samen en bekeek John door zijn honderd gouden oogjes. John sloeg hem plat op de zwarte *c* van *culturele* en bestudeerde zijn nieuwe verschijningsvorm een paar minuten in het grauwe, door regen

bevlekte licht dat door het raam drong. Gebroken fijne pootjes en doorzichtige vleugeltjes staken dwars uit het vochtige lichaampje, als een moderne sculptuur. Hoe hard John ook blies, het vleugeltje trilde, maar liet
niet los. Minder dan een uur voordat Nádja ging spelen. Alles wat serieus
was, wat er echt toe deed, wachtte op dat pianobankje.

Onberoerd door de regen arriveerde Charles, die bij de deur werd te-
gengehouden door het rollende Hongaars van de reusachtige conciërge
met daardoorheen de eenwoordige bekrachtigingen van zijn kleine, in
denim vervatte vrouw. 'Wat is er van madame Nostalgie geworden?'
vroeg Charles.

'Ik denk dat Mark genoeg had van dit oord.'

'Daar heeft hij gelijk in. Heeft hij iets te eten achtergelaten? Ik verrek
van de honger.'

John stopte de notitieboekjes in een jutezak, die de vrouw van de conciërge voor hem had gehaald, en hij liet de drie anderen, die zich voorbereidden op onderhandelen, op een kluitje achter in de verlaten woning.
De vrouw bleef abrupt staan, sloeg haar hand voor haar mond en slaakte
kreetjes over de weinig teergevoelige fotocollage.

Hij probeerde zijn paraplu in zo'n hoek te houden dat hij en de dagboeken gevrijwaard werden van het merendeel van de regen, maar zijn enkels
waren al snel doorweekt; ineens droeg hij donkere, ongelijke laarzen.
Een rimpelende plas sprong op en greep hem in zijn kruis; hij droeg nu
de veelkleurige maillot van een hofnar. Twee keer werden zijn arm en
zijn hand door langsrijdende auto's gemasseerd met koud bruin water.
Toen hij de heuvel was afgedaald en bij de rivier was gekomen – een wirwar van concentrische kringen die in verwoede competitie verkeerden –
was hij door en door koud. Al snel holde hij over de Vrijheidsbrug en over
het Corsó, en hij was buiten adem en doorweekt toen hij naast haar ging
zitten in het vrijwel verlaten vertrek, met zijn jutezak en het kinderlijke,
hoopvolle lokmiddel van een Rob Roy. 'Vertel me een verhaal', zei hij
zacht.

'Allemachtig, John Price. Je ziet eruit…'

'Vertel eens een verhaal.'

'Waarover?'

'Maakt niet uit. Alsjeblieft. Maakt niet uit waarover. Vertel me gewoon
een goed verhaal.'

Deel 4

Praag

I

Negen duidelijke herinneringen uit het najaar van 1990:

(1) Charles Gábor die met een onderbroek over zijn hoofd zijn voordeur (vroeger de voordeur van Mark Payton) opendeed, waarbij zijn neus op een onsmakelijke manier door de gulp stak.

Charles verkeerde nu zo vaak in het gezelschap van Imre Horváth – om nieuwe inkomstenmodellen en managementplannen op te stellen en intussen zachtzinnig gedocceerd of heftig gekapitteld te worden over het belang van de pers voor de Hongaarse geschiedenis en over de morele ontwikkeling van de pers in de toekomst – dat de jongere man geneigd was zich merkwaardig kinderachtig te gedragen wanneer hij van het luisterrijke gezelschap van zijn vennoot was bevrijd. Charles deed de deur open met ondergoed over zijn hoofd; bovendien droeg hij een Chinese kamerjas van zijde, helblauw en bestikt met gouden draken en pagoden. 'Ik begin te vermoeden dat de vorige huurder geen fervente hetero was.' Charles wapperde met de slippen van Marks achtergebleven peignoir, gered van een ergens apart aangebrachte en daarom vergeten haak in de badkamer, en haalde uit een zak een lang sigarettenpijpje tevoorschijn.

Johns wereldje bestond nu nog slechts uit Charles en Nádja, plus Nicky, als het hem tenminste lukte haar aandacht te krijgen. Hij liet zich in een stoel vallen. 'Jij mocht hem zelfs, hè?' vroeg Charles, een tikje verbaasd over deze mogelijkheid. 'Ik moest eerlijk gezegd niet veel van die vent hebben. Ik had hem graag sympathiek gevonden, maar ik vond dat hij altijd nogal snel met zijn oordeel klaarstond. Alsof mensen vroeger geen zaken deden of zo, en ik het pas afgelopen maand had uitgevonden.'

'Om maar een dwarsstraat te noemen.'

Charles trok eindelijk de onderbroek van zijn hoofd. 'Moet je horen, heeft je broer nog iets tegen je gezegd over vandaag?'

'Nee, ik heb hem al een tijdje niet gesproken.'

'Dat dacht ik eigenlijk al.'

(2) En dus, met de verklaring dat hij 'helemaal voor betere gezinscommunicatie was, jochie', nam Charles John later die middag zonder nadere ver-

klaring mee naar het Keletistation om hem daar aan Scott en Mária te presenteren, die op het punt stonden de trein in te stappen en zich voorgoed in Roemenië te vestigen – en wel in Transsylvanië, waar Hongaars werd gesproken – om daar les te geven in respectievelijk Engels en muziek.

Johns blik dwaalde als vanzelf door de kille lucht naar de stationsoverkapping: gepunt in een rechte hoek, met spanten van geroest metaal, niet helemaal doorzichtig, vuilwit, als de plastic bovenkant van een kolossale, verwaarloosde tuinschuur. De beide broers liepen langzaam over het perron – verlicht door zonlicht dat werd gefilterd door de stoffige, doorschijnende kap – terwijl Charles en Mária op zoek gingen naar kranten en chocola voor de reis. 'Waarom heb je niet verteld dat je wegging?'

'O, alsjeblieft.'

'Hoe was de bruiloft?'

'Hij heeft in alle internationale bruidsbladen gestaan.'

'Moet je horen.' John bleef staan. 'Weet je wat ik geloof? Alle mensen vinden dat ze een rotjeugd hebben gehad, en ze praten erover dat ze er overheen moeten komen en dat hun persoonlijkheid juist door hun rottige familie is gevórmd. Maar hoe kan dat nou? Als alle mensen rottige familie hebben gehad, waarom hebben we dan allemaal een andere persoonlijkheid? Dat kan niet de bepalende factor zijn, snap je wat ik bedoel? Het hoeft niet zo te zijn...'

'Dit is nu precies waarom ik je niet heb verteld dat ik wegging.' Scott lachte en keek op zijn horloge. 'Oké, broertje, kom me deze keer niet achterna.' Nog een lach. 'Of ik zal je moeten vermoorden, wat in Transsylvanië volkomen legaal is.' Een lach. 'Serieus' – een bijpassend ernstig gezicht – 'ik wil je nooit meer zien.' Een korte stilte, een lach.

'Wat heb ik je dan misdaan?'

'Hoe bedoel je?'

'Wat er ook met je is gebeurd, ík heb het niet gedaan.'

'Nee, natuurlijk niet. Je bent volmaakt. Dat moet je vooral zo houden.' Een korte stilte. 'Je moet wat relaxter worden, broertje. Je bent te zwaar op de hand.' Een korte stilte. 'Maar echt' – een glimlach – 'ik wil je nooit meer zien.' Een lach.

En dan de trein: een smoezelige, toegetakelde, rokende vluchteling uit een oude oorlogsfilm, met op de gestroomlijnde, roetgrijze flanken schreefletters waarvan de ronding een typografische duik in het verleden

was (BUDAPEST – BUCURE TI NORD), waarover Mark lyrisch zou zijn geworden, en Scott die uit het raampje hing terwijl het gevaarte zich hortend in beweging zette en zich naar het helderblauwe herfstdaglicht
sleurde, dat de vierde muur van het station vormde. Scott hing gevaarlijk
ver uit het raampje, een agressief vertoon van *joie de vivre*: zijn benen waren de enige delen van zijn lichaam die je niet kon zien. Hij zwaaide met
beide armen, als twee uitbundige afscheidswieken, en zijn gezicht spleet
zich tot een glimlach, breed en vol tanden; hij bleef zijn broer aankijken,
en daarna vouwde zijn dichtstbijzijnde hand zich in een standaard ob-
sceen gebaar, heel even maar; toen weer gezwaai en een brede lach, toen
weer het obscene gebaar, telkens opnieuw, net zo lang tot de trein ver genoeg was gereden om zijn eerste bocht te maken. Een koel najaarswindje
schoof snoeppapiertjes en sigarettenas over het perron; alles wat goed
aan dit jaargetij was, hing in de lucht rond deze twijfelachtige herinnering
in de maak: Maria die, heimelijk vol afkeer over het feit dat ze niet in westelijke richting reden, berustend over Scotts schouder glimlachte, en
Scott – piekfijn in een tweed jasje en een hemd van stevig wit katoen,
met een stropdas – die wuivend en lachend uit het raam van de antieke
trein hing en vijandig of zogenaamd vijandig zijn middelvinger naar zijn
broer opstak, terwijl onmogelijk witte wolken stuitten op de eerste pufjes
zwart uit de kleiner wordende locomotief, en een onmogelijk blauwe
lucht zichzelf al figuurzagend een plaats toebedeelde in de ruimte tussen
de ongelijkmatige gevels van omringende gebouwen en het overhangende dak, terwijl de Hongaren op het perron naar andere slinkende reizigers
wuifden, en de enorme klok, die al tientallen jaren niet was schoongemaakt maar toch een redelijke schijn van de juiste tijd ophield, en met
enige nagalm verder tikte zonder hulp van de Zwitserse chronometrische
kwartstechnologie waarvoor reclame werd gemaakt op de horlogeadver-
tentie eronder.

En in de jaren daarna, wanneer de heldere septemberdag aan de andere
kant van een open en beslagen badkamerraam een herinnering aan dit tafereel opriep, bekeek John het langzaam maar onmiskenbaar ouder wordende gezicht dat hem van boven zijn wasbak aanstaarde, en hoewel het
nooit veel had geleken op het gezicht van Scott, zou de jongen in de weg-
rijdende trein nooit één dag ouder worden; alleen uit incidentele, handgeschreven briefjes – op een zwak moment geschreven vanuit plaatsen
die steeds verder oostelijk kwamen te liggen – bleek het verstrijken van

de tijd, maar zijn gezicht was altijd en zou altijd omlijst blijven door blonde haren, altijd met een glimlach, altijd van achteren aangeraakt door een beeldschone Hongaarse echtgenote, altijd in het bezit van diepe en cruciale, voor John onbereikbare kennis, altijd op weg naar blauwe nazomerluchten met temperaturen uit het begin van de herfst, het soort weer dat alleen achteraf gezien bestaat.

'En nu iets gezelligs, alstublieft!' luidde de strijdkreet van het seizoen, een uitdrukking met een rekbare betekenis. John mompelde deze leus nu de trein van Scott en Maria een vreemd stil station had achtergelaten, en Charles begreep dat John 'opgeruimd staat netjes' bedoelde.

'Je bent met haar naar bed geweest, hè?' vroeg Charles.

'Dat leek me het juiste om te doen.'

'O, dat was het beslist.'

Ze liepen het station uit en stonden net op tijd buiten in de felle zon op het Barossplein om te zien hoe een forse man in een blauw windjack op een van de terrasjes woedend overeind kwam uit zijn stoel; hij hield het tafeltje schuin en liet de drankjes en de glazen op zijn met afschuw vervulde vrouwelijke gezelschap terechtkomen. Ze zagen hoe hij tegen haar stond te schreeuwen en zij haar handen voor haar gezicht sloeg en begon te huilen. Ze zagen hoe hij zijn broek openritste, zijn lid naar buiten haalde en lachend met urine over haar schoenen, het omvergegooide tafeltje en het op de grond liggende serviesgoed sproeide. Twee schriele kelners overlegden met elkaar en besloten niet tussenbeide te komen (een van hen liep besluitvaardig het café in, maar alleen om daar een stokdweil te halen).

'Het wordt een mooie herfst', zei Charles. 'Alle voortekenen wijzen erop.'

(3) De eerste uitgesproken herfstavond (september), waarop je na het vallen van de avond aan een trui alleen niet genoeg hebt.

De boom liet zijn zo kenmerkende bladeren vallen, vrijwel allemaal tegelijk. In een poging haar aandacht nog even vast te houden en haar te imponeren met zijn vreemde fantasieën zei hij dat ze op oosterse waaiertjes leken. Nee, zei Nicky, ze leken op een vloot volmaakte, gemotoriseerde schelpschalen die omgeven door schuim naar de vaste wal waren gedreven, schelpschalen waarvan zojuist een zwerm naakte, maar schuchtere Botticelli-venussen was uitgestapt om zich blootsvoets over het zand naar een exclusief, alleen voor liefdesgodinnen bestemd strandpaviljoen te begeven, waar ze lekker ontspannen zouden gaan liggen en met kleine teugjes van schuimende vruchtencocktails zouden drinken (geserveerd door gecastreerde kelners) terwijl ze er desondanks in slaagden hun benen kuis over elkaar heen geslagen te houden en één arm strategisch over hun borsten te leggen. Oosterse wááiers!

Vandaar dat hij Nicky kuste. Hij drukte haar tegen de brugleuning en kuste haar fel, met alles wat hij in zijn hart en zijn lendenen voor haar kon opbrengen; hij proefde uien en rook, voelde de zwelling van haar borst, kuste haar met geweld in de ijdele hoop dat hij de afwezige, vertrouwde blik zou kunnen verdrijven die hij een uur geleden tijdens het eten langzaam op haar gezicht had zien verschijnen (terwijl ze bespraken of de arme Mark nou wel of niet wilde dat zijn geheim bekend werd). Nog even en ze zou zeggen dat ze zich bijzonder geïnspireerd voelde en zin kreeg om te gaan werken, en ze zou hem niet mee naar huis nemen of hem niet langer willen laten blijven dan noodzakelijk was voor het uitvoeren van bepaalde vormen van lichamelijke vereniging. Hij kuste haar om tijd te winnen. Hij hield haar armen stevig tegen haar zij gedrukt, nam toen haar gezicht tussen zijn handen. Ze kreunde, hij zuchtte. 'Verdomme, jongen, erg opwindend, maar je zult het tot morgen moeten bewaren, want ik krijg zin om te...' En hij liet haar alleen naar huis lopen – 'regels zijn regels, het speelkwartier is voorbij' – maar nadat ze afscheid hadden genomen vroeg hij zich onwillekeurig af of ze echt naar huis ging om te werken, en hij speelde met de gedachte om haar achterna te gaan, steun zoekend achter koude bomen, toekijkend vanaf een veilig, gemeen afstandje terwijl haar gladde koppie over de Burchtheuvel naar beneden deinde, de rotonde op, de brug over en via de boulevard naar haar vervallen straatje, en zou ze daar aan het werk gaan of werd ze er door iemand opgewacht?

Hij bleef haar niet lang nakijken, maar draaide zich om en liep weer de heuvel op, waar hij zomaar wat door de zijstraten dwaalde totdat het bij hem opkwam om naar het kelderbarretje te lopen waar hij wel vaker kwam. Het hing er vol stierenvechtersattributen en werd gedreven door een piepklein oud Hongaars echtpaar dat zich die zomer verlegen aan hem had voorgesteld, nadat John een maand of twee met enige regelmaat was verschenen, en dat hem echte absint had laten proeven uit een zwarte fles die onder de bar stond en was geblazen in de vorm van een lachende, huilende beer.

(4) De nagalmende klank van kristal gekust door kristal.

'Op de economische hogeschool had het zinnetje een aparte betekenis: "Ik ga bij een uitgeverij werken" betekende iets heel specifieks. Als je bijvoorbeeld net een examen achter de rug had en iemand vroeg hoe het was gegaan en jij wist dat je het verknald had, zei je gewoon: "Het ziet ernaar uit dat ik bij een uitgeverij ga werken." Of iemand was de klos en kreeg onvoorbereid een vraag van een docent over een praktijkgeval en hij maakte er een puinhoop van – dan hoorde je de andere studenten in de zaal zachtjes opdreunen: "Zo te zien gaat er iemand bij een uitgeverij werken." Als ze me nu konden zien, zou ik ontzettend worden afgezeken vanwege deze transactie.'

Imre kwam pas laat en accepteerde een glas bordeaux. 'Károly zat me net te vertellen dat de toekomst van het uitgeverswezen een vast onderwerp van gesprek was op de hogeschool waar hij economie studeerde', zei John.

'Dit is geweldig, en ik heb tegen hem gezegd dat hij juist deze manier van denken uit zijn opleiding moet meenemen, hij moet de nieuwe manier van denken mee naar huis nemen, die hij in het buitenland heeft geleerd.' De beide mannen stootten elkaars glas aan en zeiden iets in het Hongaars.

En om een of andere reden balde dat exacte moment zich samen tot een pure herinnering die John nog vele jaren zou bijblijven en als een sluimerend virus door zijn lichaam zou zweven. Ze zagen er op dat moment vrijwel hetzelfde uit, beide zakenlieden, en John hechtte geloof aan het verhaal, aan Imres leven en levenslot, geloofde dat een heel oude institutie naar de toekomst werd gelanceerd, met de jeugdige energie van Charles Gábor als aanjager, al dan niet zogenaamd gegeneerd. Op dat moment vormden beide mannen een gespiegeld beeld, met als middelpunt de plaats waar de twee wijnglazen elkaar raakten: de gekromde arm gehuld in de mouw van een licht wollen kostuum en van een fijn gestikt overhemd dat werd gesloten met een zilveren manchetknoop, de schouder die zich enigszins naar voren boog als bij een schermer die de gevechtshouding aanneemt, de strenge en (licht ironische) geconcentreerde gezichtsuitdrukking, de bewegelijke rimpeling rond de ogen, het achterover geborstelde haar, het intense, spijkerharde geloof in de man die van vlak over de kristallen brug terugstaarde. John zat opzij van hen, en gedurende de korte tijd dat de tinkelende kristallen echo door de lucht sprenkelde en op tafel viel, voelde hij een heet kloppende afgunst achter in zijn keel, als een beroepskoppelaarster die zich afvraagt – voor het eerst in een lange, succesvolle loopbaan – of ze haar eigen geluk niet te lang had uitgesteld.

Gedrieën liepen ze op die koude oktoberavond over het Deákplein, waar de bouwput die de ondergrondse parkeergarage voor het Kempinskihotel zou worden zijn laagste punt had bereikt en het glazen hotel al gereed zat om uit zijn diepe hurkzit omhoog te springen. Imre bracht hen over de boulevard naar de voordeur van een herensociëteit die Leviticus heette. John liet beleefd weten dat hij naar huis ging om vroeg zijn bed in te duiken. Hij wachtte tot de zakenpartners waren verdwenen onder de luifel, die was gemodelleerd naar de toegang tot een woestijnhut: aan elkaar genaaide namaakhuiden (canvas) die over (kunstmatig) gebogen houten (beschilderd metaal) staken waren gespannen. Hij liep de boulevard op en telde zijn zegeningen, hard lachend om alle kruiperige capriolen die Charles nog zou moeten maken – de oude man verplicht achternagaan in een stripteasetent, archetypisch trefpunt van de meest eenzame mannen en vrouwen die er bestaan. Mark zou daar wel raad mee hebben geweten.

Onderweg naar de Blue Jazz probeerde John de sterrenbeelden thuis te brengen; hij keek er indirect naar om ze scherp in beeld te krijgen. Net zoals Imre, indien je hem indirect bekeek, totaal geen grandeur had, concludeerde hij, en eerlijk gezegd een ontzettend belachelijke man was; Charles had zichzelf veroordeeld tot een carrière waarin hij moest toegeven aan de luimen en grillen van een niet-serieuze oude gek. Charles was, indirect bekeken, al niet veel imposanter.

(5) (Een steeds terugkerend droombeeld uit later jaren, lang nadat hij zich gelukkig had geprezen dat hij het had verleerd zelfs maar aan haar te denken en zelfs haar naam was vergeten: Emily Oliver naakt, op een veren boa na, zwevend tegen een achtergrond van een groene hemel, gedragen door weelderig volle, zilverkleurige vleugels, met een Amerikaanse football tegen haar borst gedrukt terwijl ze haar andere arm gestrekt hield in de afwerende houding van een aanvallende verdediger).

Deze blijvende, bonte droombloem ontlook aan zaad dat op Halloween 1990 was geplant, toen Emily op een licht verhoogd podium rondzwierf tussen de andere gasten, in een groene sweater van de Philadelphia

Eagles met daaronder echte footballschoudervullingen en in een strakke witte broek die, hoewel overtuigend sportief, eigenlijk een van haar favoriete vrijetijdsbroeken was. John stond erover te denken haar aan te spreken door Marks verdwijntruc en zijn eigen (mislukte) pogingen om hem op te sporen te gebruiken als excuus voor hun eerste gesprek in maanden. Maar de gelegenheid bleef hem telkens ontglippen. Nu stond ze te praten met een man die John niet kende maar die hij kon identificeren – aan zijn kapsel en zijn stevige lijf – als een ambassademarinier, ondanks zijn spaarzame Tarzanuitmonstering, die bestond uit een slipje van namaakluipaardbont, een lendendoek en een schouderband. Van de overkant van de gehuurde hotelbalzaal, onopgemerkt in de menigte, in de schaduwen en in zijn kostuum, zag John hen praten onder een banier met welkomstwoorden in twee talen: Engels (HAPPY HALLOWEEN) en Hongaars (WELKOM BIJ DE AMERIKAANS GEKOSTUMEERDE VIERING VAN DE VOORAVOND VAN HET FEEST VAN ALLERZIELEN). De oerwoudmarinier hield Emily's footballhelm (de geschilderde zilveren vleugels op de zijkanten zouden later ontluiken in drie weelderig volle dimensies) in zijn handen en liet hem voorzichtig tussen zijn twee middelvingers draaien; hij raakte hem zachtjes aan met vingertoppen die volgens John op zijn post aan de andere kant van de zaal iets sinisters van plan waren gezien de geslepen manier waarop ze met het hoofddeksel omsprongen.

Het graatmagere octet van leerlingen van het Franz Liszt-conservatorium, die niet precies wisten welke van de bejaarde liedjes in hun gehavende bundel *American Popular Tunes* echt bekend waren bij Amerikanen, zette een Hongaarse versie van 'After Breakfast Girl' in, gespeeld in een Latijns-Amerikaans tempo, de menigte begon te schuifelen, en vijf gigantische speelkaarten met roze mensengezichten en dunne armpjes en beentjes in rode of zwarte maillots en mouwen – een onwaarschijnlijke grote straat – dansten een soort congapolonaise, twee passen naar voren en een pas naar achteren, nog een pas naar achteren en twee passen naar voren. Ten slotte schommelde de laatste koninklijke rechthoek uit de weg en zag hij Emily weer. Tarzan had zich van haar weggeslingerd. Ze stond met haar rug naar hem toe. Ze zwierf nu verder weg, met haar helwitte nummer 7 trots onder de vertrouwde paardenstaart; toen gleed er een witte handschoen en een zwarte mouw om haar middel, de bijbehorende andere hand omsloot haar hals, werkte zich onder haar kin en duwde haar hoofd naar achteren, en toen waren er lippen tegen haar oor of was er misschien een neus tegen haar wang – John wist het niet zeker omdat hij vanaf de plaats waar hij stond alleen een rug kon zien, die schuilging onder een cape met een capuchon en een masker van een beroemde, van een handelsmerk voorziene tekenfilmmuis, met zijn kenmerkende kolossale oren, maar ook met een glimlach die door de kostumier was veranderd: breed, open en dreigend, met vier vlijmscherpe tanden.

'De journalist! Ik moet je nog hartelijk bedanken.' Een plotselinge inbreuk kwam hobbelend zijn gezichtsveld binnen: een piraat met ooglap, halsdoek en levende papegaai op zijn schouder, Harvey de investeerder, met een heel overtuigend houten been, dat de bloedsomloop in de kuit die hij had opgebonden ernstig moest hebben gestremd. Johns artikel over Kap'tein Harv had zijn onderwerp klaarblijkelijk substantiële aandacht opgeleverd; er had hem een aantal verzoeken om investeringsinformatie bereikt, het artikel was gesignaleerd door krant en radio in zijn voormalige woonplaats in de Verenigde Staten, hij had een aantal interessante transacties en mensen op zich af gekregen, hij voelde zich aangenaam gestreeld door de prima publiciteit et cetera, et cetera. Zelfs toen het John lukte zijn afgunstige aandacht naar deze wankele, bonkende man te verplaatsen, kostte het hem moeite om in te schatten of Harvey hem voor de gek hield of zelfs indirect bedreigde; John had immers een portret geschreven dat zo gloeide van uraniumgiftige ironie dat het hart van elke normale man als een geigerteller aan het tikken zou zijn geslagen. Het was onvoorstelbaar dat het tot zakelijke investeringen en zakelijk respect had geleid. Voorzover hij had verwacht ooit nog van hem te horen, zou dat zijn geweest in de heerlijk ongelijke strijd van de ingezonden-brievenpagina, waar John zich kon verlustigen aan een domme, ongrammaticale en niet hard te maken aanspraak op fatsoen, die hem uiteraard alleen maar het kostelijke cadeau zou opleveren van nóg een column te mogen schrijven ('Onze verslaggever reageert...') waarin hij nieuwe haakjes op de zilveren glibberlippen van deze vis kon uitproberen. Ook had John een paar weken lang verwacht dat Harvey, als hij zelfs niet de moed kon opbrengen om een openbaar duel in druk te riskeren, er wat gladde juridische correspondentie uit zou persen die leuk genoeg was om in te lijsten. Maar nee, in plaats daarvan kwam er alleen maar blozende Halloweenvrolijkheid en toekomstig profijt van deze grijnzende, ratelende piraat, en nu had Harvey, als John het goed begreep, een tip, als John tenminste geïnteresseerd was: er was navraag gedaan – Harvey

had inlichtingen ingewonnen/ontvangen – en de kwestie van de privatisering van uitgeverij Horváth werd iets feller betwist dan bleek uit de,
zal hij maar zeggen, interessant tendentieuze plaatselijke verslaggeving
tot dusver, en zou Johns nieuwsgierigheid niet geprikkeld worden als hij
hoorde over een syndicaat – nee, geen syndicaat, dat is het verkeerde
woord – maar een aanmerkelijke belangstelling, een onderneming, als
het ware, die in de positie kan verkeren om spijkers te strooien op de
weg van Gábor en de oude man, en anders, de alternatieve mogelijkheid,
zoals juristen graag zeggen (en hier een knipoog, onopgemerkt, aangezien zijn knippende oog achter een lapje zat), verkeren ze wel in de positie
om het schip met goud een eindje dichter naar de haven te trekken en
het vlaggetjesdag te maken voor iedereen die genoeg met de transactie
heeft te maken om de lading te mogen lossen, en mogelijk, als John en
Gábor het zouden willen, zou dit concern, laten we maar zeggen van eilandbewoners uit de Stille Zuidzee (wellicht een zeeschuimersachtig
grapje), eilandbewoners uit de Stille Zuidzee (herhaald met een zelfgenoegzame lach), ik denk dat ik als enige in de unieke positie verkeer om
hen zover te krijgen dat ze hun spijkers inruilen voor schepen, als je begrijpt wat ik bedoel...

Ver weg, over Harveys schouder – en ook over de schouder van de papegaai – was sprake van een meer dan vriendschappelijk gefluister. John
kon uiteraard niet horen wat er werd gefluisterd, en evenmin kon hij
het gezicht achter het muizenmasker zien, maar zelfs op deze afstand herkende hij het wezen van de intimiteit. Dat kon hij uit Emily's glimlach
wel opmaken. Zou Harvey vast een soort topontmoeting regelen?

Hij keek naar de zeerover en daarna weer naar het verre podium, en nu
stond Emily voor Robin Hood, die ze hielp met de veters van zijn wambuis door ze voor hem op zijn borst te strikken. De held van Sherwood,
een klungelige man van middelbare leeftijd en een stuk langer dan een
meter tachtig, droeg een veel te grote bril met een schildpadmontuur en
had onder zijn hoedje van groen laken grijzend en dunnend haar, niet dikker dan dat van een baby. Zijn lange boog schraapte langs zijn kuiten en
had al een paar ladders in zijn rimpelende groene panty gemaakt. Merkbaar ongelukkig stond hij zenuwachtig aan zijn pijlkoker te prutsen en
krabde zich herhaaldelijk aan zijn slaap onder de rand van zijn bril. Emily
liet hem daarmee ophouden; met een glimlach weerhield ze zijn handen
van hun slechte gewoonten. Toen zei ze iets, met als resultaat dat hij een

eerste laagje zorgelijkheid van zich afschudde en wat meer plezier kreeg.

In een poging het bod van Charles (en zijn eigen aandeel daarin) te be-schermen, zei John tegen de boekanier dat hij zijn Zuidzee-eilandbewo-ners iets langer op een afstandje moest houden, hoewel hij zelf eigenlijk niet precies wist wat hij bedoelde. John sprak uitvoerig, waarbij hij ver-trouwde op het gezag van de vertrouwelijkheid en het zelfvertrouwen. 'Volgens mij is iedereen erbij gebaat als je die bewoners van je Zuidzee-eiland nog een paar weekjes aan het lijntje kunt houden om ze daarna de geëigende mensen te laten ontmoeten onder omstandigheden die dan wat meer, eh, vruchtbaar kunnen zijn. Op dat moment zal er geen gebrek zijn aan... kansen, als de overheidswissewasjes eenmaal zijn afge-werkt. Als de overheid lucht krijgt van hongerige vreemdelingen zoals jij of je eilandbewoners, kan ze de boel nog steeds vertragen tot de slak-kengang van het communistische tijdperk. Laat Imre eerst de overheid het pand uit praten, wie weet wat er dan wel of niet mogelijk is.' John be-loofde alles en niets, en de piraat knikte veelbetekenend.

De muis kwam voorbij, maar hij zag het knaagdier pas toen het al bijna te laat was, en zijn half opgevatte voornemen van zo-even – ruk de mui-zenkop af en bied het hoofd aan de rat die eronder zit – te veel uitstel had opgelopen om te kunnen worden uitgevoerd. Hij had geen tijd om te zien of de dribbelende muis er schuldbewust uitzag of niet: het was on-mogelijk om te zien welke kant zijn kraaloogjes op keken. Omdat de muis laarzen droeg, had John zelfs moeite om zijn lengte te schatten, en omdat zijn cape met capuchon en geringde, spaarzaam met bont be-groeide staart weggleed tussen de menigte, ging Johns fantasie verstikt over tot handelen: vrijwel iedereen kon Emily's geheime ongedierteminn-naar zijn geweest. Hij deed zijn best om te raden wie daar onder het zwar-te muizenmasker liep te zweten en te broeien: was Bryon terug in de stad? Waar was Charles vanavond? Is er nog een andere marinier in het spel en pakte Emily ze allebei, Tarzan en het knaagdier? Een onbekende, een atletische oud-student op bezoek uit Nebraska, door wie het meisje jaren geleden was verleid en die nu naar Boedapest was gekomen om zelfs hier zijn virale affecties te verspreiden? Of was het haar in tegenstelling tot de mariniers juist wel veroorloofd om zich met Hongaarse onderdanen te verbroederen, zich op clandestiene wijze te verenigen met een Magy-aarse Romeo-Zsolt, die vanonder die ronde oren sexy Hongaarse brab-belwoordjes stond te koeren?

En dus liet hij Harvey halverwege een zin staan en liep de balzaal uit, het hotel uit en de donkere straat op, waar een vampierachtige muis in een cape zojuist links de hoek bij de taxistandplaats was omgeslagen. De rokende chauffeurs leunden tegen hun Mercedes, maakten zigzagrondjes met de oranje punt van hun sigaret en prevelden: 'Taxi, taxi, taxi, taxi, taxi, taxi', totdat John dezelfde hoek naar links was omgeslagen, maar zijn prooi was al verdwenen. Hij zette het op een draven en sloeg de eerste de beste bocht om, maar in het doodlopende steegje waarin hij was doorgedrongen waren geen deuropeningen of uitgangen. Verdwaasd bleef John staan, naast uitpuilende, door troep omgeven vuilnisbakken, onder een paar flikkerende gele lampen, terwijl zich heel echte, heel hongerige ratten (maar zonder vampierneigingen) piepend aan zijn voeten verdrongen, opgeschrokken uit hun avondbezigheden door een man in volledig zeemanskostuum met een rammelende plastic sabel aan zijn zij.

(6) 'Chef, stoor ik je ergens bij?'
   'Niks aan de hand, ouwe dibbes. Wat heb je op je lever?'
   John stak weifelend met zijn idee van wal: een reeks portretten die in de resterende weken van november zouden verschijnen – een kennismaking met telkens een van de Hongaarse overheidsdienaren met wie westerlingen zeer waarschijnlijk tijdens hun werkzaamheden in contact zouden komen; het lag voor de hand dat hij zou beginnen met iemand van het Staatsbureau voor privatisering of iets van dien aard.
   En achter de horizontale latjes van Hoofdredacteurs neergelaten luxaflex, aan de andere kant van zijn geluiddichte ruit, bogen Nicky en Karen zich over Karens bureau, bladerend door een van Nicky's portefeuilles. John kon niet zien welke foto's ze samen zo stonden te bewonderen, en toen hij het kantoor van Hoofdredacteur was binnengelopen, had Nicky met volle teugen van zijn onbevredigde nieuwsgierigheid genoten. Nu stonden de vijfmaal door die luxaflexlatjes gestreepte vrouwen te lachen en te wijzen, bedachtzaam te kijken en met hun vingers op favoriete foto's te tikken. Af en toe keek Nicky door het glas omhoog om met veel genoegen te controleren of John nog wel toezicht hield. Discreet tuitte ze haar lippen tot een kus voor hem, en daarna sloeg ze haar arm om de schouder van de andere vrouw om haar theatraal te wijzen op een bijzonder aspect van de compositie dat John natuurlijk niet kon zien, al liep hij toch naar het raam van Hoofdredacteur en boog hij met zijn op de mid-

delbare school bij het basketbal gebroken, permanent half genezen, kromme vinger een luxaflexlatje naar beneden dat een metaalachtig knalletje liet horen, net op het moment dat de geïntrigeerde hoofdredacteur toestemde in zijn halfbakken, frauduleuze voorstel, het geesteskind van Charles Gábor.

(7) De gewaarwording, midden in de nacht, dat hij wakker wordt in een kamer waar de verwarming niet goed werkt: de luchtstromen die opeens als woestijngeesten midden in de kamer opduiken, de geluiden en de geuren, in het holst van de nacht, waaraan je merkt dat het snel winter wordt, de metalige klap waarmee blote voeten in contact komen met de vloer, de kriebelende, koude lucht van opdrogende olieverf en opdrogend fixatief, van dieseldampen die van de straat opstijgen door een gebarsten raam, de vleug van een vertrouwd parfum dat zich heeft genesteld in de schurend wollen deken waaronder hij het warm genoeg had om zwetende benen te krijgen, hoewel zijn blootliggende borst en zijn armen prikkelden van zilversplinterige kou, en het moment dat hij op zijn horloge keek, naast hem op het van straat meegenomen nachtkastje, en hij de lange wijzer, één diepe ademhaling lang, op stilstand betrapte totdat de wijzer ten slotte wist dat er naar hem werd gekeken en hij, zich van den domme houdend, met een sprongetje een achteloos ritme inzette.

'Slaap je?' vroeg hij.

'Nee.'

'De bloemen op je raam zijn prachtig.'

'Hm. Ze hebben iets van besneeuwde takken.'

'Zou kunnen.'

'Gezien door de voorruit van een auto.'

'Vast wel, ja.'

'Over het wigvormige kwartcirkeltje heen dat ruitenwissers maken.'

'Dat is waar. Hebben die ook een naam?'

'En de verwarming in de auto doet het niet.'

'Net als hier.'

'Nee, anders. In de auto komt dat door een defect in de bedrading. Sabotage.'

'Sabotage?'

'Ja. We rijden over een donkere weg wanneer de verwarming het begeeft, dan beginnen de koplampen te flikkeren en vervolgens geven ze er de brui aan. Dan houdt de auto er zelf ook mee op en is het buiten heel stil. Jij vraagt of de benzine op is.'

' "Is de benzine op, Nicky?" '

' "Welnee, volgens mij niet, John, de naald geeft aan dat de tank voor driekwart vol is." Maar de auto staat zonder enig teken van leven op de weg en hij maakt een ongezond, amechtig geluid als ik het sleuteltje om-draai en daarna doet hij zelfs dat niet meer. We zitten overal kilometers vandaan. Door sabotage. En we hebben niets anders aan dan een veren boa en naaldhakken.'

'O ja? Allebei?'

'Ja. Nu zul je moeten uitstappen om hulp te halen.'

'Met alleen een boa aan?'

'En op naaldhakken; niet zeuren. En met heel lange wimpers. En een gitzwarte pruik op.'

' "Maar Nicky, als ik er in die kleding opuit ga, de sneeuw in, dan be-vries ik." '

' "Als we geen hulp krijgen, bevriezen we verdomme allebei, en op deze verlaten weg komt heus niet zomaar iemand voorbijlopen." Maar je hebt gelijk, dus ik zal mijn boa aan je afstaan. Dus nu heb jij twee boa's om. Je gaat de auto uit en kijkt verlangend om terwijl de naaldhakken krakend in de verse sneeuw zakken. Je slaat zo goed en zo kwaad als het gaat die twee boa's om je naakte lijf, je trekt je pruik recht en je ziet mij tussen je lange wimpers door, en de voorruit is al aan het beslaan door mijn adem, dus het wordt al moeilijk om me te onderscheiden, maar je weet dat ik me geheel op je verlaat, een vrouw met alleen maar naaldhak-ken aan, rillend in een auto op een verlaten en besneeuwde bosweg, mid-den in de koudste nacht sinds mensenheugenis. Ik leg mijn leven in jouw handen. In een piepklein jaren zestig-cabrioletje uit de hoogtijdagen van de Italiaanse vormgeving. Zwart. Gessssaboteerd.'

' "Nicky?" '

' "Ja?" '

'Stuur je me naar huis?'

'Je bent erg vlug van begrip, mannetje.'

'Ik zie dat je Marks foto weer hebt opgehangen. Het heeft iets ontmoe-digends om het te doen wanneer ik lig te kijken naar een vergroting waarop we het liggen te doen.'

'Volgens mij kost het je geen enkele moeite. Als hij ooit terugkomt, mag hij hem hebben, dan hou ik de polaroid wel. Zeg, ik wil een keer kennismaken met die oude pianovriendin van je.'

'Heb ik je dan over haar verteld?'

'Natuurlijk heb je dat. Of heeft iemand anders dat gedaan, Mark misschien, weet ik veel. Het maakt niet uit. Ik wil kennis met haar maken, oké?'

'Denk jij er wel eens over na welke kant het met ons opgaat, Nick? Weet je wat ik bedoel? Ik heb soms het gevoel, ik weet niet, alsof we misschien iets zouden kunnen…'

'Hou daar meteen mee op. Nu stuur ik je echt naar huis.'

'Ik wou alleen maar zeggen…'

'Echt. Ik moet schilderen.'

'Dat weet ik, maar…'

'Vooruit. Ik meen het.'

Hij kleedde zich aan. Ze kuste hem op de drempel van de open deur en overhandigde hem zijn rugzak met Marks dagboeken. Ze had de dikke geruite deken om haar bovenlichaam geslagen, en haar blote armen en schouders blonken wit op in het licht van de gebochelde maan, dat over de binnenplaats en de deuropening viel. Ook had ze een namaakveren hoofdtooi opgezet, het voornaamste onderdeel van een in Bulgarije gemaakt 'indiaans opperhoofd'-kostuum dat ze ergens in een bijzondere Hongaarse speelgoedwinkel had opgeduikeld. Het viel niet mee om serieus te blijven tegenover een kaal, half bloot, Indiaans opperhoofdmeisje. Toch wilde hij iets zeggen, dat merkte ze wel, en daarom aaide ze hem met een glimlach over zijn wang, om hem daarna haar rug toe te keren, terug het appartement in te gaan, haar deken te laten vallen, haar slepende hoofdtooi met de onderste namaakveren over de ronding van haar naakte heupen te laten strijken en de deur achter zich dicht te trekken.

(8) John legde zijn eerste aflevering in de serie 'Hongaren die u dient te kennen maar liever niet (al te opzichtig) moet proberen om te kopen' aan Hoofdredacteur voor. Om zijn sporen uit te wissen begon hij met iemand die niets te maken had met de zaken van Charles Gábor: de bejaarde bewaker die dienstdeed bij de voordeur van de Amerikaanse ambassade, de man wiens verantwoordelijkheid het was om met een handmetaaldetector over een Donau van visumaanvragers, zakenlieden en bezoekende overheidsdienaren te zwaaien. Johns profiel van Oude Péter ging gepaard

met een extreme close-up van de man zelf (FOTO: N. MANKIEWILICZKI-POBUDZIEJ), waarop de diepe ravijnen in zijn gezicht, zijn spleetjesogen, de zachtheid van de glimlach die om zijn papperige lippen lag en de harige lellen die aan zijn kin hingen en in de open kraag van zijn Roemeense polohemd vielen extra sterk uitkwamen. Het bijschrift luidde: VAN HARTE WELKOM BIJ DE AMBASSADE VAN DE LEIDER VAN DE VRIJE WERELD.

Het door een tolk vertaalde interview (Oude Péter kende alleen werknemersnamen, titels en verdiepingsnummers in het Engels) werd gehouden in de ambassade (die galmde van een voortdurende en voortdurend teleurstellende belofte dat Emily er aankwam), na werktijd, terwijl een gezette, besnorde Hongaarse vrouw op handen en voeten de traptreden in de hal aan het boenen was. John hoorde van Oude Péter dat drie van de mariniers die hij in juli had ontmoet (met inbegrip van die reus van een 'negerjongen') het ambassade-blauw hadden ingewisseld voor het woestijn-kaki en zich nu ergens in de Perzische Golf bevonden, waar ze zich voorbereidden om met de Arabische Hitler te vechten. 'Hoessein Saddam boem!' sprak Oude Péter slurpend. Hij besproeide het vertrek met machinegeweergeluiden. De werkster besteedde geen enkele aandacht aan hem, maar sopte verwoed met haar dweil in de dampende emmer die naast haar stond, en kletste hem met beide handen op de vloer.

Twee dagen later kwam John met de tweede aflevering in de reeks: 'Psst, jochie, heb je interesse in een paprikafabriekje?' In deze buitensporig complimenteuze column werd een karakterschets gegeven van een onderdirecteur van het Staatsbureau voor privatisering, die was belast met het denationaliseren van middelgrote bedrijven. John beschreef deze bureaucraat als 'een van de voornaamste architecten van de nieuwe wereld', maar ook als 'iemand die opkomt voor het Hongaarse ondernemersverleden'. John bestempelde de antwoorden van de man op herhaalde vragen hoe belangrijk het was om de Hongaarse handel terug te leggen in Hongaarse handen als voorbeelden van 'twintigste-eeuwse genialiteit' en 'een van de vele redenen waarom de naam van deze man constant komt bovendrijven in gesprekken over kandidaten voor ministeriële portefeuilles'.

'En wat zijn dat precies voor gesprekken?' vroeg Charles aan John op de avond dat het stuk werd gepubliceerd.

'Nou, dit gesprek bijvoorbeeld.'

Trots luisterde John toe terwijl Charles het hele stuk door de telefoon aan Imre voorlas, af en toe lachte en de vragen van de oude man in welluidend Hongaars beantwoordde. 'Het doel is in zicht, Imre', zei hij in het Engels. 'Het doel is in zicht.'

'Het heeft iets schandaligs', had John in de loop van het interview gezegd, 'dat buitenlanders het privatiseringsproces als een boedelopruiming beschouwen en niet, zoals eigenlijk zou moeten, als de herintreding van gerechtigheid en logica in een economie die zwaar te lijden heeft gehad van onrecht en een gebrek aan logica. Waarom zou een Amerikaan of een Fransman of een, een, een eilandbewoner uit de Stille Zuidzee een Hongaars bedrijf moeten kopen als er Hongaren zijn die staan te trappelen en voldoende gekwalificeerd zijn om dat bedrijf te leiden? Waarom is een buitenlander – een koopjesjager – beter dan zo'n bedrijf in handen van de staat te houden?'

Hoewel het antwoord van de man bezadigd was en worstelde met complicaties waaraan de vragen van de jonge verslaggever naar zijn mening voorbijgingen, leverde het hem desondanks nog meer lof op: *het inzicht dat zijn baan meer is dan louter die van een boedelveiler, maar juist veel weg heeft van de taak van een verstandige beheerder van een enorme tuin, die aan de juiste autochtonen het gereedschap en de kennis toevertrouwt om dit land opnieuw tot bloei te brengen.*

'Denk je dat hij bedoelde dat Gábor het beste bod heeft uitgebracht?' vroeg Harvey de volgende ochtend.

'Ik weet het niet. Ik wilde niet doordrukken. Maar hij was er duidelijk over dat men op het allerhoogste overheidsniveau de wens koestert om het historische erfgoed van de natie in de juiste handen te laten blijven – zeker in het beginstadium, waarin de zwaar symbolische boel naar de private sector wordt overgeheveld. Laat daarna de markt gewoon zijn gang gaan, maar verder ziet de overheid beslist niet over het hoofd hoe belangrijk de publieke meningsvorming op dit punt is.'

Nu las Harvey het artikel voor aan een onbekende luisteraar. Hij gaf kortaf antwoord op diens vragen en reageerde toen op een toon die een speciaal contact suggereerde (wat John wel kon waarderen): 'Omdat de verslaggever hier bij mij in de kamer is, vandaar.'

'En wie heeft nu het beste bod op uitgeverij Horváth?' kon John aan het slot van het interview niet nalaten aan de verlegen man achter het metalen bureau te vragen. De stille econoom van nog maar negenentwintig

had tijdens zijn gehele studie de officiële marxistische economie bestu-
deerd waarvan hij wist dat ze onzinnig was, en scripties geschreven waarin hij de loftrompet stak over het laatste vijfjarenplan (of daar slechts in
subtiel slijmerige bewoordingen over sprak).Vervolgens had hij elke middag in de bibliotheek van de Amerikaanse ambassade Adam Smith en
Milton Friedman gelezen en uitvoerig aantekeningen gemaakt over de
geheime religie waarvan hij wist dat je er de hele wereld mee kon verklaren.

'Meneer Price', antwoordde de econoom. 'U beseft hopelijk wel dat ik
daar niets over kan zeggen. U bent toch journalist? Het biedproces is volslagen omineus. U vraagt om omineuze informatie.' En John had zich
nog jarenlang het onaangename gevoel in zijn maag herinnerd waaruit
bleek dat hij te veel had aangedrongen, totdat hij besefte dat de man alleen
maar 'anoniem' had willen zeggen.

(9) Vrijdag de dertigste, de laatste uren van november: het een of andere
Amerikaanse joch stond over te geven tegen de ondermuur van een flat-
gebouw aan de overkant van de straat, en uit het grote raam naast de bar
van het nieuwe Thaise restaurant viel een wigvormig stuk geel licht op
de donkere weg. Charles trok de zware houten deur van de bar open, onder de matte oranje scheepslantaarns. 'Nu eerst alsjeblieft wat gezellig-
heid', zei een van hen ('Als er niets te beleven valt, na tien minuten weg-
wezen.'). John, Charles en Harvey (iemand met een sterke sociale
kleefkracht, al vanaf het eerste moment dat John hem aan Charles had
voorgesteld, die hem later bestempelde als 'mogelijk een goudmijn, mogelijk een fantast') liepen gedrieën het trapje af naar de bar, die gebouwd
was in de vorm van een fregat. Alles aan deze tent fluisterde deze ervaren
klanten in dat er nog maar een paar weken te gaan waren tot het einde,
wanneer dit oude trefpunt onherroepelijk overstag ging en volledig zou
verwesteren, wat voor iedere zichzelf respecterende buitenlander iets on-
aanvaardbaars was.

Toen hij twee Amerikaanse vrouwen met elkaar hoorde praten, sprak
John met een heel licht Hongaars accent de minst knappe aan. 'Neem niet
kwalijk dat ik je onderbreek', begon hij. 'Ik weet dat je dit vaker hoort.
Het is niet bedoeling om je lastigvallen, maar ik wil zeggen dat ik heel
veel van je films hou. Ik ben de grootste fan van jou.'

Ze speelde een poosje mee, maar bracht de arme Hongaar algauw aan het verstand dat hij haar met iemand anders had verward. Hij deed alsof hij zich geneerde, zij was gevleid door zijn vergissing, en een paar drankjes en een paar dansen later, nadat ze net een ijsblokje dat was bedekt met de laatste restanten van haar zoete vermout had kapotgebeten en doorge-slikt, stonden ze te zoenen, en haar tong was zo koud als een lijk, maar ook menselijk zacht. Het ijs had bobbeltjes op de papillen gevormd, en ze smaakte naar het zoet gekruide aperitief. Hij stond er versteld van dat zijn truc geslaagd was, maar een paar drankjes later, toen ze naar zijn ap-partement liepen (zijn Hongaarse accent was vergeten, achtergelaten in het fregat, samen met het rustige zakenonderonsje tussen Charles en Har-vey), zei ze iets – hij wist niet meer precies wat – waaruit hij begreep dat ze zijn babbel geen moment had geloofd, geen moment had geloofd dat hij een Hongaar was, en toen dit tot hem doordrong en de slaapbank zijn eerste krakende klacht liet horen, wou hij maar dat hij wat hoger had ge-grepen en juist de knapste van de twee vrouwen had gecomplimenteerd. De volgende ochtend bleek uit een vluchtig onderzoek met bonkend hoofd dat het nu anonieme meisje geen geld had gestolen, maar wel zijn tandzijde, zijn enige riem en de rugzak waarin Mark Paytons notitieboek-jes zaten, een verlies dat hem zwaar, heel zwaar trof.

II

Diepgaande kennis van het nieuws prevelde zich aan het eind van de mid-dag van de zesde december naar binnen bij het kantoor van Charles' advo-caat. Het Staatsbureau voor privatisering had het bod van Horváth Hol-dings geaccepteerd (een combinatie van contant geld en restitutiebewij-zen), en het bedrijf was nu eigenaar van zowel Horváth Verlag (Wenen) als van de verkoopbare restanten (sommige opgeknapt, andere vervallen) van de Horváth Kiadó (Boedapest): redelijk moderne drukapparatuur, af-tandse vrachtauto's en acceptabele magazijnen, achtenveertig personeels-leden, van wie de volle helft overbodig was, een catalogus van schoolboe-ken en oude, door de Partij goedgekeurde schrijvers, een participatie in twee kranten en twee tijdschriften, en twee verdiepingen van een onbe-schaamd grimmig, plomp en lelijk kantoorpand in de woestenij van de buitenwijken van Pest. Voor Imre het nu onbetwiste recht om zijn eigen naam commercieel te exploiteren in zijn geboorteland, en voor Charles – afgezien van de verdeling 49/51 – de kans om een echt bedrijf te runnen.

De volgende dag was Charles de hele ochtend bezig om een overwinningsfeestje te organiseren, en het huldebetoon begon die avond zodra de laatste gast in het warme Gerbeaud was aangekomen. Nog voordat John de sneeuw van zijn schouders had geklopt, stond Charles al op om zijn toehoorders een korte opsomming te geven van de relevante bijzonderheden in Imre Horváths levensverhaal: erfgenaam van een traditie, slachtoffer en overlevende van het communisme, onvermoeibaar beschermer van het geheugen van een volk, visionair, held. Krisztina zat onophoudelijk te glimlachen terwijl Imre majesteitelijk rustig zijn lippen tuitte en zonder het hoofd te buigen zijn blik neersloeg om het glaasje goudkleurige likeur voor hem op de tafel te kunnen inspecteren. Charles hief zijn eigen bittertje naar 'zijn mentor, mijn tweede vader, mijn geweten, een held van Hongarije'. De oude man, die nooit imposanter, méér getekend of gepantserd door de geschiedenis was dan nu, stond op om zijn compagnon te omhelzen, en de vijf anderen applaudisseerden en stootten elkaars glas aan.

Om de hoek van Gerbeaud zagen ze op de zachte, verse sneeuw twee rokende, ronkende limousines die geduldig stonden te wachten en opdracht hadden om het gezelschap van het verleden naar de toekomst te transporteren. In elk van hun baarmoederlijke interieurs stonden twee achterbanken tegenover elkaar, met naast elk daarvan een verzameling halfvolle kristallen karaffen, stevig in zwartfluwelen houders geklemd. In de voorste auto schonk Charles plechtstatig een borrel in voor Imre, Krisztina en hemzelf, terwijl in de achterste limo Harvey, zijn saxofoon spelende assistent, de Engelse jurist en John als schooljongens begonnen te giechelen terwijl ze hoge, bewerkte glazen volschonken met een scheutje van dit, een scheutje van dat, een scheutje van die doorzichtige, en *voilá* Neville, zoiets heet een Long Island Iced Tea. Is het werkelijk?

Bij hun volgende halte voegden beide groepjes zich bijeen en botsten twee duidelijk verschillende stemmingen op elkaar, om meteen terug te stuiteren, als twee luchtmassa's die knerpend tegen elkaar opbotsten: 'Mijn God, dit is... lieve hemel, je hebt de sleutel', mompelde Imre stilletjes in het Hongaars op het moment dat Harvey uit de andere auto stapte met de bewering dat je een vreemde taal het best in bed kon leren.

'Ja, zeker. Wij zijn toch de eigenaar? Het was gewoon een heel aardig gebaar van een vriend om me voor vanavond alvast een exemplaar te geven.' Charles stak de sleutel in het slot, maar draaide hem niet om. In plaats daarvan wachtte hij tot zijn gehoor tot bedaren was gekomen op het met sneeuw bestoven laadplatform, en toen sprak hij in het Engels: 'Dit is natuurlijk een magazijn, een van de bezittingen die gisteren door Horváth Holding zijn aangekocht. Belangrijker is echter dat dit het toneel is geweest van een stukje historie waarvan dit land zich met enige trots bewust dient te zijn. Iets meer dan vierendertig jaar geleden, toen ons land vergeefs voor zijn vrijheid vocht, stond onze vriend Imre op de bres voor de waarheid, in het midden van de storm. Vanaf dit bordes waar wij nu staan bestookte hij de tirannie met salvo's van de waarheid, en dertien dagen lang wist hij zijn Horváth Kiadó uit handen van de bezetters te houden.' Charles draaide de sleutel om, trok de metalen roldeur omhoog en drukte binnen op een knop van een rechthoekige doos die met een dikke zwarte kabel aan het onzichtbare plafond hing. Na twee verraste haperingen van de tl-buizen stroomden alle onderdelen van een spaarzaam bevoorrade hal met een hoog plafond en gebarsten betonnen vloeren ordelijk samen.

'Mijn God, hoe wist je dat?' vroeg Imre zijn vennoot met een schorre, al wat vochtige stem.

'Ik heb alleen tegen hem gezegd wat ik van mijn vader heb gehoord', antwoordde Krisztina Toldy.

'Welkom thuis, Imre', fluisterde Charles en drukte zijn vennoot de hand.

Krisztina en Imre liepen een eind het hard verlichte, bijna kale magazijn in, tot buiten gehoorsafstand, en de oude man legde zacht zijn hand op metalen wenteltrappen en golfijzeren wanden, draaide lampjes aan en uit, pakte voorzichtig een zwabber die daar stond, zette hem weer terug en tuurde naar het plafond alsof het onwaarschijnlijk was dat het er zat. De rest van het groepje bleef bij de deur hangen.

'Mijn God, dit is het mooiste magazijn dat ik ooit heb gezien', zei John tegen Charles. 'Mogen we hierna een bedrijf bekijken waar afvalwater wordt gezuiverd?'

'Die oude knaap is duidelijk dol op magazijnen', beaamde Neville en liet het staartje van zijn Long Island Iced Tea in zijn glas rondwalsen.

Harvey ging op een krat zitten, terwijl zijn zwijgende muzikale assis-

tent schuifelend naast hem bleef staan. 'Okido, Charles, laat maar eens horen. Wordt die Toldy door die ouwe gepakt? Wat denk je zelf?'

Voor de etappe van het pakhuis naar het etentje verwisselden John en
Charles van auto, zodat John een alcoholvrije rit lang naar Imre en Krisztina moest kijken die tegenover hem zaten te praten in een vrijwel onver-
staanbaar Hongaars. Na een paar minuten zweeg het tweetal en keken
ze ieder uit hun eigen raampje, door rookglas waarin alle leven buiten
de auto werd weg gefilterd tot weinig meer dan wat nerveuze koplampen. Impressionistische rivierlichtjes en met een halo omgeven vale straat-
verlichting zweefden boven volmaakt ronde zilverkleurige sneeuwho-
pen. John zag hoe de ogen van de oude man schoksgewijs heen en weer
schoven wanneer ze eerst het ene lichtpunt volgden, daarna het volgende.
Na een poosje vielen ze dicht, en vouwde Imre zijn handen op zijn schoot.

'Wat is er in het magazijn gebeurd?' vroeg John op zachte toon aan de
vrouw.

'Onvoorstelbare moed. Beginselvastheid. Een uitzonderlijke morele
helderheid.' Ze sprak elk woord langzaam uit, met haar blik op de bruine,
grijze en witte wereld buiten.

In bezadigd tempo arriveerden ze bij restaurant Szent Lajos, waar de
vier anderen ontspannen stonden te lachen en te schateren toen ze uit
hun voertuig stapten. 'Hoe was je door schuld beladen rit?' vroeg Charles
aan John, terwijl ze allebei de deuren van het restaurant openhielden en
tot het laatst wachtten voordat ze bij dit Hongaarse instituut uit het eind
van de negentiende eeuw naar binnen gingen.

'Stop me niet nog een keer bij hen in de auto.'

'Dat gevoel is me bekend, geloof me maar. Nou weet je precies wat
mijn werk inhoudt.'

Waar Charles bij eerdere gelegenheden had gekozen voor verfijnde
kookkunst, schilderde hij vanavond met andere kleuren, en die keuze
werd gerechtvaardigd door de woorden van de oude man: 'Ik heb hier
voor het eerst gedineerd met mijn vader, mijn moeder en mijn beide
broers, op mijn naamdag, toen ik oooo tien jaar was. In die tijd was zoveel
kelners en zoals die zich bewogen – dat heb je nog nooit gezien. Het
was iets heel geweldigs om hier te komen. Als een droom – de kelners
en de gerechten en de muziek, de rook van sigaren, de vrouwen. Een magische ruimte, zelfs als je geen klein jongetje was.'

Een vermoeide man op leeftijd met een uitgezakt vest en een afhangend vals strikje smeet een stapel plakkerige, gelamineerde menu's op tafel zonder dat hij bleef staan om iets te zeggen. Hun waterglazen werden met tegenzin gevuld door een jongere kelner die iets tegen zijn oudere collega schreeuwde toen deze al halverwege de lange zaal was. De oude man keek niet om en stak alleen maar zijn handen op, om ze met een gebaar van uitgeputte afkeer weer te laten vallen, terwijl de kelner nu zonder enig toezicht twee glazen tot over de rand volschonk en twee andere totaal negeerde.

'In het Szent Lajos zijn. Als je tien bent kan alles heel mooi zijn omdat alles nieuw is. Je wacht niet op iets beters. Wat je vóór je hebt kan je nog steeds verwonderen. Een zaal vol chique mensen is alleen maar verwonderend. Schoonheid maakt een diepe indruk op je. Je voelt schoonheid heel sterk. Ik had nog nooit een zaal gezien waarin zoveel leven was als deze avond hier. Ik weet dat mijn broers net deden als ze hier thuishoorden, maar ze waren nog niet oud genoeg. Deze zaal was vol mensen die een heel belangrijk leven leidden, dacht ik. Ja, déze zaal was vol muziek en kroonluchters die uit de zon waren gesneden. De stoelen waren van donker hout en hadden heel zachte kussens. De tafels waren goudkleurig en van marmer, en het zilver blinkte. Het plafond was een fresco van engelen en wolken.'

De enorme eetzaal was vrijwel leeg. Aan de tientallen, van elkaar verschillende tafels, dichtbij op elkaar neergezet om een intieme sfeer te creëren, zaten slechts een paar gezelschappen, met grote tussenruimten: luidruchtige en vrolijk lachende Amerikaanse zakenlieden die grappen zaten te maken over dit beroerde, door hun conciërge aanbevolen restaurant, bezoekende Hongaarse bannelingen die stil en verbijsterd na tien tot veertig jaar probeerden te onderscheiden wat er in deze zaal zichtbaar anders was dan in hun hardnekkige, tegenstrijdige herinneringen, plaatselijke bureaucraten die zich over dezelfde maaltijd bogen die ze al tientallen jaren tot zich namen en voor wie deze omgeving even vertrouwd was als een paar oude schoenen, en aan één tafel, als een bezoedelde, zwakke weerklank van Imres overpeinzing, een gezin dat ongelukkig en niet op zijn gemak een mijlpaal in het leven van een van de kinderen zat te vieren. Het vreemde, misselijk makende licht van de zaal droop uit grote plastic futuristische bollen uit de jaren zestig, die aan oranje, met vinyl overtrokken draden hingen. Stevig in papieren servetjes gewikkeld, gevlekt stalen bestek vormde een ongelijkzijdige, trillende piramide in een ronde plastic

bak op een serveerboy. Een jongen duwde het karretje langzaam op en
neer tussen de tafeltjes door, haalde een natte lap over de onbezette tafeltjes, een vochtige *V* achterlatend, en gooide dan wat rolletjes bestek achter
zich neer.

'Oooo, en daar was een zinken toog, over de hele lengte van die wand.
De barkeepers waren sterke mannen en knap, en ze gooiden glazen en
de stalen shakers naar elkaar over. Ze draaiden om elkaar heen als ze elkaar
moesten passeren in die kleine ruimte daar, onder de ramen. En aan de
andere kant van de vensters was de eerste sneeuw van het jaar, en lichtjes
buiten, zodat de sneeuw valde als stukjes zilver op een achtergrond van
zwart en geel, en het zag er buiten heel stil uit en was erg luid binnen,
en de twee gescheiden door slechts een raam leken erg mooi.'

De twee obligate zigeunermuzikanten liepen nu van het ene tafeltje
waar ze werden weggekeken naar het volgende in hun met lovertjes bezette vest en hun strakke, vlekkerig glanzende broek. De een trok aan zijn
accordeon, die hij in een stevige omhelzing vasthield, en keek alleen naar
zijn vingers of naar de vloer, terwijl de violist heen en weer bewoog en
een grimas trok.

'Meneer Price, ik zie u lachen wanneer de zigeuners nu spelen, en u
hebt gelijk. Ze zijn nu een grap, voor toeristen, als zoveel dingen na staats-
toezicht, een beetje dood, een iets meer armoedig product. Maar toen!
Oooo, mensen waren anders. Levende muziek horen was anders. We hadden niet de hele dag stereocassettes in ons oor en jullie compactdiscs om
elk soort muziek uit de geschiedenis van de wereld te kunnen vangen.
Toen muziek moeilijk te vinden was, maakte ze des te meer indruk. En
de zigeuners zelf waren mannen van vuur, boerse goden die je konden be-
toveren en duizelig maken. Mensen gooien geld – niet alleen munten,
maar ook papíer – naar de muzikanten, en laat op de avond was het dansen uitzinnig, en er werden bontjes gehangen om vrouwen die knapper
waren dan je je kunt voorstellen, met een hals helemaal als van een zwaan,
en ze dansten tot de dageraad aanbrak in het raam daarginds.'

Door dat raam konden ze nu hun kelner buiten zien staan, lachend met
een collega terwijl hij een sigaret aanstak met de peuk van de vorige, on-
gehinderd door het gevoel dat hij elders dringende verantwoordelijkheden had. Een poos later kwam hij terug en krabbelde met een stompje
potlood tussen vergeelde vingers op een afgescheurd roze velletje papier.
Hij zei niets en keek niet naar degene wiens bestelling hij opnam, maar

drie keer schudde hij slechts zijn hoofd als iemand een bepaalde schotel bestelde, en hij schreef niets op. Geen uitleg: zijn ogen staarden in de verte totdat Harveys assistente, Krisztina en Neville allemaal een andere keus hadden gemaakt; toen krabbelde de kelner, zijn blik nog steeds op iets anders gericht, wat op zijn papiertje. Charles bestelde twee flessen wijn, ook al liep de man al weg, schreeuwend naar de keukendeur.

'Vanavond is mijn derde keer hier, dankzij onze vriend Károly. Later was ik met een vrouw, en ik was twintig jaar oud. Ik wist dat ik naar een theater keek, maar dat was niet minder mooi. We waren allemaal acteurs in dit verbazingwekkende theater. Ik voelde die tweede keer ook iets anders. Boedapest had nog geluk, maar er was oorlog. In de schoonheid en de opwinding en de klank van een orkest die avond – ze zaten er gewoon – proefde je iets van wanhopigheid. Iedereen wist misschien morgen zal er geen Szent Lajos zijn, geen feest. Je proeft het in alles. De vrouwen waren nog steeds mooi en lachten, maar ze lachten een klein stukje te hard. Je voelde dat we ons naar het eind haastten, naar de grens van schoonheid, en ook probeerden we het tegen te houden en alle anderen te laten zien dat we niet bang waren. Het eindigde allemaal niet de volgende dag, maar het eindigde wel snel. En, oooo, heel plotseling.'

In lome groepjes wisten zeven schotels gestolde kip-paprikás, zeven borden met hoopjes sla, slap en nat van de maïs uit blik, drie barse flessen wijn en vijf halfvolle glazen lauw water met zwevende deeltjes de tafel te bereiken. John begon te lachen, en Neville en Harvey lachten mee, en al snel zaten ze alle zeven luid te lachen terwijl het ene na het andere gelijksoortige, onsmakelijk uitziende gerecht met een klap op tafel werd gesmeten.

Niemand durfde een nagerecht of koffie aan. Charles rekende het onaangeroerde eten af. Maar toen ze naar buiten stapten in de snijdende wind, waar de chauffeurs liepen te stampvoeten en de portiers van de limousines openden, gaven John en Neville en zelfs Harvey Imre een hand en bedankten hem welgemeend voor het eten.

De karavaan vertrok naar het casino van het Hilton op de Burchtheuvel. In de voorste wagen zaten alleen Charles en Imre, aangezien de luidruchtiger elementen de enige beschikbare vrouw hadden gekaapt en, met Neville als hun beschaafde woordvoerder, zwoeren om haar 'echt heel beschamend dronken' te voeren, een plan dat even angstaanjagend onverschrokken was als een reis naar een andere planeet. De voorste wa-

gen reed over de Margarethabrug naar Boeda, maar in plaats van omhoog
te rijden naar het hotel, volgde hij de kade en stak de Donau nog eens
over, terug naar Pest, dit keer over de Kettingbrug. Hij slingerde zich door
de Belváros en stak toen weer de Elizabethbrug over. De chauffeur van
de tweede wagen volgde zijn collega onbewogen, maar zijn mannelijke
passagiers protesteerden tijdens deze zigzagrit, heen en weer over de rivier, steeds luider.

'Er zijn twee mensen die ik echt snel moet vinden', zei Imre tegen
Charles in de stilte van het voertuig dat voorop ging. Door het iets geopende raam keek Imre naar de rivier, die hij uit een impuls vanaf beide
bruggen had willen zien, en Charles trok zijn jas om zich heen. 'Ik heb –
ik geloof niet dat ik je dit vertelde – twee kinderen ergens in Boedapest.
Ze kennen me niet. Maar ik zou willen dat ze me nu kenden, nu ik ze iets
kan laten zien. Nu ons project dichtbij welslagen is.'

Charles bleef stil zitten, met zijn armen om zich heen geslagen tegen de
kou, hoorde deze vreemde bekentenis met zijn zwarte overjas stijf dicht-
geknoopt tot aan zijn keel en voelde zijn hart tekeergaan bij de gedachte
dat hij een heel ernstige misrekening had gemaakt. 'Ze zijn vast heel trots
op u.'

'Oooo, laten we niet overdrijven, mijn vriend.'

'Waarom blijven ze in jezusnaam almaar de rivier oversteken?'

'Ik ben er zeker van dat er een erg goede reden is die meneer Horváth
en meneer Gábor hebben.'

'Ik heb ze allebei niet meer gezien sinds ze veertien waren.'

'Een tweeling?'

'Nee, dat niet precies.'

'Zo, raadsman, op kostschool worden jullie dus allemaal verkracht?'

'Dat klopt, Harvey. Voor ons is dat een soort overgangsrite. Ik wil er
geen kwaad woord over horen, ouwe jongen.'

'Ik weet niet eens of hun moeders nog leven.'

'Wilt u dat ik het voor u naga, dat ik zal proberen ze voor u op te sporen?'

'Jezus, kan het de ouders dan niets schelen? Dat er met hun zoons sodo-
mie wordt bedreven, en wel – hoelang? Zes jaar? Laat je dat jouw zoon
ook overkomen?'

'Zoals ik al zei: het is een overgangsrite.'

'Oooo, ik weet het nog niet. Nu ik het hardop zeg, ben ik er minder zeker van. Laat het nog maar even, geloof ik. Maar dankjewel, vriend.'

In het Hilton werd de groep door de licht neurotische opwinding die om de speeltafels zinderde herhaaldelijk uit elkaar gedreven en tot verschillende combinaties geformeerd. John had de indruk dat overal om hem heen kwesties van groot belang opborrelden terwijl hij met onbenullige kletspraat zat opgescheept. Imre en Charles gokten en wonnen zij aan zij, en hoewel ze dezelfde kant opkeken (hun blik ging gelijktijdig van de roulette naar de croupier), hielden ze hun hoofd toch een beetje schuin naar elkaar en spraken vanuit hun mondhoek. Harvey nam Charles twee keer apart en legde met brede gebaren iets uit terwijl Charles hem aankeek en heel licht knikte. Krisztina, wier ontvoerders er absoluut niet in waren geslaagd haar dronken te voeren, leek soms te stralen van geluk en vertoonde op andere momenten een uitdrukking van grote achterdocht, meestal wanneer Charles en Imre met hun tweeën waren. Charles en Neville waren heel serieus aan het borrelen bij de bar, maar toen John bij hen ging staan, bleek het gesprek over niets anders dan cricket te gaan. Later zag John Harvey met nauwelijks beheerste woede een onverstaanbare uitbrander geven aan zijn assistent tot ze allebei aan het oog werden onttrokken door drie brede Hongaarse gangstertypes, die als één front met zes rijen knopen opstoomden naar een blackjacktafel.

'Waarvoor kreeg je op je sodemieter?' vroeg John, toen ze stonden te kijken hoe Harvey en Imre geld inzetten bij de roulette en Harvey tegen het onwelwillende balletje schreeuwde.

'Dat doet er niet toe', antwoordde de saxofoonspeler (die buiten de jazzclub niet te porren was voor oogcontact) uitdrukkingsloos. 'Het maakt godverdomme geen ene fuck uit.'

Terug in de lobby vergeleken ze hun winst, en Charles bood aan om mensen thuis af te zetten. 'Oh, maar wij zitten in het hotel', hielp Krisztine hem herinneren.

'Natuurlijk. Het spijt me, ik was het helemaal vergeten. Dan nemen we hier afscheid van u. Maar, Imre, help je me deze heren naar huis te brengen voordat ik je hier terugbreng?' En de mannen kusten Krisztina op de wang, tolden toen door de draaideur de sneeuw in, dromden vervolgens dezelfde limousine in en hoorden Charles de chauffeur het adres van Leviticus geven, terwijl de tweede, lege wagen er gehoorzaam achteraan reed.

Meteen toen de zes mannen de woestijnhut betraden, kwamen ze langs de keurende blik van twee gespierde uitsmijters, reusachtige Hongaren met een kort rokje aan, sandalen en een hoofdtooi met slangen en gieren bij hun voorhoofd, kokervormige baarden, spriraalsgewijs omwikkeld met gouddraad, en een pistool dat smaakvol in de tailleband van hun tuniek was gestoken. 'O, dat is sexy', zei John. 'Ik ben al *muy* opgewonden.' De palmbomen stonden te wuiven onder de discobol en op de tafeltjes stonden plastic schaaltjes met vijgen. Geen stoelen, alleen kleden en grote kussens: de heren gingen in kleermakerszit op de grond zitten, waarna hun schoenen werden uitgetrokken door vrouwen met een goudkleurige beha en een doorschijnende zijden broek, die wijd was en onderaan werd bijeengehouden door een smalle gouden enkelring in de vorm van een slang die zijn eigen met namaakedelstenen bezette staart opvrat. Aan weerszijden van het met zand bestrooide podium werd op reusachtige videoschermen een doorlopende reeks hoogtepunten van 's werelds pornoklassiekers vertoond, en na vijftig minuten kon je gevoel van déjà vu niet meer uitsluitend worden verklaard door het beperkte aantal manieren waarop deze hoogtepunten konden worden bereikt.

'Tsjonge zeg, de authenticiteit hier is werkelijk het summum. Want zo leefden mensen in bijbelse tijden. Ik bedoel natuurlijk, de echte swingende types, weet je.' Johns stem werd gedempt door met de hand gevoerde vijgen.

Uit de luidsprekers jankte muziek die vaagweg uit het Midden-Oosten kwam terwijl er op het podium een pantomime begon. Twee haremvrouwen – aan elkaar vastgebonden en bewaakt door een niet al te Arabisch uitziende man met een ontbloot bovenlichaam en een plastic kromzwaard – beeldden uit dat ze in doodsangst verkeerden en smeekten woordenloos om het mededogen van hun hardvochtige bewaker. Al snel kwam een van de vrouwen op een idee, en er ging maar erg weinig tijd verloren voordat het kromzwaard terzijde werd gegooid, de bewaker werd ontkleed en de twee haremvrouwen over hun vrijheid gingen onderhandelen met een voor de hand liggende (en gek genoeg niet inspirerende) vorm van omkoperij, terwijl het publiek rookte, bodempjes whisky van achttien dollar dronk, gruizige vijgen oppeuzelde, de schouders liet masseren en het haar door de war liet strelen door bediening in een goudkleurige beha. Dit drama werd negen keer per dag uitgevoerd door hetzelfde commediagezelschap – twee getrouwde stellen, allemaal jeugdvrienden van elkaar.

Hier was de bediening strijdlustig competent. Charles betaalde de drankjes met zijn gouden creditcard, en de nieuwe drankjes kwamen snel, soms zelfs zonder dat ze waren besteld. 'Vanaf komende maandag hebben we heel wat nieuwe mensen die we kunnen ontslaan, dus maak je geen zorgen' zei Charles als mensen hem bedankten voor het ene na het andere prijzige minidrankje. Harvey kon zijn ogen niet van het podium houden en probeerde zelfs niet te knipperen, maar zei zijdelings tegen zijn assistent: 'Ik had je toch gezegd dat ik je verbazingwekkende dingen zou laten zien als je voor me kwam werken?' Imre werd geflankeerd door twee vrouwen, en hij stopte forinten in de zakjes op de kleding die voor fooien waren bedoeld. Neville keek naar het podium met een blik van ongelofelijk serieuze oordeelkundigheid, een advocaat die de fnuikende fout zoekt in een ingewikkeld kruisverhoor.

'Jezus, wat moet ik toch met jullie?' Maar John kreeg geen antwoord; er ruiste gefluister van Imre naar zijn partner, gevolgd door een gebaar naar de gerant, waarna er een vrouw wijdbeens bij John op schoot kwam zitten. Imre bracht zwijgend een toast op John uit, en John glimlachte terug, hoofdschuddend van geforceerd amusement. De vrouw verdween al snel weer.

Er draafde een namaakkameel over het kleine podium, en hij knielde in het zand om een andere acteur – een emir? de eigenaar van de harem? een struikrover? – te laten afstijgen. Hij liep op het kronkelende trio af. Met geen ander spoor van opwinding dan de lusteloos hartstochtelijke blik op zijn gezicht, was deze nieuwkomer ook algauw naakt aan het kronkelen, zonder dat dit merkbare verbazing wekte aan de zijde van de eerdere deelnemers. John wees zijn collega's erop dat het tafereel goedbeschouwd wat tekortschoot in penetratie en dat er sprake was van een zekere slapte in de karakteristiek van de mannelijke personages; ze leken niet bij machte de vrolijke toon die de scène vereiste hard te maken. Er werd whisky voor hem neergezet, die even snel verdween als de rook waaraan de smaak deed denken. Er knisperden nog wat gefluisterde opdrachten van Imre naar Charles naar een ober, en Charles verontschuldigde zich bij Imre voor iets onduidelijks. Aan de andere kant van de club vroeg een uitsmijter een dronken Duitse toerist op niet mis te verstane toon de zaak te verlaten, terwijl een in bikini geklede serveerster in een prikkelende pose maar met samengeknepen lippen geschonden waardigheid uitstraalde. De woestijnbewoners vormden een karavaan. Op weg naar de uitgang probeerde de Duitse toerist zich erbij aan te sluiten. Hij werd bij zijn haren opgetild en uitgenodigd naar de uitgang te gaan. Achter de bar brak een fles, waarop een stroom van Hongaarse obsceniteiten volgde. Het woestijnvolkje draaide rond als twee klunzige, viervoetige derwisjen.

'Je vrienden jou doen kerstcadeau', klonk het vochtig in zijn oor met een vaag Russisch accent.

Charles moest lachen om het gezicht dat John trok, maar Imre knikte John plechtig toe en aanvaardde de dankbaarheid die nog niet was opgekomen. 'Kinders, om tien uur thuis zijn', zei Charles. 'Met de dankbare complimenten van Horváth Holdings.'

Het meisje in de overjas hield zijn arm vast, maar bij de deur draaide John zich nog een keer om voor een laatste blik op deze versteende erotica. Iedereen leek zich op zijn gemak te voelen in dat paleis vol tweedehands lusten en derdehands meubilair. Een van de vrouwen zat op de rand van de tafel en boog zich met de gratie van een spin over Horváths schoot heen, waarbij ze haar lange, met behulp van door flacon en zonnebank gebruinde benen hoekig uitstak om bijna een hexagon te vormen, waarbij haar tenen aan weerskanten van de uitgever ver naar de vloer wezen. Haar handen pakten het achterhoofd van de oude man vast; ze greep handenvol grijs haar en kreunde. Ze trok haar schouders op, wierp haar eigen hoofd achterover en trok Horváths gezicht tegen haar borsten aan.

De limousine zette hen beiden af voor Johns woning in Andrássy út, en John stond nog na te grinniken toen hij de reusachtige loper in het voordeurslot van het pand stak. De held van de antitirannie – het geheugen van het volk – had een hoertje uit Kirgizistan voor hem betaald dat Clawdia heette, met katachtige ogen en wat Europese lichaamsgeur onder een fruitig parfum. Om de avond te besluiten zouden ze een kop koffie drinken, en de volgende dag zou hij laten zien dat hij tegen een grapje kon, een echte vent was en kon zakendoen zoals dat hier kennelijk gebruikelijk was, en toch zijn zelfrespect en goede genitale gezondheid behouden.

Maar toen trok het meisje in zo'n hoog tempo en met zoveel gemak haar kleren uit dat John besefte hoeveel bedrevener een stripper is in het uittrekken van kleren dan een gemiddeld mens, en zijn prioriteiten werden verlegd.

Later zei het meisje: 'Nu doe ik de finish voor u na, oké?' Eerst dacht John dat ze over een lastig probleem op het gebied van vocabulaire was gestruikeld of dat ze hem misschien een specialiteit van Scandinavische oorsprong aanbood, maar nee: ze keek naar hem op met de vermoeide blik van een serveerster aan het einde van haar dienst. 'Nu, meneer? Oké? Nu? Oké?'

'Ja, prima, Jezus Christus, ga je gang en –' Maar Johns fotolijstjes stonden al te rammelen door haar kreten en gekreun en in zijn oor stroomde een reeks Kirgizistaanse woorden, handig buitenlands, te vertalen zoals hij maar wilde.

Helaas verstreek er een opvallende hoeveelheid tijd na haar tour de force voordat John begreep dat ze een soortgelijke finale van hem verwachtte; ze wilde afnokken. 'Nog ander ding, meneer? Nog ander ding?' John sloot zijn ogen. In deze nieuwe duisternis stelde hij zich voor, terwijl hij tegen het meisje aan beukte, dat hij tegen… ditzelfde meisje aan beukte, met als enige verschil dat hij er plezier in had. Voor zijn geestesoog zag hij zich brullen van mannelijk, aards genot terwijl hij precies die lichaamsdelen van haar beetpakte die hij nu beetpakte, maar met een schok en intensiteit van de tastzin die hij in werkelijkheid nooit had bereikt. Het meisje dat hij zich voorstelde keek hem aan met ogen die van toenemende opwinding steeds groter werden, en achter zijn gesloten oogleden zag John zijn eigen ogen wijd open en steeds groter worden toen hij werd overspoeld door hitte en opwinding, en er vuur uit zijn ruggengraat en staartbeen vloeide. Hij zag dat deze twee mensen zonder enige twijfel of bedenkingen van elkaar genoten, nergens anders bestonden dan in deze oeromhelzing. Hij stelde zich voor dat hun handen elkaar zouden omklemmen tot het bloed karmozijnrood om de inkepingen sijpelde die haar nagels in zijn knokkels zouden maken. Hij stelde zich voor dat de twee lichamen zich steeds dichter tegen elkaar aan zouden persen tot alle afstand was uitgewist.

Vergeefs. Hij deed zijn ogen open en zag dat zij haar ogen ook open had, ongeduldig. Zijn handen grepen het kussen achter haar hoofd vast. 'Nog ander ding, meneer? Nog ander ding?'

'Hou verdomme je bek. Ik heb verdomme toch nee gezegd', snauwde hij. Hij sloot zijn ogen weer en begroef zijn hoofd tussen haar borsten, kromde zijn rug en met een kreun bewees hij haar een wederdienst en deed ook de finish na.

III

Johns laatste avond van 1990: op een straathoek gaven John en Nicky elkaar een door de lantaarnpaal beschenen kus onder plakkerige, snel vallende sneeuw (die van wit in geel en weer in wit veranderde terwijl de
vlokken schuin in en uit het licht vielen). Ze daalden af naar de drukke
Blue Jazz op het moment dat de Amerikaanse zanger het laatste liedje
van de set van zijn band aan de nagedachtenis van Stalin opdroeg –
'Georgia On My Mind'. Toen John met drie drankjes terugkwam van de
bar, was Nicky al gaan zitten en had zich voorgesteld aan Nádja, en de
twee vrouwen bogen zich over het tafeltje naar elkaar toe en articuleerden
overdreven duidelijk om zich verstaanbaar te kunnen maken boven de
iets te luide muziek en het geklets. 'Mijn lieve jongen, ik mag haar al zoveel liever dan dat molenpaard met die kin. Mag ik je hoofd aanraken,
meisje van me?'

'Die kin?' vroeg Nicky aan haar metgezel terwijl ze haar hoofd boog
zodat de oude vingers haar schedel konden betasten. 'Die kin?'

'Laat maar. Dat is een lang verhaal.'

'Ik heb zoveel over u gehoord', hoorde hij Nicky zeggen. Het verbaasde
hem een beetje de zelfuitgeroepen prinses van de openhartigheid zo'n afgezaagd beleefd en oppervlakkig leugentje te horen opdissen, want hij
had haar helemaal niets over Nádja verteld.

Om even terug te gaan: Johns nieuwjaarsexpeditie was een paar uur geleden begonnen op de redactie van *BudapesToday*, waar mensen om hun eigen bureau hadden heen gedraaid, verlegen onder collega's die ze maandenlang elke dag hadden gezien. Nu Charles en Harvey aan het skiën
waren in Zwitserland ('Zwitserse vrouwen zijn hele kouwe', had Harvey
zonder aanleiding gezegd, terwijl Charles, buiten zijn gezichtsveld, met
zijn ogen rolde), voelde John een oprecht verlangen en hij hoopte dat Nicky zou komen opdagen. Hij moest er niet aan denken 1991 in te gaan
met een van de anderen, zelfs niet met Karen Whitley, die de laatste tijd
een doorzichtige houding had aangenomen van geblaseerde, wereldse,
graag-of-niet teleurstelling, doorvlochten met het gouddraad van ironisch gezaaide schuldgevoelens, het geheel bestoven met een sterke vanille bodyspraygeur van nog-beschikbaar-zijn.

Nadat hij een saai uur op het kantoorfeestje had doorgebracht – waar hij luisterde naar vier collega's met een vergelijkbare opzet voor een film, en naar Karen, die nu eens insinuerend dan weer minachtend deed – zag hij Nicky eindelijk. Hij gaf haar de kans om zelf te ruiken hoe onwelriekend de overwoekerde aarde van deze bijeenkomst was geworden, nam haar vervolgens apart en vroeg of ze hem over een zee van drank wilde vergezellen naar de zonnige, verwelkomende kust van 1991 – een groen, veelbelovend land met een overdaad aan zoete, oranje, vezelrijke vruchten en rode bessen in de vorm van tepeltjes, een eiland van ongeëvenaard geluk, waar hij vrij serieus verwachtte (hierbij beet hij in haar oor) tot koning te worden uitgeroepen, een gelukkige, naakte koning, die geliefd was om zijn generositeit en licht gevreesd vanwege zijn onvoorspelbare begeerte. Hij biechtte op wat haar neus haar al had gemeld: hij was al aan zijn drankzuchtige overtocht begonnen. Ze zou een stukje moeten zwemmen om hem in te halen, maar hij was bereid op haar te wachten.

Voordat ze er tussen uit konden knijpen, ging Hoofdredacteur op een bureaustoel staan met een plastic bekertje goedkope Hongaarse witte wijn, en met zijn vette Australische tongval schilderde hij een beeld van 'een welvarende toekomst', terwijl de twee zeelieden elkaar in het kruis tastten achter een wand van beeldschermen, maar hun zichtbare gedeelte met gerimpeld voorhoofd intense belangstelling uitstraalde voor de opmerkingen van hun baas. Ze ging ermee akkoord met hem op reis te gaan; ze kietelde zijn adamsappel met haar nagels en fluisterde hem toe dat ze wel mee wilde. Hij lachte naar haar. Hij besefte dat zij waarschijnlijk zijn beste vriendin van het hele continent was. Door consequent niets van hem te vragen, door herhaaldelijk zijn aanbod van iets wat op emoties of genegenheid leek van de hand te wijzen, was ze (zag hij in het tl-licht van deze benauwde kantoorvertrekken) overweldigend belangrijk voor hem geworden. (Hij was ver genoeg gevorderd op zijn avondcruise om sentimenteel te worden, maar niet zo ver dat hij dat niet kon inzien en afdoen als de onvermijdelijke, begrijpelijke reactie op het glinsterende, fluisterende, steeds snellere leegstromen van de zandloper van 1990).

Ondanks haar lachende instemming kwam Nicky niet bij hem aan boord. Terwijl John op zijn kleine houten vlot onzeker waggelde, wankelde en overgaf omdat hij zeeziek was, stak zij de smalle, ondiepe zeestraten naar 1991 moeiteloos over op de vlakke stapstenen van opname na opname, klik na sluiterklik; John voor het kantoor van *BudapesToday* terwijl hij zijn naam in de sneeuw schreef; John op de Kettingbrug met zijn handen in zijn jaszakken, zijn schouders opgetrokken tegen de wind, met een niet-opgestoken sigaret op het uiterste randje van zijn gesprongen lippen, terwijl een gespierde Hongaarse politieagent met een snor welwillend verstard met een meedogenloze uitdrukking op zijn gezicht deed alsof hij John met zijn wapenstok op het hoofd sloeg; Nádja en John die op het pianobankje zaten te praten; een vrouw met een heel rond gezicht die aan de bar zacht zat te huilen terwijl haar halve onderlip verwrongen tussen haar tanden uitstulpte; de magere Hongaarse barkeeper die met zijn ellebogen op de bar leunde en weifelend naar een klant luisterde (alleen op de rug gezien); een twistziek stel aan een tafeltje dat ruziemaakte in het bijzijn van hun opgelaten kijkende vriend, en Nicky legde het moment vast waarop het drankje van de boze vrouw horizontaal uit haar glas naar haar vriend vloog; de zwarte zanger die met één hand de standaard van de microfoon vasthield en tegelijk een blik wierp op het horloge aan zijn andere hand en de met moeite verworven Hongaarse woorden uitsprak om het nieuwe jaar aan te kondigen; kussende stelletjes, gehuld in rookspiralen met tegenlicht; een digitale klok die een rood 2:22 vertoonde boven het hoofd van het meisje met het ronde gezicht, die nu weer opgewekt was en gretig, met ietwat grote ogen en nogal manisch praatte en gebaarde met drie mannen: de saxofonist, een jonge Amerikaanse PR-manager met een baardje en een dichtbundel van József Attila achter gekruiste armen tegen zijn borst geklemd, en de zanger, met een maximaal opengesperde mond voor een reusachtige, leeuwachtige geeuw…

Om terug te gaan: 11.42 uur op het pianobankje: 'En waar doet ons dat aan denken, kaalgeschoren hoofden en nieuwjaarsfeestjes? O ja. Mag ik je vervelen met een herinnering?'

'Graag.'

'Dan zijn we in 1938. Weer oudejaarsavond. Berlijn was toen een stad met veel vermaak, met iets zinderends in de lucht, ervan uitgaand dat je, nou ja, je weet wel. Niet alles was al duidelijk, weet je. Ik was een beetje teut, hoogstwaarschijnlijk. Ik dacht dat ik beter op de piano speelde als ik een beetje teut was. Ik speel dus. Wat voor wijsjes zouden het zijn, vraag ik me af. Voornamelijk Duitse dingen, geen jazz voor hen dat jaar, je moet je publiek kennen. We zijn op een besloten feest. Dankzij een vriend van

een vriend sprokkel ik een knap bedrag bij elkaar op feestjes. Een prachtig
seizoen; 1938 wordt 1939. Ik weet niet hoelang ik nog in de stad zal blijven.
Misschien zal ik de volgende maand weggaan. Ik ben jong, alles is mogelijk – vrienden, romantiek, avontuur. Je kent dit gevoel, vast wel. En nu
heeft een soldaat – een gast – mij een voorstel gedaan, heel luid. Hij stelt
voor dat hij en ik oud en nieuw gaan vieren, over pas een paar minuten,
op een speciale manier. Ik weet niet of ik jou zelfs de Engelse vertaling
kan zeggen van wat hij voorstelde; het was een van die Duitse woorden
waar gewoon geen eind aan lijken te komen en die in één woord weten
over te brengen wat in het Engels een lange alinea zou zijn. Dus laten
we dat maar aan je fantasie overlaten, meneer Price. Ik denk met je mooie
en uitdagende vriendin daar druk bezig met haar camera dat er heel weinig is dat je je niet voorstellen kunt. Berlijn: mijn onbehouwen kwelgeest
draagt een rijbroek. Hij is jong, maar hij is een officier. En de littekens:
hij heeft een richeltje over zijn wang en een ander, langer op zijn schedel.
Deze tweede zou niet duidelijk zijn, maar hij heeft een kaal geschoren
hoofd. Ik zeg niets, ik speel wat luider, ik hoop dat hij zal weggaan. Maar
hij zegt zijn idee nog eens, luider nu. Ik ben heel jong; ik weet niet wat
ik moet doen. Dus ik lieg en zeg: "Dank u, maar ik ben getrouwd."
"Ach, de klaine Fräulein ies geetroud? Vaar ies de man die jou eropaus
stuurt om je te verkopen als een pianospelende hoere?" Ik heb geen vrienden op dit feest, het is laat, ik zit in een hotel aan het andere eind van de
stad. Ik begin me een vreselijke voorstelling te maken van de aflopen
van de avond. Ik speel nog steeds, ik doe geloven dat ik naar de toetsen
moet kijken, ook al is dat wat vernederend voor me, te doen alsof, en
dan, voor ik mezelf te bang kan maken of iets geestigs maar doms kan
zeggen, wat ook een mogelijkheid was, word ik gered. Aan de andere
kant van de piano verschijnt een andere officier. "Deze dame is een freun-
din van mij", liegt de nieuwe. "Als zai met rust gelaten wiel worden, dan
raad ik u aan dat te doen." Deze nieuwe is dezelfde rang, geloof ik, of misschien hoger. Ook een rijbroek. Geschoren hoofd. Het litteken op de
wang is hetzelfde. Als een man die zijn spiegelbeeld beschimpt. Ik glimlach naar mijn redder, beweeg mijn wimpers als een dame en speel door.
De eerste soldaat is natuurlijk ook een beetje teut en laat me niet zo makkelijk schieten. Angst gaat snel heen, en nu beken ik trots: ik ben de aandacht waard van twee jonge militaire knapen. Ik ben nu veilig, dus ik
kan ervan genieten. En ik beken ook geamuseerdheid als de eerste soldaat

de tweede beledigt en de tweede hem terug beledigt. Hun stemmen zijn heel zacht als ze elkaar bedreigen. De eerste buigt zich over de piano en slaat mijn held. Ik blijf spelen, maar nu ga ik niets missen door dom naar de toetsen te kijken. En ik beken dat ik lachte. Het was verrukkelijk, John Price.'

De beste foto van bijna een heel rolletje dat Nicky in de drie minuten daaromheen volschoot: zij tweeën naast elkaar op het pianobankje, Nádja meer naar de muur, John dichter bij het publiek. Hun gezicht wordt van boven beschenen door spotjes die voor jazzbandjes waren bedoeld, en daarom is hun voorhoofd het lichtst, terwijl op hun nek en de rest van hun lichaam steeds meer schaduwpartijen zitten. Nádja's linkerhand slaat de toetsen aan terwijl de andere er net boven zweeft, klaar om met een snelle duik het volgende melodische idee op te pakken. Ze heeft de rode jurk aan die ze ook droeg op de avond dat ze elkaar hadden leren kennen; ze droeg hem vaak. Hij houdt zijn hoofd schuin en biedt haar zijn linker-oor voor haar verhaal en kan zo toch de stroom rook die hij uitblaast naar rechts richten, weg van haar. Boven hen beiden houdt de tenorsaxofonist Dexter Gordon – als muurschildering, met vleugels en stralenkrans, en ietwat kwijnend verveeld – zijn hoofd op precies dezelfde manier en blaast een stroom lichtgekleurde rook uit, evenwijdig aan die van John.

'En dan lopen ze heel langzaam bij me weg. De eerste soldaat toont me een heel ernstige blik, een beetje gevaarlijk, een beetje wie ein vvvolf. Als hij in zijn eentje uit de strijd zou terugkeren, hoe gehavend dan ook, dan hoef ik beslist niet te verwachten dat hij me tactvol zal behandelen. Maar mijn held glimlacht heel vriendelijk, lacht bijna, om me te vertellen dat dit maar een dom spelletje is en er niets ergs gaat gebeuren. Hij trekt zijn grijze jasje uit. En, John, ik ben heel verheugd. Ik weet dat vrouwen dit soort dingen niet meer moeten opbiechten. We zijn natuurlijk niet jullie speeltjes om over te kibbelen, jullie vreselijke mannen. Maar ik beken! Vind me maar schuldig aan gedachtemisdaden tegenover mijn zusters! Het was een zuiver gevoel van nieuwe macht, alsof ze me vertellen dat ik om middernacht een gekroonde koningin ben. Ik voel op dit moment dat ik elke man kan krijgen die ik wil in dit vertrek, of in heel Berlijn, en ik heb mijn man ook niet lang hierna ontmoet. Maar om terug te gaan: ze staan op het punt om de woning uit te gaan, maar eerst zijn ze heel be-leefd tegen elkaar geworden. De een probeert de deur open te houden voor de ander; het duurt al een hele tijd voordat ze naar buiten gaan. Het buigen en klakken met de hakken van hun laarzen wordt een klucht uit het variété. Hierbij kijken ze niet naar mij, maar ze doen het wel voor mij. Uiteindelijk slagen ze erin het vertrek te verlaten: mijn held heeft eindelijk toegestemd de hoffelijkheid van zijn vijand te accepteren, en hij gaat als eerste naar buiten. De deur gaat zacht achter hen dicht. Het vertrek is vol met de menigte gasten, velen dronken, velen dansend. Ik speel door en de gastvrouw komt naar me toe voor een muzikaal verzoek.'

Maanden later zette het voorjaar van 1991 zijn eerste aanval op het winterbolwerk in, en de witte maartse regen maakte bijtend-sissende geluidjes toen de druppels zilvergrijze putjes boorden in de verharde, bruin gevlekte oude sneeuwwallen, zodat er een landschap van maanachtige kraters achterbleef, maar wanneer 's avonds de besluiteloze temperatuur weer onder de kritieke grens daalde die hij kortgeleden nog had overschreden, veranderde de sneeuw die er bijna in was geslaagd naar zijn oude watertoestand terug te keren weer in smerig, hobbelig ijs en zand en in een heel jaargetijde van bevroren, aan de tijd onttrokken verkeer en hondengeurtjes. De foto van John, Nádja en Dexter Gordon lag plat op een werktafel in de onderverwarmde studio van de fotografe. Haar verstelbare scheermesje bewoog zich langzaam om het oor, het haar, de neus en zijn stroom van rook heen, rook die nu net zo'n integraal onderdeel van zijn getuite, gesprongen lippen vormde als een komeet ondenkbaar is, iets heel anders is, zonder de staart die erachter hangt. Zijn schuine profiel en de stroom rook waren bestemd om op een compositie van zijn naakte romp (onmerkbaar jonger) op de dravende achterpoten van een bok (dankzij een fototripje naar het Moravische boerenland) te worden gemonteerd. Terwijl hij die koele, grijze, nu bronloze rook uitblies, zou John de sater al snel met bokachtige vaste tred op gespleten hoeven en met harige, naakte dijen over de hexagonale klinkers van het Vörösmartyplein draven. Een week later, wanneer het plakken, opnieuw fotograferen en ontwikkelen klaar was, zou hij – voor de metalen menigte die zich aan de voeten van Vörösmarty had verzameld – een naakte maagd achternazitten, die spotlachend over haar schouder keek naar haar mythische, rook uitblazende achtervolger. Haar lange, blonde, in de wind wapperende tressen zouden niet toereikend zijn om Nicky's gezicht en ietwat onoprechte lach te verhullen. Haar armen zouden naar voren reiken, weg van de sater, haar vingers verkrampt tot een klauwende greep vol onmiskenbare begeerte naar de andere vrouwelijke billen die net achter

de sokkel van de dichter verdwenen – alle drie de deelnemers van de fotocollage zaten elkaar rond het drukbezochte monument in een eeuwigdurende kring achterna.

Maar om terug te gaan: op deze avond in maart (die door ieders over-
rijpe verlangen naar de lente kouder aandeed dan hartje januari), sneed
het scheermes met succes de laatste component weg, waardoor Johns
hand van Nicky's heupen verdween en Johns verticale romp werd losge-
maakt van zowel zijn grijnzende hoofd als van zijn onzichtbare onderste
regionen. Nicky spreidde de verschillende omkrullende delen van haar
werk in wording plat uit en begon de verschillen in schaal en schaduw
te beoordelen, toen een sarcastische, klagende stem iets riep vanuit de
schaduwen die als een deken over het bed lagen: 'Ik vind dat het een beetje
te ver gaat dat jij met foto's van hem bezig bent terwijl ik hier ben.'

Nicky keek niet op; in ononderbroken concentratie liet ze zelfs zoveel
tijd verstrijken dat de klacht bijna opnieuw werd uitgesproken voordat
ze zich eindelijk verwaardigde antwoord te geven, verzacht door het uitstel: 'Ik kan me niet herinneren dat ik je heb uitgenodigd. Het is een absoluut wonder dat ik zelfs kán werken met jou hier.' De neiging om in tranen uit te barsten – afgezaagd, de oorzaak van te veel hoofdpijn dat
voorjaar – kondigde zich aan, maar kreeg niet de kans om tot volle was-
dom te komen. Schreeuwen was ook afgezaagd, de oorzaak van al te veel
verspilde uren terwijl de ideeën voor kunst verpieterden tot er alleen
nog een verschaald restje van over was. Iets makkelijks en leuks was omgeslagen in iets doms en onaangenaams. De aantrekkingskracht die Emily aanvankelijk had – haar onschuld, haar volledige doorzichtigheid, haar
gemakkelijke plooibaarheid – had Nicky hiertoe verleid, tot dit huwelijk
van middelbare leeftijd, een cyclus van strijd en vergiffenis waarin het
werk gevaar liep en Nicky eraan gewend raakte om uitgefoeterd te worden. 'Hoor eens, het spijt me', zei Nicky ten slotte, maar ze kon haar niet
aankijken. 'Laat het alsjeblieft. Laat het vanavond zitten. Ik ben het zo
zat om ruzie te maken. Blijf gewoon liggen. Slaap wat en laat me naar je
kijken. Ik vind het heerlijk om te werken terwijl jij ligt te soezen. Laat
me alsjeblieft werken.'

'Je hebt hem van de week ontmoet. Je had me beloofd dat je hem niet
meer zou zien en ik weet dat je hem hebt ontmoet.'

'Jij wéét dat?' Het broze, spitse puntje van haar afnemende tederheid
knapte af. Nicky legde haar scheermes weg en liet haar voorhoofd tegen

de muis van haar handen rusten. De felle lamp die op haar werktafel was vastgeschroefd wierp donkere, merkwaardige schaduwen van haar hoofd en vingers tegen de muur. 'Godallemachtig, zijn vriendin is overleden. Alsjeblieft. Vanavond even niet, ja?'

'Vanavond niet? Nou, wat dacht je dan van nooit meer? Komt dat je beter uit?'

'O God, tot op dit moment heb ik nooit begrepen wat mijn vader zo leuk vond aan meisjes slaan, maar nu... ja, nooit meer zou ik prima vinden. Ik ben jullie allebei zo zat. Jullie zijn één pot nat. Jullie zijn zwakkelingen. Jullie horen echt bij elkaar. En rot nu verdomme op zodat ik eens een keer wat kan werken.' Maar die laatste zin was loos; Emily was al weggegaan.

Om terug te gaan: het eerste moment van 1991. De Hongelse aankondiging van de zanger dat het twaalf uur was, leidde tot kussen en gejuich, samengeknepen lippen en opgetrokken wenkbrauwen, een rondje van het huis en een quasi-gevecht met biljartkeuen, handdrukken en een plotselinge gulle uitwisseling van tabak in allerlei vormen, wapenstilstanden in slepende ruzies en het vreemde, door de kalender onverwacht in het bewustzijn opduikende besef van lange, ondergrondse gevoelsranken. John gaf de pianiste een kusje op de wang. 'Zo is het wel weer genoeg, Price.' Nicky's stem klonk achter hen. 'Ik wil niet hebben dat hij met zijn vingers aan een tweede vrouw in Boedapest zit, Nádja.' De fotografe kuste zijn dranklippen, ging toen aan de andere kant van Nádja zitten – zij drieën dicht op elkaar op het pianobankje. Nicky deed een nieuw rolletje in haar camera, en Nádja overdreef speels dat ze klem zat en deed alsof ze alleen haar onderarmen kon bewegen om te spelen.

'Ja, mijn Duitsers, John Price. Ze keren terug na misschien een kwartier. Het moment van oud en nieuw is gekomen en gegaan, zoals hier, en we zijn nu in 1939. Vorig jaar gingen ze weg om over mij te vechten, en wanneer ze terugkomen is er veel veranderd. Ze hebben gevochten, dit is duidelijk. Mijn vijand en mijn held hebben allebei een bebloed overhemd en een gehavend gezicht. De rijbroek van mijn held is gescheurd bij de knie. De schurk heeft een oog dat allerlei kleuren blauw krijgt, maar het is alsof je probeert de grote wijzer van een klok te zien bewegen. Mijn held heeft ook een snee op zijn wang, vlak boven zijn litteken. Maar, geloof me, dat zijn dingen die je niet metéén ziet. Hoe dat kan? Omdat je eerst ziet dat ze blij zijn; je ziet dat ze goede vrienden zijn, dit jaar. Er is veel veranderd in een jaar. Dadelijk zie ik dat in 1939 geen van beiden genoeg om me geeft om zelfs maar naar me te kijken. Ze lopen de kamer binnen met hun armen om elkaars schouders. Ze roepen om kirsch. Ze toasten op elkaar en geven elkaar een hand en omhelzen elkaar. Weer de kirsch, weer de omhelzing. Het is walgelijk. Dit heeft helemaal niets met mij van doen. Misschien heeft de strijd voor onderling respéct gezorgd of voor dat onzingedoe waar mannen zo dol op zijn als ze te lang niet in het gezelschap van vrouwen verkeren. Misschien waren ze daarvoor al vrienden, misschien doen ze dit vaak op feestjes, ze zoeken een meisje om op te flirten en bang te maken en dan vernederen ze haar. Misschien zijn ze van een intieme vriendschap die dit ritueel vereist.'

Jaren later, kies maar een leeftijd voor John, kies maar een stad ergens, en er breekt weer een oudejaarsavond aan met kennissen en drankjes in zijn nieuwe woning. Ze stellen vragen over de foto's aan de wand, zorgvuldig ingelijste en meegebrachte souvenirs van zijn wereldreizen, het eerste wat hij in een nieuw huis uitpakt en ophangt. En als de vreemden blijven staan voor de humeurige zwartwitfoto van de piano in het rokerige vertrek met de oude vrouw en de jongen naast elkaar, vraagt iemand wie hem heeft genomen en vraagt iemand anders wie het is, en John (die antwoord geeft op allebei of geen van beide) zegt: 'Een oude vriendin.' Met beleefde nieuwsgierigheid wordt de oude foto van de huilende baby bekeken, en dan zegt een andere gast (de pas voorgestelde echtgenoot van een kennis, wiens naam nog niet in Johns geheugen is blijven hangen, een jazzfan, een fanaat op het gebied van trivialiteiten en een onverbeterlijke betweter – voor de avond om is zullen hij en John een gruwelijke hekel aan elkaar krijgen): 'Nou, als je het mij vraagt, zou ik zeggen dat het Dexter Gordon is', waarna het gesprek een wending neemt naar jazzsterren uit de jaren vijftig van de twintigste eeuw.

Om terug te gaan: John was inmiddels een eind gevorderd bij het oversteken van de oceaan, zonder land in zicht en zonder dat hem dat iets kon schelen. Hij was erg dronken en daarom afwisselend chagrijnig, sentimenteel, gedesoriënteerd en praatgraag. 'Ik weet haar achternaam niet eens', mopperde hij tegen Nádja, toen Nicky helemaal aan de andere kant van het vertrek iets aan het fotograferen was. 'Kun je je dat voorstellen? Ik bedoel, ik heb hem wel eens gezien, maar ik heb haar die naam nooit horen zeggen. Ik kan hem niet eens uitspreken. Zal wel symbolisch zijn, als je tenminste weet waarvoor, want ik kan niet…' Het volgende moment zaten de beide vrouwen tegenover hem te lachen. Hij had geen idee wanneer Nicky was gekomen; ze was net helemaal aan het andere eind van de club geweest, en wat was er trouwens zo grappig?

'Da's de klootzak die een steen naar mijn hoofd gooide.' John keek met samengeknepen ogen naar een man die aan de bar zat, gewoon een Amerikaan die met een doodgewoon Amerikaans meisje in gesprek was. 'Dat is die klootzak, Nic, die van de steen.' De man moest vaak niesen, en de bar voor hem was bobbelig van de tot proppen geknepen servetjes. 'Die me heeft geraakt. Laten jij en ik hem op zijn sodemieter gaan geven.' Nicky lachte toen John erop afging, knipperend met zijn ogen en al pratend voordat zijn vijand hem zelfs maar had opgemerkt. Nicky's sluiter klikte erop los. 'Zin om een steen naar mijn kop te gooien? Je kunt niet zomaar een steen naar mijn kop gooien. Ik zal je leren om een steen naar mijn kop te gooien.'

De man draaide zijn hoofd om naar de woedende dronkaard die wankelend voor zijn reisgezel stond, een jeugdvriendin die een akelige scheiding aan het afwikkelen was waarmee er een eind kwam aan een heel kort huwelijk. 'Pardon?' zei de toerist als reactie op het weinige wat hij had gehoord ('sjteenamekop'). Hij had een zachte stem, gedempt door zijn verkoudheid, licht verontschuldigend.

'Daar red je het niet mee, man. Het is nu te laat om met pardon aan te komen. Veel te laat.'

'Kennen we u?'

'O, er zijn er zeker zoveel van ons dat je ons niet uit elkaar kan houden, al die stenenvangers.' John haalde uit naar zijn gezworen vijand, maar verloor zijn evenwicht; hij kwam op een knie terecht en tijdens zijn val greep hij de arm van de man beet. Toen die arm meteen werd losgeschud ('Hé, man, blijf met je handen van me af'), viel John verder en smakte met zijn lip – met scherpe, harde tanden in een perfecte hoek daarachter – tegen de voet van de vrouw en werd toen door Nicky afgevoerd.

'Bewaar maar voor mijn voeten, schat', zei ze troostend. 'Daar moet iemand ook eens stevig zijn tanden in zetten.'

Nicky plantte hem op een bank, hield af en toe een glas ijs schuin tegen zijn mond en zag het langzaam wolkerig rood worden. 'Eerlijk gezegd ben ik nu helemaal niet in staat om te vechten', gaf John toe, maar toen viel het glas om, en het ijs en het roze water werden zwart op het tafelblad. 'Zeg, hoor eens.' Hij kon zijn ogen niet opendoen, maar iets in hem compenseerde dat; zijn wenkbrauwen, zijn lippen, de spieren van zijn wangen werden allemaal verschrikkelijk expressief zodat hij er, terwijl het bloed uit zijn mondhoeken droop, uitzag als een erg opgewonden, blinde vampier. 'Zeg, hoor eens. Ik moet het geloof ik nu zeggen. Ik ben heel... ik hou van je, Emily. Ik weet dat je dat nu niet wilt horen, maar het is zo.'

'Dat is heel lief van je. Dank je', zei ze, en John ging een poosje onder zeil. Later moest Emily zijn weggegaan, want onderuitgezakt tegen de wand, in precies dezelfde houding als toen hij sliep, alleen nu met zijn ogen halfopen, zag hij Nádja met Nicky praten. Een paar tafeltjes verderop zaten ze met hun hoofden bij elkaar te lachen en te roken, en John wist dat hij moest dromen omdat die twee elkaar nooit hadden ontmoet. Hij keek hoe ze elkaars handen aanraakten tijdens het praten, zag Nicky close-ups maken van het gezicht, de handen en schouders van de oude vrouw, zag hoe ze op hem wezen en medelijdende gezichten trokken waar hij niets aan had – een moment dat zo clichématig en cinematografisch was, dat een deel van hem bezorgd was over het gebrek aan fantasie waar zo'n saaie droom op moest duiden. Later werd die bezorgdheid verlicht door een langdurig, verhit rondje REM waar geen eind aan leek te komen, steeds langzamer, en hij werd in 1991 moederziel alleen wakker in de terpentinedamp van Nicky's woning, gekleed en plakkerig op haar bed, met voornemens die hij zich niet herinnerde, herinneringen die erg vaag waren en een tollend, cirkelend verlangen om te voelen dat dit jaar misschien op een niet nader te preciseren manier zíjn jaar zou worden.

IV

Begin januari viel het John met een verrassend schrijnende triestheid op dat hij een vluchtig, sciencefictionachtig gevoel kreeg bij het zien van de datums bovenaan de krant. Hij dacht aan Mark, die domweg was vertrokken omdat hij gewoon wist dat deze stad niet goed voor hem was en het ergens anders beter zou zijn, en dus doortastend was vertrokken op een ongetwijfeld tijdelijk moment van kracht. Terwijl hij naar de onwaarschijnlijke, rare datum keek die over de leestafel van het hotel kwam aanhobbelen, dacht John erover na of deze stad wel goed voor hem was, of hij niet moest weggaan. Maar hij had hier te veel te doen, te veel banden.

Buiten verscheen er grofvlokkige sneeuw uit het monochrome grijs vlak boven zijn hoofd, alsof de laaghangende lucht over een kaasrasp werd gewreven. Hij stond op de Kettingbrug en herinnerde zich dat hij daar maanden geleden Emily Oliver had gekust. Ze was al maanden oud nu, die dierbare herinnering, hoewel zijn gezicht een fractie van een seconde later natuurlijk vertrok van schaamte omdat die dierbare herinnering een kernfusie was aangegaan met bijtend-scherpe herinneringen aan de afschuwelijke momenten die daarna waren gevolgd, en aan de idiotie die hij maandenlang tegenover haar aan de dag had gelegd, en aan haar geheim dat hij nog altijd trots en stom bewaarde. (En de kus was niet eens op deze brug geweest, herinnerde hij zich toen pas.) Sindsdien waren er maanden verstreken; hij had haar na Halloween niet eens meer gezien. Welk recht had haar geest om naar eigen believen bij hem te komen spoken? En als die fatale kus op de brug nu eens niet de laatste was geweest? Als hij haar vannacht eens slapend tegen zijn borst hield, zo dichtbij dat de ademstroom uit zijn neus tegen haar wimpers streek. Of als ze hier nu stond en hij zich vooroverboog om haar te kussen, maar ze weer nee zei, en hij haar dus simpelweg hard over de brugleuning duwde en ze een kreetje slaakte terwijl ze viel en opging in de troostrijke mist lang voordat hij in de verte die heerlijke plons hoorde.

Hij was aan verandering toe, net als Mark, wilde verlost zijn van datzelfde oude kliekje, hoewel zijn kringetje maand na maand kleiner was geworden sinds het sociale hoogtepunt van zijn komst vorig jaar mei. Hij moest naar een plek gaan waar hij zou worden omringd door vrienden van het juiste slag. Hij hoorde thuis in Praag; dat wist hij al bijna een jaar. Daar wachtte het leven op hem, wachtte op hem met een doel dat haalbaar en toch smaakvol en opwindend was.

Maar Hoofdredacteur gaf hem die middag opdracht een verhaal te schrijven waarvoor hij bij het krieken van een heldere, ijskoude dag naar een afgelegen buitenwijk moest. Hij rilde tot zijn kaken er pijn van deden en zijn ruggengraat ineenkromp tussen zijn verstijfde schouderbladen. Hij stond te kijken en te wachten aan de rand van een onoverdekte oefenbaan, omgeven door bevroren, knisperig vlak terrein en met opgehoopt vuilnis achter de hekken.

'Ik zag jij koud vanochtend met de kleine pen en je kleine notitieblok –

ahh – en dat jij wilde zijn binnen in kleedgebouw. Jij kon niet tegen kou.'
  'Klopt.'
  'En – ahh – ik zag jou heel koud vragen stellen aan coach en je was erg
ongelukkig. Ik toen precies wist wat jouw probleem. Weet je wat jouw
probleem?'
  'Mijn probleem?'
  'Luister – ahh – ik vertel een verhaal.'
  'Nu?'
  'Ja, ja – ahh – nu.'
  Hij was nu weer veilig thuis en had het warmer, want bovenop hem
hurkte een naakte hardrijdster, die een olympisch uithoudingsvermogen
en een prestatiegerichte bezieling aan de dag legde. Haar handen (en het
merendeel van haar gewicht) drukten op Johns schouders, waardoor zowel zijn bovenlichaam als zijn armen doeltreffend tegen het bed werden
geperst; hij kon alleen zijn hoofd een klein stukje optillen. Vanaf de knie
draaiden haar dijen op en neer in een slopend metronomisch ritme.
  'Hoor, jongen, als ik gaan naar training op winterochtend en wij buiten zijn in ijs, het verdomd koud. Jij een keer doen en jij weet.' Ondanks
haar atletische tempo kon ze vrij ademen. 'Om ons te warmen, de coach
zegt: "Jij tweeduizendvijfhonderd meters zo snel als kan." Wij doen, we
schaatsen een hele eind. En dan – ahh – wij doen het nog een keer. Na
de zevende keer tweeduizendvijfhonderd meter het doet echt pijn, en ik
denk mijn benen nooit zo pijn gehad, ik moet stoppen.'
  John tilde zijn hoofd zo ver mogelijk op en keek nu naar die benen. De
driehoekig (bijna piramidaal) gemodelleerde kuiten lagen evenwijdig
aan zijn dijen, en haar dijen schoten in een ongelofelijk tempo op en neer.
Op het hoogtepunt van haar activiteit kwamen de dijen vanaf de knie
omhoog in een hoek van bijna negentig graden en leken, vanuit zijn
gezichtspunt, op enorme zwoegende zuigers, waarvan de constructie tot
stand was gekomen op een felverlichte, 99.999-procent-stofdeeltjes-vrije,
met laser en robot uitgeruste lopende band in Hamburg.
  'Maar ik bijt op tanden – ahh. Zo je wordt groot en ga naar de Spelen
en win goud. Ik weet dit. Dus ik denk gewoon niet aan pijn en schaats.
Eindelijk, na nog twee tweeduizendvijfhonderd meter zeg ik: "Coach,
mijn benen branden nu te veel." Hij kijkt me aan – ahh – alsof ik een wind
maak, weet je? En hij zegt: "Natuurlijk branden ze. Dit is goed. Sprint
nog tweeduizendvijfhonderd meter. Niet stoppen, want jij weet wat na

het branden komt?" Weet je het antwoord, John? Weet – ahh – jij wat na het branden komt?'

'Nee, ik geloof het niet.'

'Ik zei ook nee. "Coach, wat komt er na branden?" – ahh.' Ze liet zijn linkerschouder net lang genoeg los om wat verdwaalde, zweterige plukjes haar van haar voorhoofd te strijken. Haar hand keerde terug naar zijn positie; haar vingers vielen vanzelf terug op de witte plekken die ze hadden achtergelaten. 'Hij zei: "Na het branden komt folteren, oké? Nu, schaatsen." En hij vuurt zijn pistool. Bij training hij heeft altijd pistool om wedstrijd te start en ook inspireren. Hij gebruikt altijd de – ahh – de echte kogels.'

'Wat? Hoe weet je dat?'

'Hij – ahh – een keer probeer ons sneller te laten schaatsen en hield hem in lucht en schiet en een vogel vallen op de ijs – ahh. Dat is ook voor jou – ahh – John. Na het branden komt de foltering. Je moet – ahh, ahh – helemaal doorgaan tot de foltering, want wie weet – ahh, ahh, ahh – wat wachten voor dappere aan andere kant!' Het pompen ging in nog hoger tempo, tot inspirerende snelheden. 'Nu, jongen! Nu!'

Als ze van hem afrolt, wordt ze ineens bijna menselijk: er zitten barstjes in haar lippen, in haar ooghoek zit iets wits dat hij voor haar wil wegvegen. Als ze zich omdraait, haar benen over de rand van het bed doet, gaat zitten en het lampje aanknipt, schemert het licht door haar heen en weer bungelende haar. Ze strijkt de vochtige slierten bij elkaar en doet er een elastiekje omheen; de beweging van haar handen doet John aan iemand denken, maar het wil hem niet te binnen schieten wie. Haar handen zijn tegen zijn verwachtingen in niet overontwikkeld, maar als die van een meisje. De ronding van haar rug als ze net buiten zijn bereik op het bed zit, en haar hoofd, nu naar de lamp en haar schouder gericht, één ooghoek net zichtbaar over die schouder, haar armen gespannen en haar handpalmen die zich hard en plat tegen de matras drukken: hij weet dat ze op hem wacht. Hij kan nu bijna het juiste woord bedenken om haar naar zich toe te halen en ze kunnen beginnen, maar dan is John in slaap gevallen.

Later begon ze weer te praten. 'Ik meen dit. Wat ik zei. Jij bent als ik, denk ik, maar je moet harder vooruit streven. Ik zie dit als jij sta in kou met je kleine notitieblok. En later ook toen je sommige dingen zei. Weet je, hij is de beste trainer van de wereld. Begrijp je dat ik nu niet alleen praat over schaatsen?'

Hij keek hoe ze zich aankleedde, terwijl hij met één elleboog overeind had gehesen op de al te inschikkelijke slaapbank. Aan de andere kant van de kamer leek ze overtuigend menselijk, maar te ver weg om erg serieus te nemen. Ze had een spijkerbroek aan die ze bij de enkels een paar keer had omgeslagen en ook over de rand van haar brede, zwartleren riem had gevouwen, die sloot op een met de hand aangebracht gaatje dat ver voorbij de laatste door de fabriek gestanste mogelijkheid zat. Hoewel de broek te lang was en te ruim in de taille, dreigde hij bij haar dijen toch open te splijten. (Die ochtend in haar zilverkleurige legging hadden ze eruitgezien als twee stuks geribbelde, harde handbagage). Ze trok haar beha aan, een roze niemendalletje dat ze had gekocht tijdens een uurtje vrijaf van trainen, hardrijden, slapen en zorgvuldig afgewogen maar toch vraatzuchtig eten tijdens een driedaagse trip naar Oost-Frankrijk.

Hij hoopte dat ze geen vragen zou gaan stellen over wat ze had gezegd, want hij kon zich er niets meer van herinneren, nog geen twee woorden, behalve het deel over de pechvogel, maar terwijl ze wat make-up op deed en haar jas en tas pakte, voelde hij als een bijna uitgedoofde kaars wel een laatste flakkering van tederheid voor dit meisje; hij hoopte voor een kwart dat ze die nacht zou blijven in plaats van naar huis te gaan om proteïneshakes te drinken en kritisch te kijken naar slowmotionvideo's van oude wedstrijden voordat ze vroeg en alleen in slaap zou vallen.

Op MTV was een popsong, het liedje dat je die winter overal hoorde, het liedje dat John bijbleef zodat hij het telkens wanneer hij het hoorde, herkende met het enthousiaste gevoel dat je krijgt als je een dierbare oude vriend tegen het lijf loopt, ook al kon hij het niet helemaal neuriën. Een zwoele, romantische compositie waarvan de tekst moeilijk te verstaan was, maar in Johns hoofd was iets blijven hangen over verliezen en gered worden. De muziek leek louter te zijn geschreven en opgenomen om John te bereiken op momenten van geluk of droefenis, vriendschap of eenzaamheid; alles wat dat hele jaargetijde ook maar enigszins opmerkelijk was ging vergezeld van deze klanken, zacht gezongen door een sensuele Groenlander van een meter tachtig, die hem in herinnering bracht dat redding mogelijk en ophanden was.

En de volgende ochtend was het op de radio terwijl hij op de redactie verveeld zat te worstelen met een ongeïnspireerde eerste alinea en een geïrriteerd knipperende cursor…

Zoals de afgezaagde mop luidt: 'Wie was die vrouw met wie ik je gisteravond

zag?' 'Dat was geen vrouw; dat was een lid van de Oost-Duitse vrouwenzwemploeg.'
De forse, steroïdale geheimenissen van de Oostblok-amazones die de afgelopen veertig
jaar van internationale competitie de vloer hebben aangeveegd met onze tengere klei-
ne-meisjes-atletes worden nu aan een nader onderzoek onderworpen, en nadat een
nooit eerder verkregen toestemming was verleend om | | | |

– toen Charles opbelde uit het ziekenhuis.

V

25(q)(iii). Indien tijdens de duur van deze overeenkomst een van beide vennoten dusdanig arbeidsongeschikt raakt dat hij niet bij machte is leiding te geven aan normale bezigheden of deze zelf uit te voeren en, als gevolg daarvan, tevens niet bij machte is aan zijn verplichtingen te voldoen of zijn wensen ten aanzien van het uitvoeren van de verplichtingen die in deze overeenkomst van hem worden vereist kenbaar te maken aan anderen, zal in een dergelijke situatie ('arbeidsongeschiktheid') de niet-arbeidsongeschikte vennoot, of een vertegenwoordiger die de vennoot eerder schriftelijk heeft aangewezen, ertoe gerechtigd zijn het volledige gezag uit te oefenen met betrekking tot het beheer en de tenuitvoerlegging van de lopende zaken van de vennootschap, alle operationele beslissingen te nemen die verband houden met de bedrijfsvoering van de vennootschap zonder raadpleging van de arbeidsongeschikte vennoot indien een dergelijke raadpleging door arbeidsongeschiktheid onmogelijk is. De arbeidsongeschiktheid dient schriftelijk door een behandelend geneesheer te worden bevestigd in het bijzijn van zowel de niet-arbeidsongeschikte vennoot als de ondertekenende en daartoe aangewezen raadsheer van de vennootschap. Derden die zaken doen met de vennootschap tijdens de arbeidsongeschiktheid van een van beide vennoten zijn gerechtigd zich te verlaten op de handtekening van de niet-arbeidsongeschikte partner of de speciaal daartoe aangewezen vertegenwoordiger.

VI

Januari stierf en februari aanschouwde het daglicht in een ziekenhuis dat, ondanks zijn uitgestrektheid, ook niet meer had kunnen zijn dan één enkele weergalmende, vrijwel raamloze gang en een semi-particuliere, dampige, geheel raamloze kamer, die allebei in een groezelig witte kleur waren betegeld en allebei afwisselend sterk en zwak roken naar ijzingwekkende ontsmettingsmiddelen, met daaronder iets wat hardnekkig, hopeloos en opgewekt septisch was.

'Wat gebeurt dit op een vreselijk moment.'

'Is er een goed moment, meneer Gábor?' Krisztina Toldy keek de jonge vennoot niet aan.

'Ik bedoel natuurlijk niet...'

'We verlaten ons op uw vertrouwen en kennis om ons een poos overeind te houden. Ja.'

'Uiteraard, ik bedoelde alleen...' In de grillige fluorescentie van de gang had haar huid de kleur van maanlicht en het wit van haar ogen zag bacterieel geel. Charles wou maar dat ze zich een beetje had opgemaakt, al was het maar een huidkleurig likje op haar voorhoofd.

Neville kwam tussenbeide. 'Ik begrijp dat zijn naaste familielid een verre neef in Canada is. Klopt dat, Károly?'

'Dat weet mevrouw Toldy beter dan ik.'

Ze was duidelijk niet in de vraag geïnteresseerd en maakte met haar hoofd en haar voeten ongeduldige bewegingen omdat ze stond te popelen om terug te gaan naar de kamer van de zieke. 'Hij heeft helemaal geen directe familie. Zijn testament ligt bij de notaris in Wenen. Hij heeft geen contacten van de Canadese neef.'

'Geen erfgenamen', bevestigde Charles. 'Tegenover mij sprak hij altijd over Krisztina als zijn naaste familie.'

'Spréékt, meneer Gábor. Hij heeft nog niet gestorven.'

'Ik wilde niet impliceren dat...'

Ze ging Imres kamer weer binnen.

Het ziekenhuis stond een stuk van de straat af en bestond uit een kring vervallen paviljoens die voor de warmte dicht op elkaar stonden rond een besneeuwde binnenplaats met prutterig aangeveegde paden waarop lijvige broeders in een jak met korte mouwen brancards en rolstoelen van gebouw naar gebouw reden. Het terrein leek op een negentiende-eeuws heropvoedingsgesticht dat een eeuw later al lang volwassen was geworden en was afgestapt van de idealen van zijn ontwerpers, en nu niemand meer heropvoedde, maar veel te veel mensen gevangen hield. Toen John genoeg had rondgedwaald, genoeg semi-tweetalige mensen de weg had gevraagd en genoeg antwoorden verkeerd had begrepen, kwam hij eindelijk in het juiste gebouw terecht en zag hij Charles in de lange gang vlak voor Horváths kamer charmant en wel op een houten klapstoel zitten. De jonge vennoot nam een stapeltje financiële tabellen door die op een leren map lagen. De dop van zijn pen liet hij ritmisch neerkomen op de paperassen, en zijn lippen bewogen lichtjes mee tijdens de stille inspectie van de numerieke bataljons die onder zijn bevel voorbijtrokken. Naast hem, tussen zijn schouder en de deurpost van Imres kamer, stak uit een smoezelige witte plastic emmer een zwabber die tegen de tegels rustte en nonchalant over Charles' schouder meekeek en af en toe koket langs de muur naar hem toe schoof.

In het besef dat het een domme vraag was, sprak John hem uit als de domme vraag die het was: 'En, gaat het goed met je?'

'Wat? Ja hoor, best. Ik bedoel dat het natuurlijk vreselijk is.'

'Dat is zo.'

'En de kwaliteit van de zorg hier, mijn god. Ik denk dat activisten voor dierenrechten een betere hygiëne voor laboratoriumratten weten af te dwingen. Ik zou in deze omstandigheden mijn haar nog niet laten knippen. Ik heb het gevoel dat ik alleen al door hier te zitten een infarct kan oplopen. Godallemachtig, wat een volk.'

Halverwege de rechte, lange gang (die deed denken aan het resultaat van een leerling aan de kunstacademie die zich in renaissanceperspectief moest oefenen) zat een verpleegster zacht dat liedje te zingen – Johns liedje – en de met een Hongaarse tongval uitgesproken tekst kwam af en toe gefluisterd in stukjes en beetjes zijn kant uit: *canchoo see… therr iss no ans-ser buhchoo… we coot be in heh-venn… so losst foor so lung, too menny…* Maar ze had *'I walk all night long, and think only of being us'* verkeerd verstaan, en de woorden bereikten John met een belangrijke medeklinker die verticaal was omgedraaid: *I wohk oll night lung, end tink only uff peen-uss.*

'Wat is er zo grappig?' Charles keek schuin naar hem op. 'Doet er ook niet toe. Ze zijn volgens mij namelijk ook grappig, de kleine dingen waarvan je leven aan elkaar hangt, weet je.' Charles streek met zijn handen door zijn haar, een ongewoon gebaar van vermoeidheid dat John Charles nog nooit had zien maken.

'Dat vind ik wel', zei John. 'Die dingen maken dat je het gaat inzien. Gaat het wel goed met je?' Hij legde zijn hand op de schouder van de zittende man.

'Ik bedoel, mijn god. Er springt een klein, piepklein bloedvaatje en in-eens breng ik mijn prille werkdagen tot tranen toe verveeld hier door, in deze walgelijke, betegelde ingewanden van het Boris Karloff-ziekenhuis.' Zijn lippen trokken zich iets samen. 'Grapje.' John liet de steel van de zwabber van de ene hand naar de andere overwippen.

Het infarct had onopgemerkt, of in elk geval ongemeld, verkrachtend en plunderend kunnen huishouden voordat Horváth was gevonden. Onderzoek wees uit dat het waarschijnlijk de vrijdag ervoor in alle ernst was begonnen. Krisztina was op familiebezoek geweest in Győr; Charles was voor de uitgeverij in Wenen geweest; Imre, alleen in Boedapest, had naar alle waarschijnlijkheid het hele weekend last gehad van symptomen die hij niet serieus had willen nemen. Tegen de tijd dat Charles op maandagochtend over hem struikelde, was in elk geval een aantal van de mogelijkheden om neurologisch letsel te voorkomen verkeken. De dokters waren vaag; Charles mopperde dat ze tijdens een eerstejaars patiëntbespreking zouden zijn uitgejouwd om hun spitsvondige ontwijkingen. Tijdens haastige, heimelijke besprekingen maakten de artsen elkaar door geanimeerde discussies warm voor de waarschijnlijkheid van potentieel 'spraakletsel' in tegenstelling tot 'letsel in de taalsector', een onderscheid dat Charles ook onduidelijk zou hebben gevonden als Imre niet al voor de derde achtereenvolgende dag in coma had gelegen. 'We denken dat hij bijkomt als hij zover is', opperde een van de artsen, die zacht een geruststellende hand op Charles' biceps legde. 'Ja, natuurlijk', had Charles gekird, met een klopje op de bleke, harige poot op zijn arm. 'Opgroeiende jongens hebben veel slaap nodig.'

'De arme oude man', verzuchtte hij tegen John. 'Echt waar, wat een toestand voor hem. Ik heb bijna het gevoel dat ik het had moeten weten. Denk jij dat ik het had moeten weten? Hij vertelde me laatst op kantoor een verhaal en hij wist niet meer dat hij het me bij wijze van spreken gisteren nog had verteld.' Charles ronselde John om een paar middagen zijn plekje op de gang in te nemen terwijl hij in zijn eentje de uitgeverij bestierde. John moest Gábors mobiele telefoon bellen als er ook maar iets veranderde. In de loop van de volgende dagen belde John, als hij zich ver-veelde, inderdaad verslagen door over gloeilampen die werden vervangen en over de teleurstellende ontwikkelingen van de achtergelaten zwabber. Op een keer nam Harvey de telefoon aan en hoewel hij John meteen doorverbond met Charles, vergat John zijn grap en belde niet meer.

Terwijl hij zich in evenwicht probeerde te houden op de achterpoten van de klapstoel kwam John langzaam tot het besef dat verwacht werd dat hij niet te dicht bij de flakkerende zon kwam en in zijn eerbiedige baan bleef. Als afgevaardigde van Károly mocht hij op Károly's houten stoeltje op de gang zitten en hulpeloos dokters aanhoren die in het Hon-gaars aan het overleggen waren. Krisztina Toldy zat echter in de kamer aan Imres bed, overlegde actief met de artsen en zei weinig of (vaker) niets tegen John wanneer ze de ziekenkamer binnenging of verliet en heel zachtjes de deur achter zich dichttrok.

Hij las. Hij maakte aantekeningen voor columns. Hij dwaalde helemaal tot aan het einde van de zich als een telescoop uitschuivende gang om een blik uit het enige, vieze raam te werpen, door de afrastering van har-monicagaas die vlak voor het glas zat, op de binnenplaats en op de luiken en schoorstenen van de fabriek aan de overkant van de straat. Elke dag als hij de hoek om kwam en naar het ziekenhuis liep, probeerde hij vanaf de grond te berekenen welk raam dat was. Het gebouw leek niet lang ge-noeg om de gang te bevatten; de wandeling van houten stoel naar raam vergde een bewust bij elkaar rapen van door verveling geïnspireerde energie. Als hij terugkwam van zo'n vreugdeloze tocht, keek hij op zijn horloge, sloot dan zijn ogen en probeerde te raden wanneer er dertig se-conden of een minuut was verstreken. Meestal zat hij er mijlenver naast; zijn innerlijke tijdmechanisme leek te bestaan uit roestige veren en weer-spannige, gammele gewrichten die geleiachtige radertjes aandreven. *Hoe-veel golfballen zou je in deze gang kunnen krijgen?* En dan kwam Krisztina Tol-dy uit Imres kamer en trok John zijn wenkbrauwen op om te vragen: *Is er nieuws?* Dan liep ze langs hem heen de gang op zonder oogcontact te maken en voelde hij zich ineens beschuldigd van duistere wandaden, ver-beeldde zich dat zij dacht dat hij alleen maar zat te vlassen op het bericht van Imres dood, eindelijk, alsof dat de enige reden was dat hij er was, en Charles niets liever wilde dan snel-snel over de mobiele telefoon te horen dat de oude man was overleden.

Na vijf middagen was de zwabber nog steeds niet van positie veranderd, en John vroeg zich af of degene die de zwabber bediende ontslag had genomen of dat er van de familieleden van post-communistische patiënten werd verwacht dat ze hun steentje bijdroegen en de gangen wat zouden dweilen tijdens hun bezoek aan hun dierbare. Toen hij naar het water in de emmer keek, dat donkerder was geworden tijdens zijn dagen van toezicht, kwam het eindelijk bij John op dat hij een column zou kunnen schrijven over deze kleine buitenpost van authentieke Hongariana, die geen enkele welgestelde expat ooit zou hoeven bezoeken. Het zou een vlammende onthulling worden van een schandalige situatie en, beter nog, het zou een bezield pleidooi worden voor westerse hulp om de vroeger zo koene medische stand van het moedige, onfortuinlijke Hongarije nieuw leven in te blazen. Dat zou het begin zijn van een verrassend nieuwe wending in zijn werk. Gezuiverd door de witte vlam van protest en sissend van emotie zou hij zich aansluiten bij zijn generatie om de wereld te verbeteren. Hij sloeg zijn notitieblok open en tikte met zijn pen tegen zijn tanden. Even later kwam Krisztina tevoorschijn en ze sloop zwijgend de gang door naar de lift; het was geen loopje naar de wc of de telefoon. Ze zou een poosje wegblijven.

Imre lag, in zijn ziekenhuishemd, op de dekens; over zijn voeten en onderbenen een keurig opgevouwen deken. Vloeistoffen verplaatsten zich in diverse tempo's door een netwerk van voorspelbare slangetjes. Er stond geen televisie te leuteren; er stonden alleen verouderde apparaten onopvallend te knipperen en te piepen. John was verbaasd dat hij weer op een houten klapstoel kwam te zitten; hij had hier iets beters verwacht. Van de andere kant van een vlekkerig wit gordijn kwamen andere piepjes aanzweven, een halve hartslag trager dan die van Imre. De twee apparaten – die van Imre en van de onzichtbare onbekende – piepten twee keer tegelijk, dan raakte de onzichtbare iets achterop, telkens iets meer (piep-p…piep-iep…piep-piep… piep–piep… piep—piep… piep——pie-piep) totdat hij zo ver achterop was geraakt dat hij op Imres naderende piepje stuitte en ze weer langzaam versmolten tot tijdelijke gelijktijdigheid.

John staarde naar Imres langzaam ademende buik op de bolle matras onder de knipperende schermen en de wirwar van slangetjes. Hij keek heel even naar de vertrokken lippen en de wangen, die sinds kort iets waren ingevallen en wendde zijn blik toen snel weer af.

Hij keek naar zijn eigen handen en moest denken aan een televisiefilm die hij een keer had gezien, waarin de liefhebbende familieleden van een comateuze oude vrouw tegen haar niet-bevattelijke oren hadden gepraat en in hun vurige liefde hadden bepaald dat 'ze ons kan horen, verdorie, ik wéét dat ze ons kan horen, en ik heb alles voor haar over, begrijp je dat goed? Alles, ik laat de hoop nog niet varen, dus waag jij het niet om de moed op te geven…' En daarom schoof John zijn stoel naar het hoofdeinde van het bed – hij wilde niet worden gehoord door degene die achter het gordijn lag – plantte zijn ellebogen op zijn knieën en begon aarzelend tegen de borst van de baas van zijn vriend te praten.

'Nou, ik hoop echt dat je beter wordt, Imre. Je bent erg indrukwekkend als je er niet, je weet wel, bij ligt zoals nu. Ik denk maar liever niet na over wat er is gebeurd. Het lijkt zo verkeerd dat het kan, en dat is het dan voor iemand die alles heeft gedaan en gezien wat jij hebt gedaan en, en gezien… Dat hele gedoe van je leven als kunstwerk. Ik vraag me af: was het de moeite waard? Dat vraag ik me vaak over je af. Was het de moeite waard? Tirannen bestrijden? Alles wat je hebt opgegeven om aan de goede kant te staan toen het leek of het de verliezende kant was? Ik stel me soms voor dat ik een ongelofelijk offer breng voor iets of iemand: o, ik raak een arm of een been kwijt of raak verlamd of word gek door een extreme bedreiging… en als iemand me dan vraagt – en ik ben een arm of een been kwijt of verlamd of nog maar half bij mijn verstand – en dan vragen ze me of het de moeite waard was. En ik ben altijd benieuwd wat ik zou zeggen. Ik zou zo graag willen weten of ik zou zeggen: "O ja. Het was de moeite waard. Natuurlijk was het de moeite waard", ook al zit ik daar met een vreselijke verminking. Ik denk trouwens vaak aan je. Ik heb de indruk dat jij iets weet wat erg, eh, erg… Het zou natuurlijk erg jammer zijn als, je weet wel, ik zou me erg rot voelen… Ik voel me trouwens, eh, erg rot over het hele…'

John schaamde zich toen hij voelde dat zijn keel dichtkneep. Hij wreef in zijn ogen tot het prikkelende gevoel verdween. Zijn absurditeit leek geen grenzen meer te kennen, en daarom dacht hij meteen aan die kitscherige televisiefilm toen Krisztina Toldy hem stevig op de schouder tikte. Berispend streek ze Imres dekens en kussensloop glad, ook al had John niets aangeraakt.

'O, hallo', zei hij.

'Ja.'

De tijd circuleerde op een vreemde manier door het ziekenhuis. Op de gang hoopte hij zich op in stilstaande poelen, zodat de klok nauwelijks de energie kon opbrengen een verandering te registreren die evenredig was aan het ongemak dat John op het harde stoeltje voor Imres kamer, die verboden terrein was, ervoer terwijl hij daar zat te wachten, misschien wel tot in eeuwigheid, op de dagelijkse komst van Charles of de specialist. Dan weer liet de kalender, halsoverkop, zijn blaadjes vallen alsof hij een boom in de herfst was, en dan realiseerde John zich met verbazing dat er een week, tien dagen, twee weken, bijna drie weken waren verstreken sinds het infarct, en dat Imre zich nog steeds niet bewoog, geen blijk van bewustzijn gaf, en nog steeds betaalde Charles John om voor hem op wacht te zitten terwijl de jonge vennoot het zelf 'gewoon ongelofelijk druk' had met het bestieren van de uitgeverij.

Twee dagen later, enige opwinding: Eén oog van de patiënt ging open toen ertegen geblazen werd zoals de specialist er elke dag, drie weken lang tegen geblazen had. Het sloot zich weer, en de hersenactiviteit vertoonde weinig verandering.

De volgende dag regelden Charles en Krisztina dat Imre naar een door Zwitserse artsen geleide privé-kliniek in Boeda werd overgebracht. 'Die Hongaarse artsen kunnen best geweldige genieën zijn,' gaf Charles toe, 'maar we moeten alles voor hem doen wat in ons vermogen ligt, weet je. Dit lijkt me toch echt een betere plek.' John zat nu op een ergonomische stalen stoel met een verticaal richeltje, zodat zijn billen afzonderlijk werden omvat. Hij leunde tegen de wand van de gang, die een licht blauw-groene kleur had, terwijl de artsen elk uur, of vijf over het hele uur, naar hem knikten en de blinkende chroom-met-marmeren kamer ingingen en dan weer tevoorschijn kwamen om een paar aantekeningen te maken op het transparante blauw-groene klembord dat thuishoorde in een transparant plexiglazen rekje op de zuchtende hydraulische deur, waarop dezelfde dag van de opname al een koperen naambordje was geschroefd, met daarop gegraveerd, alsof hij een nieuwe directeur was: ZIMMER 4 – HERR IMRE HORVÁTH. Over de verdwijnende rug van een arts kwam zachtjes de gefloten melodie van Johns liedje aanzweven door de met tapijt beklede gang.

'De kwestie is dat ik het niet langer kan uitstellen. Ik weet dat het niet het meest fijngevoelige is dat ik op het moment kan zeggen', zei Charles twee dagen later toen Neville in een fluisterend, haperend Duits met een van de behandelende artsen sprak. 'Maar hij springt nou niet bepaald zijn bed uit om leiding te gaan geven aan zijn bedrijf, en het is niet de meest geschikte tijd voor dat soort luiheid.'

'Louter laksigheid', zei John instemmend.

'Ik ben een groot voorstander van slaap inhalen, maar iets vrij belangrijks dat al een poosje heeft staan sudderen kookt nu echt over, en je zou me dus een grote dienst kunnen bewijzen. Ik heb een consortium, dat jij trouwens hebt helpen samenstellen, en ik heb komende maandag een warmbloedig lichaam aan de dinertafel nodig, en eerlijk gezegd is die rol Imre niet op het lijf geschreven. Zou het jou lukken om tussen nu en maandag geen infarct te krijgen?'

Neville gaf de Zwitserse arts een hand en voegde zich bij de twee Amerikanen. 'Gezien de omstandigheden', zei hij met zijn professionele BBC-stem, 'is het vaststellen van de arbeidsongeschiktheid een betrekkelijk eenvoudige zaak. Ik heb de verklaring aangevraagd.'

Die avond voelden de ouwe getrouwen zich beledigd door de rijen wachtenden voor A Házam. Zonder ironie werden potentiële bezoekers door fluwelen koorden op een afstand gehouden. In de hal hingen ingelijste krantenartikelen en vermeldingen in reisgidsen onder de Hongaarse woorden voor *Vermeld in*. Een kunstzinnig armoedige affiche voorspelde de komst van A Házam 2 en A Házam 3 in andere wijken van Boedapest, en Praházam in Praag, dat nog eerder het licht zou zien. Deze ophanden zijnde kruisbestuiving (de clubs zouden allemaal met dezelfde ondertekende foto's van dictators pronken, met dezelfde spotlights met kap, hetzelfde bij elkaar geraapte meubilair) diende als de toonaangevende Hongaarse investering van Charles' vroegere bedrijf. John en Charles ontzegden de nachtclub voorgoed de toegang tot hun agenda en gingen toen maar de geneugten beproeven van de Baal Room, die pas was geopend door drie jonge Ierse ondernemers en was ingericht met de hel als thema. Aan de lange bar, in de vorm van een steile richel van gesmolten gesteente, gingen John en Gábor op een roodfluwelen kruk zitten terwijl gehoornde barkeepers met een ontbloot bovenlijf en een rode maillot hun Unicums serveerden in kunststof mensenschedels en die, omdat het werk nog nieuw voor ze was, zich er zenuwachtig van bewust leken dat hun puntige kronkelstaart van piepschuim gevaar opleverde voor de flessen. In kooien die aan het grotachtige plafond hingen zaten mannen en vrouwen in zorgvuldig gescheurde leren bikini's, die danskronkelden

bij plastic kookketels waarin flikkerende rode spotjes zaten, terwijl reusachtige uitsmijters met gestileerde hooivorken rondliepen op zoek naar
rottigheid. Op een groot podium, onder ronddraaiende en flitsende stro-
boscooplampen, dansten mensen op Britse popmuziek die was gemixt
met een doorlopende opname van menselijk geschreeuw.

Bemoedigd door een paar klotsende schedels voerde John de ope-
ningszetten uit van de meisje-voor-filmster-aanzien-techniek bij de
vrouw links van hem, terwijl Charles op de kruk rechts van hem op een
belijdenistoon zei: 'Het was fijn om met je te praten die ochtend in het
ziekenhuis. Het hielp. Echt, weet je.' Gek genoeg had hij het gevoel dat
Charles het meende, maar hij kon niet bedenken over welk gesprek hij
het had. Hadden ze op een ochtend een goed gesprek gehad in het ziekenhuis?

'Dat zit wel goed. Graag gedaan.'

Hij draaide zich weer naar links, maar het meisje dat hij voor een filmster had willen aanzien was verdwenen. Hij moest toegeven dat het geen
hartverscheurend verlies was.

De up-tempo muziek hield op en maakte plaats voor de lang aangehouden, oorverdovende schreeuw van een man die een afgrijselijke kwelling ondergaat. Toen de man verstikt snikte, volgde er demonisch gelach.
Daarna volgden het zachte, romantische geroffel en de openingsakkoor-
den van de synthesizer van Johns lievelingsliedje; de DJ had er bijna een
uur over gedaan om aan zijn verzoek toe te komen.

VII

'De kwestie is, Károly, dat je het helemaal gemaakt hebt en dat je niet…'
    'Charles.'
    '…eens weet wat je ermee aan moet. Wat?'
    '*Charles.*'
    'O. Oké…'
    Maandagavond, de beloofde Zuidzee-eilanders waren laat, en daarom
keek John van een enorme afstand, helemaal vanaf de andere kant van
het ronde tafeltje dat voor vijf was gedekt, over de rand van zijn trillende

zwarte schijfje Unicum heen hoe Charles en Harvey treuzelden met hun cocktails en langs elkaar heen praatten. Hij merkte een spoortje van Charles' nervositeit op: zijn naadloos sluitende vlakken begonnen ontwricht te raken, waardoor zijn aversie tegenover Harvey tevoorschijn kwam van onder het beschermlaagje (hoewel het Harvey, ingekapseld in zijn eigen zenuwachtigheid, niet opviel). 'Ze komen wel. Ze komen wel', werd hen ongevraagd verzekerd door Harvey, die met zinderende humor probeerde dode lucht tot leven te wekken: 'En, vertel eens eerlijk, voor de draad ermee – denk je dat hij neukt met die Toldy?'

'Tjonge, wat ben jij een onzindelijk denkende viezerik.' Charles wierp een blik op zijn horloge en trok twee mouweinden terug over de wijzerplaat. 'Als hij dat al deed, laat zijn toestand dat nu niet meer toe.'

'O, je weet maar nooit, Károly…'

'*Charles. Charles.* Het is Engels. Je moerstaal.'

'Ja, maar ze houdt hem wel erg goed in de gaten in een eenpersoonskamer, zei je toch? Misschien was het wel zo'n infarct waar je bloed sneller van gaat stromen, als je snapt wat ik bedoel. Dat hoor je wel eens.'

'Charles, kun je er niet voor zorgen dat die klootzak zijn kop houdt?' Harvey en Charles keek verbaasd op, en John realiseerde zich met opwellende schaamte dat hij het niet alleen had gedacht. De klank van Charles' gelach was perfect gekozen; Harvey herkende meteen dat John een goede grap had gemaakt, niets om serieus te nemen.

De dikke kastanjebruine gordijnen van de besloten eetzaal waardoor de tafel aan drie kanten werd omgeven werden door de in smoking geklede ober geruisloos opzij gehouden voor twee Zuidzee-eilanders. De winterbleke man voorop was de jongste, slechts een paar jaar ouder dan Charles, maar in alle opzichten voortijdig grijs met zijn quasi-ouderwetse accountantsbrilletje. Paspopmooi en scherp gekapt deed hij een stapje opzij, kuchte verkapt en liet zijn baas de luxe enclave als eerste betreden. Dit was de aan John beloofde verrassing, plus een kortstondige bel van gestolde tijd om haar in zich op te nemen: een driedimensionale simulatie van een gezicht dat beroemd was van kranten en tv, met een Australisch accent dat vertrouwd was van talkshows en actualiteitenprogramma's, de strenge of licht zelfingenomen gelaatsuitdrukking (er waren maar twee mogelijkheden) die jaarlijks op een tiental zakentijdschriften prijkte. Harvey heette hem welkom en stelde hem met grote eerbied voor. Voordat het visioen echter ging zitten of reageerde op de mensen die aan hem waren voorgesteld, wendde hij zich tot de ober en bestelde een obscure, antipodische cocktail alsof hij de echte man was – de man van de tv – en daarom kon John eigenlijk geen gerede twijfel voelen. De kenmerkende cowboyhoed, de klei van het opvallende moedervlekeilandje naast de zuidoostkust van de neus, de wenkbrauwen die als ongerepte wouden waren en waarop de make-updames van de televisie uren moesten hebben gezwoegd om ze te modelleren tot iets wat leek op gladde menselijke gelaatskenmerken: de rekwisieten waren allemaal vertrouwd. Maar vreemder waren de discrepanties: net binnen de met gordijnen afgebakende enclave vertoonde de Australiër vervelende gewoontetics die kennelijk alleen vielen te onderdrukken voor de duur van een nieuwsitem, maar niet langer. Het televisiegezicht richtte zich altijd met managersintensiteit op de interviewer die niet in beeld was, maar de 3-D Melchior maakte nooit rechtstreeks oogcontact, en weer kon John zich bijna niet aan de gedachte onttrekken dat er zich een bedrieger bij hen had gevoegd aan deze besloten eettafel in de Koning van de Hunnen. Onder het gedempte licht, onder die ene vaste muur met zijn fraai ingelijste reproducties van gravures van koninklijke jachtpartijen voelde John een vreemde, maar fysiek merkbare opluchting om hier nog zo'n buitenproportionele man te treffen die niet veel voorstelde, eigenlijk veel minder dan men de wereld had willen doen geloven.

Hubert Melchior was niet de eigenaar van het grootste media-imperium ter wereld. Er was een man in Atlanta en er was nog een Australiër, en er waren vermoedelijk machten in Hollywood, Frankfurt en in de glazen arendsnesten in Manhattan met namen die nog niet in het wereldbewustzijn waren opgeborreld, die allemaal langere tentakels, meer invloed, meer televisies, boeken en kranten bezaten die hun corporate opinies naar buiten brachten. Hoewel niet uniek, was Hubert Melchior een van de namen die je zo vaak hoorde – ook als je nooit het zakelijke en financiële nieuws volgde – dat hij je altijd bekend voorkwam. ('Is hij de man die die stunt uithaalde, dat gedoe met die stomme kangoeroes?')

'Zijn dit nou die kerels waar je zo bang voor was, Kyle?' mompelde Melchior toen hij met een lichte kreun plaatsnam. Zijn grijze assistent glimlachte en knikte als op afroep. De sneer werd gebracht met een merkwaardig humorloos, monotoon stemgeluid, bijna gemompel, en niet met de luidruchtige, geforceerde, zakelijke monterheid die John had verwacht. Melchior keek zijn assistent niet aan en had John of Charles nauwelijks een blik waardig gekeurd om vast te stellen of ze eigenlijk intimiderend genoeg waren of niet om Kyle zo de stuipen op het lijf te hebben gejaagd. Hij keek daarentegen naar zijn handen die, met de handpalm omlaag, in willekeurige, langzame patronen over het tafelblad gleden.

'Bang voor was? Nee, nee, ze zijn alleen niet de eersten de besten, meneer Melchior', zei de jongere man met de semi-menselijke intonatie die over de hele wereld kenmerkend is voor gekoeioneerde, moedeloze assistenten die twee keer zo snel oud worden als hun werkgever. Hij glimlachte naar de drie Amerikanen, ook namens Melchior, en bood hun, met de complimenten van de zaak, extra oogcontact.

Melchior was katachtig kieskeurig. Hij pulkte aan een piepklein, bolvormig zeesterretje van kaarsvet dat op de tafel was gestrand. De nagel van zijn linkerduim krabde er een keer of zes, zeven snel overheen en toen veegde hij de waskruimeltjes met een snelle beweging van zijn rechterpink weg. Dat bleef hij afwisselend doen – krabben met de nagel, vegende pink, krabben met de nagel, vegende pink – lang nadat iemand kon zien dat ergens kaarsvet was gemorst, lang nadat zijn ogen en zijn aandacht ergens anders op waren gericht, en nog steeds waren zijn handen als uit eigen beweging aan het vegen.

'Mistah G'bore', mompelde hij, terwijl hij zijn servet openvouwde en alle afzonderlijke plooien zorgvuldig gladstreek. 'Er is een week geweest waarin ik uw gezicht overal tegenkwam. Hier en daar een journalist die je naar je hand kan zetten is nooit weg voor een jonge vent. Dat spelletje verstaat u heel goed, moet ik zeggen.'

Charles lachte beleefd om dit autistische praatje dat op diezelfde toon van nauwelijks verholen verveling werd uitgesproken.

'En die arme Kyle deed het voortdurend in zijn broek, omdat hij u en uw baas, die Horváth, in de krant zag staan, wanneer hij ook maar keek. Hij bleef maar zeggen: "Niet het juiste moment, meneer Melchior." Zo was het toch, Kyle, jongen? "Niet het juiste moment…"'

'Hoewel meneer Horváth de oudste vennoot is, heeft– Ik hoop dat ik duidelijk heb gemaakt dat Károly hier, aanwezig is als de volledig gevolmachtigde vertegenwoordiger van…'

'…"niet het juiste moment, niet het juiste moment", alleen vanwege die flauwekul over…' Melchior had Harveys interruptie gehoord, maar hij had niet opgekeken van de onzichtbare patronen die hij met een stijve wijsvinger op de tafel tekende, verspilde geen tijd aan een terechtwijzing van Harvey, maar praatte gewoon verder, en geen geluid ter wereld had hem kunnen tegenhouden. 'Een paar krantenartikeltjes en Kyle hier begint te janken als een meid dat het "niet opportuun" voor ons is om een bod uit te brengen op Hongaarse privatiseringsdeals. "Niet opportuun", na alles wat ik heb opgebouwd.' Melchiors toonloze, maar openhartige erkenning dat zijn multimiljarddollarimperium tijdelijk door Charles en John was gedwarsboomd, maakte een golf van trots in John los. 'Allejezus, ik moest aanhoren dat we ons buiten dat privatiseringsproces moesten houden, dat we die salamivreters eerst met hun eigen regering moesten laten onderhandelen. Volslagen nonsens. En nu zit je hier, en je bent gewoon een jochie, en net zomin Hongaars als ik.' Hij wees op Charles, maar keek niet op. 'Moet je horen. Eerlijk gezegd hebben we ons wat te laat gerealiseerd wat de mediabehoefte is in dit afgelegen oord. Maar nu is het uit met die grappenmakerij. Ik ben drie dagen in de stad, en er zijn zes kranten, zes uitgevers, twee tv-zenders en een beginnend kabelbedrijf waarmee ik wil praten, dus laten we geen tijd verdoen met het opvrijen van het schaap, vind je ook niet? Als ze niet blaat, gaan we gewoon een schaap verder.' Ook deze kleurrijke vulgariteit uit het Australische zakenjargon kwam er op dezelfde licht verveelde, licht sociopathische toon uit, waarna Melchior een hap van zijn salade nam, er iets in aantrof wat hem niet beviel en het bordje wegschoof. 'Je hebt een leuk uitgevershuisje en ik wil het wel, maar ik heb geen eeuwen de tijd. Er zijn er nog een stuk of tien die ik wil als de Hongaren, de Tsjechen en de Polen iets kunnen gaan voorstellen voor Median. Dus laten we een beetje aanpoten. Harvey hier vertelde dat we je baas niet nodig hebben bij dit gesprek. Hoe zit dat?'

'Hij is jammer genoeg…' begon Harvey.

'Ja. Dat is vervelend', zei Melchior.

'Ik denk dat een kernpunt, een mogelijk knelpunt – en dat is iets waarbij ik een rol voor mezelf zie weggelegd, iets waarop ik proactief, proactievelijk een oogje in het zeil hou – dat zou moeten worden besproken het volgende is: wordt het de Median Press?' vroeg Harvey, die zo snel mogelijk regulerend optrad voordat de dingen zichzelf zouden reguleren.

Eindelijk keek Melchior iemand aan: Charles, die amper een woord had gezegd sinds de aankomst van de Australiërs. 'Het wordt in elk geval een trots nieuw lid van de Median-familie en krijgt daardoor de gepaste merkondersteuning, veel meer ondersteuning dan u zou kunnen opbrengen met wat er over is van uw eigen fondsje, Mistah G'bore.' Nadat hij

de indruk had gewekt dat hij over immense vertrouwelijke kennis beschikte, ging hij weer verder met het recht leggen van zijn ongebruikte
bestek. 'Bent u trouwens familie van die zusjes? Die actrices? Zeg het
maar: is de naam van de uitgeverij voor iemand in dit land van belang?'

Het was zo snel gegaan dat John nauwelijks besefte wat er gaande was:
toen het laatste saladebord in lichaamloze handen de tafel verliet, begreep
John eindelijk dat uitgeverij Horváth niet alleen te koop was, maar dat
de schikgodinnen al bezig waren met details als hoe zij zou heten als ze,
nog ademend, zou worden verzwolgen in de slangenbuik van de Multinational Median Corporation, waar ze snel zou worden afgebroken tot
haar niet verder te vereenvoudigen componenten.

Charles liet langzaam zijn wangen bollen en schudde zijn hoofd. 'Alleen heel in de verte', gaf hij toe. 'Via mijn betovergrootvader, heb ik me
laten vertellen, verre nichtjes. Maar ik heb ze natuurlijk nooit ontmoet.
Het is een naam die in Hongarije vrij veel voorkomt.'

'Ik denk dat Károly wat dit punt betreft in een, een, een wat lastig parket zit', opperde Harvey. 'We moeten openstaan voor de behoeften, dat
wil zeggen, voor de behoeften van beide partijen, of niet partijen maar
belanghebbenden, de natuurlijke behoeften van die belanghebbenden.'

'Chárles', wees Charles hem scherp terecht.

'Juist.' Harvey keek hem niet begrijpend aan. 'Wat is er?'

Charles negeerde Melchiors algemene vraag en bood hem een buffet
van bijzonderheden aan. Hij begon afzonderlijke uitgaven van Horváth
Holdings op te sommen en toekomstige projecten, beschrijvingen van
de uitgegeven catalogi en de vaste collectie. Hij goochelde met titels, auteurs en publicaties zoals een valsspeler in Las Vegas een spel kaarten door
de lucht laat waaieren. 'Onze forint', zei hij, '– en ik stip dit alleen maar even
aan als mogelijk voorbeeld van bepaalde kwesties die we zullen tegenko-
men – Onze forint is een naam met een inhoud waar generaties van traditie
en consumentengevoelens achter...'

'Dat is jullie financiële dagblad.' Uit Melchiors stem sprak enige interesse, maar het was geen vraag, en hij wendde zijn blik niet af van de gra-
vure boven Charles' schouder, en John zag dat de Australiër zijn blik van
opperste concentratie nabootste die hij tijdens tv-interviews vertoonde:
blik gericht op punten boven de schouder, van opzij gefilmd. 'Onze forint,
hè?' Hij stak zijn hand uit en wist met een weergalmende klap het hele
kaartspel in volle vlucht te vangen. 'Nee. Misschien blijft het een poosje

onder die naam voortbestaan, maar u weet wat we hebben. U bent niet achterlijk, Mistah G'bore. U koos die titel uit met een bepaalde reden, en ik waardeer het dat u openstaat voor een overeenkomst. U weet dat we enorme hoeveelheden geld hebben gepompt in de lancering van *Mmmmmoney*. We willen dat *Mmmmmoney* wereldwijd verschijnt, over de hele wereld gelijkvormig, maar met plaatselijk ingevoegde katernen, naadloos afgestemd op elke markt. Die ingevoegde katernen kunnen, denk ik, wel een plaatselijke naam krijgen. Ik en Kyle hier zien geen reden om de Hongaarse sectie niet *Onze forint* te noemen, als u me ervan kunt overtuigen dat er u iets aan gelegen is.'

'Volgens mij is dat waarschijnlijk een redelijk uitgangspunt.' Harvey keek heen en weer tussen de twee interessante mensen die aan de tafel zaten.

Melchior keek Charles recht aan en glimlachte, bijna menselijk. Hij had Charles de publieke indruk van een concessie geboden, had één elementje van het geheel aan de orde gesteld en verwachtte dat zijn reactie naar buiten toe zou worden geëxtrapoleerd, en daarom schoof de Australiër zijn stoel naar achteren en stond op; niets noodzaakte hem ertoe nog langer te blijven voor een volgende gang van het diner. Hij concentreerde zich erop zijn gevlekte handen in duur aandoende handschoenen te schuiven, ook al werd aan tafel reeds zijn voor de hond van de bordenwasser gedoemde voorgerecht opgediend. Zijn assistent stond met zijn servet in de hand in de startblokken, maar Melchior zou alleen vertrekken; Kyle moest afeten met de drie Amerikanen. Melchior streek met een geoefend gebaar de wollige binnenkant van zijn cowboyhoed glad, beurtelings met de handpalm en de rug van zijn hand. 'Afgaand op wat Harvey hier ons heeft verteld, de hoogte van uw bod en de waarde van de hele santenkraam in Wenen, heeft Kyle een envelop met een bedrag erin. Het zou voor u voldoende moeten zijn. Het is geen onderhandelbaar bod. Het is definitief. Ik kan niet hoger gaan dan dat bedrag, dus óf uw gedoetje treedt toe tot de Median-familie, óf het staat helemaal alleen in Medianland en dan zijn we de eerste paar maanden hier bezig jullie uit de weg te ruimen. Kyle wacht één dag in het Hilton om te horen of u geïnteresseerd bent. Heren, het was me een genoegen u te ontmoeten.' Geen oogcontact. Geen hand. Toen werden de cowboyhoed, de moedervlek en de abnormale, asociale, lijzige manier van praten opgeslokt door de roodbruine gordijnen.

Melchiors aanwezigheid bood een zeker ijsblauw genoegen, besefte John pas toen het fluweel niet meer opbolde en tot rust kwam als een verticale rode zee. Hij scheen geen enkel plezier aan zijn werk te beleven, maar hij leek ook gespeend van allerlei kunstgrepen bij de uitvoering ervan. Hij zei 'Ik wil dit' en 'Ik betaal er dit bedrag voor' en 'Nee, ik noem het niet naar uw comateuze baas', en dat was het.

'Wat een heerlijk stuk wild', zei Kyle gemeend, met een wat trieste, gretige flikkering op zijn gezicht. Nu hij een paar minuten aan zijn lot werd overgelaten tussen mensen van min of meer zijn leeftijd, haastte hij zich om er iets van te maken. 'Valt er na het eten nog iets leuks te doen? Een nachtclub of een dancing of zoiets?'

'Laat de envelop maar eens zien, Kyle.'

'Goed.'

Charles hield de dichte envelop tegen zijn slaap. 'Geniet van je wildbraad, Kyle.' Hij stak de envelop ongeopend in zijn zak, en de rest van de avond vroeg iedereen zich af wanneer hij er eindelijk eens een blik in zou werpen. Kyle, die er altijd gevoelig voor was dat hij werd afgepoeierd, zei geen woord meer. Hij en Harvey rekenden hoffelijk af.

Op straat voor het restaurant wees Charles met nadruk op twee taxi's, waarna Harvey even een apartje met hem forceerde, omdat hij begreep dat er een goede strategische reden achter de naderende gedwongen scheiding lag en dat Charles kennelijk wilde dat hij een ingewikkelde, geavanceerde onderhandelingsmanoeuvre zou uitvoeren zodra hij met Kyle alleen was. 'Charles, Charles, luister', zei hij terwijl hij zijn arm om Gábors schouder sloeg en hem kameraadschappelijk wegvoerde van de anderen. Charles boog zich om zijn veter vast te maken en toen hij overeind kwam, had hij zich omgedraaid, liep met grote stappen naar de taxi, duwde John erin en gaf hen allebei een hand. '*Károly*', verbeterde hij Harvey.

Charles maakte de envelop niet open, leek het bestaan ervan te zijn vergeten, totdat hij en John waren ontsnapt en ze de andere twee in de koude, beslissende februarinacht hadden achtergelaten, de jonge Australiër duidelijk beteuterd dat hij in het gezelschap van weer een saaie man van middelbare leeftijd verkeerde en voor de zoveelste keer moest aanzien, als in zoveel steden waar zoveel transacties waren bezegeld, dat iedereen die ook maar een beetje leuk was in een andere taxi een andere kant uit ging.

De slingerende taxi was al een paar kruisingen verder. Charles, die was begonnen aan een al vaker gevoerde, maar nog steeds levendige discussie

over de Golfoorlog, haalde de envelop uit zijn binnenzak zonder dat hij
de draad van zijn betoog kwijtraakte. Zonder te kijken betastte hij liefdevol het met het embleem van het Hilton bedrukte papier, sprak over de
twijfelachtige charmes van Saddam Hoessein en maakte toen eindelijk,
langzaam, met afgemeten desinteresse de envelop open: hij scheurde de
rand van de korte zijde af en beschreef de kille economische waarheden,
die in tegenspraak waren met de verhitte politieke rechtvaardiging voor
de woestijnoorlog. Met een nonchalante puf blies hij de envelop open
tot een cilinder en trok er langzaam een velletje papier uit, maar nam niet
de moeite om het open te vouwen. John was een goed publiek en was ge-
past verbaasd over Charles' apathie en gemoedsrust, of in elk geval over
zijn onstilbare behoefte om mensen te verbazen. Toen de oorlogsmotie-
ven waren geanalyseerd ('Je kunt wel degelijk humanitair en inhalig tegelijk zijn; het is alleen moeilijker'), vouwde John het getypte vel open,
maar keek er niet naar ('Ik geloof echt dat je om humanitaire redenen
mensen kunt neerschieten, uithongeren, levend verbranden en bombar-
deren, zelfs onschuldige mensen, maar daar is wel heel wat emotionele
volwassenheid voor nodig'). Het schijnsel van de lantaarnpalen die voorbijkwamen verlichtte zijn gezicht met regelmatige, verschuivende flets-
gele laagjes, elk laagje precies eender bespikkeld door de grijze transpa-
rantie van het smoezelige taxiraampje.

'Oké, ik ben behoorlijk onder de indruk. Kijk nou maar wat er in staat.'

Charles boog dankbaar het hoofd en las eindelijk het getypte vel. 'Zo',
veroorloofde hij zich. 'Dat is ongeveer wat ik had gedacht.' Hij begon te
lachen en schudde zijn hoofd. 'Als ik stoned was geweest.'

John gaf de chauffeur een andere bestemming op en nam Charles voor
het eerst mee naar de Blue Jazz. De toenemende, onbedwingbare opwinding van zijn vriend en het feit dat hij toegaf dat Melchiors bod hem verbaasde, wekte bij John een warm gevoel voor Charles op dat hij niet vaak
had gehad, en daarom vond hij het gerechtvaardigd om de feestvierende
vennoot te laten delen in zijn lievelingsplek.

Die kameraadschappelijke warmte hield stand tot vlak voordat ze hun
jas hadden uitgetrokken en waren gaan zitten: tot Johns teleurstelling
was Nádja er niet; de zaak was bezoedeld met de erwtgroene klanken
van een sextet van avant-gardistische free-jazztypes. 'Ik ben dol op dit
liedje!' riep Charles uit, en John betreurde meteen dat hij het niet bij de
Baal Room had gehouden. 'Jazz is gewoon zo geweldig. Al die jazzfreaks

die met hun duimen staan te knippen bij het ret-e-tet-tet van het slag-werk.'

Het gesprek was in elk geval verhelderend. Voor John, die aanhoorde hoe Charles de zojuist genoten maaltijd van uitleg voorzag, was het net of hij een volslagen nieuwe avond tegemoetging, aangezien er kennelijk een avond was geweest vol gebeurtenissen die John niet eens waren opge-vallen. Charles beschreef zijn openlijke bewondering voor en oversneden plezier in Melchiors 'speltactiek'. Charles was onder de indruk van de idiote tics, het openhartig toegeven dat hij zich een rad voor ogen had la-ten draaien, het terloopse, argeloze beledigen van Kyle en die korzelige aanpak van ja-nee/nu-of-nooit/niet-onderhandelbaar/geen-gezeik, en hij had respect voor 'al het werk dat in de voorbereiding was gaan zitten'. Om Johns veronderstelling dat het Melchiors aangeboren persoonlijk-heid was geweest moest Charles zo hard lachen dat hij er bijna in bleef. 'Het was allemaal erg goed gedaan,' weerlegde Charles, 'maar het zou zonder betekenis zijn geweest als Melchior het niet naar believen kon spe-len of achterwege laten. Als dat allemaal gewoon bij hem hoort,' legde hij geduldig uit, 'dan is de man niets meer dan een psychopaat met een cowboyhoed. Erger nog, gewoon een zakenman met geluk in plaats van een gewiekste zakenman. Nee, het is een serieuze man, onze Hubert. Maar hij doet het heel erg goed, dus trek het je niet aan. Maar – en ik zeg dit met professionele stelligheid – het is allemaal gespeeld, ook al stopt hij er nooit meer mee, ook al doet hij het in zijn slaap en tot zijn dood aan toe.'

Charles was er uiteraard nieuwsgierig naar geweest de man te ontmoe-ten, maar had beslist niet verwacht een bod te krijgen dat hij serieus kon nemen – misschien een aanbod voor een kleine investering, misschien een enigszins rendabele overname van zijn 49 procent, had hij in decem-ber half gehoopt toen Harv geloofwaardig begon te klinken over een in-troductie. Maar dit… dit was 'gigantisch, giga hoog, hoger dan in mijn dromen.'

John verlangde naar Nádja's aanwezigheid; hij had het idee dat hij zijn aandacht beter op Charles zou kunnen richten als zij maar op het podium had gezeten, als hij maar wist dat de avond zou eindigen met alleen zij tweeën, dat hij haar lopend naar huis bracht. Hij had haar nog niet eerder naar huis gebracht, en dat vond hij jammer. Hij genoot van een nieuwe nachtelijke traditie: aan het grijze, stille eind van haar werkavond zou hij haar thuisbrengen en zouden ze thee of sherry drinken en een goed gesprek voeren in haar huiskamer waar het haardvuur brandde voordat hij op weg ging naar… waar dan ook. Nádja's woning zou een schatkamer zijn van haar verbazingwekkende leven dat ze zo mooi, zo rijk had geleefd: die onwaarschijnlijk neergekrabbelde catalogus van boeken en platen – gekreukeld, vergeeld, maar aanwezig; foto's van al haar mensen en plaatsen; brieven in een opmerkelijk handschrift, uit tijden dat de post nog drie keer per dag werd bezorgd; tekeningen van haar, die ze voorzichtig maar zonder verheerlijking pakte, in aanmerking genomen dat ze waren geschetst door begenadigde handen, handen die andere, minder schetsmatige werken hadden gemaakt waarover musea met elkaar vochten als doldriftige kinderen. Op een plank raadselachtige souvenirs: een patroonhuls; een oude, omgekrulde identiteitskaart, door een reeds lang opgeheven organisatie verstrekt aan een jongeman die al lang grijs of dood was; een opgerold eerbewijs met een strik eromheen van een regering die van de aardbodem was verdwenen. 'Goedenavond, John Price,' zou ze zeggen met haar leerachtige stem als die van een buitenlandse filmster, 'of goedemorgen, al naar je wilt,' en bij de deur zouden ze elkaar op de wang kussen, en hij zou de frisse dageraad ingaan met het gevoel dat hij op de juiste plek was, klaar om… wie dan ook te gaan opzoeken.

'Maar de hoogte van het bod geeft achteraf bezien een nieuwe betekenis aan alles wat er tijdens het eten is gebeurd. Je snapt dat ze haast hebben, hè? Wij hebben ze laten wachten, dankzij Imre. Dan moet je dus een hoog bod uitbrengen en elk onvermijdelijk verlies gewoon slikken, omdat de hele handel voor het grijpen ligt, zo zit dat in elkaar.' John zag dat zijn vriend grote ogen had van opwinding, dat al zijn koelheid was weg gestoomd door de warme drank, en misschien zelfs wel door het jammerlijke gekrijs dat van het podium af kaatste. 'Hebben ze hier geen strippers? Waarom kom je hier zo vaak?'

Natuurlijk was de vijandige overname van media een gevaarlijk spel. Een krant kopen was het niet hetzelfde als een conservenfabriek kopen. Een krant doet zijn mond open: dwing er een tot verkoop ('…om je uit de weg te ruimen…'), dan word je misschien wel twee weken door het voorwerp van je begeerte voor rotte vis uitgemaakt voordat je de deal rond hebt en ervoor kunt zorgen dat hij zijn mond houdt. 'En daarom,' denderde Charles onvermoeibaar door, 'was dit een interessant detail: Median was begonnen met Horváth voordat ze gingen praten met alle andere mogelijkheden die door Melchior waren opgesomd. En waarom wil hij Horváth als eerste?' Melchior had Charles gecomplimenteerd met de goede pers die hij had gekregen en met het feit dat hij daar het belang van inzag. 'Snap je het nog niet? Hij wil Horváth als eerste vanwege…'

'Ja, ja, vanwege jou.'

'Nee, mijn kind. Melchior wil Horváth als eerste vanwege…' Charles kneep John zo hard in zijn wang dat hij ervan kreunde – 'vanwege jou, mijn kleine schat.' Median zou er hoe dan ook toch wel komen, maar Melchior had er tijd en geld voor over om de dingen in de juiste volgorde te doen. Median had besloten geen privatiseringsbod op de Horváth Kiadó uit te brengen, want John had met sterke argumenten Harvey overtuigd, die op zijn beurt Kyle had overtuigd, die vervolgens Melchior ervan had overtuigd dat een buitenlander nooit als winnaar uit de strijd kon komen als het om zoiets uiterst symbolisch als een uitgeverij ging. En nu had Melchior respect voor de mannen die niet meteen toehapten. En hij wilde hun hulp: Medians eerste aankoop in Hongarije – en Oostenrijk – zou dankzij Team Charles plaatsvinden onder het zachte, flatterende licht van een welwillende pers, in plaats van onder het vreselijk hysterische stroboscooplicht waarop Melchiors eerste aankoop in Tsjechoslowakije was onthaald, waar een paar intolerante, apocalyptische redactionele commentaren waarachtig tot demonstraties hadden geleid, 'een stel echte debielen die op de grond gingen liggen voor het redactiebureau van een of andere punkachtige undergroundkrant, waarvan de sentimentele redacteurs niet eens beseften dat ze net de hoofdprijs in de loterij hadden gewonnen.' *Als we onszelf gaan verkopen, onze geschiedenis gaan verkopen aan vermogende, anonieme mannen, waarom hebben we dan de moeite genomen in opstand te komen en ons aan te leren om de waarheid te zeggen, ongeacht wat de consequenties zijn? Wat betekent het wanneer dit blad ervoor kiest zich uit te leveren aan de eerste de beste herenloze miljonair die ons wat harde valuta biedt? Wat zijn we niet bereid te verkopen nu we een vrij land en een arm land zijn? Ik hoop alleen dat mijn Tsjechische broeders wijzer zijn dan mijn broodheren, die…*

Aan de overkant brabbelde de bandleider, die met zijn reusachtige handen een trompetje omvatte, in het Magyaars wat dankbare afscheidswoorden in de microfoon, waarna Thelonious Monks opname van 'April in Paris' uit de microfoon spetterde. Onvast ter been sloegen de twee vrienden zich door een erg stuntelig partijtje biljart heen, en John was zich scherp bewust van het gegniffel van betere spelers die wachtten tot de tafel vrijkwam. 'Jongens van dat niveau'– Charles leunde op zijn keu en praatte terwijl John aan stoot was – 'verdoen hun tijd niet met dat oersaaie taxeren van alle afzonderlijke activa. Dat laten ze afhandelen door sprankelende persoonlijkheden als Kyle. Die jongens aan de top hebben gewoon een goed instinct, en iets wat niet meteen goed functioneert, krijgen ze door pure wilskracht aan het functioneren. Hij zal Horváth winstgevend maken, sneller dan ik dat kan, gewoon omdat Median zo groot is. Mensen het gevoel geven dat ze je vrágen om te handelen. Zo mooi.' Charles zat op de rand van de tafel. Hij liet zijn voeten bungelen en hield de keu onder zijn kin; op zijn neuspuntje zat wat blauw krijt. Hij had het gezicht van een jongetje dat zich op een honkbalwedstrijd verheugde. 'Eerlijk, John, ik ben immers geen sentimentele knaap. Maar dat komt toch niet vaak voor? Dat je zoiets moois ziet. Het is eersteklas.' Charles had er twee uur over gedaan om ermee voor de draad te komen, maar het punt was dat hij John opnieuw nodig had, niet alleen vanwege zijn typemachine, maar ook om te praten met wat bevriende journalisten die hij in de beginfase van de Horváth-transactie had leren kennen. 'Hubie kwam hier te laat omdat hij jou geloofde. Je beschikt over een heel zeldzaam talent. Dit is voor jou het begin van een serieuze carrière. Jij hebt het vermogen om dingen te laten gebeuren. Daarmee steek je met kop en schouders boven de massa uit. Jij kunt dingen zien zoals ze werkelijk zijn. Mensen denken dat het in de wereld en de kranten allemaal om force majeure gaat. Maar jij begrijpt de ware betekenis van de dingen. Je hebt bewezen dat je greep hebt op het mechanisme dat door andere mensen als een natuurkracht wordt gezien.'

Het duurde drie uur en heel wat drankjes voordat John, terug aan de bar, eraan dacht om te vragen: 'En hoe zit het met Imre?' maar toen was Charles al weer per taxi de Gellértheuvel op gereden.

Hij zat alleen helemaal rechts aan de bar, en de woorden van Charles zongen nog na ('zoals de jongens van de Golfoorlog altijd zeggen: je moet er niet instappen als je niet weet hoe je er weer uitkomt'), en hij keek naar de stokoude munttelefoon, omringd door een drietalige krans van graffiti. Zijn gedachten schreden met drankzuchtige grilligheid voort: *Dat is de telefoon die Emily een keer heeft gebruikt heb haar voorgesteld aan Nádja wou dat Nádja me nooit had verteld wat ze in haar zag.* En hij vroeg de barkeeper waar de pianiste was.

'Ze is overleden, man. Echt jammer – het was een prima dame.'

John verstijfde, wachtte tot het stomme grapje werd vervangen door een serieus antwoord, zei schor: 'Echt waar?' hoorde de bevestiging, knikte, beet op zijn glibberige, opstandige lip en liep langzaam weg van de bar. Hij had gewoon naar de wc willen lopen, maar voordat hij halverwege was, zette hij het op een rennen.

VIII

Ze was een beetje buiten adem; dat was de Zwitserse arts niet ontgaan. Ze hield vol: hij had in haar hand geknepen toen ze zijn naam had gezegd.

'Het is uitzonderlijk onwaarschijnlijk, Fräulein, dat zo'n wending zich voordoet in dit stadium van het ziektebeeld, en hoewel ik weet dat het moeilijk is om te horen, degenen die geen arts zijn laten zich zo vaak misleiden door...' Krisztina Toldy kneep haar ogen dicht, schudde haar hoofd, huiverde heel licht alsof ze de besneeuwde-Alpenhouding van die dokter van haar nek en schouders wilde schudden en weigerde pertinent om nog een woord van hem aan te horen. Ze had geen geduld met koppig ongeloof. Ze had Imres naam gezegd en Imre had eindelijk gereageerd; dat was de simpele waarheid.

Maar de uniforme glimlach van de dokter trok, strak en onbeweeglijk, over zijn kort getrimde, driehoekige zwarte baard. Vanaf zijn grote hoogte keek hij op de hypernerveuze vrouw neer alsof ze een klein meisje met fantasieën over de kerstman was, hij liet zich meetronen naar de kamer van de patiënt, pakte de slappe hand van de patiënt in de zijne en liet zich tot stilte manen door een steeds gespannener Krisztina terwijl ze – elke minuut langzamer dan de vorige – Imres naam herhaalde. Hij stond licht gebogen tegenover haar aan het bed met zijn transparante klembord onder zijn arm, zich scherp bewust van de tikkende klok, zijn hand klam in die van de comateuze man, en een afgemeten dosis woede verdunde zijn geduld, druppel voor druppel, bij de ene herhaling na de andere van *Imre... Imre...* 'Luister alstublieft naar me, Fräulein. Ik moet aandringen. Ik heb in alle opzichten mijn sympathie voor u, maar Herr Horváth staat voor – *mein Gott.*' En toen wachtte hij zwijgend, met verscherpte aan-

dacht, nog een aantal minuten (die nu voorbij vlogen terwijl ze eerst
sloom voorbij waren gesjokt), tot hij op zijn klembord in het Duits de
waarneembare feiten noteerde: *22.20-22.35: patiënt reageerde op verbalisatie door
druk met de hand uit te oefenen, zwak, 3x/.25 uur, elke keer onmiddellijk na het uitspreken van de naam van de patiënt, alleen rechterhand.* Krisztina boog zich
voorover en drukte een lichte kus op het slapende voorhoofd en streelde
het vertrokken gezicht met de zilverkleurige baard.

'Het is geweldig, dat is geweldig, Krisztina. Ik ben ongelofelijk blij. Bel
me alsjeblieft als er nog iets anders valt te melden. Ik ben vanavond thuis.
En reken maar dat ik iedereen hier het goede nieuws zal vertellen.' Hij
hing op. Haar enthousiasme was niet aanstekelijk. 'Deze overzichten hier',
zei hij tegen de jonge Australiër – ze waren allebei nog laat aan het werk
met hun stropdas losjes tot een Y getrokken – 'zijn de verkoopcijfers van
de vertalingen van de Hongaarse-klassiekerscatalogus, per land. Duidelijk
geen goudmijn, maar een goedkope en probleemloos te vernieuwen…'

'Toch moeten we een realistisch oog op de loop der gebeurtenissen houden', zei de arts, een gezondheid bevorderende dosis Zwitsisme injecte-
rend. Met zijn scherpe blik, waardoor zijn collega's hem al heel lang res-
pecteerden, kon hij zien aankomen dat deze onevenwichtige jonge
vrouw makkelijk ten prooi kon vallen aan hyperemotionele reacties als
de patiënt niet stante pede uit bed sprong om voor haar te dansen. Dat
beeld vond hij vermakelijk, en hij trok zijn glimlach nog wat op, zowel
voor zijn eigen genoegen als om haar overmatige opwinding te temperen.

'Kwaad van de wereld, pas maar op, want hier komt Hongarije!' – Johns
tweedelige beschouwing over de Hongaarse bijdrage aan de Golfoorlog-
coalitie – bracht met zich mee dat hij een aantal dagen achtereen op reis
moest. Hij had de bodem van zijn slinkende voorraad ironie nog niet helemaal bereikt; het ontging hem niet hoe ongerijmd zijn omgeving was
bij de innerlijke monologen die hij alleen tijdelijk kon stoppen, en dan
nog slechts met grote moeite. Toen hij op het hoofdkwartier van het
Hongaarse leger in de wachtkamer van de onlangs als zodanig betitelde
persofficier zat, klonk 'Ik ben een armzalige, sentimentele idioot', bijvoorbeeld zo ontzettend hard dat het net zo goed door de intercom had
kunnen worden rondgebazuind. 'Ze was een van de weinige mensen die

wisten hoe ze moesten leven', schalde een dag later zijn kitscherige libret-
to rond in een militair kamp terwijl de persassistent hem rondleidde
van het ene steenkoude gebouw naar het andere. 'Welke zonderling gaat
een uur zitten janken op een Hongaarse plee?' werd, beslist niet voor
het laatst, ten gehore gebracht bij de ritmische sjoep-pop-beng-begelei-
ding van een mortieroefening op een met sneeuw bestoven, door de
wind geteisterde vlakte halverwege Pápa en Sopron. Eenmaal terug op
de redactie van *BudapesToday* liep het tikken van de eerste aflevering van
'Kwaad van de wereld, pas maar op…' vertraging op door de uiterst hardnekkige, bloemrijke reprise van 'Ik ben een armzalige, etc'. De volgende
dag ondervroeg hij rond het middaguur ongeduldig en quasi-tweetalig
drie werknemers van de Blue Jazz, voordat hij er een vond die hem Nádja's huisadres kon geven. Er was een fluisterzachte reprise te horen van
'Zij was een van de, etc' toen hij die middag, de volgende ochtend en de
volgende middag heen en weer liep voor het gebouw waar ze had gewoond, en hij was op een lachwekkende manier niet in staat aan te kloppen op de afbladderende verf van het deurtje dat was uitgespaard in de
reusachtige oude koetspoort. Verbijsterd door zijn gapende gebrek aan
moed, vluchtte hij naar Nicky's huis. Zij was de enige van wie hij zich
kon voorstellen dat ze hem zou vergezellen, ongeacht het aantal weken
dat ze elkaar voor het laatst hadden gezien.

Een gebogen plastic schrapertje kraste langs zijn voetzool en werd toen
teruggestoken in zijn speciale vilten vakje in de zak van de artsenjas. Er
werden vergelijkende onderzoeken gedaan met harde geluiden en stemmen die allerlei woorden op allerlei volumes uitspraken. Grote vlagen
naar paprika ruikende adem sloegen hem in het gezicht. Er werd met
spelden in zijn tenen geprikt, aanvankelijk zachtjes, maar toen de dokter
de kamer had verlaten heel verwoed, en Krisztina priemde zo hard met
de spelden dat er druppeltjes rood bloed op de dikke, ruwe huid van zijn
lichtgele voeten verschenen. Als ze alleen met hem was, hield ze zijn hand
vast en herhaalde zijn naam, met weinig meer stembuiging dan een
trouwe kerkganger die de betekenis van alles een beetje aan het ontglippen was. Een speciaal apparaat hield zijn oogleden open en liet ze dan
met een bijna geruststellend gezoem weer in de ruststand zakken. Een
specialist kwam met het nieuws dat uit recent onderzoek was gebleken
dat bij bepaalde gevallen, die min of meer vergelijkbaar waren met

Herr… Herr… (gegeneerd kijken op het klembord) …Herr Hortha hier,
dat het er mogelijk naar uitziet dat er een bepaalde opvatting bestaat dat
een goed gerichte en heel lichte elektrische stimulus wellicht een gunstig
effect zou kunnen hebben. Gebaseerd op zo'n lauwe aanbeveling wilde
Krisztina haar held niet laten elektrocuteren. Een alleraardigste Engelse
verpleegster kwam met de suggestie dat muziek waar meneer op gesteld
was geweest toen hij bij kennis was heel goed het middel kon zijn om
de zaak wat te bespoedigen; ze had het in het verleden reuzegoed zien helpen. En zodoende werd er prompt een cd-spelertje en een cd met traditionele zigeunermuziek ontboden (beide met plezier betaald door Charles),
en dat wekte, voor Krisztina's oplettende blik, heel af en toe een kleine sa-
mentrekking op van de rechterwang en ook minstens twee niveau-twee
kneepjes van de rechterhand, maar toen niets meer. En toen, laat – erg laat
– op de avond, terwijl de televisie hard aanstond (een arrogant vage uitleg
over wat de speciale troepen van de vs achter de Iraakse linies hadden be-
werkstelligd), gaf Krisztina Imre een klap in zijn gezicht. Ze had sinds
eind januari min of meer in twee ziekenkamers gewoond, maar nu, na
de kortstondige opwinding over het kneepje van de hand, bracht zijn
naam geen enkele reactie meer teweeg, hoe hard, lief of verleidelijk ze
hem ook zei. Ze had die avond wat gedronken, en met de alcohol was er
een kleine dosis zelfmedelijden in haar bloed gesijpeld. Haar meestal ho-
mogene gevoelens waren een beetje gaan klonteren, en in haar verwarring was ze kwaad op Imre. Ze sloeg hem die avond, twee keer, terwijl
ze hem nogal onzinnig smeekte om bij te komen. Ze sloeg hem uit woede
en frustratie, maar ook omdat het wellicht de wanhopige, onconventionele maar succesvolle aanpak was die werd ingegeven door gevoelens
die zekerder en dieper waren dan de zelfgenoegzame Zwitserse geneeskunde. Maar hoe dan ook, hij deed zijn ogen niet open en nadat ze het geluid van de televisie harder had gezet ('die jongens hadden allemaal een
"hot ball" bij zich, en hoe minder daarover wordt gezegd hoe beter'), liet
ze zich neervallen in de stoel naast het bed en gunde zichzelf een huilbui,
zachtjes en met grote zelfbeheersing.

'Het spijt me dat te horen. Ik had zelf goede hoop gesteld in die muziek.
Hou me alsjeblieft op de hoogte. Nee, nee, natuurlijk niet, dat zit wel
goed. Je kunt daar heus blijven. Het bedrijf kan het wel even zonder je
stellen. O, helemaal niet, geen enkel probleem.' Charles hing op. 'De

kwestie is dat Krisztina echt heel waardevol is voor de organisatie. Jullie zouden haar moeten aanhouden – maar ik wil me natuurlijk niet met jullie zaken bemoeien. Jullie beschikken vast over voldoende eigen mensen, maar zij is van hier, en daar kun je echt veel aan hebben.' Hij sloeg een Australische sigaret af.

Ik weet dat ik slechts een van de parasieten ben, maar soms hebben wij het beste zicht op onze gastheer. Eerlijk gezegd, voorzover ik het kan volgen, wekt de gedachte dat Hongarije en zijn postcommunistische vriendjes ineens quasi-NATO-leden worden hetzelfde gevoel op als wanneer je wordt voorgesteld aan de kinderen van je vaders nieuwe vrouw, je nieuwe kloterige stiefbroertjes en -zusjes, die bij jullie intrekken en met jouw spullen gaan spelen en je vader 'pappa' noemen. Maar wiens hart gaat niet uit naar de Maggies, het nieuwe kind op een grote school? Als het opdondertje dat als laatste werd gekozen toen er teams werden samengesteld voor een partijtje voetbal, stond Hongarije schaapachtig aan de kant tot president Bush ten slotte zei: 'Ach, wat geeft het ook, kom op, Zsolt! We kunnen je lef wel gebruiken!' Of, zoals luitenant Pál, mijn gastheer bij de mortieroefening, zo welsprekend uitlegde: 'Ik ben er niet helemaal zeker van dat onze mortieren erg effectief zouden zijn in de woestijn. Het gaf ons een prettiger gevoel en ook meer zelfvertrouwen van hulp te zijn door de medische personeel te sturen.' Welnu, water stroomt sneller naar zee dan voorheen, en deze specifieke oorlog die van grote historische betekenis is, schijnt een herinnering te zijn geworden voordat we zelfs maar de kans hebben gehad om te hamsteren, in het holst van de nacht onze plicht te doen als burgerwacht of met de achtergebleven soldatenvrouwen te slapen. Het is vandaag de dag niet eenvoudig om de tijdperken die verstrijken bij te houden, zoals een vriend van me het ooit noemde. Het is begin maart, en we verkeren in de uitbundige jubelstemming van een naoorlogse periode. Maar een oorlog die begint met een churchilliaanse roep om bloed, zweet en tranen, de overwinning tegen elke prijs, en de redding van de vrije wereld, en dan eindigt met het militaire equivalent van een agressief achterlijk kind dat ineens vergeet waarom het bezig is de keel van de hamster dicht te knijpen en het diertje dan terzijde werpt terwijl het nog ademt…

'Prima, bel me als je er bent. Ik heb net mijn eilanders weer gehad. Die jongens weten van aanpakken. Ik zie graag efficiënte mensen in actie. Ik was vergeten hoe die eruitzagen, ik woon hier al zo lang. Wat een goed stuk trouwens over de Golfoorlog. Bel me als je even tijd hebt om over echt werk te praten, oké?'

'Kijk nou, de koning van 1991! Lang niet geneukt, majesteit. Hoe gaat het met de Price der liefde?' Ze gaf hem een kus op zijn wang en nam hem aan de hand mee naar de waslijn die losjes voor de zwarte gordijnen hing waarmee haar donkere kamer was afgeschermd. Aan wasknijpers hingen daar, nog een beetje vochtig, tien vergrotingen die ze net had gemaakt – geiten in een veld, het standbeeld van Vörösjmarty, klassieke Franse schilderijen van naakte godinnen in allerlei poses, de ene hamachtige dij nog weelderiger dan de andere. Er hingen ook foto's bij, nog streperig van weerspiegelende, verdampende vloeistof, van gebeurtenissen waarin hij een ster was, maar die nooit de korte weg naar zijn kortetermijngeheugen hadden afgelegd. Hij bekeek ze vol verbazing en vroeg zich af of het misschien collages waren, maar ze zagen er zo normaal uit dat Nicky er niet de hand in kon hebben gehad, en ze riepen, o zo voorzichtig, niet echt een herinnering op, maar wel een gevoel van persoonlijke aannemelijkheid: een pianobankje waarop hij en Nádja zaten, terwijl vlak achter hen, tegen de wand, Dexter Gordon stond te roken; zijn gezicht, fel van bovenaf belicht, op het podium van de Blue Jazz, met de microfoon in zijn hand, zijn ogen slaperig halfdicht, zijn lippen gekruld tot een gemeen, wellustig lachje; zijn bovenlichaam aan een tafeltje in de Blue Jazz, zijn hoofd slordig op beide handen rustend, een dun sliertje speeksel dat het blauwe licht opving, het enige sprankje kleur in de zwart-witcompositie. 'Wil je met me meegaan?' wist hij uiteindelijk te vragen, en hij moest zelfs een beetje pluimstrijken om haar onverwachte, onduidelijke verzet te overwinnen. 'Omwille van de kunst. Misschien vind je het wel artistiek. Ik kan je gezelschap goed gebruiken. Ik ben er de afgelopen drie dagen langsgelopen. Ik denk dat je het wel, je weet wel, al is het maar uit nieuwsgierigheid.' Een klein deel van hem vroeg zich stilletjes af of dit niet het langverwachte moment zou zijn dat ze gewoon naar hem toe zou komen.

Krisztina was in slaap gevallen, om drie uur 's middags nog wel, op de stoel met het voorgevormde zitvlak, haar armen over elkaar, haar hielen achter de sport van de stoel, en haar hoofd zwaar voorover hangend, bijna op haar schoot. Zelfs in haar slaap hield de pijnlijkheid van haar nek aan, en in haar halfsluimer voelde ze de ziekelijke ruimte tussen de wervels, gestold en heet en bijna hoorbaar krakerig. Ze wierp haar hoofd van de ene naar de andere kant op zoek naar het kussen dat ze al weken alleen maar in haar dromen had gekend, en toen haar ogen even opengingen, zag ze dat Imre haar aanstaarde. Voordat de gedachte tot haar was doorgedrongen, hadden haar ogen zich weer gesloten en het duurde een paar seconden voordat ze zich weer naar boven had geworsteld om door het verrassend dikke oppervlak heen te breken en helemaal wakker te worden. Zelfs toen verloor ze nog een seconde of twee omdat ze haar blik moest richten. Zijn ogen waren dicht. Misschien was het een droom geweest. Ze pakte zijn hand vast, streelde zijn voorhoofd en begon gelouterd zijn naam te herhalen.

'Er is weinig verandering opgetreden', antwoordde Charles. 'Fijn dat u ernaar vroeg. We hopen nog steeds op nieuws dat er vooruitgang in zit.'

'En zijn houding ten opzichte van deze overeenkomst?'

'Onveranderd', antwoordde Neville.

De conciërge van het gebouw waar ze woonde – een besnorde, atletisch uitziende man in een glimmend rood trainingspak – lachte breed toen hij door de vitrage van zijn voordeur naar John en Nicky gluurde, een eindje binnen de poort waardoor je op de binnenplaats kwam. Hij had in één oogopslag gezien dat ze buitenlanders waren, en hij verontschuldigde zich al toen hij zijn deur opendeed: *'Nem English, nem Deutsch.'*

John zei simpelweg: 'Nádja', en trok een gezicht waaruit moest blijken dat hij niet verwachtte naar de deur van een levende vrouw te worden gebracht. Dat hij haar achternaam niet kende drong toen pas tot hem door.

'Igen.' De man knikte meelevend.

John deed alsof hij een sleutel omdraaide. *'Igen?'* vroeg hij. De man haalde met een breed gebaar zijn schouders op en keek naar de grond terwijl zijn wenkbrauwen omhooggingen in een tweetalig blijk van aarzeling. 'Mijn grootmoeder', zei John in het Engels, en wist toen in het Hongaars te zeggen: 'Mijn moeder op mijn moeder.' In verwarring gebracht legde de Hongaar zijn hand op zijn glad achterovergekamde haar, en daarom hield John zijn handen horizontaal, de een boven de ander, om een stamboom na te bootsen. 'Mijn moeder', zei hij, en hij bewoog de onderste hand. 'En mijn moeder', zei hij, en hij bewoog de bovenste hand: 'Nádja.' De conciërge haalde zijn schouders op, deed de deur achter zich op slot en liep vier trappen met hen op, waarbij zijn gezondheidsslippers ritmisch klepperden. John stelde zich voor hoe zijn bejaarde vriendin elke dag al die trappen op en af had gesjouwd.

'*Amerikai?*' vroeg de man hun toen ze boven gekomen even op adem kwamen. 'Joewessee?'

'*Igen.*'

De conciërge knikte om bewondering uit te drukken, met hoog geheven voorhoofd. '*Igen, igen,* joewessee, joewessee, *nagyon jó.*' Hij nam hen mee naar een korte donkere zijgang. Bij het slecht verlichte einde van de gang bleef hij staan voor de laatste voordeur, en hij liet de sleutels afwezig heen en weer bengelen. '*Jó.* New York City', zei hij bij wijze van conversatie.

'Ja, New York City', beaamde John.

'Ah! Californië', opperde de man, knikkend.

'Ja, ja', zei John instemmend. 'Californië.'

Toen deed hij de deur van het slot en hield hem open voor de Amerikanen. 'Oké', zei hij bijna treurig, omdat hij wellicht hoopte te worden binnengevraagd. 'Oké.' Ten slotte ging hij weg en liet de familie van de overleden vrouw alleen in de woning achter. Toen hij de grendel hoorde dichtschuiven bleef hij nog even staan.

'Alsjeblieft, alsjeblieft, Imre. Alsjeblieft, Imre. Alsjeblieft, Imre. Ik heb het je al een keer zien doen, toch, Imre? Nu alsjeblieft nog een keer, Imre.'

Neville deelde vier exemplaren van het document uit en sloeg het zijne open op pagina 6. 'We moeten nog twee punten bespreken. Ik betreur het zeer dat ik ze nu aan de orde moet stellen, maar misschien kunnen we snel tot overeenstemming komen en zo nodig de overeenkomst paraferen. Ik denk dat we ervoor kunnen zorgen dat iedereen om vier uur buiten staat. Hoe laat is uw vlucht?'

Twee kamers – een smalle rechthoek die één zijde van een vierkantje binnenschoof – die deden denken aan de allereerste, naar meer smakende vertrekken van de tombe van een farao, alleen niet zo goed verlicht. John tastte naar lampen. Nicky ging naar de andere kant van de vierkante kamer en trok het smoezelige, dunne, geel-groene gordijn voor het enige raam open. John liep langzaam langs de wanden van de kamers; hij rook de onmiskenbare geur van leegstand. Net boven het voeteneind van het smalle bed stak een zwenkbare, kromme, verkleurd metalen staaf uit de muur, waaraan een hangertje met Nádja's rode jurk bungelde. Het bed was niet opgemaakt; op sommige plaatsen waren de lakens sleets. Op het tafeltje naast het bed lag een romannetje in paperbackeditie, met het omslag naar boven, opengeslagen op iets over de helft. Het lag op zijn kop; op het omslag zag je onder de Engelse titel en de auteursnaam een gespierde man met ontbloot bovenlichaam en een lange degen, die een vrouw stevig bij haar armen vasthield; zij had haar hoofd naar achteren geworpen en tilde een been op. Naast het boek lag een gehavend eenrichtingswoordenboek Engels-Hongaars en een schrift met dicht opeen geschreven Hongaars, de vertaling in wording van het romannetje. Op de grond stond een kleine cassetterecorder met daarbovenop twee cassettes zonder titel. Aan een haakje boven het fornuisje hing een guirlande van puntige, gedroogde rode pepers, een duivelse slinger. In Nádja's badkamertje (een kastruimte die aan de rechthoekige ingang grensde) vond John een propvolle lusthof van parfumflesjes, een collectie waar volstrekt geen logica in zat, voor dagelijks gebruik of als duistere investering, tientallen flesjes die gevaarlijk wankel waren neergezet op de wastafel, op een gammel rieten tafeltje en op de sporadisch betegelde vloer, de meeste flesjes met nog maar een paar spuugbelletjes geurstof in hun buik, gouden, heldere en lichtblauwe vloeistoffen, net diep genoeg om het uiteinde van het verstuiverslangetje te omvatten. Ondergoed – pijnlijk oud, oud, oud – voegde zich naar de rand van de gebarsten badkuip die erom schreeuwde om te worden dichtgekit.

Nicky stond nog bij het raam, waar ze een ingelijst fototje bij het licht hield. 'Kijk eens wat ze heeft bewaard' zei ze blij. 'Alleen kan het lijstje mijn goedkeuring niet wegdragen.' Ze liet hem de foto zien die op oudejaarsavond was genomen, aan de piano, onder de muurschildering van de rokende Dexter Gordon, de enige foto in de woning. Er hingen geen affiches aan de wand, er waren geen brieven, geen papiertjes van het een of ander, geen onderscheidingen, geen bewijzen. Hij liet zich op het bed vallen. 'Er is hier niets. Niets', mompelde hij, verbaasd dat hij geen bewijs kon opdiepen uit de dwergachtige ladekast, niets aantrof tussen de weinige kledingstukken en forinten, de kam en de borstel. 'Dit is haar leven niet', zei hij triest. Misschien was er al iemand geweest die persoonlijke spulletjes had meegenomen terwijl John twijfelend op straat had gelopen in de maartse wind en het flauwe zonnetje. 'Het is een goede foto,' zei Nicky, 'al zeg ik het zelf. Ze was zo blij dat ik een heel stel had meegenomen om uit te kiezen. Het was heel vleiend. En lief. Ze deed heel grappig over jou.' Toen het laatste restje zonlicht over Nicky's handen streek, zag John hoe fijn en mooi ze waren. Ondanks de verfvlekken, ondanks de afgebeten nagels en de gehavende, kartelige nagelriemen bogen haar lange vingers zich sierlijk, en ze hield de foto bij het licht van het raam met een tederheid die hij ontroerend vond, ook al was het een daad van eigenliefde. Zij zou ook pianiste kunnen zijn met zulke vingers. Hij trok het flodderige, smoezelige gordijn terug van het armoedige roetje, zodat het weer voor het raampje viel. Hij maakte zich een voorstelling van hun beiden in deze kleine woning, in het noodzakelijke donker van een verduistering in oorlogstijd, in de bedreigend onvoorspelbare zinderende macht van een crisis, een staatsgreep, een tegenaanval. Er rolden tanks door de straat, zijn straat, waar hij al jaren in vrede met haar woonde. Hij legde de foto op het tafeltje, bedekte er het romannetje mee en pakte haar handen vast.

'Hoor eens even, meneer Howard, meneer Melchior is vast niet helemaal hiernaartoe gekomen om te horen dat u op dit tijdstip nog belangrijke wijzigingen wilt aanbrengen in het contract.'

'Laat maar, Kyle.' Weer die monotone klank, de ogen die overal naar keken, behalve naar een ander menselijk gezicht.

'Zoals ik al zei, het zijn geen ingrijpende wijzigingen, maar ik kan Charles niet in gemoede adviseren om…'

'Misschien moeten we maar niet moeilijk doen over onbenulligheden, Nev. Hubert is van ver gekomen om dit rond te krijgen.'

'O, Imre van me, dank je, dank je. Kun je me horen? Kun je me laten weten dat je me hoort? Je hebt zulke mooie ogen, wat lief van je dat je ze laat zien! Dank je. Kun je in mijn hand knijpen? Kun je dat? O, heel goed! Je moet jezelf natuurlijk niet vermoeien. Je bent zo goed, je bent zo goed. Ik wil nu de dokter gaan halen. O, je weet natuurlijk niet waar je bent, arme man, je bent zo goed. Ik ben zo terug. Wees niet bang. Ik ben er, ik ben nooit van je zijde geweken. Je begrijpt me niet, hè? O, je ziet er zo verloren uit, geloof me nu maar, je gaat het begrijpen, je wordt gauw weer jezelf, Horváth úr.'

En als ze voor hém komen, wil hij zo worden weggevoerd: uit haar armen, uit dit smalle kleine bed, dat amper het gewicht van hun tweeën kan dragen. Laten ze allemaal maar uit hun tank klauteren om zich te gaan zitten vergapen en bewonderend in hun handen klappen terwijl zij en John hen negeren. Haar handen zijn overal, haar mond is overal, hun lege kleren in elkaar gezakt tot een nutteloos hoopje – die mogen de Russen hebben. Hoewel ze hun geliefde woninkje nooit hebben verlaten, zijn ze met succes ontkomen, hij en zijn vrouw met de mooie pianistenhanden en de hese stem en de zachte eendagsstoppeltjes op haar geschoren hoofd en die enorme kin waar je aan moet wennen. Zijn mooie, dappere vrouw: ze zou nergens anders willen zijn dan hier om met hem de liefde te bedrijven; ze zou een belegerde stad met hem verkiezen boven een veilig paradijs zonder hem. En de lijst waaraan ze zoveel uur hebben besteed, laat maar, laat de Russen hem maar verbranden of opeten of aan schouder ophalende, gefrustreerde cryptologen geven. Er bestaat op de hele wereld geen grens die ze niet hier en nu kunnen oversteken, terwijl hun lichamen in elkaar opgaan – dat van hem en zijn vrouw – en ze zo dicht tegen elkaar aan liggen dat er geen duidelijk onderscheid meer is tussen waar de een begint en de ander ophoudt; er is een versmelting opgetreden, zoals telkens wanneer ze samen zijn; er worden delen uitgewisseld, en niemand eindigt precies zoals hij of zij is begonnen. Laat hen haar piano maar meenemen, haar ezels en doeken en donkere kamer, al haar geheime documenten van de ambassade – het kan allemaal de pot op.

'Kun je met je ogen knipperen? Kun je dat? Deed hij het, dokter? Je knipperde voor ons, hè? O, Imre – Horváth úr, neem me niet kwalijk dat ik je Imre noem. Je hebt heel lang gesla…'

'Fräulein, misschien moeten we hem toestaan om zich langzaam aan te passen. We willen niet dat hij zou schrikken…'

'Ja, goed, maar laat me los. Horváth úr, als u me kunt horen, knipper dan gewoon twee keer snel. Kunt u dat voor ons… hé! Ja! U bent zo dapper! Jij Zwitser, hebt u het gezien? U zag? U wilde me niet geloven, maar u zag! Hij hoort, en hij kan ja zeggen. Vanaf nu is twee keer knipperen ja, goed, Imre? En één keer is nee. Tot je praat, doen we het zo… O, er is zoveel te vertellen, ja. Laat me los, Zwitser! Goed, ik ga met u mee, maar, Horváth úr, ik kom terug. Rust nu maar, Imre, en ik vertel je alles als jij wat meer energie voelt. Alsjeblieft, Zwitser, laat me met rust.'

'Niet te geloven. Ik heb dat klereding een week geleden in Tokio gekocht en nu is hij zo dood als een pier. Er komt nog geen druppel inkt uit. Ik heb vijfhonderd dollar neergeteld voor zo'n gouden kutding met monogram.'

'Neemt u de mijne toch.'

Er werd op de deur geklopt, aanvankelijk zacht, toen harder. *'Amerikai? Hé! Amerikai? Mit csinálnak? Nyissák ki az ajtót!'* Het geluid van de troepen – John hield er nog even aan vast – het geluid van troepen die wisten dat hij hier was. Laat ze het slot maar versplinteren en de deur intrappen en binnenstormen, die arme imbecielen, wrede onderkruipertjes; laat ze me maar doodschieten precies zoals ik nu ben, ik zal voor het laatst uitgeput voorover vallen op haar lichaam en in haar armen.

Het was een nieuw gevoel, iets wat trillend door zijn rubberachtige spieren trok. Het verbaasde hem dat zijn gedachten veel sneller gingen dan de overeenkomstige gebeurtenissen. Een merkwaardig, heerlijk gevoel, alsof hij na een ongelofelijk lange, diepe slaap tot zichzelf kwam. De aanblik van de pennen die over de documenten bewogen was opmerkelijk: ze bewogen zo langzaam dat Charles de inkt in zwarte rivieren om het kleine balletje in de punt van de pen kon zien stromen; hij hoorde het krassen van de balletjes die kanalen in het papier sneden, hoorde het ruisen van de inkt die in deze kanalen stroomde en hoorde de inkt kraken terwijl hij stolde. In het bestek van één enkele handtekening had hij genoeg tijd om aan die arme oude Mark Payton te denken, die (verrassend!) toch niet helemaal gek was: Er zijn echt momenten die heel belangrijk zijn, momenten die alle drie de tijdzones naar zich toetrekken en in zich verenigen – verleden, heden, toekomst – en die tot vreemde kruisingen omsmelten: toekomst-verleden, heden-toekomst, verleden-heden. Terwijl zijn eigen pen sneed en stroomde en de prachtige lijnen en sierlijke halen van zijn handtekening bevroren, wist hij welke gevoelens hij over veertig jaar in de toekomst over dit moment zou hebben, de toenemende liefde die hij voor exact dit moment zou hebben. Hij hoorde de schoonheid niet alleen in het geluid van zijn pen die nu op dit moment over het papier kraste, maar ook de toenemende schoonheid met elk jaar dat verstreek, alsof een geluid luider kon worden bij elke weerklank en misschien wel het luidst zou klinken op zijn gedenkdag (12 maart 1992, 12

maart 1999, 12 maart 2031), maar ook luid genoeg op data die helemaal los-
stonden van deze dag, teweeggebracht door een kleinigheid: een kapotte
gouden pen, een man met een grote moedervlek onder zijn neus, een metaalachtig geurtje als dat van de arme Kyle, een stropdas als die van Neville
(wat hadden die Britten toch allemaal een rare smaak – waar had hij
zo'n motief gevonden?). Maar bovenal was er dit heden – het zien van
die handtekening en het fantastische bewijs dat hij leverde: hij had het bedrijf voor veel meer verkocht dat hij het had gekocht. Hij had zijn alche-
mie duidelijk bewezen. Wat was financieel genie anders dan de kunst
om de toekomst eerder te zien dan iemand anders? Deze handtekening
– die nu uitvloeide rond dat piepkleine metalen kogeltje – bewees dat
hij de ware ziel van activa zag, eerder dan een ander hun wezenlijke
waarde kon schatten, en die activa dan kon vermengen met zijn eigen,
magische, krachtige zaad. Payton had gelijk gehad, en even was het waar:
hij benijdde de onderzoeker echt om zijn bezielde wetenschappelijke in-
stelling (...*een van de mooiste aspecten van het spel*...). Zijn hart bonkte in zijn
oren, en hij was ineens bang dat hij zou gaan blozen of giechelen of iets
anders zou doen waardoor hij zich tegenover deze mannen zou verraden.

'Uw collega is erg loyaal voor u en was elk van die dagen bij u, al een heel
lange tijd nu.' Imre had niet de controle over zijn spieren om te kunnen
glimlachen of huilen, maar het bericht, in het slechte Hongaars van deze
kille arts, dat zijn vennoot niet van zijn zijde was geweken (tijdens deze
hele ervaring, wat het ook mocht zijn geweest) drong door de wolken
van zijn cyclische half-bewustzijn heen, en hij hoopte dat Krisztina of
de dokter zijn collega zo snel mogelijk bij hem zou toelaten. Hij begreep
dat hij in een ziekenhuis was, dat hij erg moe was en dat zijn ogen bewogen maar verder niets en dat hij een vreselijk droge keel had. Maar dat Károly niet van zijn zijde was geweken, hier heel lang elke dag was geweest
tijdens deze... Imres ogen gingen weer dicht, en de arts veegde het plasje
kwijl weg uit de mondhoek van zijn patiënt.

'Hé, *Amerikai!!* New York! Californië! Hé, hé! *Tör! Porte!*'
'Denk toch in godsnaam even na!' Nicky klom van hem af, stampvoet-
te naakt door de smalle rechthoek en deed de rammelende deur van het
slot. Ten overstaan van deze naakte kaalheid, met deze voor zichzelf spre-
kende, walgende woede, trok het rode trainingspak zich terug en wierp

een verdedigende, armzalig soort wellustige blik op deze naakte aanblik, en draaide zich toen om terwijl hij in het Hongaars met iets onverstaanbaars dreigde. Toen Nicky terugkwam, klaar om verder te gaan met hetgeen was onderbroken, trof ze haar partner in tranen aan. 'Wat is dít?' vroeg ze, nog steeds boos vanwege de onderbreking, en nu vol afgrijzen over deze grove schending van de huisregels. Maar ze was niet harteloos; ze leunde half tegen de krijtachtig wit-met-gele muur, hield het hoofd van de snikkende jongen op haar schoot, streelde zijn vochtige, krullerige haar en fluisterde genante onzinwoordjes die mensen in zo'n geval graag schijnen te horen, ook al zat ze zichzelf uit te foeteren vanwege al het werk dat ze die middag had kunnen doen.

IX

Maart, een reeks krantenartikelen en tv-reportages, een tiental concentrische cirkels die uitwaaierden vanuit een epicentrum in Boedapest (Johns bureau, om seismologisch specifiek te zijn) en voort trilden over de oceanen: *Ik beloof oprecht dat dit mijn laatste column over deze transactie zal worden, maar het loont de moeite om te lezen welke verrassende wendingen er zijn opgetreden. Laat gerust uw benen over de rand van uw gemakkelijke stoel in de lobby van het Forum bungelen en vraag geïrriteerd aan uw onverschillige serveerster waarom ze geen fatsoenlijke koffie kan zetten. Want nu, met Median, heeft het nieuwe Democratisch-Kapitalistische Hongarije het lawaaierige, ordinaire vertrouwen gewonnen van een echte, levende multinational, en er bestaat geen betere steunbetuiging voor een verweesde, ex-rode natie die tot de familie der naties hoopt toe te treden dan de met een kille blik verstrekte zegen van mannen met geld dat belangrijk voor hen is...*

...Misschien herinnert u zich nog het verhaal van een paar maanden geleden over een van onze eigen jongens, die jongeman uit Cleveland, in het verre Oost-Europa, die met lef en vastberadenheid...

Eindelijk hoefden de ramen op het warmst van de dag niet meer potdicht te blijven. Krisztina zette er nu een open. 'We moeten het vieren met wat frisse lucht', zei ze zacht, want Imre had met onhandig gebruik van een rietje evenveel sinaasappelsap opgeslobberd als gemorst: tussen zijn lippen was een stroompje omhooggeborreld en nu knipperde hij verzadigd één keer met zijn ogen op de vraag of hij soms meer wilde. Wilde hij wat frisse lucht? Wilde hij er een kussen bij? Wilde hij naar zigeunermuziek luisteren? Ze kon zich er nog niet helemaal toe zetten om hem al knipperend over uitgeverszaken te laten spreken. Ze besloot dat hij zich daar het hoofd nog niet over hoefde te breken, ofschoon ze wist dat zij het eenvoudig niet kon verdragen om degene te zijn die het hem vertelde of, misschien nog erger, de laatste te zijn om te horen dat hij het van het begin af aan had geweten en domweg nooit de moeite had genomen het háár te vertellen, het al had goedgekeurd voordat hij ziek werd. Toch kon ze hem amper aankijken, misselijk en duizelig als ze was van de siroop van schuldgevoel en woede die in haar ziedde. Aangezien ze niet kon huilen of het uitschreeuwen, probeerde ze zich er maar toe te dwingen om te genieten van haar rol als een soort fulltime verpleegster met een akelig opgewekte stem, een geforceerde glimlach en uitgeputte ogen, die zich veroorloofde om één keer per dag naar huis te gaan voor een douche en schone kleren, en met een overweldigende triestheid merkte ze de laatste tijd dat ze niet eens meer genoot van de gebruikelijke geneugten van het vroege voorjaarsweer. Het was haar onlangs opgevallen dat Boedapest verkeerde in wat haar moeder 'de rusteloze tijd' noemde, wanneer kinderen vroegen wanneer er een eind aan de winter kwam en ze niets moest hebben van de donkere ruimten tussen gebouwen die de laatste restjes sneeuw van het afgelopen jaargetijde beschermden, hardnekkige, akelige restanten die precies de vorm hadden van hun beschermheer-schaduwen.

Het advocatenkantoor van Neville Howard besloeg de eerste verdieping van een Italiaans aandoende villa hoog op Andrássy út, waarvan de benedenverdieping nog steeds een vaag, verblekend roze overblijfsel van andere tijden was, rode tijden, toen de villa aan de Avenue van de Volksrepubliek had gestaan, van nog rodere tijden toen hij boven aan de Stalinavenue had gestaan. Tot de gnuivende ergernis van het kantoor werd de benedenverdieping van de villa nog steeds bezet door de Vereniging ter bevordering van de Sovjet-Hongaarse vriendschap, die onlangs haar idealen en haar doelstelling door het ene genante voorval na het andere had zien afbrokkelen, totdat de Russische ambassadeur zelf op zoek ging naar ander werk en nooit meer naar zijn vroegere Vrienden omkeek. De leden van de vereniging klampten zich als beduusde klimop aan de binnenkant van de villa vast en slikten hun gal en hun twijfels weg, hoorden de hautaine begroetingen van hun nieuwe buren – specialisten in transacties op de aandelenmarkt – en keken vandaag uit de ramen die hun resteerden naar de rijk bewerkte houten bankjes op Andrássy út. Daar, onder het sinds kort warme zonnetje en over de sneeuw die zich snel gewonnen gaf, pleegden een jonge cliënt (een pas uitgeroepen financieel genie) en een jonge jurist (zijn ster was snel rijzende binnen het kantoor) na de lunch overleg; ze leunden allebei achterover, strekten hun benen en lieten zich allebei met gesloten oogleden en een open overjas warmen door de zon. 'Hij maakt het iets beter', zei de jonge cliënt. 'Voorzover ik bij hem kon vaststellen, leek hij blij me te zien. Triest. Ik heb hem de transactie uitgelegd, de waarde van zijn aandelen, wat we geregeld hebben voor zijn verzorging. Ik geloof dat hij opgelucht was dat ik alles had geregeld, voorzover hij me kon volgen. Oooo, gemengde gevoelens zijn natuurlijk vrijwel onvermijdelijk. Dus hoor eens. Jij krijgt als taak al die klusjes voor hem af te handelen, want mijn plannen liggen al vrij vast.' 'Uiteraard, vanzelfsprekend', zei de jurist.

Het voorjaar brengt in dit deel van Canada geen warmte met zich mee, maar de mollige, roodharige jongeman, enigszins versuft door pillen, vond het prettig om buiten, in een kou die zijn ogen deed tranen, te wachten tot hij werd opgehaald. Hij was de afgelopen maanden de buitenlucht gaan waarderen; na Boedapest had de landelijke omgeving hier een onschuldige tijdloosheid over zich (met uitzondering van één uitzicht, door het panoramavenster van de ontspanningsruimte bij het aanbreken van de dag, dat op een onaangename manier deed denken aan Thomas Coles schilderij *De laatste der Mohicanen*). Hij zat op zijn bagage en zei niets tegen de zachtaardige psycholoog die hem gezelschap hield bij het wachten. Toen de stationwagen van zijn ouders arriveerde om hem op te halen, nam hij nog een visitekaartje van de arts aan en kreeg nog eens het geheugensteuntje voor dagelijkse vrede aangereikt, waarop hij de man, die hem het beste wenste, een hand gaf. Hij zoog de voorzichtige omhelzing van zijn ouders in zich op, die nu in het tweede decennium waren dat ze verdrietig van hem werden en hem niet begrepen, en hij ging op de achterbank zitten bij de bejaarde chocoladekleurige labrador die hij jaren geleden had vernoemd naar een van de honden van Karel I. Door het raampje van de auto zag hij de universiteitskliniek achter zich verdwijnen en hij registreerde dat hij zijn tijd daar nog niet met pijn in zijn hart miste, en je moest hem wel heel erg onder druk zetten wilde hij ontkennen dat de pillen feitelijk een verbetering waren, min of meer.

Op de laatste avond van maart zou het nog een week duren voordat je in de verleiding kwam om je avonddrankje op het terras te gebruiken, en nog twee weken voordat je aan die verleiding kon toegeven zonder het snel te betreuren en onder gehannes met kop en schotels weer naar binnen te gaan. Maar als je op deze laatste avond in maart behaaglijk binnen zat in Gerbeaud, bij het uitzicht dat het verleden opriep, maar ver van de tocht die door de deur kwam, met het geluid van kletterende borden en de geur en het geratel van koffiebonen die in of uit koperen blikken werden gestort, lekker ontspannen onder de verlichte spiegels en weerspiegelde lichtjes, inmiddels gewend geraakt aan de inmiddels vertederende aanblik van de chagrijnige serveersters met hun kunstleren laarzen met franje, en er alle tijd voor neemt om vanuit je werk dat je niet interesseert zomaar ergens heen te gaan waar het er niet toedoet of je te laat komt, kon je maar weinig plekjes vinden waar het aangenamer was om in je eentje te zitten koffiedrinken dan in Gerbeaud, tenzij je je stoorde aan de onmiskenbare dominantie van luidruchtige Amerikanen die een gesprek als het volgende zaten te voeren:

'Nou, dít is nog eens grappig. Raad eens wie er gisteravond bij mij thuis kwam? Lichtelijk aangeschoten. Nee? Krisztina Toldy. Ze drong zich aan me op. Drong zich aan me op. Zoals in: "Hallo daar, goedenavond, laten we de drankjes maar overslaan, neem me gewoon." Het klassieke voorbeeld van je aan iemand opdringen. Wacht, het wordt nog beduidend leuker. Dus ik zeg: "Nee, het spijt me, oude boosaardige toverkoldame, dank u beleefd", en toen werd ze agressief. Heel erg. Ze dreigde me bijvoorbeeld te vermoorden. Te vermóórden. Ze zei dat ze een pistool had en dat ze me ging doodschieten. "Doodschieten? Omdat ik niet met je naar bed ga?" Wat trouwens best geestig was. En wat doet ze? Nee? U wilt niet raden, meneer Price? Goed, ze begint mijn nek te zoenen. Akelig geknabbel met droge lippen. Alsof een knaagdier kleine hapjes nam om te proeven of ik zout genoeg was om op te slaan voor de winter. Dus terwijl ik mijn viriele mannelijke neiging om over te geven bedwing, zeg ik: "Nee heus, schotwonden daargelaten ga ik niet met je vrijen." Maar wat hebben onze moeders ons geleerd te zeggen, John?

"Alsjeblieft", zegt ze. "Alsjeblieft, alsjeblieft." En dat hoor ik graag van al mijn nimfo-agressieve bewonderaarsters. Daarom zei ik: "Ik waardeer het aanbod en uw beleefdheid, uw manieren zijn onberispelijk, maar ik ga echt niet..." En hocus pocus pas! Het pistool is écht! Ze kunnen best angstaanjagend zijn, pistolen, moet je weten, ook die kleintjes, en dat is, moet ik toegeven, wel de beste omschrijving van dit pistool. "Wat ik over uw manieren zei, mevrouw Toldy? Herinnert u zich dat moment nog? Nou, onder deze nieuwe omstandigheden moet ik zeggen..." maar ze zegt tegen me – en ik vertaal het losjes, meteen in de Engelse spreektaal – dat ik "verdomme mijn bek moet houden of ik" – zij – "help jou om zeep." '

'Mij? Wat heb ík gedaan?'

'Nee, sorry, John, dat was een slechte vertaling. Míj. Het probleem was dat ik vervolgens mijn mond hield, dus dat ik niet kon vragen wat mijn andere opties waren, wat haar onderhandelingsdoel was, zoals wij bij economie zeiden, ik kon geen koers uitzetten om bij ja te komen, en dus slikte ik flink. Ik wist wat ik moest doen. Ik knik filosofisch, in die omstandigheden, en ik begin mijn overhemd los te knopen en zeg zoiets als: "Oké, oké, we gaan vrijen, dan hoeft er niemand te worden neergeschoten", en ik geef toe dat er door mijn hoofd ging dat a) het allemaal nog erger kon zijn; het was denkbaar dat ze lelijker was, b) zo begeerlijk zijn is een kruis, c) het is niet helemaal uitgesloten dat ik er in mijn hartstocht in zou slagen haar te ontwapenen. Daarom knoop ik dus mijn overhemd los en werp haar een soort standaardblik toe die duidelijk maakt: "Oké, ook al doe ik dit met een pistool op mijn hoofd, ik ben niet helemaal een spelbederver, dus kom maar op." En wat doet ze?'

'Ze schiet je dood.'

'Nee, maar leuk geprobeerd. Ze laat het pistool zakken en begint te huílen.'

'Dat lieg je.'

'Nee hoor. Ik zweer het bij de verachtelijke God van jouw gekwelde, onaangename volk. Wat ik een beetje veel van het goede vond, want, hé, ik was immers bereid om het te doen. Snikken nu. Tranen met tuiten. Dus ik knoop mijn overhemd weer dicht en probeer echt heel voorzichtig het pistool te pakken, zo van: "Hé, je bent kennelijk nogal van streek, meid, laten we dit even wegleggen terwijl jij eens lekker uithuilt en dan wachten we tot je je beter voelt voordat we die corrupte, prutserige gerechtsdienaren van jouw land opbellen en dan gaan we eens kijken wie het zich kan veroorloven om ze onderhands het meeste geld toe te stoppen." Maar tot mijn verbazing trapt ze er niet in en krachteloos richt ze het pistool weer op me. Krachteloos is net zo effectief als op een andere manier, dus ik ging op de bank zitten en wachtte af wat haar vonnis zou zijn en welke wending de avond zou nemen. Zoals ik al zei: ik ben het type man dat liever bereid is naar bed te gaan met een lelijke tang van middelbare leeftijd dan met kogels te worden doorzeefd. Een van de dingen waardoor ik me onderscheid.'

'Iedereen weet dat van je. We bewonderen dat.'

'Ik wil best aannemen dat ik op dat moment niet zoveel grip op de tijd had. Ik denk dat ik dus, even denken, laten we zeggen twaalf minuten op de bank heb gezeten en heb toegekeken hoe die vrouw zat te huilen en af en toe met haar pistool naar me zwaaide. Huilen, huilen, sniffen, trillen en dat trillende pistool op me richten, arm laten zakken, huilen, huilen, huilen, enzovoort. En waarom? Heeft ze me doodgeschoten? Nee. Heeft ze me gedwongen om met haar te vrijen? Nee. Ze huilde en richtte het pistool op me en begon te zeggen dat ze een dringend verzoek had, maar toen ik mijn overhemd weer begon los te knopen, zei ze: "Nee, niet dat, niet dat", en ze begon weer te huilen en toen ging ze na een poosje gewoon weg. Ik keek uit het raam, en al die tijd had ze een taxi laten wachten. Dat was mijn zaterdagavond. En daarna Duitse porno op de kabel.'

'Maar waarom?'

'Omdat ze allemaal op dat meisje uit St. Pauli lijken.'

'Laat ik het anders formuleren: maar waarom?'

'O jeetje, John. Tjonge, ik heb geen idee. Laten we de mogelijkheden eens bekijken. Had ze een echte rotdag gehad? Deed ik haar denken aan de man die haar hond had gedood? Was ze grootgebracht in geestdodende, liefdeloze armoede? Hmm, het is een overweldigend raadsel dat ons tot het graf zal bezighouden. O, trouwens, kun jij me over een paar weken naar de luchthaven rijden? Ik leen een bestelwagen voor mijn spullen. Ik heb van de week raar nieuws gekregen.'

'Zeg, ben je er al aan toe gekomen om het haar te vertellen?'

'Ik? Nee. Volgens mij heb jij dat gedaan, in je artikelen. Ik heb het hém wel verteld.'

'Heb je de politie gebeld?'

'Ja, natúúrlijk! Dat is precíés de manier waarop ik mijn laatste weken in dit achterlijke oord wil doorbrengen. Kom op, zeg, kijk nou niet of ik je een oor aannaai. Ze heeft me immers niet doodgeschoten – je moet het positief bekijken! Dit was als een grappig verhaal bedoeld. Jullie zijn een wraakzuchtig volk. Die arme vrouw blies gewoon wat stoom af. Uiteindelijk is er niemand gewond geraakt en niemand heeft moeten vrijen met iemand die oud en lelijk was. Ik had er al wel aan gedacht haar ook wat geld te geven, weet je. Ik heb me voor haar uitgesloofd. In het contract is ook een bonus voor haar opgenomen. Ze verdient het. Net als jij, trouwens. Neville neemt er contact met je over op.'

De stamelende, half geformuleerde, slecht gerichte vragen waarmee Charles de spot zou hebben gedreven en onbeantwoord zou hebben gelaten, werd hun vernederende lot bespaard toen er achter hun spiegelbeeld tegen het raam werd geroffeld en er vervolgens een kaal hoofd en een map naar binnen werden gewenkt. In de tijd die Nicky ervoor nodig had om rechts naar de deur en linksom naar hun tafeltje te lopen, waren John en Charles niet in staat om met een overtuigende leugen of een plan te komen. 'Hallo, jongetje.' Ze kuste John op de mond, en hij rook drank. 'Hallo, ik ben Nicky', zei ze tegen de man in het pak.

'Als ik het me goed herinner, heb ik je van de zomer ontmoet', antwoordde Charles.

'O hé, ja, in A Házam, dat klopt.' Ze gaf Charles een hand, maakte een knicksje, liet haar spullen op de lege stoel tussen hen in vallen en leende een muntje om haar tol te kunnen betalen aan de draak die waakte bij de wc. 'Jij spreekt toch Hongaars? Bestel iets lekkers voor me.'

'Nou, jongetje,' zei Charles, toen het schoteltje rinkelde en de oude serveerster op de pluchen kruk Nicky streng knikkend liet passeren, 'dit is geen veelbelovend begin van een avond vol tedere hofmakerij. Wil je ertussen uitknijpen, dan verzin ik wel een smoes voor je.'

'Te laat. Laat de tedere hofmakerij maar beginnen.' En een paar seconden later stond John op en nam Emily plaats op de andere lege stoel die tussen de twee mannen in stond.

'Hallo, heren. Ik ben blij te zien dat jullie mooie oude tradities in ere houden.'

Onlangs had hij op een ochtend een dieselwalm vermengd met lentegeuren geroken en hij was tot de conclusie gekomen dat Emily en hij eindelijk gelijken waren; dat hij heel de lange, veelbewogen winter haar geheim had bewaard bewees wel iets. Voordat zijn zelfvertrouwen afnam, had hij haar gebeld met een onverwachte uitnodiging *à trois* (en nog wel op een pretentieloze zondag). En ze had zelfs zo enthousiast gereageerd dat hij er korte tijd moed uit putte; hij had de telefoon neergelegd, was gaan liggen en kreeg een aantal frisse en bijna overtuigende visioenen van een toekomstig Emily-paradijs. Maar hij werd bepaald niet in vervoering gebracht nu hij haar hier onderuitgezakt op een stoel zag zitten terwijl ze haar paardenstaart opnieuw samenbond. Haar winter- en voorjaarsverschijningen in zijn droomleven waren stralend en opwindend geweest; ze was een veelvoud aan exponenten van zichzelf geweest, een kolkende, universele essentie van het vrouw zijn, nauwelijks te bevatten, vrijwel Hindoe. In persoon was ze echter niet in staat van vorm te veranderen, straalde ze niet en was ze zichtbaar vermoeid. Ze was net zo bleek als andere niet-strippers na een winter op de Centraal-Europese vlakte. Haar witte overhemdblouse hing er slap, verslagen en ongestreken bij.

Nicky kwam terug en kuste hem weer op de mond, een volkomen onnodig gebaar: hij had haar immers niet meer gezien sinds die keer in Nádja's woning, drie weken geleden, en ze had hem bovendien een paar minuten geleden al gekust. En daarom dacht hij even dat Nicky zich bedreigd voelde door de komst van dit nieuwe meisje en alle relaties meteen duidelijk maakte voor de onbekende, maar hij moest toegeven dat zulke dingen in het echt niet gebeurden. Hij stelde de twee vrouwen aan elkaar voor. Op Charles' gezicht lag zijn favoriete uitdrukking.

'Leuk om kennis met je te maken', zei Emily, en John registreerde iets koels in haar stem of (hij corrigeerde zichzelf meteen) hij hoopte alleen dat dit het geval was. Hij speelde met de daaruit voortvloeiende logische gedachte dat zíj misschien jaloers was en dat zich dit keer een ander en beter verhaal zou ontvouwen.

'Nou, om heel precies te zijn hebben we elkaar van de zomer al ontmoet, in A Házam.' Nicky corrigeerde haar met een zekere onderdrukte ergernis.

'O ja?' John zag Emily's kortstondige verwarring. 'Ja, natuurlijk. Ik weet het weer.' Hij waardeerde het dat Emily mensen zo graag tegemoet kwam.

Er volgde een stilte, totdat Charles vroeg of hij Nicky's werkmap mocht bekijken; uit de zwartkartonnen map trok ze een fotocollage tevoorschijn. 'De titel is *Vrede*', zei ze terwijl ze de foto aan Emily gaf, die hem vasthield voor de twee mannen die zich naar haar toe bogen:een gezin van vier dat genoot van een picknick in een park. Opgesteld om een hemelsblauwe deken, onder een dekenblauwe lucht, in een kringetje om een rieten mand vol glanzende proviand een lachende vader en moeder, een lachend jong meisje en een lachend jonger broertje. Iedereen lachte. De moeder was lachend bezig de maaltijd uit te pakken. Het jongetje lachte hongerig naar de uitgestalde etenswaren. De lachende vader legde zijn hand op de schouder van de moeder. Het kleine meisje in de kleine-meisjesjurk lag op haar buik, liet haar lachende hoofd in haar handpalmen rusten en schopte haar blote benen en voeten achter zich omhoog. De moeder miste een tand. Het jongetje kwijlde uit zijn verste mondhoek en bloedde een beetje uit het dichtstbijzijnde oor; zijn bruine broek was buitensporig smerig. De vader keek niet hongerig naar het eten; volg zijn ogen: hij keek hongerig naar iets anders. Het kleine meisje had drie even-wijdige pleisters op allebei haar blote voetzolen. Gedeeltelijk aan het zicht onttrokken door een boom hurkte er een poepende man – naakt onder een regenjas, met deukhoed en zonnebril – die vanaf zijn schuilplaats het gezin fotografeerde. 'Dat ben jij, Johnny', legde Nicky snel en zacht uit, omdat ze niet wilde uitweiden over wat voor de hand lag. In de lin-kerbovenhoek kwamen insecten – 'Het sprinkhanenseizoen', lichtte Nic-ky toe – net in beeld; hun dicht op elkaar gepakte, beperkte aantal impli-ceerde dat er net buiten beeld een enorme tsjirpende zwerm zou opduiken. Ten slotte was er in de verte op een vijver in het park een roei-boot te zien waarin iemand het wankele evenwicht bewaarde. De figuur – te ver weg om te kunnen uitmaken van welk geslacht – hield een roei-spaan boven het hoofd en werd vastgelegd precies op het moment dat hij of zij uithaalde naar iets of iemand in de boot of het water.

'Het is eigenlijk een krachtige manier om "val dood" te zeggen tegen mijn vader,' vertelde Nicky er nonchalant bij en ze voegde eraan toe: 'en tegen ieder ander die denkt dat hij me kan claimen.'

'Het is erg schokkend, en zo heb je het vast ook bedoeld', zei Emily een beetje schoolmeesterachtig. Ze gaf de foto door aan John. 'Je hebt kenne-lijk een erg levendige fantasie', zei ze er nog eens overheen.

John was de kluts kwijt. Zoals gewoonlijk had hij geen flauw idee wat hij over een van Nicky's raadselachtige werken moest zeggen, en hij ver-moedde dat ze hem iets had proberen duidelijk te maken door het te heb-ben over mensen die haar claimden, maar Emily deed openlijk vijandig. Hij had nooit eerder gezien dat twee vrouwen zo snel een hekel aan elkaar kregen, en hij durfde niet te geloven wat hij zo dolgraag wilde geloven. Hij moest op zijn lip bijten om zijn mond te houden: eindelijk had hij macht over haar.

'En waarom verdient jouw vader het te horen dat hij je-weet-wel kan?' vroeg Emily, nu net een getrouwde dame uit de hogere kringen in een onontkoombaar gesprek met een hoertje dat is binnengedrongen op een feest.

'Ach, wat schattig', zei Nicky poeslief. 'Je wilt niet "val dood" zeggen. Jezus, wat ontzettend schattig. Kut zeg, dat is godverdomme het meest vertederende dat ik in verdomd lange tijd heb gehoord. Ik krijg er god-verdomme tranen van in mijn ogen, rot toch op.'

'Het spijt me. Ik zal wel raar zijn in jouw ogen. Ik ben gewoon niet zo opgevoed dat ik de hele tijd lelijke woorden gebruik.'

'*Lelijke woorden gebruik*? Zo ben je niet opgevoed? O, god-bewaar-me, dat is verrukkelijk. Johnny, waar heb je deze engel opgedoken? Laat ook maar. Mijn vader kan doodvallen vanwege de gebruikelijke, saaie klote-streken: drinken, emotionele en lichamelijke mishandeling, incest, bla-blabla.'

'Nou, je hebt kennelijk een erg zwaar leven gehad', zei Emily op haar meest zoetsappige toontje. 'Dat is heel erg triest.' John en Charles, die als tennisfans van links naar rechts keken, keken elkaar eens aan om zich er-van te vergewissen dat ze nog bestonden. 'Maar aan de andere kant,' zei Emily, die dapper maar rustig doorging, ondanks de rode kleur van Nic-ky's kale hoofd, 'heeft hij je misschien wel sterk gemaakt.'

'Mij sterk gemaakt? Wat ben jij voor iemand, een Nietzsche-freak?'

'Ik bedoel alleen dat jouw bijzondere gaven, je artistieke talent, je dui-delijk erg felle persoonlijkheid misschien allemaal voortkomen uit je am-bigue ervaring met hem, en dat hij je heeft gemaakt tot wie je bent.'

'Wát?' Nicky wilde gaan staan, maar John pakte haar arm vast. 'Blijf met je handen van me af', snauwde ze hem toe, trok haar hand los en balde hem tot een vuist. Maar ze ging wel zitten, hoewel er een druppeltje speeksel van haar lippen op Emily's blouse sprong. 'Híj heeft me ge-maakt? Krijg toch de pleuris, boerentrien. Ik heb mezelf gemaakt tot wie ik ben. Begrijp je eigenlijk wel wat dat betekent, liefje? Ik heb mezelf gemaakt. IK. HEB. MEZELF. GEMAAKT. Ladislau heeft geen ene malle-moer gemaakt. Zijn bijdrage eindigde bij het sperma. Als je dat zo graag wilt weten, kutwijf.'

Hoe kwader Nicky werd, hoe rustiger Emily werd, en John meende
een sprankje plezier in haar te zien omdat ze plotseling tergend de overhand had op de razende kunstenaar.

'En, wie heeft er zin om te gaan eten?' vroeg Charles.

'Nee, ik was op weg naar huis. De pot op.' Nicky stond op en pakte
haar spullen. 'Je weet waar je me kunt vinden als je jeuk krijgt', zei ze tegen John toen ze recht achter hem stond. Ze boog zich over zijn kruin
heen en kuste hem ondersteboven, indringend maar noodzakelijkerwijs
onhandig. Ze trok zich terug, en een sliertje speeksel verbond hun mon-
den als de weerklank van de kus. Ze fluisterde iets wrangs en plakkerigs
in zijn oor aan de raamkant en zei toen tegen de anderen: 'Ik zie je wel
weer, Charlie. Nou, dag zuster Maria Catherina.' Ze liet hen achter in
een stilte die werd verbroken door Charles' gelach.

Johns geplande drietal liep de koele duisternis van het Vörösmartyplein
in, stak een stuk af langs de steigers van het Kempinski naar het Deákplein
en sloeg Andrássy in op zoek naar iets te eten. In de wind raakten zijn gedachten verward en in de knoop: Emily's kille, venijnige provocaties, Nicky's gefluisterde, giftige afscheidswoorden: 'Zie die plattelandspot kwijt
te raken en kom vanavond naar me toe.' Hij had genoten van de aanblik
van twee vrouwen die ruzie om hem maakten en had ervan genoten te
zien dat Charles het zag. Maar met haar strijdlustige kalmte leek Emily
hem van oneerlijkheid te beschuldigen, want hoe kon hij iets met Nicky
hebben, iemand die in alle opzichten zo van Emily verschilde? Emily liep
gehuld in deze drukkende, beschuldigende stilte (afgezien van haar gesprek met Charles). Ze lazen een menukaart op een roestige metalen standaard voor een restaurant, maar Charles sprak zijn veto over die gelegenheid uit. Emily dacht kennelijk dat Nicky haar uit jaloezie of op
aanstichting van John had aangevallen, dat hij Emily precies om die reden
in zo'n kinderlijke hinderlaag had gelokt. (En nu waren ze op Andrássy
een restaurant aan het uitzoeken alsof er niets aan de hand was). Maar Emily had wel degelijk ruziegemaakt; ze wás jaloers. En wat had ze een geweldige indruk gemaakt toen ze naast elkaar zaten: sterk, rustig, sereen, ethe-
risch, terwijl Nicky een puinhoop was, een stekelige bal vol puntige,
ingewortelde angsten en onbeheerste driften. En vanavond had Emily
openhartigheid geriskeerd door ruzie over hem te maken, had haar hart
net zo ver gekanteld dat het licht ertegen kon reflecteren. Ze had zoveel gezegd als ze kon zeggen om John te laten weten dat ze klaar voor hem was.

(Zij en Charles lachten om iets in een tot falen gedoemde, stoffige etalage.)

Er roffelde een ouverture van een paar regendruppels op het trottoir, en toen barstte het complete, ongestemde orkest op een onhandige manier uit de wolken los. Charles riep iets in de trant van dat de vouw in zijn broek hem heilig was en rende het eerste het beste restaurant in. Emily maakte aanstalten om hem achterna te gaan, maar John pakte haar hand vast toen Charles in de schemerig oplichtende deuropening verdween, en met hun tweetjes bleven zij achter, half onder een lantaarn en helemaal onder de neerdalende kou. 'Wat doe je nou?' riep ze door de stortregen, en hij zag één helft van haar gezicht in de schaduw, één helft in het druipende licht, en hij begreep waarom dit was. Hij legde zijn handen tegen haar koude, natte wangen en hij kuste haar. 'Wat doe je nou?' herhaalde ze (even luid, maar met een andere nadruk), en duwde hem weg, de tweede vrouw binnen een kwartier.

'Je stelt me voor een raadsel', gaf hij toe.

'Duidelijk.'

'Maar zo hoeft het niet meer te blijven. Ik denk dat je gevangenzit…'

Ze knikte. 'Laten we naar binnen gaan en een hapje eten', rondde ze voor hem af.

'Ga met me mee naar huis', zei hij en hij pakte haar hand. 'Ga met me mee naar huis. Ik weet dat je…'

'Wat? John. Zo is het genoeg. Toe.' Maar haar hand lag nog steeds in de zijne, en dat was niet niks.

'Nee', zei hij. 'Ik ben het maar. Luister naar me. Ik ben nog nooit zo serieus over iets geweest. Dat moet je van me aannemen.'

Ze trok haar hand terug en terwijl ze in de plasregen iets onverstaanbaars zei tegen het glimmende wegdek, draaide ze zich om naar het restaurant, en hij besefte dat dit nou zo'n moment was waarop mannen hun hele leven wachten. 'Emily, wacht. Ik zal het je vertellen. Als ik nu eens zeg dat ik het weet? Ik weet het al tijden. Ik ben een journalist. Ik had de hele wereld kunnen vertellen wat je werkelijk bent, maar dat heb ik niet gedaan. Ik begrijp je.'

'Wat ik werkelijk ben? Wat heeft dat idiote mens je verteld? Waarom zou je naar haar luisteren? Ze is overduidelijk ziek in haar hoofd, het is een krankzinnige.' Ze veegde haar natte pony van haar voorhoofd, haalde diep adem en lachte zelfs een beetje. 'Maar prima, ga je gang. Ik ben heel benieuwd wat ze heeft gezegd.'

'Moet ik het uitleggen? Prima. Ik zal voor ons allebei spreken. Verberg je maar als je wilt, maar weet alleen dat je je voor mij niet hoeft te verbergen. Je kúnt je niet voor me verbergen. Ik geef om je. Het kan me niet schelen dat je een spion bent.'

Heel even stond Emily doodstil en leek langs John te kijken, en John zag dat hij haar eindelijk had weten te bereiken. Er verstreek nog één moment en toen sprak ze zo zacht dat hij zich naar haar toe moest buigen om haar te verstaan: 'Je kunt de pot op, John, hufter die je bent.'

X

Je zou kunnen aanvoeren dat het hele gebeuren een waardevolle ijsbreker was geweest, een stoomklep. Een klein duwtje en ze zouden alles achter zich kunnen laten, eindelijk kunnen beginnen. De volgende ochtend: de regen symbolisch voorbij, blauwe lucht, geelstenen brug, vogelgezang boven autogezang, eeuwig bewegende rivier, plukjes wolken als wimpers die net opengaan na heerlijke echtelijke slaap. (Toch kriebelde er een vormloze twijfel aan zijn binnenoor, neuriede net buiten zijn gezichtsveld, trok lelijke gezichten wanneer hij net niet de andere kant op keek). Hij formuleerde in gedachten het praatje dat hij tegen haar zou afsteken, terwijl het gerommel en het geplas van de Donau duidelijk hoorbaar waren op deze brug, de beste brug van allemaal, en voor paukengeroffel zorgden bij de vogelhobo's en de autostrijkers. Vlak voor hem waren bejaarde arbeiders van de stadsreiniging voorovergebogen bezig de trottoirs te vegen met stugge takkenbezems, rekwisieten uit een sprookje. Toen John voorbijkwam, keek een van de arbeiders, die tegen zijn bezemsteel geleund stond, John uitdrukkingsloos aan. John wenste hem een Hongaarse goedenochtend. De oude straatveger hmde een vage tegengroet en ging verder met het op een hoop vegen van kleine stukjes blauwe en witte lucht – scherven van een spiegel die over het trottoir verspreid lagen.

Voor hem op de stoep, in de schaduw van het Parlement, knielde een jonge vrouw, met haar rug naar hem toe gewend en met een hangend hoofd. Toen hij langs haar liep en zonder zijn pas te vertragen over zijn schouder keek, zag hij dat ze een kat aaide die op het trottoir lag, met zijn kop op haar schoot. De jonge vrouw huilde zacht, en de ingewanden van de kat hingen vochtig op de bestrating. De halfgeopende oranje ogen van de kat volgden John loom toen hij langskwam, maar het arme dier had niet meer de puf om zijn kop of zijn pootjes te bewegen. De vrouw aaide het stille, zachte kopje van het dier. Ze maakte geen angstige indruk op John, ook al was ze in tranen, ook al had ze geen opties en kon ze geen vliegende brigade van eersteklas, oproepbare poezenchirurgen laten komen. Huilend streelde ze het dier, maar John beschikte niet over de woorden om te vragen wat er was gebeurd, om ook maar enigszins van dienst of tot troost te kunnen zijn. Hij liep geschokt verder en probeerde zich te concentreren op de schriftelijke boodschap voor Emily (een noodoplossing als hij haar niet zover wist te krijgen dat ze naar de hal zou komen om zijn belangrijkste verzoek aan te horen).

Hij dacht nog eens goed na over de voorbereide opmerkingen *(Ik zou nooit iets doen wat…).* Hij oefende en bracht kleine wijzigingen aan, toen een onbekende marinier naar boven riep *(Ik heb alleen gezegd wat ik heb gezegd om je te laten weten dat ik…).* 'Ze is met verlof', drong de stem met het Zuidelijke accent, gedempt door de microfoon, moeizaam door het kogelvrije plexiglas. 'Yep, met ingang van vandaag. Nee, ze hebben niet gezegd voor hoelang. "Zoals ingeroosterd", hebben ze alleen gezegd. Willu een boodschap achterlaten, meneer?' Tijdens zijn wandeling terug naar de rivier redigeerde hij de smeekbede die nu aan haar bungalow was geadresseerd *(Ik wil alleen dat je begrijpt…).* Onderweg ging hij even naar de redactie en herhaalde telkens in zichzelf, op smaakvolle manier en namens haar, hoe ze op zijn mededelingen zou reageren *(Natuurlijk ben ik niet boos op je, kom hier, die dingen gebeuren, mmm, je bent vreselijk…).*

'Mooi zo. Een verrassingsbezoek van Proice. Een ogenblik van je tijd, meneer.' Het optreden van Hoofdredacteur was de laatste tijd geënt op dat van een Dickensachtige bovenmeester, en John lachte om deze sommatie – de strenge wenkbrauw, de gekromd wenkende wijsvinger die zich langzaam inklapte en uitklapte alsof Hoofdredacteur bedachtzaam onder de kin van een onzichtbaar, angstig kind kriebelde. Hoofdredacteur deed de deur dicht, ging gemakkelijk zitten en begon vette paginacorrecties aan te brengen. 'Oké. Price. Je bent ontslagen. Alles van je bureau, en de deur uit binnen – laten we redelijk zijn – een kwartier. En nee: geen referenties.'

John ging op de extra stoel zitten en wreef in zijn ogen, die na een relatief slapeloze nacht nog steeds droog en jeukerig waren *(Zou je echt gewild
hebben dat ik een smachtende maagd zou blijven?).* 'Man, ik ben bekaf. Ik heb
in geen tijden goed geslapen. O, voordat ik het vergeet, dat stuk over die
stripper gaat, denk ik, een dag langer duren. Het is bijna klaar.'

'Niet nodig', mompelde de hoofdredacteur, en met een boos gebaar
schrapte hij een zin.

'O, niet van afzien. Echt, één dag maar. Ik heb vanmiddag een afspraak
met de vier die een orgie in de woestijn doen. Ik beloof het: morgen is
het af.'

De hoofdredacteur keek op van zijn schrijfwerk. 'Ben je er nog? Heb je
me niet gehoord? Dat kwartier ging in toen ik een kwartier zei.'

'Ik had ook nog een ander idee. Wat dacht u van een reeks portretten
van ambassadeurs, met een hoog societygehalte. Tennis met de vs. Een
hopeloze jacht op restaurants met de Fransen. Seksclubs met de Denen.
Triest, verarmd etalages kijken met de Bulgaren en Noord-Koreanen.'

'Ben je nu helemaal van de pot gerukt? Het is een hele simpele handeling. Pak je spullen. Laat de mijne hier. Ga weg. Kom me niet meer onder
ogen.'

'Bent u ergens boos over?'

'Meneer Price. Als u zo uw' – dramatisch opschuiven van de manchet,
blik op zwarte plastic wijzerplaat, geestelijk rekenwerk, terugschuiven
manchet, verstrengelen van vingers op bureau – 'dertien minuten wilt
doorbrengen, het zij zo. Had je gedacht dat de ambassade zich niet zou
gaan beklagen? Dacht je dat ik je zou gaan verdedigen? Of dat je voor
een symbool van de vrije pers kon doorgaan? Het is een misdrijf om de namen van ambassadepersoneel af te drukken en te zeggen dat het spionnen
zijn, zelfs om daarmee te dreigen. De ambassade wordt kwaad, of je het
bij het rechte eind hebt of niet. En mij stellen ze ervoor verantwoordelijk.'

'Hebben ze gezegd dat ik heb gezegd dat ik... Ik heb niet gezegd dat
ik...' John staarde de star kijkende man een hele poos aan. De zeer onwaarschijnlijke mogelijkheid dat ze hem verschrikkelijk verkeerd had begrepen, dat toen aan iemand anders boven haar had verteld, dat zij
Hoofdredacteur hadden gebeld...

'Ben je er nog? Je gaat me niet vervelen met een preek over de vrije pers,
is het wel, jeugdige imbeciel van me? Zo dom ben je nou ook weer niet.
Ga nou maar.'

John zat heel stil en probeerde na te denken. 'Wilt u dat ik iemand bel om het uit te leggen of zoiets?'

'Nee. Ik wil dat je weggaat. Nu.'

'Gaat u me hierom ontslaan? Dat is belachelijk. Ik heb ruzie gehad met mijn vriendin en daarom gaat u me ontslaan? Dat is absurd.'

'Ben je er nog? Goed, meneer Price. Kennelijk denkt u dat ik een snotneus ben. Ik geef toe dat we hier verdomme niet de *Times* of de *Prague Post* zijn, maar, weet u, we zijn ook niet door en door corrupt, kloothommel. Heb je wel of niet tegen betaling van de betrokkene portretten geschreven voor dit blad?'

'Dat is helemaal uit zijn verband gerukt. U ziet het helemaal verkeerd, wie uw bron ook is. De toon ervan… dat was niet zo ernstig als u schijnt te denken.'

Hoofdredacteur kwam op dreef, en zijn neusvleugels gingen een geanimeerd eigen leven leiden. 'Ben je er nog? Goed dan. Meneer Reilly, de laagopgeleide, veel te breedsprakige beveiligingsman van de ambassade die me gisternacht wakker belde toen ik als een blok lag te slapen liet me ook weten dat dit níét je vriendin is, meneer Price, maar dat je, en ik citeer de ongelukkige man, "de jonge dame in kwestie tot nu toe als een roofdier hebt gestalkt." Dus je moet het me niet kwalijk nemen, meneer Price, als ik nog eens vraag: *Ben je er godverdomme nu nog?*'

'Dat is klinkklare onzin. Categorische leugens.'

'Heerlijk. Eindelijk een bezielende ontkenning. Laaghartige seksuele chantage? Min of meer. Schending van het vertrouwen van deze krant? Ja, maar het was niet serieus, meer een kwestie van toon. Stalking? Beslist niet. Mistah Proyce, ben je er nóg?'

Ten slotte, nee. John was er niet meer. De grote klok die op de redactie hing richtte zijn minutenwijzer genoeglijk, met een schallende klik, op het cijfer drie, een kwartier na zijn komst, en John liep de voordeur uit met de drie dingen die hem rechtmatig toekwamen. Toen hij net buiten stond, hield Karen Whitley hem aan, kuste hem en fluisterde: 'Als ik iets voor je kan doen…' en ging haastig het kantoor weer binnen.

Ondanks tal van pogingen in tal van uren deed er bij haar merkwaardig verlaten bungalow niemand open, en in een onwerkelijk tempo en bij het plotseling vallen van de avond verandert het decor en staat John aan te kloppen op een deur aan de andere kant van de rivier, in Pest. (Op de terugweg nam hij een andere route; hij wilde niet riskeren die kat weer

te zien.) Hij realiseerde zich – met zo'n vluchtige helderheid die je een seconde later weer kon zijn vergeten – dat hij een inschattingsfout had gemaakt: Emily was niet serieus, maar een beetje uit balans. Hij klopte op
de deur van de enige serieuze persoon die hij kende. Zij zou wel voor
nuchtere, evenwichtige tekst zorgen, kille realiteit uitstorten over de sentimentele onwerkelijkheid van de dag.

Ze deed open. Zonder een woord te zeggen liep ze door de kamer terug naar haar werk. Ze ging op een houten kruk zitten die onder de verfvlekken zat en pakte een penseel op, maar legde die meteen weer neer.
Met een zwaai van haar heupen draaide ze de kruk om zodat ze met haar
gezicht naar hem toe zat. 'En, wat is er gisteravond gebeurd? Ben je met
die boerentrien naar bed geweest? Nou?'

'Waarom ben jij nou kwaad?'

'Dus wel. Het is niet te geloven.'

'Hou nou op. Ik ben hier gekomen omdat ik, ik wil gewoon even praten. Ik ben net ontslagen. Ik ben een beetje…'

'Alsjeblíéft. Hou op. Hou gewoon op. Haal dat aarzelende dat ik hoor
eens uit je stem, ja. Leg mij eens iets uit: hoezo ben ík degene geworden
bij wie je komt uithuilen? Eén keer, oké, maar dat was een merkwaardige
uitzondering. Voor die klus is niemand zo weinig geschikt als ik. Ik denk
niet dat er iemand zou kunnen zijn die minder geïnteresseerd is dan ik,
oké? Dat is precies de reden waarom we huisregels hebben.' Met een zwaai
van haar heupen draaide ze zich weer om en pakte haar penseel op.

'Ben je jaloers?'

Ze smeet haar penseel naar de andere kant van de kamer, waar het tui-
melend tegen een vieze passpiegel aankwam met een zwak tik-klik-tik
en twee vegen blauw op het glas. 'O, mijn god. Ik word gek van jullie.
Ik word verdomme gek van jullie. Als ik jaloers ben, geloof me nou maar,
dekhengst, dan is dat niets om trots op te zijn. Ik walg van hier tot gunter
van ons allemaal.'

'Praat alsjeblieft met me. Ik heb het gevoel dat…'

'Heus, John, wat je ook vóélt, nou, zo is het leven, en dat is bij lange na
niet het interessantste deel. Dus spaar me.'

Hij liet zich achterover op haar bed vallen en gooide een korstige, met
verf bespetterde tennisbal naar het plafond en ving hem vlak boven zijn
gezicht op. 'Omdat je ernaar vraagt: nee, ik ben niet "met die boerentrien
naar bed geweest", maar waarom uitgerekend jou dat iets zou kunnen

schelen, begrijp ik totaal niet. Ik heb haar langer gekend dan jou. Ik heb voor haar altijd iets gevoeld van, ik weet het niet, alsof…'

'Godschristenezielen.' De schildersezel dook kletterend naar de vloer en gleed achterover tegen zijn snel naderende reflectie. John ving de vallende tennisbal op en verstijfde, terwijl zijn ene hand het gele pluis omklemde alsof hij een kat was die tegen een draadje sloeg en versteende. 'Hoor eens, sufkop, we zijn allemaal verliefd op een ander, snap je? Iedereen. Tot de laatste gek die ik ken. Dat is eigenlijk stomvervelend. Als we allemaal over onze geheime verdrietigheden zouden praten, zouden ze niet geheim meer zijn en zouden we allemaal zo inwisselbaar zijn dat we ons waarschijnlijk van kant zouden maken.' Ze keek hem aan en haalde diep adem. Haar toon veranderde in iets kalmers en geforceerd vriendelijks. 'Ga alsjeblieft, alsjeblieft, alsjeblieft weg en laat me werken.'

Hij lag in zijn eigen bed. Emily's bungalow had koppig blijk gegeven van zijn onbewoondheid en haar telefoon van zijn niet-ontvankelijke eenzaamheid. Op zijn eigen antwoordapparaat werd niet minder dan vijftien keer met een klik opgehangen, en er stond één lange, dreigende boodschap op van Lee Reilly: 'Ik wil met u spreken over klachten van groot aantal vrouwelijke leden van het ambassadepersoneel, heb zelfs diverse klachten gekregen, meneer, ingediend door velen van onze dames over wat niets anders is dan…' Hij zette het apparaat uit. Hij lag in zijn eigen bed, en de woorden van het lievelingsliedje speelden door zijn hoofd, zij het door een hem onbekende stem met een Hongaars accent. Hij ging kopje-onder in de slaap en kwam weer boven, als een kind dat probeert te wennen aan het koude zeewater. Nádja kwam binnen door de openslaande deuren van zijn balkon, en ze had maanlicht meegebracht. 'Het is een kwestie van wilskracht, John Price', zei ze met haar hese filmsterrenstem. 'Want sterke mensen doen het gewoon niet.' 'Wat niet?' vroeg hij haar. 'Voelen ze niets of praten ze er niet over?'

'Precies', zei ze, en ze kwam met een zacht, maar onmiskenbaar krakend geluid op zijn borst zitten. Langzaam strelend streek ze met haar jonge, doorzichtige, maanverlichte vinger over zijn gesloten lippen. Langzaam, zachtjes, stak ze haar vinger in zijn mond door eerst haar doorzichtige, maanverlichte nagel te gebruiken en toen haar oude, vleesloze knokkels – aanvankelijk een tedere seksuele verkenning. John werd ineens angstig, maar hij wist niet hoe hij zijn kaakspieren moest gebruiken om dit binnendringen te verhinderen. Met een scheurend geluid sneed ze met haar nagel door zijn tong, en toen, met een heel vluchtige aanraking, liet ze zijn tanden en kiezen afbreken. Terwijl zijn doorboorde, trillende tong in bedwang werd gehouden, vielen de tanden en kiezen in zijn kokhalzende keel, met uitzondering van een reuzenkies boven op twee gekromde wortels van walrusslagtanden, die ze uit zijn mond trok en voor zijn wijd geopende, tranende ogen tussen duim en wijsvinger hield. 'Iets om in je verslag op te nemen', fluisterde ze. Ze streek met een oude hand over zijn kruis en ging weg zoals ze was binnengekomen, door de dichte balkondeuren, en ze nam het maanlicht met zich mee.

Hij sliep veel, vaak, maar niet uitsluitend 's nachts. Lee Reilly liet tal van boodschappen voor hem achter, net als Karen Whitley. Aan de hand van Lee Reilly's knarsende stem met het accent uit het diepe Zuiden en zijn barokke militaire manier van spreken probeerde hij de man zelf te reconstrueren; hij maakte er een kale, gezette, besnorde ex-marinier met samengeknepen ogen van (die leek op een privé-detective die nu nagesynchroniseerd op de Duitse kabeltelevisie werd uitgezonden). Hij zag allerlei verschillende, de werkelijkheid benaderende versies van zijn compositietekening in levenden lijve in de straten van Boedapest en probeerde, altijd te laat, om geen oogcontact te maken. Het zou lastig zijn om haar te vinden zonder op Reilly of zijn mannen te stuiten. Hoe zou hij zich gedragen als hij een pak slaag kreeg? Zouden zijn belagers hem vurige dreigementen toefluisteren of slechts vertrouwen op de onweerlegbare dreiging van niet-beschuldigende woordenloosheid? Zouden ze zich kenbaar maken of zich uitgeven voor Hongaarse criminelen, opgefokte uitgaansjeugd of zigeuners? Blauwe ogen. Gebroken neus. Tegen zijn ribben of in het kruis geschopt. En dan naar het Boris Karloff-ziekenhuis voor een paar gerecyclede hechtingen van een stinkende, rokende verpleegster.

Nog was ze niet thuisgekomen. Toen de deur van haar bungalow openging nadat hij pijnlijk lang was dichtgebleven, en hij opsprong van het houten bankje aan de overkant van de straat, stuitte hij alleen op een Julie die het pand verliet. 'Hallo daar! We hebben je in geen tijden gezien', kraaide ze, zo volkomen normaal. 'Hoe gaat het ermee? Nee, ze is met verlof. Nou, twee weken is standaard, maar ik weet het niet precies. Dat heeft ze niet gezegd. Maar hé, ik zal zeggen dat je bent langs geweest. Maar je moet gauw eens met óns uitgaan, ook al is zij er dan niet, hmm? O, sorry, lieverd, dat was gemeen, hè? Even onder ons, volgens mij zouden jullie echt een geweldig stel zijn. Maar natuurlijk praten we daar over, rare. Maar Emmy laat zich niets voorschrijven, weet je. Dat weet je vast wel. Ze is net, nou ja, doet er niet toe. Maar je moet eens meegaan. Julie en ik gaan vanavond uit, naar de nieuwe…'

Hij zat in Gerbeaud – zo niet dezelfde dag, dan op een dag die er veel op leek. Hij moest de tijd doden, en die stelde zich gehoorzaam op voor de executie. De dagen vertikten het loom om zich van elkaar te onderscheiden. Ze zou naar Gerbeaud kunnen komen, om goede oude tradities te handhaven.

Reilly liet geen boodschappen meer achter en daarom waagde John zich, met opgezette kraag, weer in de hal van de ambassade. Een andere marinier (of dezelfde marinier met een ander masker) zei: 'M'vrouwOliverismetverlofm'neerwillueenboodschapachterlaten?' John schudde zijn hoofd naar de metalen luidspreker. Hij liep het gebouw uit toen een onopvallende limousine zich bij het trottoir ontdeed van zijn passagier. John herkende de ambassadeur, Robin Hood van Halloween, en herinnerde zich dat haar handen de veter van zijn wambuis van groene lakenstof hadden aangesnoerd. 'Z-z-z-ze is met verlof, jongen', stotterde hij op Johns onverwacht op de stoep afgevuurde vraag, terwijl ze werden omringd door Hongaarse politiemensen met machinegeweren, die met het gezicht naar buiten stonden met het oog op potentiële belagers, een cocon van ruggen in blauw vinyl, die in de open lucht onverwacht desoriënterende privacy boden voor hun spontane gesprek. 'Waar is ze naartoe gegaan?' vroeg John. 'J-j-je klinkt als de vrouw van de Franse am-am-ambassadeur. "Wa-wa-waar ies die lieve Emilie, *hein*? Wij wielen aar gaarne op onze diner?" Maar, jongeman, zoals ik te-te-tegen madame z-z-z-zei, verlof is een pri-pri-privé-zaak.' Op seintjes die voor John te subtiel waren om waar te nemen brak het schild van politiemensen aan één kant open en werd de ambassadeur opgeslokt door zijn gebouw. John keek hoe het traliewerk van zwart smeedijzer zich sloot terwijl de diplomaat vriendelijk reageerde op de stramme, maar hoffelijke buiging van de oude Péter. De politie smolt weg in kleine hokjes en door de straathoek om te slaan. De muziekgroep uit de Andes was ergens vlakbij, gitaren en fluiten, bergen en condors, liefde en wraak, cassettes te koop.

De deurbel rinkelde, was aan het rinkelen, had gerinkeld, zou snel ophouden te rinkelen – een straal werkwoordsvormen besproeide zijn slaap tot hij met waterige ogen naar de deur strompelde. 'Klojo, heb je geen

wekker?' Charles had sportschoenen aan, een gescheurde spijkerbroek en
een T-shirt van een rockband die allang uit de mode was. 'Wakker worden, kerel. Je kunt slapen in de bestelwagen en hem op de terugweg aan
puin rijden. Dan is het mijn probleem niet meer.'

De oranje bestelwagen, met MEDIAN HUNGARIA in zwart op zijn flanken, had Charles' bezittingen in zijn laadruimte. Charles reed, vooraver-
gebogen, met zijn kin op zijn knokkels op het stuur terwijl de radio telkens met veel gekraak een middengolfzender probeerde op te pikken. 'Je
maakt een triomfantelijke indruk', zei John toen ze invoegden op een
snelweg die niet te onderscheiden was van snelwegen in Ohio, Californië,
Ontario of Nebraska.

'Die indruk maak ik alleen omdat ik triomfantelijk ben.'

Voor John was Charles de eerste persoon die hij tot een bescheiden be-
roemdheid had zien uitgroeien (en waartoe hij had bijgedragen). De
jonge succesvolle man die zijn naam had gevestigd in het Wilde Oosten
ging naar huis, waar hij een topbaan zou krijgen bij een New Yorks inves-
teringsbedrijf, een investeringsbank of een *hedge-fund* of iets dergelijks,
een financiële onzintoestand waarvan John zich de details niet eens scherp
voor ogen wilde halen. Charles werd uitgeroepen tot de enige, roem-
ruchte overlevende van de snelle, zelf veroorzaakte ondergang van zijn
vroegere firma, zelfs in artikelen die John niet had geschreven of inge-
fluisterd of waartoe hij niet had aangezet. En nu keerde hij via Zürich terug naar zijn eigen land, als een kruisvaarder (met een witte crucifix op
het geel van de staartvin) die terugkomt uit een overwonnen Heilig Land,
om zijn volk ervan te verzekeren dat het evangelie waar en machtig is,
dat de Rode Duivels met gemak te bekeren waren. 'Ben je nog naar Imre
geweest om hem gedag te zeggen?'

'Ja, mam, ik heb gedag gezegd. Weet je, zijn bejubelde "communica-
tieve vaardigheden"' − Charles liet het stuur los om de visuele aanhalingstekens te maken, waardoor de bestelwagen in de rijstrook voor langzaam verkeer terechtkwam − 'zijn sterk overdreven. Ik bedoel, ik vroeg
hem: "Imre, is het niet zo dat behoudens grote fluctuaties in de waarde
van de forint − en onderbreek me maar als dat voor jou meer of minder
waarschijnlijk is dan ik veronderstel − dat de waarde van de Weense houd-
stermaatschappijen van de uitgeverij in relatie tot de Hongaarse houdster-
maatschappijen na verloop van tijd alleen maar zal stijgen, zelfs als we ervan uitgaan dat Hongarije in de komende tien jaar in de Europese Unie

zal worden opgenomen, of niet?" En, John, hij knipperde twee keer met zijn ogen, en ik heb me laten vertellen dat dat ja betekent.'

De laatste bebouwing van Pest kwam er aan, gleed voorbij en maakte plaats voor afrasteringen en gestaag zoemende hoogspanningskabels, onderbroken door smaragdgroene borden die hun voorgangers corrigeerden over de afstand waarop het vliegveld klaar lag.

'Zul je Boedapest missen, gezien je grote triomf hier?'

'Nee.'

'Nee, serieus. Zul je de stad missen?'

'In alle ernst? Nee.'

'Toe, Charles. Vind je het niet akelig om weg te gaan? Je moet toch wel iets voelen bij, bij…' Johns stem stierf weg, en Charles toeterde en veroordeelde welsprekend de zonden van een andere bestuurder.

'Ik moet bekennen dat ik een beetje teleurgesteld in je ben, JP. Toen ik je leerde kennen, had ik goede hoop, maar hoor jezelf nu eens. Je bent afgedaald tot het niveau van oersaaie bedelaars die andere mensen smeken om hun gevoelens te delen. Je bent zo'n akelig gevoelsbedelaartje geworden die rammelt met zijn bedelnapje. De wereld zit niet te wachten op nog meer gesprekken over onze gevoelens. Dat is niet de juiste route; daar schiet je niets mee op. Geloof me maar. Ik heb me erin verdiept. Ik heb hier heel diepgaand over nagedacht. De mensen die over hun gevoelens praten zijn er slecht aan toe. Ik ben geen voorstander van verdringen, maar heus, je kunt gevoelens echt niet serieus nemen. Geloof mij nou maar, dit is het beste advies dat ik je als vriend kan geven.' Op het ritme van de Britse pop die door de middengolfruis heenkwam, tikte hij peinzend op het stuur. 'Je lijkt erg veel op mij, weet je, evenveel als ieder ander die ik in Hongarije heb ontmoet. Alleen zonder de gedrevenheid en, en de bereidheid om een bepaalde prijs te betalen. En natuurlijk zonder het charisma. Het is een vaststaand gegeven − en dat is wétenschap, John − dat hoe mínder je erover praat, hoe minder ze je opvallen, tot je uiteindelijk een echt mens kunt worden en niet een of ander balletje gevoelens dat de hele dag op en neer stuitert om naar zijn eigen navel te staren.' Hij wierp John een blik toe, en de bestelwagen zwenkte naar rechts. 'Maar oké, mijn bedelaartje, oké, hier heb je ze dan, die prachtige gevoelens van me: ik haat het hier, ik haat dit smerige stadje, ik haat de Hongaren, vriend, en al hun kloterige, halfbakken corruptie en hun luiheid en de houding die ze hun kinderen vanaf hun geboorte bijbrengen: dat de wereld ze redding is verschuldigd, omdat de geschiedenis hen zo verschrikkelijk heeft misdeeld en dat ze altijd zijn verraden en wat al niet meer. Ik word helemaal gek van die jankerigheid van de mensen hier. Hongaren zijn – zonder uitzondering – een stelletje...'

'Je bent zelf een Hongaar. Jij. Bent. Zelf. Een. Hongaar.'

'Dat is niet aardig, John. En ik probeerde je net nog wel te helpen.'

John bleef met zijn gordel om in de bestelwagen zitten toen ze parkeerden op het laadterrein van Swissair, maar Charles sprong eruit om te beginnen met het soort arbeidsonderhandelingen waar hij goed in was: hij legde het ene tiendollarbiljet na het andere in de uitgestrekte hand van de in een voorschoot gehulde bevrachter en gaf daarbij strenge bevelen. Toen de hand van de man voldoende was gevuld (de man bewoog hem zelfs op en neer alsof hij het gewicht ervan wilde schatten), werd al het andere werk op het terrein tijdelijk in de steek gelaten; het hele team, bestaande uit vier gespierde bevrachters (in rode voorschoten met een wit kruis op hun borst), begon de bestelwagen open te maken en droeg Charles' spullen voorzichtig naar een laadkarretje. De labels werden er zorgzaam aan bevestigd en de hele papierhandel werd snel afgehandeld. Een hand voor iedereen, en er verwisselden nog een paar Hamiltons van eigenaar.

'Weet je waar ik wél met plezier op zal terugkijken?' vroeg Charles terwijl de oranje bestelbus, nu een stuk lichter, gierend een U-bocht maakte en in hoog tempo over de parallelweg naar de passagiersterminal reed. 'Want je hebt gelijk. Ik heb wel een blijvende herinnering aan mijn tijd hier. Een herinnering die voor mij, o, alles omvat – niet alleen mijn persoonlijke ervaringen, maar een herinnering die tegelijkertijd een symbolische betekenis heeft, met betrekking tot wat dit land doormaakte in de tijd dat ik hier was. Bovendien voor mijn generatie een beeld van een heel tijdperk. Het moment waarin dit allemaal werd samengevat' – zijn handen maakten een groots, vaag gebaar – 'waarover ik mijn kinderen ga vertellen, als ik het recht kan doen. Ik bedoel, ik weet dat ik niet zo'n geweldige communicator ben. Ik ben gewoon een zakenman. Maar weet je wat dat moment voor mij was, John? Het is grappig – het te zien gebeuren en te weten dat dit hét moment is dat je dierbaar zal blijven, dat je voorgoed in je hart zult sluiten. Weet je wat dat moment voor mij was? Het was toen die twee ongelofelijke lelijke meiden elkaar over jou in de haren vlogen. Ik had nog nooit lelijke vrouwen zien ruziemaken. Het was verfrissend.'

John draaide aan de zenderknop in een vergeefse jacht op een goede ontvangst. Door de mist kwam de stem van een Oostenrijkse diskjockey die door een liedje heen praatte. Charles tikte in de maat mee op het stuur terwijl de bestelwagen afremde en snorrend zijn plek in de rij innam. 'Ik heb overwogen om mijn ouders niet te vertellen dat ik terugverhuis naar New York. Ik heb erover zitten denken om jou hun tegen betaling brieven namens mij te laten sturen waarin je ze vertelt hoe goed het me bevalt. Dat ik heb besloten om het staatsburgerschap aan te vragen. En met een leuk Hongaars meisje te trouwen. Me te vestigen in de woning uit de kindertijd van mijn vader, in het Eerste District. Ze nepfoto's te sturen die jouw kale vriendin zou kunnen maken van mij en mijn Hongaarse kindertjes, picknickend op het Margaretha-eiland. En al die tijd zou ik in werkelijkheid thuis zijn en in de rij staan bij Zabar, zoals een normaal mens. Jammer genoeg heb je me beroemd gemaakt en dus komen ze nu weer bij me op de bank zitten om eindeloos te vertellen over de glorietijd van Boedapest in 1938.' Hij reed een meter verder, pakte het parkeerkaartje en stopte het achter de zonneklep. Hij lachte op een vreemde, trieste manier. 'Heb ik je ooit verteld dat ik hun tweede kind was? Ik werd geboren nadat ze een zoontje hadden gekregen, dat later overleed. Mátyás. Hij was vier toen hij stierf aan leukemie, wat een langdurige, gruwelijke affaire is. Overal in huis staan nog foto's van hem. Daar ben ik mee opgegroeid. Ik heb altijd het gevoel gehad dat, ik weet het niet... alsof er van mij werd verwacht...' Charles zoog op zijn lip en reed het parkeerterrein voor kort parkeren op en zette de auto tussen twee Trabanten. Hij zat stil en staarde door de voorruit.

'Je liegt', zei John.

'Ja, nou ja, je hebt gelijk. Maar toch.' Ze liepen naar de terminal. 'Maar ik was wel de helft van een tweeling, en de ander, een jongetje, werd dood geboren – dat is wel waar.'

'Welnee.'

'Nee, ik geloof het ook niet.'

De muren van de terminal waren volgeplakt met reclameaffiches: voor adviesbureaus, accountantsbedrijven, PR-bureaus, bedrijven die computernetwerken verzorgen, tweetalige uitzendbureaus en Duitse condooms. Door de luidsprekers werd Hongaars uitgestort over verstaande en niet-verstaande hoofden. De twee Amerikanen hingen onderuitgezakt in plastic stoelen. Charles' instapkaart fladderde als een staart met ve-

ren uit een achtervakje van een buitensporig luxe zwartleren koffertje
met monogram (een plagerig teken dat je niet te snel moest oordelen over
de passagier in zijn T-shirt en spijkerbroek). Ze lieten hun espresso ronddraaien in het piepschuimen bekertje, en Charles zei nadenkend: 'Weet
je, je zou kunnen stellen dat Imre degene is die aan deze transactie het
meeste heeft overgehouden.'

'Uiteraard. In de zin dat hij vrijwel helemaal verlamd is.'

'Geestig, maar nee. Er zijn mensen die zouden zeggen dat hij meer
heeft gekregen dan hij verdiende.'

'Wat bedoel je daarmee?'

'O, niets. Laat maar. Ik ben het trouwens toch niet eens met die onuit-
gesproken suggestie – verdachtmaking – dus moet ik die ook niet verder
vertellen. Het is een goeie vent, onze Imre. Echt. En hij heeft me een
mooie kans geboden. Ik ben blij dat ik er iets van heb weten te maken,
voor ons allebei. En voor mijn investeerders.'

'Is dit wat hij heeft gewild?' vroeg John zacht, slechts licht gegeneerd.

'Een herseninfarct te krijgen? Ja, ik denk het wel.'

'Is dit wat hij heeft gewild?'

'Je begrijpt toch wel dat hij de grootste aandeelhouder was, niet? Ik heb
meer geld voor hem verdiend dan hij zich ooit had kunnen voorstellen.
Ik heb een multimiljonair van Imre Horváth gemaakt toen hij niet eens
meer leiding kon geven aan zijn eigen bedrijf. Dat begrijp je toch wel?'

Buiten gehoorsafstand zei Charles iets wat de stewardess van Swissair
aan het lachen maakte voordat ze zijn ticket aannam. Hij draaide zich
om en zwaaide wat naar John, een gebaar dat duidelijk maakte hoe onzinnig het is om gedag te zwaaien op een vliegveld. Hij stapte het houten
tunneltje in dat naar New York leidde. En hij was verdwenen. Er was
geen raam waaruit je het vliegtuig kon zien weg taxiën of opstijgen. Het
hele gebouw had wel een haastig in elkaar geflanste filmstudio kunnen
zijn. John slenterde naar buiten, langs de chagrijnige rij taxi's en rekende
zijn parkeertijd af met het geld dat Charles hem had toegestopt voordat
hij aan boord ging. *Is dit alles? Eindigt zo een heel tijdperk?*

Hij zette de auto naast de parallelweg en zag Charles opnieuw naar de
tunnel gaan, weer zijn instapkaart overhandigen aan de knappe Zwitserse
stewardess bij de gate, maar dit keer heeft John er betekenis en een fatsoen-
lijk einde aan toegevoegd: Er klinkt een geluid, het firmament scheurt
met geraas open, de frustratie van een godheid die niet toestaat dat ge-

beurtenissen met een sisser aflopen, zonder enige zin. En Krisztina Toldy
– een stralende, zinderende, seksloze, wrakende aartsengel – schreeuwt
zijn naam, alleen zijn achternaam, alsof ze daarmee al zijn voorvaderen,
zijn land, zijn Donau-stam aanroept: *Gábor!* Terwijl hij bezig is met voor-
rang aan boord te gaan, draait hij zich om. In zijn linkerhand heeft hij zijn
zwarte koffertje met het monogram, in zijn rechterhand het uiteinde
van het mapje met de instapkaart. De stewardess trekt er aan de andere
kant zijn instapkaart uit, maar nu wordt die stewardess achteruit gedreven
tegen de vieze houten deur van de boardinggate, en haar witte blouse
met ruches bloeit ineens rood op, als de omtrek van een roos in een teken-
film die door een animator behendig is ingekleurd. Als haar hoofd tegen
de deur slaat, zakt haar ronde hoedje tot over haar ogen. Het hoedje hangt
op een komische manier scheef tegen haar neus wanneer haar stuiptrek-
kende gestalte in elkaar zakt, en de borsten die John net nog bewonderde,
rijzen en dalen in een vreemd, hortend gebibber. Nog zo'n knallende,
verscheurende dreun van een toornige God, weer die glas-verbrijzelende
klank van zijn naam die wordt uitgeschreeuwd door de bloed-gorgelende
harpij, en nu verspreidt zich op de schouders van Charles' T-shirt een rode
vlek, waardoor het fallische uiteinde van een gitaar wordt uitgewist, en
eindelijk flitst er een zuivere, niet-ironische emotie over het gezicht van
Charles Gábor, gadegeslagen door tientallen mensen. Mensen gillen en
zoeken dekking onder plastic stoelen, zullen zich altijd de ingewandach-
tige aanblik herinneren van de uitgedroogde oude kauwgom die ze zagen
op het moment dat de werkelijkheid door het kunstmatige en de onbeduidendheid van alles en alledag heen barstte. De ten dode gedoemde
Charles Gábor heeft geen tijd om te smeken, om dekking te kunnen zoeken: het volgende schot rijt de wang van zijn gezicht. Hij valt, en het laatste dat hij tijdens zijn leven ziet is dat zij boven hem uit rijst. Ze vuurt twee
keer in zijn nek, dan richt ze het pistool huilend op zichzelf.

John zette de bestelwagen op het parkeerterrein achter het pakhuis van
Median, waar Imre Horváth op de avond van 23 oktober de vloer had ge-
veegd. Hij wachtte tot zijn liedje was uitgespeeld op de radio, die hij eindelijk op FM had weten te krijgen. Bij de roldeur vroeg hij naar Ferenc,
een kantoorassistent, en wierp hem de sleuteltjes toe. Hij nam de metro
naar huis. Hij was onverklaarbaar uitgeput. Slapen kon geen minuut
meer wachten. Zijn hoofd bonkte tegen de plastic rugleuning.

XI

Hij lag op zijn sofa. Buiten voerde de wind eerst een dansje uit met de verlichte bladeren en daarna met zijn dunne gordijn. De lucht werd opgeschrikt door motoren. De afstandsbediening paste ergonomisch gezien perfect in de lijn van zijn onderarm en pols, een uitbreiding van zijn wil.

Als hij haar onder vier ogen kon uitleggen wat er allemaal met hem was gebeurd – elke afzonderlijke emotie en verkeerd begrepen actie en vertekende, buitensporig verkeerd uitgelegde bedoeling – dan zou er tijdens de hartstocht, de tranen en verontschuldigingen die daar ongetwijfeld op zouden volgen eindelijk een band tussen hen ontstaan, en zij zou de zijne worden en er zou sprake zijn van een we. *Ik loop de hele nacht en denk alleen aan ons.* Daarna zou ze in zijn armen in slaap vallen, en hij zou de zachte huid onder haar kin strelen en de gekromde botlijn die haar kin tot zo'n pracht maakte. Op het oogverblindend witte, weelderige kussen zou hij haar haar naar achteren uitspreiden. Hij zou langzaam een opbollend, koel laken over haar lichaam laten neerdalen; haar beide benen waren ontspannen, maar volkomen recht, en haar lichaam zou zich tegen deze sluier aan drukken en alleen een lichte suggestie van zijn contouren prijsgeven. Nu op haar zij gedraaid: de lijn van de onderkant van haar ribbenkast tot de bovenkant van haar heup zou zich als een levende kracht door drie dimensies krommen, de droomlijn die opdook in de zorgelijke, onbevredigende slaap van animators, auto-ontwerpers, ontwerpers van keukenapparatuur en wanhopig eenzame cellisten.

Jonge Amerikaanse mannen, gekleed in de stijl van vijf jaar geleden, spraken met klunzige lippen Duits met elkaar en werden op bulderend gelach onthaald. Het was een Amerikaanse serie, die hij herkende omdat hij populair was geweest in de tijd dat hij op de middelbare school zat en aan de universiteit studeerde, en die nu nagesynchroniseerd opnieuw werd uitgezonden op de Duitse kabel-tv. Moeiteloos herinnerde hij zich de namen van de personages: Mitch, Chuck, Jake en Clam. De vier mannen – nu Fritz, Klaus, Jakob en Klamm – maakten *auf Hochdeutsch* geintjes in een zolderwoning in TriBeCa, in een bar in SoHo, in kafkaiaanse kantoren in het centrum van Manhattan, in parken in Brooklyn, en toen herkende John ineens deze specifieke aflevering. Hij herinnerde zich vaag het bankstel in het studentenhuis waar hij als eerstejaars had gewoond, herinnerde zich dat hij als een zoutzak had zitten kijken, samen met drie andere bevriende zoutzakken (van eentje was hij de naam totaal vergeten). Ze hadden toen ook naar deze aflevering gekeken. De vier personages hadden een weddenschap afgesloten, wist hij nog: de eerste van hen die een meisje zou ontmoeten en het zo wist te arrangeren dat ze hem bij haar thuis zou uitnodigen om een 'lekkere, zelfgekookte maaltijd' voor hem klaar te maken zou honderd dollar winnen van ieder van de drie anderen.

Vijf jaar later, in het Duits, kon John er met zijn verstand niet bij hoe gedateerd de kleding en de kapsels van de mannen eruitzagen. Negentienzesentachtig was niet zo lang geleden, maar kijk toch – terwijl hun lippen heel andere woorden vormden dan die uit de luidspreker van de tv kwamen – zagen ze er even archaïsch uit als hippies, vetkuiven, stekelkoppen, charlestonmeisjes, zandhazen uit de eerste Wereldoorlog, mensen uit de tijd van koning Edward, of Elizabethanen. Een paar minuten voor het einde schoot hem de laatste scène van de aflevering te binnen, wist hij weer dat hij met zijn drie vrienden op de bank had gezeten en dat ze de absurditeiten en beledigingen van hun intelligentie hadden opgesomd en er de draak mee had gestoken: de vier mislukte personages zaten op hun eigen doorgezakte bankstel, keken naar hun televisie en zaten mistroostig maar geestig de spot te drijven met een overdreven romantische film uit de jaren dertig, waarin een vrouw voor haar doorsnee vriendje Joe een lekkere zelfgekookte maaltijd bereidde.

John hield zijn duim op het juiste rubberen bobbeltje, waarna de zenders hem om de beurt allemaal een of twee filmbeeldjes toe flitsten in een wanhopige smeekbede om aandacht – een raceauto die van ba…, een biljartbal die terugkaatste over de dichtsbijzijnde band, een occlusiefront dat naderde van de Atla, Honga, ungari, Dui, uit, uits, Duit, Fran, bij het voeren van een onconventionele oorlo- totdat een reeks elektrische stimuli, die zich sneller voortbewoog dan gedachten, zijn duim van het rubberen bobbeltje wegduwde en er vier rondborstige, mooie, blonde Duitse vrouwen kreunend aan het vrijen waren met een erg dikke man van middelbare leeftijd met een woeste krans van vettig grijs haar, die op een monocle na naakt was.

De afstandsbediening glipte weg naar de grond en hij werd te zeer in beslag genomen om hem op te rapen. Hij kneep zijn ogen tot spleetjes en toen het bloed uit zijn hersenen wegstroomde werden zijn gedachten afgesneden. Buiten stopte er een auto die toeterde om een passagier te waarschuwen, en toen het portier openging, stond de stereo zo hard dat de klanken van dat ene liedje zelfs op driehoog naar binnen zweefden. De vier vrouwen wisselden elkaar hoffelijk en efficiënt af, en John begon te fantaseren dat hij zelf door hen werd omringd, stelde zich hun gezichten voor onder hun blonde haar, de gezichten van Emily Oliver en Nicky M. of Karen Whitley en de hardrijdster en de twee meisjes die hem voor een filmster hadden aangezien en – zijn gedachten knepen onder elke censuur uit – zelfs oude Nádja en Krisztina Toldy; er zoemden wat synapsen en toen verscheen zelfs het gezicht van Charles Gábor heel even voordat het werd vervangen door nog een Emily Oliver en nog een, vier keer, vanuit alle richtingen, voorzien van extra armen en handen, vier hoofden en gezichten, een hydra van Emily, die van alle kanten naar hem glim- en grimlachte en hem een beurt gaf op manieren die de aardse zwaartekracht nooit zou toelaten.

Zijn ademhaling werd rustiger, en de foto's van zijn vrouw en kind stonden op hun vertrouwde plekjes... *moet niet vergeten ze mee te nemen.* Hij viel in slaap toen de auto met zijn muziek wegreed over Andrássy, en (een laatste zwakke inspanning van de duim) de televisie weerberichten van over de hele wereld murmelde, omdat hij het de laatste tijd moeilijk vond om te slapen zonder zachte televisieklanken in het vertrek. Hij droomde, werd wakker en zapte, doezelde weer weg, werd weer wakker en doezelde weer weg, enzovoort. Charles Gábor was op de televisie en onderwierp zich beminnelijk aan een ondervraging. Hij en de interviewer zaten op leren draaistoelen onder een bungelend tl-bord: GELD-PRAAT. De interviewer stelde heel gemakkelijke vragen vermomd als agressieve vragen: 'Voor een knaap die in mijn ogen nog zo jong is dat hij nog gefascineerd moet zijn door iets als schéren, hoe heb je dat knappe staaltje voor elkaar gekregen, Charlie?'

XII

Zijn beperkte bagage laat zich met bevredigende symmetrie en zonder uitstekende randen wegstouwen, als speelgoedbagage die speciaal is afgestemd op de vorm van de bagageruimte boven de zitplaatsen in een speelgoedtrein. Hij gaat bij het open raam zitten en kijkt naar het perron, het woord dat zo doet denken aan mogelijkheden, potentieel.

Het perron, waar aankomst en vertrek alles veranderen en... Wie zou me kunnen komen uitzwaaien? Oh... Toch heeft het iets opwindends... Die gigantische sleutel zal daar wel leuke gespreksstof opleveren, als ze niet hetzelfde soort gebruiken. Op de met kinderhoofdjes geplaveide straten, met mijn groep, of met mijn hoofd op een kussen met precies het juiste gezicht tegenover me... Is ze dat, is ze erachter gekomen, is ze gezwicht, heeft ze me opgespoord... Nou ja, hetzelfde haar, min of meer. *Moet je dit zien, dit was de sleutel van mijn...* Perron. Als het begin van een film: de jongeman op het station, op het punt van vertrek naar wie-weet-waar, onbekende plaatsen, net op tijd vertrekkend...

De trein sukkelt schokkerig voort, en zijn hart ook. Zijn hart vliegt ver vooruit over kilometers spoor, veel sneller dan de trein zelf, over grenzen, naar nieuwe levens, bereikt bijna zijn doel, maar wordt met een elastische ruk teruggetrokken. Net buiten de stationsoverkapping glijden de gebouwen aan weerszijden van de spoorbaan voorbij, als de huizen aan een gracht, met ongelijkmatige snelheidsschokken in een steeds hoger tempo. Door de 1 mei-mist laat hij de stad achter zich; hij kijkt in de richting die hij opgaat – niet naar wat hij achter zich laat – klaar voor alles wat er komen gaat, wie en wat het ook mag zijn.

Het platteland, bestaande uit groen met af en toe een fabriek, boerderij, hut, uitgeholde heuvelflank (groen glazuur op grauwe cake) met roerloze kranen en achtergelaten vrachtwagens, de magische verleidstersdans van golvende zwarte lijnen op het raam.

Die arme, oude man, een kunstwerk, een leven te leiden als een kunst... Onthoud goed dat het allemaal een spelletje is, en de winnaars zijn degenen die serieus van niet-serieus kunnen onderscheiden. Het gaat immers niet om oorlog, tirannie, armoede, marteling, nazi's of Russen. In feite niet echt dodelijk, gewoon indigestie, bepaalde voedingsmiddelen vermijden, hij is immers wel multimiljonair geworden, dat snap ik ook. Gewoon goed voor ogen houden wat serieus is en... De dingen die zijn gebeurd zijn niet echt zo... ze zijn alleen...

De buitenwijken zijn het ergst. Als je uren in één houding zit, voel je – heerlijk – niets. Je bent vrij van het verleden en de toekomst, je zweeft in een potentieel van vruchtwater, maar dan strekken de buitenwijken en de laatste twintig minuten zich een eeuwigheid lang uit, nemen reusachtige proporties aan en belemmeren meedogenloos je aankomst, die steeds meer haast heeft.

Hier zal het leven beginnen, aan het eind van deze rit. Ik zal uit de trein op het perron stappen. Maar daar zal het echte Europa zijn, onaangetast door de oorlog; geen nieuw opgetrokken 'oude stadjes' omwille van toeristen die zichzelf een rad voor ogen draaien. Eerlijkheid in alles. En die eerlijkheid trekt een ander type aan. Daar zal ik mensen vinden die... Ik ben jarig geweest in Boedapest. Nee, is dat echt zo? Is het me ontgaan? Ik ben vorig jaar mei gekomen, nu is het mei, hoe heb ik het dan gevierd? Doet er niet toe. Dit jaar zal anders zijn, omringd door ernst. Het echte leven wacht, verjaardagen, een verloss...

De trein rijdt maar rond. Nadat hij zo'n groot stuk van de wereldbol heeft afgereisd, in een razendsnelle rechte lijn, gaat de trein ineens langzamer rijden en beweegt zich in een spiraalbaan in onmerkbaar kleinere kringen om zijn bestemming, en hij stelt zich voor dat hij ertoe wordt veroordeeld eeuwig in eindeloze voorsteden rond te dolen, in het grauwe voorgeborchte van er-bijna-zijn. De trein volgt zijn baan door afgrijselijke buitenwijken, maar de bestemming blijft onzichtbaar: die houdt zich schuil net binnen de eindeloze spiraal en stelt het moment uit. Hij doezelt.

De temperatuur van het raam tegen zijn gezicht verandert, het wordt ineens warm. Hij wordt wakker, en daar is ze eindelijk, met één helft van zijn eigen transparante, vochtige gezicht er flets overheen gelegd, als een watermerk. Daar is ze, hoewel nog ver weg, merkwaardig ver weg voor al die martelende minuten die bij het naderen verzengen. Ze is alles in één, één enkel beeld dat zich aan een vluchtige blik prijsgeeft: een land van torenspitsen en speelgoedpaleizen en vergulde poorten en bruggen met droef kijkende beelden die uitstaren over mistig zwart water, een dorp met kinderhoofdjes en glas in lood dat niet met kanonnen in aanraking is geweest, en het sprookjeskasteel dat erboven zweeft zonder ergens aan te zijn verankerd, een stad waar ongetwijfeld alles mogelijk zal zijn.